LOS
INTOCABLES

LOS INTOCABLES

JORGE ZEPEDA PATTERSON

COORDINADOR

Diseño de portada: Marco Xolio
Fotografías de portada: Cortesía de revista *Día Siete* y diario
El Universal

© 2008, Jorge Zepeda Patterson

Derechos reservados

© 2008, Editorial Planeta Mexicana, S.A. de C.V.
Bajo del sello editorial TEMAS DE HOY
Avenida Presidente Masarik núm. 111, 2o. piso
Colonia Chapultepec Morales
C.P. 11570 México, D.F.
www.editorialplaneta.com.mx

Primera edición: octubre de 2008
ISBN: 978-607-7-00025-9

Impreso en los talleres de Litográfica Ingramex, S.A. de C.V.
Centeno núm. 162, colonia Granjas Esmeralda, México, D.F.
Impreso y hecho en México – *Printed and made in Mexico*

ÍNDICE

INTRODUCCIÓN

Mario Villanueva, ex gobernador de Quintana Roo, fue el último miembro de la alta clase política que cayó en prisión. Eso fue en 1999, antes del triunfo de Vicente Fox y del arribo del llamado gobierno de la alternancia. Desde entonces, todos los amagos para enjuiciar por corrupción a *peces gordos* en México han terminado en negociaciones y perdones judiciales: El "Góber Precioso" Mario Marín fue exonerado por la Suprema Corte; Arturo Montiel obtuvo el perdón de manos de su delfín, Enrique Peña Nieto, a quien había hecho gobernador; el líder sindical Napoleón Gómez Urrutia vive en exilio dorado gracias a la incapacidad de las autoridades del Trabajo para poder demostrar lo obvio; el líder petrolero Carlos Romero Deschamps fue exculpado en virtud de las negociaciones entre el PRI y Los Pinos; los hermanos Bribiesca, hijos de Marta Sahagún, están blindados por la protección panista y Norberto Rivera, al parecer, gozó de protección celestial entre los tribunales que lo juzgaban por el delito de encubrimiento de un sacerdote pederasta.

Pese a todo, estas oportunidades fallidas fueron casos excepcionales. Al menos tuvieron oportunidad de llegar a instancias jurídicas de distinta índole. Lo *normal* es que los delitos de los poderosos no puedan tocarse ni con el pétalo de un rosa, mucho menos enjuiciarse y sentenciarse.

La *democracia*, si como tal asumimos la competencia electoral que logró instalarse en México después de setenta años de régimen unipartidista, no ha disminuido la impunidad. En todo caso, la ha fortalecido. En la década anterior, el más poderoso líder sindical del momento fue a la cárcel (el llamado Quinazo, equivalente hoy en día a condenar a Elba Esther Gordillo); el hermano del presidente saliente terminó en prisión; fueron depuestos quince gobernadores; la Procuraduría General de la República fue entregada a la oposición; la Secodam fue dirigida por un priista representante de una facción opuesta al gabinete vigente (Arsenio Farell); un general fue encarcelado por narcotráfico y

9

Gutiérrez Rebollo, el entonces denominado "zar contra las drogas", fue aprehendido; varios dueños de bancos y empresarios fueron perseguidos (Jorge Lankenau, Ángel Rodríguez, el "Divino", Carlos Cabal Peniche, Gerardo de Prevoisin, entre otros).

A partir del año 2000 paró en seco esa tibia e incipiente tendencia. Las instancias diseñadas en los años noventa para introducir mecanismos de control y rendición de cuentas de los poderosos han fracasado o han sido neutralizados. La Secodam, actualmente Secretaría de la Función Pública, concebida para eliminar la corrupción en la administración pública, es un elefante blanco en manos de un incondicional del propio gobierno; el IFE terminó siendo una representación de los partidos políticos a los cuales se supone debe supervisar; las comisiones de competencia y regulación, destinadas a impedir los abusos de los monopolios, son controladas por personeros de los grandes grupos empresariales y mediáticos; la Comisión de Derechos Humanos, CNDH, responsable de documentar y procesar la violación de derechos humanos de parte de las autoridades, fue neutralizada entregándosela a un aliado del poder.

Los poderes de facto hicieron alianzas, delimitaron territorios y establecieron una premisa que parece decir: "nunca contra alguno de nosotros". Gracias a ello, los esbirros de Ulises Ruiz, de Oaxaca, pudieron burlar la justicia pese a la desaparición de una decena de personas, que incluyeron la muerte de un periodista extranjero. La nación entera escuchó la voz de Mario Marín mientras vendía la justicia al empresario Kamel Nacif; los Bribiesca se convirtieron en multimillonarios repentinos gracias a Pemex y el Fobaproa-Ipab. Todos ellos están libres.

Mientras tanto, el *narcomenudeo* y los sicarios se han apropiado de las calles. Controlan presidencias municipales en las sierras, hacen ajusticiamientos a dos cuadras de oficinas de la PGR, organizan sus propios retenes, despliegan mantas de manera simultánea en varias ciudades.

La impunidad de los poderes salvajes no es más que un reflejo de la impunidad de los poderes formales. Capos de los cárteles y procuradores, líderes políticos y élite empresarial, se saben en México por encima de la ley. Sin duda, la sociedad mexicana ha hecho notables progresos en muchos campos de cara a la apertura y la modernidad. Sin embargo, en lo que respecta a la corrupción, el país experimenta una preocupante regresión. El PAN, como partido de oposición hizo de la crítica a la impunidad una bandera a lo largo de cincuenta años; se convirtió en cómplice activo y pasivo de la corrupción una vez que conquistó el poder. Los otros dos partidos no lo han hecho mejor.

El libro *Los intocables* documenta algunas historias *ejemplares* que dan cuenta de este proceso. Hombres y mujeres que gracias a su poder, celebridad o riqueza viven, literalmente, al margen de la justicia.

Los más obvios son los políticos millonarios y todopoderosos que se han encumbrado a pesar de exhibir trayectorias plagadas de escándalos de diversa índole. Hemos elegido cuatro casos, pero podrían ser varias docenas: Emilio Gamboa, coordinador de los priistas en la Cámara de Diputados en el periodo 2006-2009; Jorge Hank Rhon, vástago de uno de los más poderosos clanes políticos, ex alcalde de Tijuana y multimillonario propietario de casinos de juego; Diego Fernández de Cevallos, un cacique panista, inmensamente rico gracias a su doble carácter de miembro del Estado y abogado de demandas en contra del erario público; Marta Sahagún y los Bribiesca, que reescriben una nueva versión de la historia antigua del enriquecimiento por tráfico de influencias. Jenaro Villamil, Marco Lara, Roberto Rock y Rita Varela, cuatro extraordinarios periodistas, dan cuenta de los trasfondos de estas trayectorias.

Ninguna descripción de la impunidad de la clase política quedaría completa sin tratar el caso de los gobernadores. La *democracia* mexicana y sus vacíos de poder los han convertido en verdaderos señores feudales en sus territorios. El autor de estas líneas describe a los grandes beneficiarios de la fragmentación del poder en México: del "Góber Bailador" Humberto Moreira, en Coahuila, al "Piadoso" Emilio González Márquez, en Jalisco, pasando por los hermanos incómodos de Bours, Natividad González, Zeferino Torreblanca, entre otros.

Los políticos pueden ser los más visibles, pero no son los únicos que están más allá del bien y el mal. El cardenal Juan Sandoval Íñiguez, líder espiritual de buena parte de la derecha ultraconservadora, varios gobernadores incluidos, es uno de los mayores *intocables* en México, como lo muestra el texto de Sanjuana Martínez, autora de varios libros sobre el lado oscuro de los prelados.

El caso de José Luis Soberanes, presidente de la CNDH, resultó imprescindible porque se ha convertido en un cancerbero que garantiza la impunidad de algunos *intocables*. La periodista Lydia Cacho, que algo sabe del tema, documenta esta historia.

Los grandes ausentes en este texto son los capitanes empresariales, verdaderos titiriteros del teatro de la impunidad en México. En realidad, el libro *Los intocables* constituye una suerte de segundo volumen de *Los amos de México*, que presentamos en 2007, sobre los dueños del dinero. Luego de las once historias de vida de los principales multimillonarios del país tratadas en aquel texto, consideramos pertinente dedicar este volumen a otros *gremios*.

Sin embargo, incluimos el peculiar caso del empresario Víctor González Torres, el "Doctor Simi", pues ha sido un personaje recurrente de la vida pública luego de su participación en la campaña presidencial de 2006. Ricardo Raphael arroja luz sobre los verdaderos motivos de su incursión política y los oscuros entretelones del imperio que ha construido.

Finalmente, desarrolladas por Mauricio Carrera y Alejandro Páez Varela, respectivamente, se incluyen las historias de vida de la conductora de televisión Pati Chapoy y del ex boxeador Julio César Chávez. Quizá sus fallas y errores no tienen el carácter francamente criminal que exhiben otras trayectorias en este libro. La inclusión de Chapoy y JC obedece al interés de documentar otras áreas de la vida pública, en las que la fama y el poder mediático hacen *intocables* a algunos personajes.

Algunos autores pudieron entrevistar personalmente a los *biografiados* (es el caso de Jorge Hank, Pati Chapoy, Diego Fernández de Cevallos); todos fueron el resultado de diversas entrevistas con amigos y enemigos, admiradores y detractores, testigos de defensa y de descargo de las trayectorias aquí relatadas. Fernando Hernández Hurías aportó un documentado expediente hemerográfico de cada caso. Las propuestas de Gabriel Sandoval, editor de Planeta, fueron decisivas en la conjunción de esta obra.

Las diez historias de impunidad incluidas no buscan simplemente documentar el pesimismo o inventariar nuestras desgracias. Por el contrario, el libro parte de la convicción de que la única manera de combatir la corrupción es entendiendo los intrincados y sutiles mecanismos que la construyen. La revelación desmenuzada de la manera en que viven y se reproducen los *intocables* es el primer paso de un largo camino para hacerlos *tocables*. El principio del fin de la impunidad consiste en asegurarse de que esas infamias no sean ignoradas.

JORGE ZEPEDA PATTERSON
Septiembre, 2008

JUAN SANDOVAL ÍÑIGUEZ
Cardenal de los ricos

SANJUANA MARTÍNEZ

Esta vez, no hubo mariachis ni las Bandas de Yahualica y Tlachichila, entonaron las tradicionales *Mañanitas*. No hubo misa de Acción de Gracias, mucho menos desayuno conmemorativo. El cardenal Juan Sandoval Íñiguez se vio obligado a suspender todas las celebraciones del día de su santo, el 24 de junio, fecha emotiva y ocasión anual de festejos opulentos en su mansión de Tlaquepaque. Ese día tan señalado, como regalo envenenado, el juez lo citó para sentarlo en el banquillo de los acusados.

No era la primera vez que su eminencia se veía inmiscuido en asuntos relacionados con el manejo de los recursos monetarios: malversación de limosnas, lavado de dinero procedente del narcotráfico, evasión fiscal, enriquecimiento ilícito, acumulación de costosos *regalos* y ostentación de su fortuna eran sólo denuncias cotidianas que habían envuelto su poderosa y ascendente carrera eclesiástica de cincuenta años. "No me van a sentar en el banquillo de los acusados"[1], había advertido días antes de la fecha señalada. Y así fue. Una vez más, el Cardenal desatendió su cita con la justicia. Las argucias legales y la protección del Estado le permitieron evadir nuevamente su presunta responsabilidad en el caso de la *macrolimosna*.

Es un príncipe de la Iglesia con patente de corso. Un hombre que fue candidato a ser Papa y que vive en el filo de la navaja, equilibrista sobre la delgada línea divisoria entre lo permitido y lo ilícito. Un prestidigitador. Un alquimista capaz de convertir ante sus fieles, lo negro en blanco. Sus seguidores lo santifican, sus detractores lo demonizan. La polémica personalidad de Juan Sandoval Íñiguez no deja indiferente a nadie.

[1] Eugenia Barajas en *La Jornada Jalisco*, 14 de junio de 2008.

Despacha dos días a la semana en el Arzobispado de Guadalajara, el resto prefiere hacerlo a la orilla de la piscina techada que posee en su elegante casa de Tlaquepaque. Allí acuden a rendirle pleitesía funcionarios, líderes sindicales, diputados, senadores, empresarios, comerciantes, artistas, gobernadores, secretarios de estado, presidentes, candidatos, alcaldes…

La casa color albero está ubicada en la calle Morelos 244. Antigüedades, arte sacro y regalos finos con dudoso gusto decoran el recibidor y el despacho del Cardenal. Las fotografías del purpurado con su mamá y con los papas Juan Pablo II y Benedicto XVI dan la bienvenida al visitante. La piscina techada le permite al Cardenal practicar diariamente la natación, uno de sus aficiones preferidas además del golf. La casa tiene jardines bien cuidados donde se pasean un gallo, una gallina, un changuito, tres pavorreales, cinco perros y tres pericos que suelen deambular alrededor de la mesa en el exterior, mientras él y sus invitados degustan las delicias de sus tres cocineras: Carmen, Imelda y Mari Cruz.[2] La lujosa residencia tiene amplias habitaciones, comedor y capilla que son atendidos por un equipo de sirvientes: jardineros, porteros, mucamas, ama de llaves, monjas, secretarios, choferes… En el exterior, policías vestidos con uniforme, cuidan la seguridad del purpurado, quien además goza de una escolta proporcionada por el estado durante las 24 horas del día.

En Tlaquepaque se encuentra otro lugar que requiere la máxima atención del Cardenal. En el barrio de San Pedrito, la Casa Alberione, un bunker cercado, tiene fama entre los vecinos de "guarida de criminales". Dirigida por el purpurado, se trata de una clínica para sacerdotes pederastas denominada "Centro de las Adicciones", investigada por Interpol, pero jamás inspeccionada por la policía de Jalisco o las autoridades federales.[3] A diferencia de su casa, que está ubicada en el centro de la ciudad, *el centro* fue construido en un barrio popular donde aún existen calles sin asfalto. Entre la polvorienta atmósfera y las casas humildes destaca la fortaleza con varias entradas. Uno de sus frentes está cercado por barrotes y es fácil ver el interior compuesto de amplios jardines y lugares de reunión. Allí se hospedan durante tres o seis meses presbíteros de más de dieciséis países. El Cardenal suele acudir con regularidad. Celebra misas y supervisa el funcionamiento terapéu-

---

[2] Myriam Ibarrola en revista *Quién*, 21 de marzo de 2008, núm. 161.
[3] Sanjuana Martínez, *Prueba de Fe: la red de cardenales y obispos en la pederastia clerical*, México, Planeta, 2007.

tico del lugar. El refugio para los curas con "problemas de conducta", que está ubicado en la calle Pemex número 3987 de la colonia Vista Hermosa, cuenta con instalaciones de cinco estrellas y personal especializado. Para el tratamiento de los abusadores sexuales el purpurado utilizó hasta el año 2000, los servicios del obispo Marcelino Hernández, psicólogo de profesión y creador del programa terapéutico multidisciplinario "Génesis" —aún vigente— que promete "curar" la pederastia. Esta aseveración es muy cuestionada por especialistas en el tema, quienes aseguran que la pederastia es una parafilia delictiva sin curación, que amerita la cárcel y un control médico estricto de por vida.[4]

Acusado por la Red de Sobrevivientes de Abuso Sexual de Sacerdotes de ser protector de pederastas, el Cardenal suele referirse a ese delito deleznable como una parte de la "fragilidad de todo ser humano". Prefiere no denunciar a los agresores ante las autoridades correspondientes. Afirma que la Santa Sede ha pedido que todo sacerdote abusador sexual sea reportado solamente a la Congregación para la Doctrina de la Fe,[5] mientras su superior lo remueve de la parroquia, estado o país, para evadir la acción de la justicia y lo interna en la Casa Alberione, fundada según el Cardenal para dar atención a todos aquellos sacerdotes que "caigan en conductas indebidas".

La culpa es un sentimiento desconocido para el Cardenal. Regordete y de semblante sonrosado, la vida cotidiana de este príncipe de la Iglesia transcurre entre desayunos, comidas y cenas con personajes poderosos de todos los ámbitos. Disfruta jugando al golf con sus amigos más cercanos y como buen sibarita está acostumbrado a la buena comida y al buen vino. Los coches de lujo no le disgustan. Las propiedades tampoco. Ni las relaciones con millonarios, incluso con personas seriamente cuestionadas por la justicia. La vida suntuosa del Cardenal de setenta y cinco años está a mucha distancia de su humilde origen.

Nacido en el seno de una familia conservadora, modesta y numerosa, el 28 de marzo de 1933 en el poblado jalisciense de Yahualica, perteneciente a la diócesis de San Juan de los Lagos, región de los Altos de Jalisco y cuna de la Guerra Cristera (1925-1933), Sandoval Íñiguez tuvo doce hermanos, de los cuales nueve viven todavía. Uno de ellos, José, es misionero de Guadalupe en Corea. El purpurado completó la escuela primaria en el instituto Amado Nervo de su pueblo natal. Ingresó al seminario de Guadalajara con apenas doce años.

[4] Idem.
[5] Idem.

Aquel niño de cara angelical, cabello rubio y mejillas rosadas, el serafín orondo y tímido, ha sufrido una metamorfosis espectacular. En su última etapa se ha convertido en un hombre de modales hoscos y carácter irascible, en un persona odiada por unos y amada por otros, capaz de polarizar a la sociedad jalisciense. Su incontinencia verbal define claramente su temperamento e ideas: acérrimo enemigo de la educación laica, aguerrido combatiente del aborto, defensor de grupos ultraconservadores con los que mantiene fuertes nexos, como el Yunque, el Opus Dei, el Grupo Jalisco, la organización Desarrollo Humano Integral (DHIAC) o los Tecos de la Universidad Autónoma de Guadalajara (UAG), homófobo declarado, enemigo de la izquierda, amigo del Partido Acción Nacional —por el que abiertamente hace proselitismo—, ostentoso trasgresor del estado laico, censor de modelos alternativos de familia, protector de sacerdotes pederastas, soterrado misógino, intolerante con la diferencia, amante de la riqueza, compañero de los poderosos, altanero con los pobres, golfista impenitente, soberbio con los necesitados, iracundo con otras religiones, voraz comensal, potente movilizador de las huestes católicas conservadoras, operador político en la sombra, envidioso de los mausoleos, avaricioso con las propiedades, detractor de los derechos humanos, abogado de los mártires cristeros, perezoso en el trabajo pastoral con los desheredados... el Cardenal exhibe su particular rosario de excesos viviendo en la concupiscencia y en la insubordinación de sus deseos a la razón. A la luz de los hechos, es la tendencia de su eminencia a practicar los siete pecados capitales.

Soberbia

El hombre fue expulsado del Paraíso al cometer esta ofensa directa contra Dios. Santo Tomás sostiene que se trata de "un apetito desordenado de la propia excelencia", porque el pecador cree tener más poder y autoridad que Dios.

El cardenal Sandoval Íñiguez ha acumulado tanto poder, que es un hombre que vive por encima de la ley. Así lo afirma el procurador Jorge Carpizo Mac Gregor quien entregó el 20 de mayo de 2003 un informe a la PGR y la denuncia contra el Cardenal y otras quince personas por lavado de dinero. En el informe se asegura que el purpurado ha sostenido vínculos con narcotraficantes como Rafael Caro Quintero, Ernesto Fonseca Carrillo, Miguel Ángel Félix Gallardo, los hermanos Lupercio Serratos, Rafael Aguilar Guajardo y Rafael Muñoz Talavera, entre otros. El documento de veinticinco páginas titulado "Juan Sandoval Íñiguez. La Traición" narra los entresijos que cubren las denominadas *narcolimosnas* y sitúa en Medellín, Colombia, la realización de uno de los acuerdos entre la CELAM, Sandoval y el cardenal José Salazar López para "encontrar otras formas de cooperación económica que estén desligadas de la administración de los sacramentos". En el informe se afirma que Guadalajara y Ciudad Juárez son ciudades donde hay fuerte presencia de narcotraficantes; en coincidencia con los periodos en que el cardenal Sandoval ocupó puestos relevantes dentro de la jerarquía católica de esos centros urbanos se notó: "el auge y fortalecimiento del narcotráfico y de algunas bandas de narcotraficantes" y de manera contundente establece: "es necesario analizar ese binomio de coincidencias: auge del narcotráfico-presencia de determinados jerarcas religiosos. Con mayor razón si observamos que Juan Jesús Posadas Ocampo fue obispo de la diócesis de Tijuana desde 1970 hasta 1982, en donde también existe una fuerte presencia del narcotráfico. Hasta antes de 1988, Guadalajara y Sinaloa forman el tronco principal del narcotráfico en el país, tiempo en que Sandoval Íñiguez obró como vicerrector y rector del seminario en Guadalajara, Jalisco, y a partir de 1988, año en que llega a Ciudad Juárez, se inicia el auge del cártel de dicha ciudad fronteriza. En tanto, paralelamente, se desarrollaba el Cártel de Tijuana, donde Posadas Ocampo creaba una estructura que trasladó a Cuernavaca, Morelos, donde estuvo desde 1982 a 1987, cuando se mudó a Guadalajara. Lo anterior permitiría suponer inicialmente que el crecimiento y fortaleza de los narcotraficantes en esas regiones estaría vinculado a la protección, apoyo y relaciones que se dan entre algunos jerarcas de la Iglesia católica y dichas bandas; es decir, que el proyecto de financiamiento y enriquecimiento de algunas diócesis y el poder que logran concentrar algunos jerarcas de la Iglesia católica pasa por distintos caminos y uno de ellos es su relación con las bandas de narcotraficantes."[6]

Han pasado cinco años de aquella denuncia y Jorge Carpizo Mac Gregor aún sigue sin entender las razones de la protección que el cardenal jalisciense recibió del Estado para ser exonerado por la justicia: "Juan Sandoval Íñiguez es un hombre impune, uno de los grandes impunes de México", afirma sin ambages.[7]

---

[6] Julián Andrade Jardí y Jorge Carpizo. *Muerte de un cardenal. Ganancia de pescadores*, México, Nuevo Siglo, 2001.
[7] Entrevista de la autora con Jorge Carpizo Mac Gregor.

Autor de diecisiete libros, jurista reconocido por su amplia trayectoria, el ex procurador General de la República y ex secretario de Gobernación se muestra tranquilo con su conciencia por haber dado la batalla: "Después de tantos años, me di cuenta de que la política en México subordina a la justicia". Añade: "A pesar de todo, estoy tranquilo conmigo mismo, puedo mirar a la gente a los ojos, puedo caminar por todos lados, sintiéndome libre. A la sociedad mexicana nunca la engañé. Lamentablemente, la impunidad de Sandoval Íñiguez daña a la procuración de justicia en México".

Investigador emérito de la Universidad Autónoma de México, Carpizo Mac Gregor ha recibido a lo largo de su carrera académica y política más de ochenta distinciones y premios. Ocupó los cargos de ministro numerario de la Suprema Corte de Justicia, presidente fundador de la Comisión Nacional de Derechos Humanos, rector de la UNAM y embajador de México en Francia: "Pasados los años, tal vez cien años, cuando ya no estemos en este planeta, historiadores objetivos lo van a poner en su lugar —dice con tono melancólico—. Sandoval Íñiguez ha hecho tantas bajezas que va a ser imposible que no llame la atención a los investigadores, quienes podrán consultar los libros de las averiguaciones previas y los expedientes con toda la verdad".

Por primera vez, Carpizo Mac Gregor se atreve a develar uno de sus grandes secretos: el archivo completo de lo que él llama "el caso Sandoval Íñiguez", un grueso expediente que pone a disposición de la autora: "Allí está todo y está abierto para usted en un lugar que nadie se imagina".

Fueron semanas, meses, años dedicados a la acumulación de pruebas, a la indagación de hechos, a la investigación de miles de documentos que ofrecían la certeza de los presuntos crímenes del cardenal Sandoval Íñiguez: "La prueba de que algunos sectores creyeron en lo que dije —señala con orgullo—, es la cantidad de documentos de toda índole que aporté porque los fui recibiendo de gente que me los dio. Gente que creyó y sigue creyendo en mí".[8]

¿Quién destapó la Caja de Pandora del caso Sandoval Íñiguez? Fue el obispo emérito de Ciudad Juárez, Manuel Talamás Camandari quien informó a las autoridades que realizaron el informe respecto a las actividades ilícitas del Cardenal. El obispo afirmaba que Sandoval Íñiguez ascendió rápidamente en su carrera eclesiástica gracias a sus relaciones con el nuncio apostólico Jerónimo Prigione: "Cuando lo enviaron a

---

[8] Idem.

Ciudad Juárez haga de cuenta usted que sentí un mazazo en la cabeza. Los escasos veinte meses que estuvo aquí, nunca hizo labor pastoral. Sólo efectuaba reuniones, como dicen, con los ricos, y esos señores que mencionan [los presuntos narcos Aguilar Guajardo y Muñoz Talavera, entre otros] a los que por cierto yo conocía, pero nunca les acepté sus aportaciones". El 11 de septiembre de 2003, la subprocuraduría de Investigación Especializada en Delincuencia Organizada y la Unidad Especializada en Investigación de Operaciones con Recursos de Procedencia Ilícita y de Falsificación o Alteración de Monedas anunciaron que habían investigado las cuentas bancarias que desde 1996 tienen el Cardenal y su familia.[9]

"Lo que siempre pedí fue que se hiciera una investigación objetiva al respecto —recuerda Carpizo Mac Gregor—. La PGR inició esa investigación y cuando pide la indagatoria a la Secretaría de Hacienda, el oficio de la PGR lo publica un periódico. En ese momento supe que la investigación se iba a parar. Y así pasó".

Efectivamente, a una semana de haberse publicado que la PGR estaba integrando una averiguación en contra del purpurado por lavado de dinero y otros delitos, Vicente Fox recibió a Sandoval Íñiguez en su rancho de Guanajuato el 21 de septiembre de 2003: "El Cardenal en lugar de pedir que se le investigara porque no tenía nada que ocultar, fue a ver al presidente para presionarlo políticamente. Fue tristísimo ver cómo Sandoval salía diciendo: 'Ya lo arreglé. No tengo nada de qué preocuparme'. Fue gravísimo, porque exhibió la intervención del presidente en la justicia. Luego, un día en época navideña se dice en secreto que la investigación ha concluido y que nadie es responsable. Se le exonera. Yo pido en ese momento que se me dé acceso a la investigación y se me niega, bajo el argumento de que yo no era parte interesada. ¡Imagínese! Si fui yo el que interpuso la denuncia".

Añade: "Como denunciante, la PGR me hizo declarar en muchas ocasiones, mientras a Sandoval Íñiguez jamás le tomaron una declaración. Al exonerarlo, lo mínimo era haberme notificado de la investigación o haberme dejado ver el expediente, para que las cosas quedaran claras. A estas alturas no conozco el expediente. Nunca me han permitido verlo".

Pese a que el gobierno foxista cerró el caso Sandoval Íñiguez, la sombra de la duda sobre el lavado de dinero persigue al Cardenal: "En

[9] Álvaro Delgado, "El escándalo de las narcolimosnas", en revista *Proceso*, número 1403, 21 de septiembre de 2003.

realidad la intervención del presidente va en contra del propio señor Sandoval Íñiguez porque las cosas no quedaron claras y mucha gente tiene dudas. ¿Realmente se le investigó? ¿Realmente el señor es inocente? Yo no puedo contestar, porque se me ocultó el expediente. Por lo tanto, la sombra continúa".

Según el jurista, aquel documento contenía imputaciones tan graves y contundentes que los abogados del purpurado optaron por filtrarlo a la prensa: "El ladrón gritando 'agarren al ladrón'. El documento era tan escandaloso que lo filtraron. Se afirmaba que el Cardenal había construido templos en Ciudad Juárez con dinero negro. Yo no me atreví jamás a develarlo, incluso hasta el día de hoy nunca he escrito nada sobre el documento ni sé si realmente la PGR investigó las imputaciones de ese documento".[10]

Al hombre que sustituyó al asesinado cardenal Juan Jesús Posadas Ocampo, se le acusó de sostener relaciones con narcotraficantes junto al desaparecido purpurado: "ninguna de estas relaciones son fortuitas, sino consecuencia de un proyecto específico —señala el documento—. Los lugares donde han operado Posadas Ocampo y Sandoval Íñiguez se han convertido a la larga en sede de los cárteles más poderosos del narcotráfico y se ha potenciado con sus estadías el auge de dichos cárteles". Recordemos que Sandoval Íñiguez fue designado obispo de Ciudad Juárez en 1988 y ungido cardenal en noviembre de 1994 en Roma. En el documento se relata cómo Sandoval fue escalando posiciones en la Iglesia gracias a sus nexos con el narcotráfico. Talamás reconoce que Sandoval visitó las "fincas y ranchos de esos señores y que incluso participó en algunas tertulias por su afición a las charreadas y jaripeos". Afirma: "No recuerdo que haya promovido algo, jamás tuvo iniciativa de nada. No participó gran cosa realmente. No hizo nada ni puso en marcha nada nuevo. Cuando ya tomó posesión de la diócesis, lo que hizo fue cambiar a superiores del seminario, con lo que provocó inconformidades de muchos sacerdotes y el natural divisionismo diocesal." Sandoval Íñiguez aprendió a comercializar muy bien los santísimos sacramentos. El informe señala que por "sus relaciones con esos señores, bendecía sus casas y negocios, bautizaba y confirmaba a sus hijos, nietos o amigos. Particularmente a las familias Caraveo, Aguilar Guajardo, Zaragoza Fuentes, Bermúdez, Muñoz Talavera, entre otros, en Ciudad Juárez; con los Caro Quintero, Félix Gallardo y Lupercio Serratos en Guadalajara" y añade el documento:

[10] Entrevista de la autora con Jorge Carpizo Mac Gregor.

"recibiendo incluso de ellos fuertes aportaciones económicas", como la que se atribuye a Aguilar Guajardo presuntamente para construir la iglesia Expectación de María.[11]

La información proporcionada por el obispo Talamás fue de gran valor, según comenta Carpizo Mac Gregor: "El primero que empieza a poner en duda de dónde viene el dinero para construir esas grandes iglesias en Ciudad Juárez es Talamás. Sandoval Íñiguez toma todo el poder de la diócesis y opaca a Talamás, quien, comprensiblemente, quedó muy resentido con él. Talamás se dio cuenta de muchas cosas y empezó a decirlas o a filtrarlas, porque sintió que el número dos de la diócesis le había quitado todo el poder. Lo había nulificado. Eso jamás se lo perdonó".

El jurista escribió dos libros sobre el caso Posadas e incluyó información proporcionada por el obispo: "Talamás nunca quiso que se dijera que habíamos platicado personalmente. En realidad, nunca me recibió, sino que me mandaba información por terceras personas. Sin embargo, llegó un momento en que alguien le dijo que no podía seguir hablando, probablemente el nuncio apostólico de la época. Luego se cerró y ya no quería hablar".

El Cardenal no estaba solo. Lo acompañaron y siguen acompañando, según las autoridades, su abogado José Antonio Ortega Sánchez, el ex diputado panista Fernando Guzmán Pérez Peláez y el empresario José María Guardia, además de la ex subprocuradora María de la Luz Lima Malvido, para quienes la PGR presentó otras cuatro denuncias y tres en la Procuraduría de Justicia del DF. Según Carpizo, este grupo ha buscado siempre impunidad alrededor del caso Posadas, "obteniendo ganancias a costa de la justicia y de la fe". Asegura también que existe un complot organizado por el mal llamado Grupo Jalisco, para probar un complot que nunca existió.[12]

Se trata, dice el jurista, de la "Cuarteta Infernal" o "Grupo Jalisco": "Fueron ellos los que manejaron los expedientes a su antojo, los que sacaron los documentos y, para colmo, la autoridad los declaró coadyuvantes del caso. Para lo único que ha servido la coadyuvancia es para que estos señores se burlen de la procuración de justicia. Factores de poder son los que impiden que a esos señores se les aplique la ley. A

[11] Idem.
[12] *El expediente Posadas a través de la lupa jurídica: averno de impunidades*, México, Universidad Nacional Autónoma de México. Insitito de Investigaciones Jurídicas, 2004.

pesar de que se ha comprobado que han mentido, que son unos cínicos, ¿cómo es posible que ese señor Guzmán Pérez Peláez fuera nombrado secretario general del gobierno de Jalisco? ¿Cómo es posible que no haya protestas? Eso muestra la descomposición moral en la que está el país".

Ese grupo escribió algunos libros que según el jurista son auténticos *libelos*: "Durante años estuve presentando escritos para que no fueran a decir que por falta pruebas la denuncia penal sería archivada, pero me he dado cuenta de que al Cardenal no sólo no le van a hacer nada, sino que no se atreven a llamarlo a declarar para que diga si es cierto que él a través de abogados ofreció dinero a los testigos del caso Posadas".

Al Cardenal nadie lo molesta. Lo apoyó y lo sigue apoyando la Conferencia del Episcopado Mexicano, que a pesar de las graves acusaciones emitió un comunicado para brindarle su respaldo. Cipriano Calderón, vicepresidente de la Comisión Pontificia para América Latina fue más allá: "mi profunda solidaridad en estos momentos en los que, sin duda, no le faltan sufrimientos por la absurda e inicua campaña que se está tramando contra vuestra venerada persona y vuestra irreprensible conducta de Pastor de la Iglesia en México".[13] El diputado priista Javier Guízar Macías habla por su grupo: "Hemos decidido venir a mostrarle nuestra solidaridad, nuestro apoyo y hacer una protesta por esa situación que se viene manejando, no de ahorita, sino desde hace muchos años, en la impartición de justicia en México". El empresario mediático Atanasio Sáenz dice en el periódico *Ocho Columnas* de Guadalajara: "Señor Cardenal, reciba usted, en estas líneas, la expresión de nuestro agradecido respeto y admiración por su postura digna y gallarda que nos recuerda la impronta de fidelidad incondicionada a Cristo y a su Iglesia que dejaron nuestros antepasados…"[14]

Las huestes del catolicismo más poderoso lo convirtieron en mártir de la Fe, en víctima de la Guerra Cristera y para no dejar dudas, el ex presidente Vicente Fox lo recibió en su rancho a fin de mostrarle su apoyo y dejarle ver que lo del informe no tenía relación con él.[15] Sandoval Íñiguez se envalentona y dice en una entrevista que la investigación en su contra fue impulsada por Carpizo a quien define como "un desquiciado, malviviente y asesino" que lo quiere "amedrentar" por-

[13] Diario *Reforma*, 27 de septiembre de 2003.
[14] Felipe Cobián en revista *Proceso*, 21 de septiembre de 2003.
[15] Boletín de Presidencia de la República, 21 de septiembre de 2003.

que "detrás de él están otros más grandes que Carpizo, los verdaderos responsables de la muerte del cardenal Posadas Ocampo, y los que aspiran a recuperar el poder en el 2006, o por lo menos a mandar detrás del trono, o sea, un maximato. Ese es todo el asunto que anda en juego".[16] Desde el púlpito en su homilía del 28 de septiembre de 2003 en Guadalajara, después de la marcha a su favor que se organizó a sí mismo, dijo: "Estamos luchando por la verdad y la justicia. Nuestra patria tiene hambre y sed de justicia. México anhela ser un pueblo unido, justo y fraterno. Las fuerzas del mal se han empeñado en impedirlo. Ofrecemos esta santa misa por esta intención, que venga abundancia de paz, de justicia y de verdad en nuestra patria". Frente a él una gran pancarta: "Por Dios hasta el martirio, por la Patria hasta el heroísmo y por nuestro Cardenal hasta el sacrificio".

Los testimonios del obispo emérito de Ciudad Juárez, Talamás Camandari, de Teresa Castillo, del Seminario de Guadalajara, y de los sobrinos del narcotraficante colombiano Pablo Escobar Gaviria —quienes vivieron en Sinaloa entre 1992 y 1993—, quedaron en el olvido. La supuesta promoción del crecimiento de los cárteles de Guadalajara-Ciudad Juárez y Tijuana-Morelos que entregaron dinero a la Iglesia por vía de los cardenales Posadas Ocampo y Sandoval Íñiguez quedaron en el olvido. Ni siquiera importó para el Vaticano, a pesar de que el Cardenal es miembro del Consejo de Cardenales para el Estudio de Asuntos Organizacionales y Económicos de la Santa Sede, y participaba en la asamblea de la fundación Populorum Progressio que analiza y aprueba anualmente fondos para decenas de proyectos de desarrollo para grupos pobres e indígenas de América Latina y el Caribe.

Actualmente, el purpurado jalisciense todavía utiliza el asesinato de Posadas Ocampo como bandera . El pasado 13 de junio de 2007 entregó un reporte actualizado sobre la investigación del caso al secretario de estado del Vaticano, Tarcisio Bertone. La tesis del Cardenal es que el purpurado fue asesinado por seis personas en el aeropuerto de Guadalajara el 24 de mayo de 1993 en un acto orquestado al que se refiere como "crimen de Estado". [17]

"Es una tesis que el Cardenal va a seguir sosteniendo hasta el último día de su vida —concluye Carpizo—. Es imposible que él admita que ha mentido, que ha engañado, que incluso ha pagado a testigos

[16] Informe de Coparmex. *El caso del cardenal Juan Sandoval Íñiguez y la PGR*, octubre de 2003.
[17] *Milenio Diario,* 19 de junio de 2007.

falsos. Yo interpuse una denuncia penal en su contra ante la PGR, pero está congelada. Nadie se atreve a tramitarla".

En base a su experiencia, Carpizo define al personaje: "Está enamorado del poder. Es sumamente zalamero con los de arriba. Soberbio y despótico con los de abajo. Su gran inteligencia le hizo ver que iba a tener mucho más poder dentro de la iglesia católica, que si hubiera llevado una carrera electoral entrando a la política activa. El señor, de dirigente religioso no tiene nada. Es un político con sotana. Uno de los hombres con más poder material en México".

Carpizo conoce muy bien al Cardenal, a pesar de haberlo visto solamente en una ocasión. Fue en 1994 cuando era Secretario de Gobernación. En ese momento, varios ministros de culto estaban haciendo campaña política desde el púlpito en clara violación a la Constitución mexicana, por lo que Carpizo pidió al nuncio apostólico Jerónimo Prigione una reunión con doce de los principales jerarcas católicos: "Fue una comida agradable. Les comuniqué el problema y la opinión general fue que yo estaba equivocado. Pero traía preparado un expediente de cada uno de los presentes y les advertí que detuvieran su campaña, porque de lo contrario nos veríamos obligados a aplicar la ley a uno de los presentes y no a un sacerdote de pueblo, pues nadie iba a creerse la acción".

El semblante de los comensales cambió y para relajar el ambiente Prigione propuso de manera solemne: "aprovechemos esta ocasión para que el señor Carpizo y el arzobispo de Guadalajara Juan Sandoval Íñiguez hablen sobre el caso Posadas". El ex procurador recuerda que fue entonces "cuando el señor Sandoval Íñiguez me transmitió la misma tesis que ha repetido desde el segundo día del asesinato del cardenal Posadas, es decir, la de un crimen de estado, porque como él dice tiene 'la certeza moral' de que así fue; es decir, lo soñó y desde ese día no ha cejado en ese punto. Entonces, muy correctamente le hice ver que no tenía ninguna prueba jurídica para sostener dicha tesis. Curiosamente, el señor se calló. No me dijo nada, porque él cuando siente que su contraparte tiene poder y está decidido a dar la lucha por la verdad, el señor se calla. Y como es un hombre mentiroso por naturaleza, pasados los años de ese encuentro único, dijo que yo lo había amenazado".

La conclusión a la que llega Carpizo Mac Gregor después de tantos años de estudio y análisis de la vida y obra de Juan Sandoval Íñiguez, es sencilla y hasta cierto punto teológica: "Resulta que este señor comete los agravios más serios contra la humanidad. Que este señor es supuestamente un representante de Dios en la tierra y comete tantos pecados. Por eso me pregunto: ¿Será posible que el cardenal Sandoval Íñiguez crea en Dios? ¿O sencillamente es un verdadero hipócrita?"[18]

Envidia

Envidia se define como el desagrado, pesar o tristeza ante el bien ajeno. Es otra ofensa gravísima unida a la mentira, la traición, la intriga y el oportunismo para conseguir los bienes que envidiamos a otros. El cardenal Sandoval Íñiguez quiere trascender su propia existencia y para ello ha pensado construirse un mausoleo. Su Capilla Sixtina, siguiendo "la tradición bíblica de las teofanías del Señor en lo alto del Sinaí, del Tabor, en el Monte de los Olivos", según reza la publicidad oficial del polémico edificio cristero.

El Santuario de los Mártires Mexicanos se construye en seis hectáreas en el Cerro del Tesoro, donado en gran parte por la familia Aguilar Valencia y escriturado a nombre de la Arquidiócesis de Guadalajara. En México el lugar será único en su género, tendrá capacidad para unas doce mil personas, pero en el gran atrio y plaza del frente podrán llevarse a cabo celebraciones para, aproximadamente, cincuenta mil asistentes. Se construirá, según señala el folleto, con "los donativos de los fieles, de parroquias, asociaciones religiosas, grupos y movimientos de apostolado laical, con donaciones en dinero o en especie", aunque no añade los donativos del gobierno, concretamente el aporte que había realizado su amigo el gobernador panista de Jalisco, Emilio González Márquez, por noventa millones de pesos, bajo el argumento de "fomentar el turismo religioso".

La llamada *macrolimosna* se convirtió en un caso judicial histórico. El 24 de marzo de 2008, el gobernador adelantó los primeros 30 millones de pesos del donativo con cargo a la partida "4222. Promoción Turística del Estado", según consta en el acuerdo que firma el 29 de febrero el secretario de Turismo, Aurelio López Rocha, a la Fundación Pro Construcción del Santuario de los Mártires dirigida por el cardenal Sandoval Íñiguez. La partida entregada provocó 6,500 quejas de ciudadanos ante la Comisión Estatal de Derechos Humanos de Jalisco, una cifra minimizada con sarcasmo por el purpurado: "Cuando vayan unas tres millones de quejas que se empiecen a preocupar, pues somos seis

[18] Entrevista de la autora con Jorge Carpizo Mac Gregor.

millones de católicos, ya cuando vayan unos tres millones se preocupan".[19]

El 16 de abril, la organización Conciencia Cívica decidió interponer el amparo 991/08 contra la *macrolimosna*. El juez Héctor Antonio Martínez Flores, del Juzgado Tercero de Distrito en Materia Administrativa, lo citó a declarar el 24 de junio. Ante la complejidad del asunto y el peligro de una auditoría a las arcas de la fundación del santuario, el Cardenal propuso regresar —con intereses incluidos— el donativo. Y para no tener que sentarse en el banquillo de los acusados, el purpurado pidió entonces al juez Martínez Flores, contestar el interrogatorio por escrito acogiéndose a los artículos 171 y 174 de la Ley de Amparo que establece ese beneficio para los funcionarios públicos: "El juez aceptó la petición del Cardenal y cedió a presiones varias, violando la ley porque le dio [al Cardenal] el estatus de funcionario público, cuando se trata de un ciudadano que debe responder como cualquier otro. El juez viola el estado laico", dice en entrevista Salvador Cosío Gaona, presidente de Conciencia Cívica. "La devolución de la *macrolimosna* no es suficiente para terminar con el proceso judicial iniciado —advierte—, porque eso no exime al Cardenal de su presunta responsabilidad de violar el estado laico junto con el gobernador Emilio González Márquez y el secretario Fernando Guzmán". Al investigar la fundación para la construcción del santuario que dirige el Cardenal, los integrantes de Conciencia Cívica se encontraron con otras sorpresas: "Irregularidades muy graves como firmas alteradas, firmas falsas, delitos fiscales, alteración de documentos oficiales, recibos sin número y fallas graves en el presupuesto que debería investigar la autoridad judicial y la contraloría del Estado. Esto no va a terminar —dice Cosío Gaona—, lo que más nos importa es sentar el precedente. Demostrar que es posible que a través de un movimiento cívico se analice y exija la buena acción pública y que las autoridades gubernamentales o eclesiásticas se sometan a la ley".[20]

La construcción del Santuario Cristero era un viejo anhelo del Cardenal, quien desde 2005 hizo un llamado a los jaliscienses: "En especial a las personas a quienes Dios ha socorrido con abundancia de bienes de este mundo, a contribuir con generosidad". Además de las donaciones, la Fundación propone que a cambio de las ayudas económicas los fieles reciban un nicho ubicado en el lugar sacrosanto. Los hay

[19] Dolores Casas, Semanario *Crítica*, número 115, junio de 2008.
[20] Entrevista de la autora con Salvador Cosío Gaona.

de dos urnas a un precio de 8 mil 600 pesos, de cuatro urnas a 15 mil 600 y de seis urnas a 22 mil 200 pesos. La Fundación hace promoción con los paisanos que viven en Estados Unidos y Canadá, para quienes ha habilitado una línea telefónica especial. Además, entrega recibos supuestamente deducibles de impuestos: "El problema es que los recibos no están numerados —dice Juan Manuel Estrada Juárez, miembro del grupo de ciudadanos que interpuso el recurso contra la *macrolimosna*—, por lo tanto, la fundación está lavando dinero. Tiene cinco cuentas en Estados Unidos para el santuario y recibe mucho dinero a través de la fundación que tiene seis años funcionando y apenas se registró en mayo de 2008". La organización cívica presentó también una denuncia ante la Secretaría de Hacienda contra el Cardenal: "Lamentablemente sabemos que el SAT no va a hacer nada, que todo quedará en la impunidad. La fundación que él dirige evade impuestos y lava dinero de manera ostentosa con varias cuentas fiscales. Y el gobernador Emilio González Márquez le da y le da dinero. Queremos que se audite la cuenta pública en relación a los dineros entregados al Cardenal, pero tampoco va a ocurrir, porque el Cardenal vive en la impunidad".[21]

La publicidad de la fundación informa que dentro del santuario se construirán espacios para las obras de caridad: Cáritas Diocesana, clínica, escuela de enfermería "principalmente para mujeres solas o madres solteras, que con la capacitación recibida podrán ganarse el sustento" y un albergue con comedor para pobres y asistencia a los peregrinos: "Lo del santuario es un despropósito. Quiere hacer una cúpula del tamaño de la de San Pedro en el Vaticano —añade Estrada Juárez—; el Cardenal ha perdido las dimensiones, pero tiene mucho poder a través de un nexo muy fuerte con el PAN y el yunquismo. Vive por encima de la ley, esa es su práctica común. Él no respeta a nadie. Tiene su propio coto de poder".[22]

El Cardenal pretende construir el santuario con carácter nacional, dedicado a todos los santos y beatos mártires mexicanos cristeros. La Iglesia ha reconocido a veintiséis santos y veinticuatro beatos, entre misioneros de Japón y México y los mártires de la persecución religiosa del siglo pasado, pero el Cardenal quiere más y quiere que en la lista cristera tengan cabida las beatificaciones y santificaciones, confesores, misioneros y vírgenes consagradas: "Desde que el Cardenal llegó a Guadalajara siempre ha estado involucrado en problemas de poder y dine-

[21] Entrevista de la autora con Juan Manuel Estrada Juárez.
[22] Idem.

27

ro —señala Estrada Juárez— él ha dividido a la sociedad de Jalisco, ha movilizado a mucha gente a través de la religión. Tiene una doble vida. Son públicas sus relaciones con empresarios poderosos, la acumulación de bienes raíces a través de testaferros, las denuncias por lavado de dinero procedente del narcotráfico y el tráfico de influencias".

El Cardenal ha pedido a todos los sacerdotes a su cargo "tomar como propio el proyecto del santuario y motivar a los fieles, difundir las biografías de nuestros mártires para que sean conocidos con entusiasmo, organizar y participar en la peregrinación anual de cada decanato al Santuario de los Mártires, celebrar en sus comunidades las fiestas y memorias litúrgicas de los mártires durante el año, colocar en todos los templos un cepo para el Santuario de los Mártires, teniendo en cuenta que la ofrenda de los pobres es muy valiosa y contribuir con un cinco por ciento mensual para la obra del Santuario".[23] La historiadora de la Universidad de Guadalajara, Laura Campos Jiménez, advierte que el Cardenal pretende "mitificar" a los cristeros como "caudillos de la patria en grado heroico". Autora del libro: *Los nuevos beatos cristeros. Crónica de una guerra santa en México*, señala que en realidad la jerarquía católica rehúye reconocer aspectos históricos sobre los llamados "mártires", como es el caso del asalto terrorista al tren de la Barca, la tortura y muerte a maestros rurales y el asesinato del general Álvaro Obregón. Por tanto considera que los beatos cristeros fueron "individuos que combatieron al estado laico y a las instituciones del país, azuzando a hordas enteras de campesinos ignorantes que no dudaron en utilizar tácticas terroristas en nombre de Cristo Rey para conseguir las metas propuestas por la jerarquía eclesiástica. Esa es la realidad histórica, espinosa y supurante. El episcopado mexicano pretende con estas acciones (y las iniciativas constitucionales pendientes) una regresión al modelo confesional de principios del siglo XIX y embate, con falacias y engaños, al estado laico mexicano".[24]

Gula

El placer conectado con la comida o la bebida, que deriva en el consumo excesivo, irracional e innecesario con tendencia destructiva, es otra grave falta contra Dios y los católicos. El uso y abuso de sustancias

[23] Carta difundida en la página web del Santuario de los Mártires.
[24] Carta de la historiadora Laura Campos Jiménez enviada a la autora.

químicas o las borracheras pueden ser vistos también como gula o glotonería.

En su carrera eclesiástica de cincuenta años son muchas las comilonas memorables que rodean al cardenal Sandoval Íñiguez, conocido por sus gustos refinados y excesivos en la alimentación. Su oronda figura atestigua su afición por los manteles. Cualquier pretexto es bueno para un banquete, convite o celebración. La mesa puesta es el mejor foro, el centro de negocios, el mercado donde ante un buen plato se liman las asperezas; con una copa de tequila bien servida se discuten y solucionan los conflictos; a los postres se culminan las transacciones y se forjan los acuerdos. El Cardenal gusta, como los antiguos romanos, hacer del comedor la estancia principal. Poco importa aquí el marchamo de paganismo de tan acendrada costumbre. De sobra sabe Sandoval Íñiguez la certidumbre del aforismo *in vino veritas*.

Y de ello, qué mejor ejemplo que el banquete inolvidable e histórico que compartió con su amigo, el gobernador panista Emilio González Márquez. Fue el "Banquete del hambre" celebrado el 23 de abril de 2008, una cena organizada en la Expo Guadalajara para entregar quince millones de pesos de recursos públicos a la Asociación Mexicana de Bancos de Alimentos (AMBA), ligada con el cardenal Sandoval Íñiguez.

En esa ocasión, al calor de las copas y la comida, el "gobernador piadoso", como también se le conoce a González Márquez, fue bastante explícito frente al purpurado al tomar la palabra con micrófono en mano: "Este es un *cuete* (borrachera). No me importa, me cae. Don Juan, absuélvame desde allá. Además estamos haciendo un buen desmadre, don Juan, ¿sí o no? Aquí hay un cheque, el 419240, cabrón, a nombre de la AMBA. Digan lo que quieran. Perdón, señor Cardenal: ¡chinguen a su madre! —dijo en alusión a las críticas de los jaliscienses sobre la *macrolimosna*—. Déjenme decirles que yo estoy comprometido con este movimiento y que traigo aquí un pinche papelito [el cheque] que dice: 'Gobierno de Jalisco. Secretaría de Finanzas'. Óscar [García Manzano, titular de la dependencia], ¿dónde andas? ¡Hasta que, cabrón, hiciste algo bueno por Jalisco! Martín Hernández [secretario de Desarrollo Humano]: ¡Felicidades, chingado, ya hacía falta!". Y siguió: "[El dinero] no es mío, yo no lo tengo. Yo no tengo quince millones de pesos, pero, ¿saben qué?, la gente votó por mí, la gente en su mayoría votó porque yo haga realidad a lo que me comprometí en campaña y me vale madre si a algunos periódicos no les gusta, la gente votó por mí y en ese votar por mí, debe tener el compromiso que yo he asumido de apoyar a los que trabajan porque no haya hambre en nuestro estado". Visiblemente angustiada, su esposa, Imelda Guzmán, sin estar afectada por los efectos del alcohol como su cónyuge, intentaba callarlo a base de señas, pero el gobernador continuó con su discurso: "Yo estoy aquí para cumplir un compromiso ante mí mismo, ante mi conciencia, ante la conciencia de la gente que votó por mí y que dice: 'No más hambre en Jalisco'. Este dinero no es mío. Yo no lo tengo. Todo lo que he trabajado en la vida es para dárselo a mis hijos, para procurarles una buena educación; es lo único que tengo. Este es dinero del pueblo, pero el dinero del pueblo me ha sido confiado".[25]

El espectáculo tuvo lugar ante la presencia cardenalicia, el semblante pleno de satisfacción de Sandoval Íñiguez, quien también había bebido y comido en abundancia. Por ello, lejos de sentirse abochornado, asistía complacido a la representación del mandatario.

Ira

Sentimiento no ordenado, ni controlado, de odio y enojo; negación vehemente de la verdad, fanatismo en creencias políticas, intolerancia por razones de raza, opción sexual o religión que se traduce en discriminación.

Martillo de herejes, disconformes, discrepantes o simples ecumenistas, la aparente y cuidada bonhomía del orondo prelado cede el paso, cuando de doctrina se trata, a un fanatismo poco simulado que a duras penas le permite guardar las formas y que la mayoría de las veces, le hace perderlas completamente. La placidez cede ante los exabruptos sin que el prelado pueda controlarlos; los excesos verbales del cardenal Sandoval Íñiguez abundan en las hemerotecas.

No hay misa celebrada por su eminencia en que no se requiera silencio absoluto. No puede haber errores o interrupciones. Por lo visto, el capítulo en que Jesús exhorta a sus discípulos a permitir que se acerquen los niños, no figura en los evangelios del purpurado jalisciense: cuando, como es habitual en las celebraciones dominicales, surgen de entre la grey católica exclamaciones, llantos, risas o simplemente voces, procedentes de los más pequeños de entre los fieles, el Cardenal no es precisamente condescendiente. Durante la misa en honor a los voceadores celebrada el 27 de abril de 2008, disertaba el Cardenal acerca

[25] Juan Carlos G. Partida, diario *La Jornada*, 25 de abril de 2008.

de la perniciosa vida de los ricos, cuando de pronto suspendió su homilía con el rostro enrojecido: "Aquellos niños, por allá, ¿no tienen padres que los cuiden?", espetó con rabia apenas disimulada. "¿Son huérfanos? ¿Por qué no los callan?". Ante la sorpresa de los fieles, el purpurado aguardó impertérrito el advenimiento del silencio sepulcral requerido para continuar su sermón. Luego siguió como si nada: "No hay rico, rico, rico que sea honrado, porque trabajando nadie se hace rico, si así uno se hiciera rico, los burros serían los más ricos".[26]

Anualmente la arquidiócesis efectúa 97 mil 150 bautismos. Suele cambiar los nombres de los recién nacidos que acuden a recibir el sacramento, argumentando la necesidad de llamarlos con nombres cristianos. La voluntad de los padres importa poco en estos casos.

Defiende ante las parejas que aspiran al matrimonio los valores de la familia tradicional: atención del hogar para ellas, dirección y sostén del hogar para ellos y prohibición del uso de anticonceptivos para ambos. Al año realiza aproximadamente 19 mil 600 matrimonios, y para el purpurado, las 300 peticiones de nulidad matrimonial que se presentan ante el Arzobispado de Guadalajara son alarmantes signos de la bisexualidad reinante: "Es un tema que deberían platicar los novios, cerciorarse de que su contraparte está sexualmente bien orientada, lo tienen que dialogar, lo tienen que saber desde antes".[27]

Es contrario a la educación sexual en las escuelas: "Los libros de texto ya han llegado a los alumnos, ya están haciendo daño, ya los están incitando a la permisividad, los están confundiendo en cuanto a los valores del sexo, del matrimonio —dijo ante la distribución de los libros de texto para el primer grado de secundaria—, estos libros van en contra de la vida, de la familia, de la moralidad de los pueblos para destruirlos y dominarlos".[28] Ha emprendido por ello una guerra frontal contra la Cartilla de los Derechos Sexuales para los jóvenes de Jalisco que promovían la Comisión Estatal de Derechos Humanos y organizaciones no gubernamentales. Durante la clausura del X Congreso Juvenil y de Adolescentes celebrado el 23 de julio de 2005, se refirió a los jóvenes como "la generación de muchachos malcriados" y les recordó que la cartilla sólo los hacía "irresponsables y egoístas", por lo que los exhortó a rechazarla: "trae unos errores garrafales fundamentales que

[26] Jorge Covarrubias, diario *La Jornada Jalisco*, 28 de abril de 2008.
[27] Diario *El Occidental*, 24 de marzo de 2006.
[28] Diario *El Informador*, 9 de septiembre de 2006.

van en contra de la fe, de la moral natural, la decencia y el sentido común".[29]

Su rigidez con la juventud es pública y notoria. Rechaza con cierta regularidad la existencia de *antros* para jóvenes pues en su visión causan aumento en las adicciones. Para el purpurado, los centros nocturnos o cantinas son "focos de vicio" que a veces no respetan los reglamentos municipales por estar ubicados a 150 metros de una iglesia o una escuela: "un joven que todos los fines de semana abusa del alcohol, las drogas y el sexo, no puede el resto de la semana tener lucidez mental o capacidad para pensar y actuar con claridad".[30]

Ha censurado la actitud de los padres con los hijos: "los padres son muy consentidores con el niño chiquito; no le corrigen nada, lo defienden y demás. Y ya cuando el muchacho está grandecito, le tienen miedo".[31] Insiste en que México es un país con 24 millones de familias, pero critica los modelos alternativos de familia como los monoparentales —que han aumentado en un veinte por ciento en los últimos años—, porque considera que están formados por "gente sin moralidad" que decide vivir sola.[32]

Como detractor acérrimo del aborto, el Cardenal ha combatido las campañas de regulación para la interrupción libre del embarazo encabezadas por gobiernos progresistas bajo el argumento de que "aumentan el libertinaje sexual" y "el aborto es un asesinato, no se debe legalizar nunca".[33] Ante la posibilidad de que el gobierno incluyera en 2005 la píldora del día siguiente entre los medicamentos de uso común, el Cardenal hizo una intensa campaña contra los funcionarios que se manifestaron a favor y en contra de los laboratorios "que medran" con fármacos que "no dan vida, sino muerte", y exhortaba a las mujeres a recordar su máxima: "ustedes llevan un ser humano en su vientre, un hijo de Dios único que tiene su propio destino y su derecho a la vida".[34]

Los derechos de las mujeres son para Sandoval Íñiguez una cuestión intrascendente. Así lo dejó ver cuando abordó el tema del acoso

---

[29] Carlos Manuel Barba García, "Enfrentamiento con el ombudsman de Jalisco en ese año", diario *El Universal*, 24 de julio de 2005.

[30] Agencia Notimex, 7 de agosto de 2005.

[31] Diario *El Informador*, 18 de junio de 2005.

[32] "Foro Ético Mundial en el Hospicio Cabañas", *Milenio Diario*, 28 de enero de 2006.

[33] Diario *La Jornada*, 14 de marzo de 2007.

[34] Agencia ACI, 26 de julio de 2005.

sexual: "las mujeres no deben andar provocando, por eso hay muchas violadas".[35] Sus polémicas declaraciones le valieron duras críticas de los colectivos de mujeres, por lo que el Cardenal se vio obligado a matizar un poco sus opiniones.

El Cardenal ha sido calificado como un homófobo declarado. Tiene problemas con los colectivos de homosexuales a quienes considera personas "anormales". Califica a las uniones del mismo sexo como "aberraciones". Ha combatido las campañas pro-tolerancia y en contra de la homofobia emprendidas no sólo por organismos no gubernamentales, sino por dependencias como la Secretaría de Salud, que en 2005 promocionó su programa contra la discriminación de los homosexuales por considerar que esta iniciativa federal atentaba contra las raíces de la familia y el matrimonio.[36] El Cardenal se ha referido a la opción sexual de los ciudadanos como algo que debe permanecer en la esfera íntima, incluso cuando esto conlleve vivir una doble vida y una doble moral: "las desviaciones de algunas personas no deben servir para condenarlas, pero tampoco para presumirlas; que las mantengan más bien en secreto".[37]

En su particular cruzada por los valores familiares tradicionales, el purpurado ha establecido una unión estratégica con la organización Courage Latino que impulsa la "instauración de la heterosexualidad en la tierra", porque —según afirman— es "inherente en cada ser humano". Se trata de un programa cuyo plan nacional de "regeneración sexual" está dirigido por el estadounidense Richard Cohen, quien asegura haberse convertido en heterosexual con total éxito por medio de una intensa "sanación moral" a base de una terapia psicológica, religiosa y política que le permitió abandonar la homosexualidad. Courage es una poderosa organización fundada en 1978 en Nueva York por el padre John Harvey con la aprobación de la Santa Sede. Cuenta con 95 sedes en el mundo, con más de quinientas personas que participan como líderes de grupo, y con cientos de fieles que reciben asistencia con el objetivo de "ayudar a quienes sufren de atracción, deseo y sentimientos sexuales hacia personas de su mismo sexo y guiarlos a tener una relación más cercana con Jesucristo y bajo las normas de la Santa Iglesia Católica Romana". El cardenal Alfonso López Trujillo, presi-

[35] Agencia EFE, 20 de septiembre de 2003.
[36] Agencia ACI, 22 de febrero de 2005, noticia difundida por la organización Courage Latino.
[37] Diario *La Jornada*, junio de 2000.

dente del Consejo Pontificio para la Familia los bendijo y los apoya. Courage Latino tiene en México su sede en Cuernavaca, Morelos, con la guía del padre Buenaventura Wainwright. Está apoyado por la jerarquía católica, los Legionarios de Cristo a través de sus escuelas y sus universidades distribuidas por el país y por estamentos diversos del Partido Acción Nacional. Existen grupos de apoyo en Aguascalientes, León, Guadalajara, ciudad de México, Tijuana y Monterrey, para "restaurar la heterosexualidad" y promover "la vida casta". La terapia reparativa de Courage Latino se centra en ir fomentando la creación de "consejeros en el tema de la reorientación sexual" por todo el país, a base de programas de entrenamientos dirigidos por Richard Cohen como los impartidos en la Universidad Católica de Guadalajara, a cargo de la Arquidiócesis. El padre Harvey afirma que utiliza una metodología similar a la que aplica Alcohólicos Anónimos. Asegura que actos sexuales como la penetración anal y la masturbación mutua no son "una verdadera comunión entre dos personas [porque las partes no] encajan y no cumplen con el objetivo de la procreación de hijos".[38]

El conservadurismo del Cardenal no tiene término medio. La tolerancia no se encuentra entre sus virtudes. Se ha convertido en un ferviente opositor al ecumenismo, con expresiones de una violencia verbal que seducen a sus más fieles seguidores, pero que no son precisamente un ejemplo de caridad cristiana: "se necesita no tener madre para ser protestante", dijo sobre los Testigos de Jehová, azuzando la intolerancia religiosa y defendiendo la salvación de las almas únicamente a través del catolicismo.[39] El Cardenal considera sectas a algunas religiones y culpa a los medios de comunicación del éxodo de católicos: "son esas dos causas por las que hay menos fieles".[40]

Avaricia

Es un pecado capital de exceso el deseo de acaparar riquezas, placeres o posesiones. Está prohibido por los noveno y décimo mandamientos. También llamada codicia, es "un pecado contra Dios, al igual que to-

[38] Portal *www.couragelatino.com*
[39] Carlos Monsiváis: "Intolerancia religiosa", abril de 2001 en Comisión Nacional de Derechos Humanos.
[40] "Congreso Eucarístico Internacional celebrado en Guadalajara", diario *El Universal*, 12 de octubre de 2004.

dos los pecados mortales, cuando el hombre condena las cosas eternas por las cosas temporales", dijo Santo Tomás de Aquino. Codicia o avaricia remite también a deslealtad, traición por el beneficio personal, como en el caso de aceptar soborno. Además de la acumulación de objetos, están incluidos los engaños o la manipulación de la autoridad inspirados en la simonía, es decir, en la compra o venta ilícita de lo que es espiritual por bienes materiales: cargos eclesiásticos, sacramentos, reliquias, promesas de oración, la gracia, la jurisdicción eclesiástica, la excomunión…

El Cardenal nunca tiene bastante. No contento con regir las vidas de sus feligreses, de disponer de sus almas y de sus cuerpos, de imponerles cómo deben vivir y morir, qué pueden y no pueden hacer, qué deben y no deben pensar, quiere regir también sus destinos y los del país, quiere acumular poder y riqueza, poder temporal y material. Quiere lo que es de Dios y también lo que es del César. Así como Simón el Mago quiso comprarle al apóstol Simón Pedro su poder para hacer milagros y conferir el poder del Espíritu Santo,[41] así el cardenal Sandoval Íñiguez ha pretendido que su abierto activismo político —en clara violación a la Constitución mexicana y al estado laico— le ofrezca beneficios de toda índole. Para el purpurado, la política no es más que otra forma de manifestación de la fe y la separación Iglesia-Estado, un viejo resabio propio de desarrapados y nostálgicos de una revolución felizmente arrinconada por la historia. El gobierno de los cuerpos es un terreno abonado para el gobierno de las almas, así que, ¿por qué dejarlo a los políticos?

En este rubro, cuenta con una amplia gama de opiniones que hacen de la vida del Cardenal una existencia llevada a contracorriente de la modernidad. Expone: "un estado laico no puede prescindir de los valores morales ni atropellar los derechos naturales […] bien haría el Estado en respetar los sentimientos y valores morales de un pueblo mayoritariamente católico como es el de México". Más aún: "un estado

---

[41] "La palabra simonía deriva de un personaje de los Hechos de los Apóstoles llamado Simón el Mago, quien quiso comprarle al apóstol Simón Pedro (Hechos, VIII.9-21), su poder para hacer milagros y conferir, como ellos, el poder del Espíritu Santo (Hch 8:9-24), lo que le supuso la reprobación del apóstol: '¡Que tu dinero desaparezca contigo, dado que has creído que el don de Dios se adquiere a precio de oro!' El papa Gregorio VII (1020-1085), el monje cluniacense Hildebrando de Soana, acabó con la venta de cargos eclesiásticos durante la llamada Querella de las Investiduras", publicado por Wikipedia.

laico no puede prescindir de los preceptos naturales que están escritos en el corazón de todo ser humano: no matar, no robar, no mentir, no levantar falso testimonio, no fornicar, ni cometer adulterio". Por lo tanto, según su punto de vista, el mexicano es un "estado débil, presionado por instancias internacionales que van en contra de la vida, de la familia, de la moralidad de los pueblos para destruirlos y dominarlos", dijo en referencia a la educación sexual impartida en las escuelas, en la despenalización del aborto o el reconocimiento de parejas del mismo sexo.[42]

Al concluir sus estudios en 1952, Sandoval Íñiguez se trasladó a Roma para ingresar en la Pontificia Universidad Gregoriana, en donde se graduó de licenciado en filosofía y doctor en teología. Fue hasta el 27 de octubre de 1957 cuando recibió la ordenación sacerdotal. Volvió a México y durante veintisiete años, entre 1961 y 1988, ocupó diversos cargos en el Seminario de Guadalajara: director espiritual, prefecto de disciplina, prefecto de la facultad de filosofía, vicerrector, y finalmente rector. El 3 de marzo de 1988 fue elegido obispo coadjuntor de Ciudad Juárez, Chihuahua y consagrado el 30 de abril de ese mismo año por monseñor Manuel Talamás Camandari, obispo de Ciudad Juárez en ese entonces. Luego del asesinato del cardenal Juan Jesús Posadas, fue promovido a Guadalajara el 21 de abril de 1994. En dicha ciudad supervisó 800 templos con cuatro obispos auxiliares, más de mil 300 sacerdotes y mil alumnos en el seminario. La Arquidiócesis de Guadalajara es la sede metropolitana de las diócesis sufragáneas de Aguascalientes, Autlán, Ciudad Guzmán, Colima, Jesús María del Nayar, San Juan de los Lagos, Tepic y Zacatecas. Juntas suman un total de 6 millones 141 mil católicos.

La instauración del "reino de Dios" en la tierra es una de sus aspiraciones compartida con la organización ultracatólica del PAN, el Yunque. Su activismo político a favor del Partido Acción Nacional quedó consignado en la historia electoral de su amigo personal, el gobernador de Jalisco, Emilio González, quien afirmó en octubre de 2005, antes de los comicios locales, que la Iglesia había comprometido a tres mil curas en Jalisco a trabajar a favor del Partido Acción Nacional y de su candidatura, según un reporte oficial del Consulado de Estados Unidos en Guadalajara, enviado a Washington.[43] El documento, obtenido gracias a la Freedom of Information Act (FOIA), salió a la luz pública a

[42] Diario *El Informador*, 9 de septiembre de 2006.
[43] Rubén Martín, Diario *Público*, 7 de abril de 2008.

raíz del conflicto de intereses por la *macrolimosna*. "Fue el cardenal Sandoval Íñiguez quien se comprometió con Emilio González a darle el trabajo electoral de tres mil curas en Jalisco para que ganara los comicios locales de 2006 —dice Juan Manuel Estrada Juárez, activista social, miembro de la organización Conciencia Cívica quien entrega copia del documento referido a la autora—, el hecho es sumamente grave, porque se está comprobando que el Cardenal viola ostentosamente el estado laico y la Constitución mexicana al intervenir activamente en política".[44] El documento fue escrito a raíz del encuentro que Emilio González solicitó a la cónsul estadounidense en Jalisco, Sandra Salomón, para anunciarle que pediría licencia como alcalde de Guadalajara y de ese modo poder aspirar a la gobernatura de Jalisco: "Dando vuelta al tema de la iglesia católica, Emilio declaró que altos jerarcas de la Iglesia en Jalisco se han comprometido a que esa organización apoyaría su candidatura [aparecen en el documento tres renglones borrados, supuestamente con nombres de esos jerarcas]. Emilio dijo que la Iglesia ha comprometido a sus tres mil curas en Jalisco a trabajar para una victoria electoral, tanto suya como del PAN... al discutir sus aspiraciones políticas, Emilio declaró que si se convierte en gobernador, los Estados Unidos podrían contar con su total cooperación. El alcalde expresó su visión de que el PAN era más capaz de lidiar con tal situación [narcotráfico] y opinó que su partido tenía buenas posibilidades de ganar tanto las elecciones para gobernador como para presidente... el alcalde citó que, una vez que el proceso de candidatura estuviera completo, había dos factores que ayudarían en gran medida al PAN para lograr una victoria electoral. El primero de ellos era el candidato presidencial del PRD, Andrés Manuel López Obrador y el segundo era la iglesia católica".[45]

El aspirante a la Presidencia de la República de la Coalición Por el Bien de Todos, también pasó por el besamanos de Tlaquepaque, casa del cardenal Sandoval Íñiguez, para sostener un encuentro privado con su eminencia el 22 de febrero de 2006. Pero las preferencias electorales del purpurado iban por otro rumbo; incluso intervino en la llamada guerra sucia utilizando el miedo en torno a Andrés Manuel López Obrador: "se cierne sobre nosotros la amenaza de gobiernos demagogos, comprometidos con la violencia... estamos en camino de alcanzar

[44] Entrevista de la autora con Juan Manuel Estrada Juárez.
[45] Copia del documento enviado al Departamento de Estado y obtenido a través de la FOIA.

una verdadera democracia: en el año 2000 se comenzó a gestar un cambio que no ha acabado de concretarse y esa es la preocupación que a tantos angustia".[46] El Cardenal había apoyado a Vicente Fox e hizo campaña a favor del voto útil o del llamado cambio.

Años después, el ejecutivo devolvería el favor al Cardenal, dándole el espaldarazo definitivo para que obtuviera la absolución judicial por presunto lavado de dinero procedente del narcotráfico. Como ya se ha señalado, a una semana de haberse publicado que la PGR estaba integrando una averiguación en contra del purpurado, Fox lo recibió en su rancho de Guanajuato. Sandoval Íñiguez era indicado en el proceso de investigación que seguía el general Macedo de la Concha en el caso promovido por Jorge Carpizo Mac Gregor por lavado de dinero negro y estrecha relación con José María Guardia, conocido como "el zar del juego". El carpetazo del expediente fue contundente. El Cardenal fue nuevamente inmune a la justicia. Las expresiones de fervor católico de Fox se expresaron en el inicio de su campaña política, cuando repartía estampitas con la imagen de la virgen de Guadalupe. En la toma de posesión, abrazó un crucifico. Estas muestras de catolicismo en el alto poder fueron siempre aplaudidas por Sandoval Íñiguez. Cuando Fox y su esposa Marta Sahagún acudieron al Vaticano a besar el anillo papal, el purpurado se mostró a favor: "No basta con que el presidente Fox vaya a misa. Debe demostrar su religión. Los funcionarios tienen que ser congruentes con sus preferencias y dejar a un lado la simulación", dijo al señalar que el laicismo no significa ateísmo.[47]

Contrario a los principios de neutralidad política que sostiene la iglesia católica, el Cardenal ha hecho abierto proselitismo entre los fieles para no votar por candidatos del PRD, a quienes llama "hijos de las tinieblas" por promover la interrupción voluntaria del embarazo y la unión de parejas del mismo sexo. En el boletín *Semanario*, órgano informativo de la Arquidiócesis de Guadalajara, el 6 de mayo de 2007, se publicó un trabajo especial sobre el tema donde se afirmó que el Cardenal: "reconoció que en esta guerra, los 'hijos de las tinieblas' son más hábiles, más activos y más despiertos que los 'hijos de la luz' y muestra de ello es que los perredistas aprobaron la despenalización del aborto en el Distrito Federal, la cual podría extenderse a otros estados de la República". Para el Cardenal lo publicado no es "cuerpo de delito" y dijo que continuaría incitando a la población a no votar por partidos

[46] *Diario de Yucatán*, 1 de mayo de 2006.
[47] *Milenio Diario*, 3 de diciembre de 2006.

políticos que promuevan iniciativas contrarias a la moral cristiana: "los que promueven así ya legalmente el homicidio como es el aborto, pues son 'hijos de las tinieblas', ya si ellos se ponen el saco, y les viene, pues es asunto de ellos. Lo que yo dije tiene fundamento doctrinal".[48]

Sandoval Íñiguez tiene siete cargos eclesiásticos en comisiones como la Pontificia para América Latina, el Pontificio Consejo para la Cultura, el Consejo de Vigilancia para las Obras de la Religión, el de Asuntos Económicos de la Santa Sede, la Congregación para los Institutos de la Vida Consagrada y Sociedades de Vida Apostólica, la Congregación para la Educación Católica, el Consejo de Cardenales para el Estudio de Asuntos Organizaciones y Económicos de la Santa Sede y el Consejo Especial para América del Secretariado General del Sínodo de los Obispos. Su poder en la Santa Sede es indiscutible, un poder que cuida y acrecienta gracias a sus férreas posiciones y apoyos a los dictámenes papales. Luego de la muerte de Juan Pablo II, Sandoval Íñiguez fue convocado al cónclave cardenalicio para elegir nuevo Papa. Al llegar a Roma, violando las normas canónicas, el Cardenal hizo abiertamente proselitismo a favor del entonces prefecto para la Congregación de la Doctrina de la Fe, el cardenal Joseph Ratzinger, quien finalmente fue elegido para sentarse en el trono de San Pedro.

Pereza

El pecado capital más metafísico de todos tiene que ver con la incapacidad para desarrollar el trabajo asignado. La pereza o acidia cancela la voluntad de cumplir las obligaciones espirituales o divinas como la práctica de las virtudes cristianas, los preceptos divinos, piedad, compasión y condescendencia con los seres humanos.

Más que trabajo pastoral de campo, el mérito del cardenal Sandoval está sustentado en haber conseguido hacer una meteórica carrera eclesiástica, imponiendo su visión tradicionalista de la religión. El Cardenal no es precisamente un activista social. Al contrario, le gustan las cosas como están. Le complace la conservadora e inmovilista sociedad tradicional jalisciense de la que es patrón espiritual. Protege desde el púlpito a cuantos defienden la parálisis pastoral de su diócesis, y más allá, la parálisis social y política. Defiende la inacción y castiga la activi-

[48] Jorge Covarrubias, en diario *La Jornada Jalisco*, 5 de junio de 2007.

dad. Defiende a quienes —gobernadores, policías— procuran ese *status quo* y fustiga a quienes —defensores de derechos humanos o católicos progresistas— lo cuestionan.

"Él no tiene trabajo pastoral. Es el exterminador del catolicismo social en Jalisco", dice sin ambages Renée de la Torre Castellanos, investigadora del Centro de Investigaciones y Estudios Superiores de Antropología Social en Occidente (CIESAS). "Tiene el mérito de haber silenciado la voz del catolicismo intelectual, la voz del catolicismo más comprometido socialmente".[49] Autora del libro *La ecclesia nostra desde la perspectiva de los laicos: el caso de Guadalajara* (Fondo de Cultura Económica), que analiza en particular los encuentros y las confrontaciones de la Iglesia en el campo de los derechos humanos, políticos, sociales e individuales de la década de los noventa en la ciudad de Guadalajara, sostiene que desde el catolicismo se reacomodó el espacio político en el momento en que apenas tomaba vigencia el Partido Acción Nacional. "El cardenal Juan Jesús Posadas Ocampo llegó a desmantelar el trabajo pastoral y el movimiento de la Teología de la Liberación; luego el cardenal Sandoval continuó esa labor de desmantelamiento —comenta de la Torre—. Es un hombre muy temperamental, no es diplomático y no se cuida para nada. Está ligado a la derecha más conservadora como el DHIAC (Desarrollo Humano Integral, AC) y al tema cristero. La verdad es que lo del santuario nunca ha tenido apoyo de los tapatíos, no ha habido apoyo ni de los empresarios, a pesar de que Coparmex ha sostenido una alianza estratégica con él, hasta que se puso del lado de los ciudadanos para exigir la devolución del 'limosnazo'. El Cardenal regresó el dinero por la postura de Coparmex, no por otra cosa".

A diferencia de obispos comprometidos con los más pobres, el Cardenal tiene su particular concepto de la pobreza: "sería una solución simplista pensar que en un país todos pueden ser iguales, eso no es posible. Hay personas que han hecho su fortuna a base de trabajo, de esfuerzo, de inteligencia; en contraparte, hay personas pobres, que lo son porque habiendo tenido las oportunidades, no las aprovecharon, prefirieron no esforzarse o tomaron el camino de los vicios, de los despilfarros", según escribió en un artículo publicado en *Semanario*, el 27 de agosto de 2006. En plena celebración de la cuaresma en 2007, el Cardenal apoyó la aplicación del IVA a medicinas y alimentos, una iniciativa del gobierno de Vicente Fox que no prosperó, pero que el dipu-

[49] Entrevista de la autora con Renée de la Torre Castellanos.

tado panista Raúl Alejandro Padilla Orozco intentó que fuera nuevamente analizada en febrero del 2007: "Los pobres no pueden comprar
medicina, una cajita miserable de medicina cuesta 300, 400 pesos, un
pobre no la compra, los pobres se curan con un té de hierbabuena
¿verdad?, entonces si les cobran [el IVA] a la medicina, pues los que
van a pagar son los que tienen dinero y en los alimentos el pobre,
¿qué tanto le sacan por un kilo de tortillas, que es lo que compra?, en
cambio los que gastan mil, mil 200 pesos o 2 mil pesos en comida, ¡ah,
bueno!".[50]

Por otro lado, la relación de Sandoval Íñiguez con los derechos humanos está llena de desencuentros. Fue en enero de 1999 cuando dejó
claro su concepto de las libertades civiles: "Ese cuento de los derechos,
si usted lo cree, créaselo. Esos derechos humanos es una organización
un poco manipulada desde fuera por organismos internacionales que
tienen interés en desestabilizar al país. Qué casualidad que esas organizaciones sólo defiendan delincuentes", dijo en referencia a la Comisión Estatal de Derechos Humanos de Jalisco presidida en ese entonces por Guadalupe Morfín Otero, designada por el primer gobernador
panista de Jalisco, Alberto Cárdenas Jiménez. "Que la sociedad sepa
que una organización que solamente defiende delincuentes no es sana,
no es sana para la sociedad. Qué casualidad que esas organizaciones
sólo defiendan a los delincuentes, no tienen nunca ni una palabra para
las víctimas, ni una palabra para los policías que arriesgan todos los
días su vida en las calles".

La defensa del Cardenal a los policías no es nueva. Aún está en la
memoria popular el motín de presos del penal de Puente Grande del 5
de mayo de 1995. La fallida actuación policíaca para sofocar la revuel-
ta de los internos provocó la muerte de siete reclusos. Su eminencia
tomó partido inmediatamente: "un penal no es un restaurante, ni un
hotel de lujo. Los infractores no están para ser tratados a cuerpo de rey".[51]

El enfrentamiento entre Guadalupe Morfín y el purpurado fue público y notorio en 1999 cuando la ombudsman hizo 16 recomendaciones a las autoridades jaliscienses, entre ellas al alcalde Francisco Ramírez
Acuña. Uno de los casos era grave: "Se trataba de la recomendación 21/
98, por la tortura de que fueron objeto Jorge Llanos Meza y Sergio
Yebra Llanos, acusados de haber robado una joyería. Ambos fueron
detenidos por la policía de Guadalajara y conducidos a la corporación.

[50] Jorge Covarrubias en diario *La Jornada Jalisco*, 21 de febrero de 2005.
[51] Diario *El Occidental*, 6 de junio de 1995.

En los baños fueron sometidos a un interrogatorio con tortura para averiguar dónde habían dejado el maletín con las joyas, el dinero y las armas. Al primero, además de otros golpes, se le introdujo un tolete por el ano, que le produjo una herida de seis centímetros. Permaneció sin atención médica durante cuatro días. La tortura continuó en la Procuraduría. Se le negó atención médica en el Hospital Civil por carecer de camas disponibles, no obstante que en el mismo hospital había determinado otro médico que urgía operarlo para suturarle la herida. La recomendación no fue aceptada por el presidente municipal de Guadalajara".[52] Morfín Otero solicitaba la destitución del jefe de policía local, Jesús Enrique Cerón Mejía, pero Ramírez Acuña se negó a despedirlo y fue apoyado por el cardenal Sandoval Íñiguez, que tachó de "nociva" a la CNDHJ porque sólo defendía delincuentes y pretendía desestabilizar al país. La ombudsman consideró inaceptables las declaraciones del purpurado y afirmó que en un estado de derecho quien acusaba estaba obligado a demostrar: "Él declaró, sin más, a la comisión que presido como defensora de la delincuencia y desestabilizadora, sujeta a intereses extranjeros. Esa fue su respuesta ante una recomendación que denunciaba horribles torturas a un detenido acusado de haber robado un comercio en el centro de la ciudad. Ante tal osadía no cabía un silencio respetuoso. Había que exigir pruebas".[53] El Cardenal no aportó pruebas. Como autoridad de derechos humanos en el estado, Morfín Otero nunca se hincó a saludar de beso en la mano al purpurado. Católica comprometida, la ombudsman defendía con dignidad la separación de sus creencias con su puesto, su posición de autoridad laica. El enfrentamiento entre ambos fue difundido en los medios de comunicación locales con portadas con los dos rostros frente a frente.[54] El empresario Julio García Briseño medió entre ambos y Guadalupe Morfín Otero acudió a desayunar con el Cardenal a su casa de Tlaquepaque. El menú: jugo verde (nopal y naranja), fruta, carne de res encebollada con frijoles de la olla, tortillas hechas a mano con queso de rancho preparado por los jesuitas de Puente Grande, café, galletas de harina integral, pan dulce, jocoque, miel de agave, dátiles y nueces. Entre el festín, un perico se paseaba por la mesa. Se llama Sócrates y el Cardenal lo colocó en el respaldo de la silla donde estaba sentada Gua-

[52] Texto inédito de Guadalupe Morfín entregado a la autora.
[53] Idem.
[54] Conversación de la autora con Guadalupe Morfín, difundida con autorización de la ex ombudsman.

dalupe Morfín. El ave que arrebataba las galletas de avena empezó a despeinar a la ombudsman. Carcajada del Cardenal. Otro pájaro llamado Carranza come nueces que los comensales le dan. Ambiente relajado: "El agarrón fue bueno —recuerda Morfín Otero—, no fue el único. Mi fe no salió perdiendo. Si acaso el corazón, en algún momento, se confesó a sí mismo haber añorado de un pastor la capacidad de ser solidario con las ovejas en riesgo, con las más vulnerables".[55]

A pesar de aquellos lamentables acontecimientos, el entonces alcalde Ramírez Acuña se convirtió en el segundo gobernador del PAN en Jalisco. Su mandato pasó a la historia por el vertiginoso aumento de las violaciones de derechos humanos en el estado. Los casos de tortura aumentaron un 600 por ciento, según organismos no gubernamentales de derechos humanos que denunciaron sus actuaciones, entre ellos, Human Right Watch y Amnistía Internacional. En la memoria de los jaliscienses aún está presente el llamado "tlajomulcazo" un episodio que marcó para siempre la carrera política del que fuera Secretario de Gobernación del gobierno de Felipe Calderón. Sucedió el 4 de mayo de 2002 cuando el gobernador envió a la policía al municipio de Tlajomulco de Zúñiga a reventar una fiesta *rave*. Los métodos utilizados de represión contra mil 500 jóvenes que fueron obligados a permanecer boca abajo tirados en el suelo, mientras eran apuntados con pistolas, fueron fotografiados y difundidos ante la indignación de la población. Los periodistas cuestionaron al gobernador Ramírez Acuña quien amenazó con impedir las fiestas *rave* por considerarlas "verdaderas orgías" y "francachelas". El Cardenal volvió entonces a apoyar al ejecutivo estatal a pesar de que el 12 de mayo decenas de padres de familia se manifestaron en las calles contra el "tlajomulcazo". La línea dura del gobernador se fue reforzando por el apoyo de organismos empresariales como la Canaco y el 28 de mayo de 2004 trascendió las fronteras de México cuando reprimió la manifestación contra la tercera Cumbre de Jefes de Estado celebrada en Guadalajara. La policía por orden del ejecutivo golpeó y detuvo a decenas de jóvenes: Sandoval Íñiguez lo intentó exculpar declarando: "Tuvo mano dura, pero los globalifóbicos no son unas peritas en dulce. No puede meterlos en orden con puras palabras".[56]

La investigadora Renée de la Torre considera que la relación del Cardenal con los derechos humanos muestra al personaje en su real

[55] Texto inédito de Guadalupe Morfín entregado a la autora.
[56] Diario *El Universal*, 31 de mayo de 2007.

dimensión: "Me parece caótico tener un cardenal que en ningún momento respalda la defensa de los derechos humanos. Todas la veces que Ramírez Acuña hizo actos espantosos, Sandoval Íñiguez salió a apoyarlo, incluso en estos casos tan escandalosos. Es una persona que no entiende nada de ética en la modernidad. Para él la moral es una y él se erige en el gestor de la moral. En eso es totalmente intransigente, de un catolicismo que no dialoga en nada. Siempre ha mantenido una cruzada en contra de cualquier iniciativa ciudadana en defensa de los derechos humanos. Siempre ha estado con el poder. Es un respaldo para su impunidad. El Cardenal es intransigente, tradicionalista, autoritario… pero también una personaje muy desgastado en el nivel de la opinión pública y de la simpatía ciudadana".

Lujuria

Es el pecado capital de los deseos obsesivos o excesivos de naturaleza sexual, que incluye compulsiones sociológicas o transgresiones relacionadas con la sexualidad. Es también un deseo excesivo por el placer genital que provoca que la persona con la que se mantiene relaciones sea simplemente el medio para conseguir el deseo, convirtiéndola así en un objeto.

El cardenal Sandoval Íñiguez es un militante del sexo, particularmente del que practican los otros. Ante el interés que muestra por todo lo relacionado con el apetito genésico, el sexo forma parte de la vida de su eminencia, al menos como perseguidor de quienes lo experimentan libremente y como protector de los que lo cultivan de manera patológica e incurren en conductas delictivas. No está claro en cuales de las cuatro modalidades del pecado —pensamiento, palabra, obra u omisión— el Cardenal incurre, pero lo público y notorio es que su actitud obsesiva hacia la sexualidad humana está fuertemente marcada por su visión moralista y opresiva. Es un acérrimo detractor de los anticonceptivos que rechaza incluso a la hora de prevenir el Sida: "¡Es una mentira decir que el condón previene el contagio del Sida! Es tan riesgoso que promoverlo es como instar al pueblo a jugar a la ruleta rusa", dijo ante la campaña de promoción del condón emprendida por el gobierno en 1997. "Si a ustedes les dan una pistola con cargador para nueve balas, pero que sólo tiene tres, ¿ese dispararían?, ¿apretarían el gatillo si hay 30 por ciento de probabilidades de que se maten? ¡No señor! Eso es jugar a la ruleta rusa y es precisamente lo que están haciendo las autoridades con esa campaña. Dicen que su método es seguro. Y no lo es. Desde el punto de vista moral están alentando el relajamiento de costumbres. Hacen propaganda del condón entre los chicos de secundaria; cuando todavía no despiertan al sexo ya los están despertando oficialmente, diciéndoles: 'Esto es seguro, síganle, nada más usen esto'. Eso no se vale." En su cruzada a favor de la abstinencia como método de prevención de graves enfermedades, el cardenal Sandoval Íñiguez tiene otro aliado: el cardenal Norberto Rivera Carrera, quien considera la promoción del uso de condones como "cultura de la muerte" y exige que los empaques de los preservativos lleven la advertencia: "este producto puede ser nocivo para la salud". La oposición del cardenal Sandoval Íñiguez a la educación sexual en las escuelas se hizo más radical con el paso de los años: "Al promover el condón entre los niños de once o doce años están echando a perder a la juventud y orillándola a muchos riesgos. ¿Qué quieren? ¿Frustrar el futuro de la patria? ¿Qué futuro puede tener una adolescencia viciosa, enfermiza por el sexo y las drogas? ¿Qué patria puede construir?" El Cardenal también arremetió contra los funcionarios de la Secretaría de Salud: "Yo no creo que esos señores promuevan el condón entre sus hijas para que practiquen el sexo seguro. Y si no lo quieren para sus hijas entonces por qué sí lo quieren para los hijos y las hijas del pueblo. ¡No hay razón! Esa no es la función de un gobernante. Si pensaran como padres de familia y no como políticos, procederían de otra manera".

Para el purpurado, la sexualidad es un tema sobre el cual no hay que educar e incluso se atreve a dudar de la efectividad de los métodos anticonceptivos: "Qué, acaso los institutos oficiales no pueden hacer un poco de patria y decir: 'Vamos a ajustarnos a los principios de la moral natural, válida para todos los hombres'. Qué no pueden decir: 'Nos conviene tener una patria con familias bien constituidas, con jóvenes sanos de cuerpo y mente. Si hasta a los cigarros se les pone que son peligrosos para la salud. Y el preservativo, por el material con que está hecho y su propia constitución, tiene un porcentaje de inseguridad. Añádase que tantas veces, en el ardor de la pasión, lo usan mal, o se rompe o no falta qué pase".[57]

Su eminencia prefiere eliminar la educación sexual de las escuelas y los libros de texto que aborden el tema de manera científica. El 4 de mayo de 2002, la Red de Democracia y Sexualidad difundió una carta que el Cardenal le envió al secretario de Educación de Jalisco, Guillermo

[57] Agencia Cisa, 19 de octubre de 1997.

Martínez Mora, en donde calificaba los libros de biología, historia y formación cívica como "pornografía barata". Explicó: "Se recomienda implícita o explícitamente el uso del condón y hasta hay gráficas de cómo usarlo, que no son sino pornografía barata. [...] La manipulación genital, la masturbación y las relaciones prematrimoniales son acciones a las que parece se invita".

El Cardenal promueve la virginidad hasta el matrimonio, la abstinencia para evitar enfermedades contagiosas y los métodos naturales como el Billings para planificar la familia. Apoya la distribución de sus propios libros de educación sexual repartidos por la Secretaría de Educación de Jalisco durante el gobierno de su amigo Emilio González Márquez. Son textos convertidos en una guía procedentes del taller "¿Cómo orientar a los adolescentes para vivir su sexualidad?", repartidos de manera oficial por el Estado en conjunto con la asociación conservadora Enlace Occidente mediante talleres obligatorios para maestros de secundaria. El contenido del taller, que define la virginidad como primordial en las relaciones de pareja, fue copiado del método conocido como ABC, surgido durante la presidencia de Ronald Reagan en la década de los ochenta para prevenir el Sida bajo tres premisas: abstinencia, fidelidad y condón. El método difundido en *Semanario* y en la Universidad del Valle de Atemajac (UNIVA) a cargo del Cardenal, supuestamente ha reducido hasta en un 5 por ciento la transmisión del Sida en Uganda. El taller sexual sostiene que los métodos anticonceptivos más comunes son nocivos: "provocan la muerte del embrión, pueden ocasionar dolores de cabeza, náusea, infartos, trombosis, flebitis, alteraciones de la menstruación… aumentan de manera considerable los riesgos de desarrollar cáncer. Estudios recientes de la OMS revelan que su uso, especialmente los hormonales, aumentan el riesgo de contraer cáncer de mama, cérvico uterino, hepático y enfermedades cardiovasculares". Sobre la masturbación expone el libro: "cuando se vuelve recurrente, puede denotar ansiedad, estrés, exceso de estímulos visuales, angustia o sentimientos de soledad, situaciones que merecen ser atendidas y resueltas de fondo". Para el Cardenal y los miembros de los grupos conservadores que han surgido y crecido a su sombra, la abstinencia sexual que proponen a los jóvenes se logra a través de "autocontrol y autodominio".

La sombra de la misoginia del Cardenal está claramente expuesta en la página 19 del texto: "la virginidad habría que decir que se pierde cuando una mujer se acuesta con un hombre y no cuando se rompe el himen. Y si un hombre, cuando se casa, desea que su mujer sea virgen, es decir, que no haya tenido relaciones con nadie todavía, lo puede notar en la actitud de su mujer. Se nota si es experimentada o no".[58]

Como hombre preocupado por el sexo de los otros, el purpurado jalisciense tiene un interés opuesto a la de perseguir cuando se trata de la observancia de los usos y costumbres genésicas de los sacerdotes, específicamente aquellas que terminan convirtiéndose en flagrantes delitos. La castidad es un don muy especial. ¿Quién no conoce a un sacerdote que lleva una doble vida relacionada con su sexualidad? La discusión histórica y recurrente del celibato obligatorio ha provocado diversas investigaciones sobre la intensa actividad sexual del clero. Una encuesta realizada entre cuatrocientos sacerdotes en España constituye un muestrario para otros países: el 95 por ciento de los sacerdotes se masturba; 60 por ciento mantiene relaciones sexuales; 26 por ciento abusa de menores; 20 por ciento realiza prácticas homosexuales; 12 por ciento es exclusivamente homosexual y 7 por ciento comete abusos sexuales graves con menores. En cuanto a preferencias sexuales, 53 por ciento tiene relaciones sexuales con mujeres adultas; 21 con varones adultos; 14 con varones menores y 12 por ciento con mujeres menores.[59] La actividad sexual del clero fue regulada desde el Canon Segundo de la Taxa Camarae, promulgada por el Papa León X, que dice: "Si el eclesiástico, además del pecado de fornicación, pidiese ser absuelto del pecado contra natura o de bestialidad, deberá pagar a las arcas papales 219 libras, 15 sueldos. Mas si sólo hubiese cometido pecado contra natura con niños o con bestias y no con mujer, solamente pagará 131 libras, 15 sueldos". El investigador de la vida sexual del clero, Pepe Rodríguez, dice que la pederastia clerical es sistémica en la iglesia católica del mundo, precisamente por sus inamovibles leyes internas y códigos secretos: "Estadísticamente es imposible que sólo en Estados Unidos se concentren todos los sinvergüenzas del clero católico, por tanto hay que pensar que este problema enorme está igualmente repartido por todo el mundo. El clero católico es el colectivo profesional que más abusos sexuales comete contra menores".[60]

Además de sus votos de pobreza expuestos con lujo de detalle, el cardenal Sandoval Íñiguez tiene votos de castidad, al igual que los mil

---

[58] Carla Díaz Leal, Alberto Huante y Lucina Moreno. *Guía del taller: ¿Cómo orientar a los adolescentes para vivir su sexualidad?*
[59] Pepe Rodríguez, *La vida sexual del clero*, Ediciones B.
[60] Entrevista de Pepe Rodríguez con la autora, incluida en su libro *La cara oculta del Vaticano: De Ratzinger a Benedicto XVI: el Papa inquisidor*, Plaza y Janés, 2005.

300 sacerdotes a su cargo. Su postura sobre la actividad sexual del clero es mucho más laxa: "En esta Iglesia de Guadalajara, a los sacerdotes que caen en una situación de pecado y de escándalo, en esta o en otra materia, se les amonesta y se les da una ayuda profesional que abarca los campos de la espiritualidad, la medicina y la psicología, en una casa fundada aquí para ayudar a sacerdotes que padezcan depresión o cansancio y aquellos que caigan en conductas indebidas", dijo en una carta pastoral del 2002 titulada "Escándalos en la Iglesia" referente a su obra, la ya mencionada Casa Alberione.

El Cardenal nunca ha denunciado a ningún sacerdote pederasta. Jamás ha enviado a la cárcel a un abusador sexual con sotana, a pesar de que célebres curas agresores han pasado por la Casa Alberione dirigida bajo su mando compasivo y condescendiente. Entre los cientos de internos han estado el sacerdote Enrique Vásquez de Costa Rica, acusado de violar a cuatro niños, buscado por Interpol según el expediente 2002/40442. El presbítero pederasta confeso Heladio Ávila Avelar, acusado de violar a tres niños en Guadalajara, condenado a quince años de prisión en 1999 y preso en el penal de Puente Grande de donde salió libre a los pocos años gracias a la intervención del Cardenal que lo restituyó en su ministerio, según consta en el Directorio Eclesiástico de Guadalajara del 2006. El párroco de Tamazula, Leopoldo Romero, detenido cuando abusaba de un menor de 12 años en su coche, liberado gracias a los costosos abogados pagados por sus superiores. El padre José Luis de María y Campos López, de León, Guanajuato, acusado de violar a cuatro monaguillos. El cura estadounidense Thomas Kane, responsable de violar a un niño de nueve años en Estados Unidos y que cuando salió de la Casa Alberione se desempeñó como director de un instituto internacional de educación para maestros en Guadalajara; el sacerdote Heider Matías Jaimes Orduz, sacerdote de la iglesia de Nuestra Señora de Zapopan de Tepic, Nayarit, quien fue acusado de violar a un niño de catorce años y está preso en el penal local. El purpurado, el obispo Alfonso Humberto Robles Cota y el vicario Antonio Lerma Nolasco han defendido al agresor argumentando que el niño mintió y no han reparado en pagar los gastos de amparos y abogados defensores para el sacerdote.[61] También ha pasado por la Casa Alberione el cura pederasta Nicolás Aguilar, acusado de violar a más de noventa niños entre México y Estados Unidos. El cardenal Norberto Rivera fue acusado ante la Corte Superior de

[61] Sanjuana Martínez, *Prueba de fe: la red de cardenales y obispos en la pederastia clerical.* México, Planeta, 2007.

California de protegerlo, un caso que aún continua en aquel tribunal estadounidense.[62] Los sacerdotes pederastas de varios estados de la república van a dar a la famosa Casa Alberione.

Como presidente de la Fundación de Niños Robados y Desaparecidos (FIND), Juan Manuel Estrada Juárez afirma que está investigando la delictiva conducta del cardenal Sandoval Íñiguez: "Él ha defendido a capa y espada a pedófilos en Jalisco. Tenemos los casos de tres sacerdotes violadores, entre ellos uno que abusó de un niño con problemas de aprendizaje y el Cardenal los protegió y los escondió. Todo es una red de complicidades. En Jalisco prolifera la impunidad".[63]

¿Cuántos sacerdotes pederastas han pasado por la clínica dirigida por el cardenal Sandoval Íñiguez? Es uno de los secretos mejor guardados por su eminencia que se niega a exhibir los expedientes de tan ilustres internos. No hay cifras, ni estadísticas, tampoco nombres, ni listas de delincuentes sexuales. No hay denuncias, mucho menos prevención, ni alertas a los padres para que cuiden a sus hijos de los depredadores sexuales con sotana. Los curas que pasan por la Casa Alberione, al ser dados de alta por su eminencia, vuelven a ser colocados en otras capillas, en otros estados o países, cuantas veces sea necesario, todo para salvar el buen nombre de la Iglesia y para evadir la acción de la justicia. Poco le importa la integridad de los niños expuestos nuevamente a la sexualidad patológica de este tipo de sacerdotes. ¿Por qué el Cardenal no acepta ningún de los cientos de casos de pederastia clerical? Por la razón más antigua del mundo: dinero. Cuando el Cardenal reconozca el primer caso de uno de sus sacerdotes y lo denuncie a las autoridades policíacas tendrá que empezar a pagar la reparación del daño a las víctimas que claman justicia y verdad, algo que no está dispuesto a hacer. La Iglesia de Estados Unidos ha desembolsado más de dos mil millones de dólares en compensaciones a las más de cien mil víctimas de cinco mil sacerdotes. La Iglesia de México ni un solo centavo.

La carrera eclesiástica ascendente del cardenal Juan Sandoval Íñiguez tiene un destino manifiesto: la santidad. El purpurado organiza el blindaje de su inmortalidad: "Hemos pecado, hemos cometido equivocaciones colectivas. Aunque Dios es santo y comprensivo no pensó en una Iglesia sólo para los buenos, su corazón de padre abarca a todos sus

[62] Sanjuana Martínez, *Manto Púrpura: pederastia clerical en tiempos del cardenal Norberto Rivera Carrera*. México, Grijalbo, 2006.
[63] Entrevista de la autora con Juan Manuel Estrada Juárez.

hijos, los buenos y los malos, eso igualmente está previsto por el Señor, que quiso dejar como ministros no a seres perfectos, sino a hijos de Adán y Eva".[64]

Bien lo sabe su eminencia.

SANJUANA MARTÍNEZ es periodista de investigación *freelance*. Ha trabajado para Canal 2 de Monterrey, *Milenio Diario, Proceso* y *La Jornada*. Es autora de varios libros, el más reciente: *Prueba de fe: la red de cardenales y obispos en la pederastia clerical* (Planeta, 2007). Por sus investigaciones sobre la pederastia clerical recibió el Premio Nacional de Periodismo y el Ortega y Gasset, entre otros.

[64] *Semanario,* 6 de octubre de 2006.

JOSÉ LUIS SOBERANES
Cancerbero del poder

LYDIA CACHO

Era un niño rechoncho, blanco de las burlas y las agresiones típicas de la crueldad infantil. Nació en Santiago de Querétaro el 10 de enero de 1950, pero la familia se mudó a la ciudad de México, luego de que su padre, un militar de alto rango fuera requerido en la capital. El general Manuel Soberanes había sido senador por Baja California. En la primaria el "Chuby" hubo de someterse a los designios de la crueldad de los más poderosos. Incluso algunos profesores del Instituto México se aliaban a estos maltratos y cuando un niño cometía una falta, ante la pregunta expresa de quién era el culpable, los chavales, aunque instruidos sobre la pecaminosidad de la mentira, señalaban a coro al Chuby.[65]

Él no reclamaba. A veces lloraba y se escondía en el dulce consuelo de los alimentos. Rezaba mucho, dice un colega de la universidad; desde niño estableció una relación profunda y casi secreta con Dios. El lema del instituto era el suyo propio: formar buenos cristianos y virtuosos ciudadanos y por eso entró de manera natural al Opus Dei, una organización religiosa fundada el 30 de septiembre de 1928 por Josemaría Escrivá de Balaguer. En un retiro con los misioneros de San Vicente de Paul, Escrivá recibió la iluminación para crear una obra misionera, en la que cada persona que perteneciera a ella sería un apóstol de la Iglesia para servir a Dios.

[65] La elaboración de este perfil está basado en una amplia investigación hemerográfica y en una serie de entrevistas con ex amigos, ex colaboradores de la CNDH y del Instituto de Investigaciones Jurídicas de la UNAM, complementadas con testimonios de otros miembros de la comunidad vinculada a los derechos humanos. Repetidas ocasiones para entrevistar al doctor Soberanes fueron rechazadas debido a las múltiples ocupaciones y la agenda saturada del funcionario. La mayor parte de los entrevistados prefirieron omitir sus nombres.

El joven José Luis encontró su verdadera misión leyendo las memorias de la fundación de la obra que dicen: "A lo largo de 1930 y 1931, José María Escrivá fue recibiendo nuevas 'luces' divinas que completaban o perfilaban aspectos esenciales del espíritu del Opus Dei. Más en concreto: el 7 de agosto de 1931 recibió una nueva luz que recalcaba el alcance que el trabajo profesional tiene dentro del espíritu del Opus Dei, como fuente de santificación y apostolado; durante los meses de septiembre y octubre de 1931, tuvieron lugar unas experiencias espirituales de gran intensidad que lo llevaron a profundizar en la conciencia de la filiación divina, es decir, de su condición de hijo de Dios".[66]

Nadie más lastimaría al Chuby, su misión estaba por encima de todo. La ley del hombre y la ley de Dios estaban en su destino. Y, como buen estudiante que era, se convirtió en un jurista de renombre. Llegó a ser nombrado investigador titular C, de tiempo completo, en el Instituto de Investigaciones Jurídicas de la Universidad Nacional Autónoma de México (UNAM), y se recibió de Doctor en Derecho por la Universidad de Valencia en España.

José Luis Soberanes Fernández ha sido académico de la Real Academia de Jurisprudencia y Legislación de España y profesor visitante de la Université des Sciences Sociales de Tolouse, Francia. Más tarde el gobierno de España lo condecoró con la Cruz de Honor de San Raimundo de Peñafort, reconocimiento que se otorga a las personas que se distinguen en la actividad jurídica. De enero de 1985 a septiembre de 1990, fue secretario general de la Unión de Universidades de América Latina. Integrado al poderoso grupo que controla el Instituto de Investigaciones Jurídicas de la UNAM (encabezado por Jorge Carpizo Mac Gregor y Diego Valadés, entre otros), ocupó la dirección de esta institución de julio de 1990 a agosto de 1998. Durante años fue protegido y amigo del primer presidente de la CNDH y también ex director del Instituto, el doctor Jorge Carpizo Mac Gregor, aunque años después serían enemigos irreconciliables.

El 16 de noviembre de 1999, el Chuby logró su mayor anhelo, ejercer su lealtad a la Obra de Dios desde la más noble de las instituciones; fue nombrado Presidente de la Comisión Nacional de los Derechos Humanos. Era inexperto en el tema, pero tenía buenos padrinos políticos. Además, la coyuntura era perfecta. Mireille Roccati había encabezado la Comisión de 1997 a 1999, pero enfrentaba enormes nu-

---

[66] Anotación del fundador del Opus Dei en sus *Apuntes íntimos*, núm. 306, 2-X-1931 y núm. 217-218;7-VIII-1931.

barrones. Los panistas estaban irritados por una recomendación sobre las muertas de Ciudad Juárez que, según algunos de ellos, había estado motivada por razones electorales. Los priistas, por su parte, traían agravios por las recomendaciones dirigidas por el caso Morelos y estaban dispuestos a negociar con el PAN, siempre y cuando la CNDH siguiera ignorando la generalizada violación a los derechos laborales. Unos y otros impulsaban la necesidad de deshacerse de Rocatti y de buscar a un candidato más cercano a los intereses del poder, pero la atención de la opinión pública impedía dar un manotazo evidente.

El investigador Sergio Aguayo, especialista en derechos humanos, asegura que "la situación era tan absurda que después de muchas protestas nacionales e internacionales, los senadores recibieron la encomienda de nombrar al titular y al Consejo de la CNDH y de supervisar su funcionamiento. El Senado plural se encargó de enlodar a la criatura. En 1999, el Partido Acción Nacional se alió con el PRI para cambiar la ley y, dándole retroactividad, correr a la entonces presidenta Mireille Rocatti (que, por cierto, había sido puesta por el PRI). Eso vulneró la inamovilidad, principio clave del ombdusman." Y consiguieron un candidato perfecto: un académico conservador, sin cercanía con la sociedad civil, sin carisma y sin conocimiento de Derechos Humanos, un jurista orondo, llamado José Luis Soberanes.

Durante el proceso que se llevó a cabo para elegir por primera vez al ombudsman, publicado en el Diario de los Debates del 11 de noviembre de 1999, los senadores Carlos Payán, Adolfo Aguilar Zínser y Mario Saucedo, protestaron porque la terna nunca fue revisada por la Comisión de Derechos Humanos del Senado. Las deliberaciones jamás se transparentaron, la sociedad civil fue ignorada una vez más y el único candidato que habló en el Senado fue Soberanes, quien, como todo indica, fue hijo del dedazo oficial.

Al respecto, Sergio Aguayo escribió: "Deprime, indigna y ofende la forma en que el Senado ha manoseado a la Comisión Nacional de los Derechos Humanos (CNDH). Han causado daños enormes al estado de derecho. ¿Corregirán el rumbo en la elección del nuevo titular de la CNDH? Siendo justos, el Senado recibió del ejecutivo a una CNDH ajada. En los países serios, el ombudsman o defensor(a) de los derechos del pueblo es una persona independiente, comprometida con el bien común y dispuesta a ofrendar por la causa una carrera política. Los nombra el legislativo para que se transformen en muro de contención de los abusos del ejecutivo. En México, fue Carlos Salinas quien entregó al país una CNDH castrada y maniatada. Él nombraba a su titular y al Consejo Ciudadano, el controlaba su presupuesto y él le quitó competencia sobre derechos laborales, electorales y sobre asuntos jurisdiccionales. Afortunadamente él [Salinas] ya no está". Después, dice Aguayo: "escenificaron la chabacana elección de José Luis Soberanes. La Comisión de Derechos Humanos del Senado organizó ceremoniosas comparecencias para una lista de candidatos espléndida y plural. La sociedad se involucró y 306 cartas llegaron al Senado. Fue un festival de participación ciudadana y de simulación legislativa, porque llegado el momento la Junta de Coordinación Política tomó el asunto en sus manos. Al amparo de la noche, los senadores Eduardo Andrade y María de los Ángeles Moreno del PRI, Gabriel Jiménez Remus y Juan de Dios Castro, del PAN, urdieron una terna en la que José Luis Soberanes llevaba en la frente el hierro del dedazo bipartidista".[67]

Gracias a esos apoyos, Soberanes obtuvo la reelección para totalizar nueve años en el control de la CNDH; los tres titulares anteriores habían durado solamente un trienio. El senador priista Sadot Sánchez Carreño (presidente de la Comisión de Derechos Humanos del Senado) consideró innecesario fundamentar su respaldo a la reelección de Soberanes, quien fue replicado por la poderosa fracción priista en la Cámara Alta. Soberanes prometió pagarle el favor al senador y lo hizo. Al terminar su tarea como legislador, Sánchez Carreño fue nombrado por Soberanes director del programa contra la trata de personas de la CNDH, con sueldo y prestaciones de alto nivel.

En su reelección, dos candidatos impugnarían, sin resultado, el proceso ante los tribunales del Poder Judicial de la Federación. Uno fue Raymundo Gil Rendón, profesor del Posgrado de la UNAM y el otro Bernardo Romero, incómodo ex presidente de la Comisión de Derechos Humanos de Querétaro. A pesar de las violaciones procesales del Senado, ninguna demanda tendría eco en el Poder Judicial.

¿Para qué quería México una Comisión Defensora de Derechos Humanos? Durante una charla de la autora con doscientos quince estudiantes universitarios, al preguntarles quiénes conocían los orígenes y finalidad de la CNDH solamente cuatro asintieron, dos de los cuales aseguraron que es un organismo que sirve para proteger a los delincuentes. Un grupo de la élite política anticipó desde entonces la importancia que podrían adquirir la CNDH y Soberanes. A nueve años después, lo sabemos: con una guerra abierta contra el narcotráfico, un sistema de justicia penal colapsado, acompañados por una connatural

[67] Diario *Reforma*, 8 de septiembre de 2004.

inestabilidad política, el presidente de la CNDH se ha convertido en el guardián de la puerta que impide que organismos internacionales que vigilan la situación de los derechos humanos en México y la sociedad civil nacional, que padece abusos de parte de las autoridades, se conviertan en protagonistas incómodos para el poder central. Soberanes es una pieza clave. Él trae su propia agenda, que en nada coincide con la agenda social de las organizaciones civiles laicas mexicanas.

El funcionario leal a su grupo, que ascendió en el poder gracias a la proyección de una imagen modesta y respetuosa de los territorios de otros, sufrió una gran transformación una vez que se instaló en la cabina de mando de la CNDH. Sus modos ampulosos y sus ambiciones pronto le acarrearían enemistades. La más notable fue la ruptura de Soberanes con el grupo "de jurídicas" de la UNAM, cuando a los seis meses de haber asumido la presidencia, despidió a la doctora Patricia Galeana Herrera, historiadora, feminista y maestra en asuntos de Seguridad Nacional. Galeana había entrado como Secretaria Técnica de la CNDH y es esposa de Diego Valadés, quien al lado de Carpizo y Héctor Fix-Zamudio, había sido padrino y tutor de Soberanes.

Dicen quienes lo conocieron en la infancia, que en la mirada del ombudsman más cuestionado de la historia mexicana, permanece algo del Chuby que era en la niñez. Ahora es un hombre de grandes dimensiones corporales, con un serio problema de diabetes, que tiembla de enojo ante los artículos de la prensa escrita. Trepidan sus carnes y la frente y el cuello exudan algo que se parece mucho al miedo. Su voz se agudiza, manotea como pintando mariposas en el aire y con los ojos pequeños como almendras pregunta a sus más cercanos colaboradores: "¿Por qué me maltrata tanto la prensa, por qué? ¿Qué les he hecho para que me odien?" Y es que, en efecto, una buena parte de la sociedad se pregunta a qué intereses sirven José Luis Soberanes y la CNDH.

La defensoría del pueblo, teoría y realidad

Luego de la Segunda Guerra Mundial, mientras Europa se reconstruía, las sociedades del viejo continente, politizadas y urgidas de paz, después de haber llevado la muerte en la piel, el hambre en las entrañas y el miedo en los huesos, exigieron que sus gobiernos tuvieran contrapesos que permitieran a la ciudadanía participar en las decisiones sobre su desarrollo social y político. No podemos olvidar que la Organización de las Naciones Unidas (ONU) es producto de la posguerra, al igual que la noción —extraña para aquellos tiempos— de que todas las personas tenían una serie de derechos más allá de las prerrogativas políticas: los Derechos Humanos. El primer modelo rudimentario fue el escandinavo y el nórdico, de allí la voz sueca *Justitie-Ombudsmannen*, que en castellano se traduce como defensor del pueblo. En sus orígenes suecos, el ombudsman era elegido por el rey y fueron los países anglosajones quienes transformaron el modelo para que fuera el Parlamento el que decidiera la identidad de su ombudsman, ya que la finalidad de una Comisión de Derechos Humanos consiste en evidenciar el efecto que las malas administraciones del poder tienen en la sociedad civil. Para los Comisarios Parlamentarios anglosajones, la vigilancia de la "mala administración" constituye la esencia del defensor del pueblo. La idea central es que la sociedad tiene derecho a evidenciar los abusos de poder en su contra y los comisarios de derechos humanos tienen la obligación de investigar y transparentar las acciones del Estado. La definición de M. Crossman acerca del término es: "el ombudsman abarca la prevención, la negligencia, la inatención, la lentitud, la incompetencia, la ineptitud, la obstinación en el error, la arbitrariedad y similares [perpetrados por el poder del Estado]". Ese es el papel de los defensores del pueblo.[68] Aunque según Per-Erik Nilsson, ombudsman-Jefe del Parlamento sueco, el vocabulario literalmente traducido significa "persona que da trámite" y describe a una persona que actúa por cuenta de otra, sin tener un interés personal propio en el asunto en el que interviene.

A pesar de la importancia que tuvo la creación de organismos controlados por la sociedad civil para asegurar que los gobiernos no incurrieran en actos de autoritarismo, xenofobia, tortura y otros abusos de poder, no fue sino hasta que España y Portugal crearon sus defensoría del pueblo, que México, Perú y Guatemala, entre otros países latinoamericanos, admitieron la urgencia de crear un organismo vigilante de los derechos humanos, con rango constitucional como el del Defensor del Pueblo español o el Proveedor de Justicia portugués.

Este modelo además de llevar implícito un control de la administración del poder, cuenta con otro medio para el cumplimiento de su función en defensa de los derechos: la legitimación activa para interponer acciones de garantías. Por lo tanto, el ombudsman pasa a ser un

[68] Magdalena Aguilar Cuevas. *El Defensor del Ciudadano* (Ombudsman). México, UNAM, 1991.

defensor de la Constitución y de la legalidad. Según la investigadora Susana Castañeda Otsu, el intento peruano en 1979 fue fallido, pues el propio Fiscal de la Nación era el defensor del pueblo. En 1985 la sociedad guatemalteca tuvo un logro sin precedentes; nombró al primer ombudsman como un Comisionado del Congreso, bajo el cargo de Procurador de los Derechos Humanos. Colombia, Paraguay, El Salvador y otros países del continente americano cuentan con esta figura de defensor del Pueblo. Sin embargo, en Colombia ha sido muy criticado pues aunque quien lo elige es la Cámara de Representantes, debe hacerlo sobre una terna designada por el propio presidente del país. El de México es, teóricamente al menos, el modelo de ombudsman más parecido al de Suecia y muy diferente a los de Latinoamérica.

La adaptación del modelo europeo a nuestros sistemas jurídicos respondió a la realidad social regional; golpes de estado, guerrilla, represión, violencia militar y desapariciones forzadas. Es decir, un ramillete multicolor de violaciones a todos los derechos humanos y constitucionales. La novedad consistía en la creación de un consejo consultivo plural y representativo de toda la sociedad, organismo al que Soberanes iría desestimando con los años, hasta despreciarlo del todo en 2008.

México había vivido la masacre de la noche de Tlatelolco y las desapariciones forzadas de los años setenta; los gobiernos de Gustavo Díaz Ordaz y de Luis Echeverría descalificaron y amedrentaron a los movimientos sociales y buscaron desaparecerlos sistemáticamente, asegurando la impunidad de los autores materiales e intelectuales de esos delitos. Los mandatarios sucesivos, José López Portillo y Miguel de la Madrid, capotearon la deuda social de la justicia respecto a estas violaciones de los derechos humanos. El 5 de junio de 1990, el presidente Carlos Salinas de Gortari, presionado por los movimientos sociales e intelectuales —que exigían la creación de un organismo de vigilancia de derechos humanos—, presentó el decreto de creación de la CNDH, el cual entonces dependía de la Secretaría de Gobernación. Jorge Carpizo Mac Gregor, su primer presidente, recuerda como comenzó la CNDH: en dos cuartos, con dos escritorios, seis sillas y un teléfono.

En 1992, luego de un importante diálogo con intelectuales y grupos defensores de los Derechos Humanos, con la adición de Artículo 102 apartado B, la CNDH elevó su poder como Órgano no Jurisdiccional del Estado, regido desde la Constitución Política de los Estados Unidos Mexicanos. En 1999, otra reforma le daría autonomía financiera de gestión. Una regla fue que el Senado aprobara a su titular, que comenzó a adoptar la figura de ombudsman. Argumentando la necesidad de su autonomía, se le asignó al presidente de la CNDH un salario más alto que el de un Secretario de Estado. Han presidido la CNDH: Jorge Carpizo Mac Gregor (1990-1993), Jorge Madrazo Cuéllar (1993-1996), Mireille Roccatti (1997-1999) y José Luis Soberanes (1999 al presente).

Según Jorge Carpizo, "a diferencia de los conflictos surgidos entre particulares por actos jurídicos, las relaciones entre un servidor público y un particular no se dan en un plano de igualdad y la norma jurídica obliga al agente del poder público a sujetar su actuación al principio de legalidad, a fin de preservar los derechos del particular. Luego, los derechos humanos se precisaron y garantizaron frente a la autoridad. Por ello es que, para que exista violación a un derecho humano, es necesaria la intervención de un funcionario público". Es decir, el ombudsman tiene como principal tarea proteger a la sociedad de los abusos del poder, es por ello que en su mandato el reglamento estipula que el presidente de la Comisión Nacional de Derechos Humanos no puede, ni debe, opinar sobre asuntos relacionados con sus posturas personales, [religiosas] o políticas.

El ombudsman militante

Las primeras veces que sus colaboradores le preguntaron, recién integrado a la Comisión, qué postura tomaría ante el aborto, Soberanes suavizó la voz y aseguró que su mandato al frente de la Comisión de Derechos Humanos le impedía opinar al respecto. De hecho, presumió ante la mirada inquisidora e incrédula de uno de los presentes: "cuando yo era director del Instituto de Investigaciones Jurídicas publiqué dos libros en defensa del aborto, yo mismo firmé la autorización de puño y letra", pero omitió admitir que, paralelamente, había publicado varios más —bajo su personal vigilancia— en contra de los derechos sexuales y reproductivos de las mujeres.

"Mi relación con Dios es íntima, por eso no permito que nadie hable de mi vida privada", dijo. "¿Tan íntima como la relación de amor entre dos seres?", le preguntó un amigo cercano. "¡Así de íntima!", respondió con énfasis el soldado de Cristo.

Cada mañana en punto de las siete, José Luis entra a la iglesia de Coyoacán, cercana a su casa; sale luego a trabajar con la conciencia tranquila. Cuentan sus colaboradores que cada vez que regresa de algún viaje en avión, pasa a la iglesia a rezar un poco y a agradecer haber vuelto con vida. Tal vez su miedo a las aeronaves se desprende de la extraña muerte de Martín Huerta, Secretario de Seguridad Pública Federal, luego de que, tras la amenaza del narcotraficante Osiel Cárdenas al tercer visitador de la CNDH, José Antonio Bernal Guerrero, estos fallecieran juntos el 21 de septiembre del 2005 en el accidente aéreo en el que perdieron la vida nueve personas.

Cuenta el vigilante de las afueras de la iglesia que una mañana, cuando salía del templo, con las prisas Soberanes chocó el automóvil que estaba estacionado delante del suyo en la fila y al romperle el faro, el cuidador le increpó para que resarciera el daño al dueño del carro averiado, ausente en ese momento. "El señor estaba enojadísimo y no quiso pagar un faro que hubiera costado menos de cinco mil pesos". Fue entonces que el cuidador lo reconoció "¡es usted el que sale en las noticias!" La respuesta fue un rápido gruñido antes de huir del lugar.

El ombudsman, como dijimos, recibe un salario superior al de cualquier secretario de estado. Sus colaboradores de segunda línea, como el jefe de prensa, ganan en la práctica 130 mil pesos mensuales, asegura un ex empleado. Está claro que la CNDH necesita ser autónoma para poder vigilar los abusos del poder del Estado; sin embargo, uno de los grandes cuestionamientos de las organizaciones no gubernamentales ha sido la discrecionalidad del gasto del presupuesto de la CNDH. Del año 1999 al 2008 hubo un incremento del 200 por ciento en la partida oficial. Hay quienes aseguran que la protección con que cuenta Soberanes para esta discrecionalidad sólo puede surgir de sus alianzas con el Senado y el Poder Ejecutivo. Cada vez que se le ha cuestionado la falta de transparencia efectiva, tanto en el gasto específico como en su actuación, Soberanes se muestra indignado y expresa su sospecha de que las organizaciones de la sociedad civil intentan destruirlo. En países europeos, los ombudsman son típicamente atacados por el poder formal al que vigilan y protegidos por la sociedad civil que los considera un aliado de ellas; en México, el caso es inverso. A Soberanes, las críticas le parecen una afrenta personal y tiende a descalificar a sus detractores como si a estos los movieran motivos ulteriores inconfesables, en lugar del derecho legítimo a exigir transparencia de un servidor público.

La Human Rights Watch (HRW), organización creada en 1978 y que defiende los derechos humanos en setenta países del mundo, calificó a la CNDH como un organismo poco transparente y que no rinde cuentas a la sociedad. Su titular, José Luis Soberanes, reaccionó al veredicto con un arrebato de ira. Tenía motivos: el informe internacional presentado en febrero del 2008, afirmaba que ni los cuantiosos recursos económicos, calculados en 866 millones de pesos, ni el numeroso personal que está a su cargo han sido suficientes para consolidar a este organismo como un garante de los derechos humanos de los mexicanos. Es un organismo muy costoso que rinde pocos resultados, aseguró la HRW.

En su respuesta a este cuestionamiento, Soberanes aseguró que la CNDH a su cargo es auditada anualmente, pero tales argumentos fueron refutados por parte de José Miguel Vivanco, director de la División Américas de Human Rights Watch (HRW): "Según Soberanes, la CNDH es auditada de manera exhaustiva por la Auditoría Superior de la Federación (ASF), por un despacho... de contadores... [y por] la Contraloría Interna de la CNDH. Si bien la Contraloría Interna realiza auditorías, está estructuralmente subordinada al presidente de la CNDH y es la oficina que solicita a los despachos privados que realicen auditorías cuando las considera necesarias. La ASF sólo auditó a la CNDH en contadas ocasiones y, cuando lo hizo, evaluó una fracción de su presupuesto".[69] Ante las precisiones de Vivanco, el ombudsman guardó silencio.

PRESUPUESTO OTORGADO A LA CNDH
(Pesos mexicanos, base 100 = 2006)

Año	Presupuesto modificado (nominal)	Presupuesto modificado (real)	% variación anual en términos reales
2000	301,380,000	428,096,591	
2001	410,000,000	550,335,570 29	29
2002	457,786,700	574,387,327	4
2003	577,624,086	667,773,510	16
2004	639,856,900	688,758,773	3
2005	708,083,414	732,247,584	6
2006	742,543,110	742,543,110	1

Nota: El presupuesto contemplado para 2009, es de 952 millones de pesos.

FUENTE: Secretaría de Hacienda y Crédito Público, disponible en Internet: *http://www.apartados.hacienda.gob.mx/presupuestos/index.htm*

[69] Colaboración especial de José Miguel Vivanco en el diario *Reforma*, 3 de marzo de 2008.

Defensor del pueblo, de lujo

Una vecina de Coyoacán que lo ve a las afueras de su casa un domingo cualquiera, lo describe: Soberanes porta una gigantesca camiseta de algodón gris con una mancha en la parte alta del vientre, unos shorts de algodón a cuadros dejan ver sus piernas anchas arriba y delgadas en la pantorrilla. Calcetines blancos y huaraches complementan su atuendo y una gorra con algún logo deportivo le cubre la cabeza. Rara imagen para un hombre que invierte un presupuesto notable en su vestuario.

Al ombudsman le fabrican especialmente sus trajes y camisas. Las corbatas de seda Hermes y los tirantes son su fascinación, asegura una ex colaboradora del Instituto de Investigaciones Jurídicas. Entre los habanos de su afición, siempre los mejores. Tiene una gran colección de mancuernillas de oro blanco y oro amarillo, algunas con sus iniciales y con piedras preciosas; sus lentes son de armazón finísimo de marca, de colores combinados y los calcetines de seda hacen juego con las mascadas que porta alrededor del cuello. Los pañuelos, también de seda, se asoman coquetos por el bolsillo del traje, del lado de su corazón. "La piel fina lo enloquece, ama las carteras Cartier, los portafolios y las bolsas que llaman vulgarmente *mariconeras*", explica la investigadora. Gusta comprar zapatos de piel fina de fabricación italiana, viaja en primera clase, come en los mejores restaurantes y es sumamente "maniático" con la higiene y los buenos modales cuando está en actos públicos, asegura un ex colaborador del ombudsman. Pero, ¿cómo puede pagar el defensor del pueblo trajes Hugo Boss y zapatos Bally? Porque su salario se lo permite. En una ocasión, justo un día después de hacer una declaración a los medios sobre la importancia de que el gobierno federal respetara la austeridad, se le fotografió viajando en primera clase a Europa mediante el pago de un boleto por casi 60 mil pesos. Esta suma es el equivalente a la nómina semanal de una organización que atiende a menores abusados en México.

José Luis Soberanes recibe una compensación salarial que representa siete veces su sueldo básico. Según el último dato conocido, el Defensor del Pueblo ganaba lo siguiente: sueldo base: 20 mil diez; compensación garantizada: 137 mil 404. Es decir, un sueldo real neto de 157 mil 415 pesos después de descontar impuestos y otras deducciones. A esto se deben sumar los viáticos, prestaciones y gastos de viajes que no se incluyen en su salario. Tal es el caso de un bono trimestral de fondo de ahorro (él aporta 15 mil y la CNDH un tanto igual), gastos por comidas en restaurantes 30 mil pesos mensuales, viáticos (aproximadamente tres viajes por mes, a razón de 15 mil pesos por viaje), hoteles de cinco estrellas para él y su acompañante, boletos de avión nacionales y al extranjero en primera clase. El gasto mensual del Defensor del Pueblo rebasa los trescientos mil pesos, con cargo al erario.[70]

Dejad que los jóvenes vengan a mí

El ombudsman logra equilibrar su vida personal y de trabajo con gran maestría. Casado con Marilí Diez de Soberanes y con siete hijos, ha mantenido en secreto a su familia y en particular a su esposa, a quien jamás se la ve junto a él. Mantiene una cultura familiar profundamente tradicional. Su esposa es una mujer respetuosa, amable y por demás silenciosa, dicen sus allegados. Una mujer ideal para un hombre público al que siempre se le ve rodeado de hombres.

Las reuniones del Opus Dei, a las que Soberanes asiste cada semana, se llevan a cabo en una casa en la colonia La Florida, en la calle Margaritas 382, en el Distrito Federal. Allí él es uno de los hombres más prominentes de esta agrupación político-religiosa. El abogado constitucionalista es el gran asesor jurídico. Lo ha sido en ocasiones del Arzobispado de México para los temas de libertad religiosa. Pero se da tiempo para hacer un poco de ejercicio.

Diaria y religiosamente acude al gimnasio Sport City de Loreto, aunque cuando no le es posible llegar hasta allá, visita el de Miguel Ángel de Quevedo, pues entre sus prestaciones tiene la posibilidad de pagar la membresía más cara. En Sport City ha forjado amistades entrañables y cercanas con jóvenes amantes del fisicoculturismo. Dos empleadas del gimnasio de Loreto aseguran que difícilmente habla con las mujeres y recuerdan algún escandaloso incidente con un ex coordinador de ese gimnasio, pero declinan profundizar sobre el tema.

El ombudsman ha dejado huella en el club deportivo al que asiste por órdenes médicas siempre que está en la ciudad. Algunos de estos jóvenes, de pieles tersas, pechos depilados, cuerpos esculturales y rostros envidiables por su belleza casi núbil, trabajan a su lado; a ellos les busca puestos en el área de prensa o simplemente como asesores. Durante horas se encierra en sus oficinas a charlar con "los efebos". Dos visitadores de la CNDH aseguran que nadie sabe bien a bien quién creó

[70] Fuente: CNDH y Diario *Reforma*.

ese mote de "los efebos", pero pude escucharlo más de una decena de veces como producto de lo que los burócratas de los derechos humanos llaman el radio-pasillo de la Comisión.

Esta costumbre de rodearse de jovencitos no es nueva, aseguran dos abogados que hace doce años fueron sus colaboradores y que piden omitir sus nombres por motivos personales. Desde el Instituto de Investigaciones Jurídicas estableció, desde principios de los años noventa, programas para convocar a estudiantes de provincia muy jóvenes para venir al Distrito Federal a hacer estancias de verano y para trabajar como sus asistentes. En general, jóvenes de provincia o de la ciudad de México que trabajaban con él duraban poco tiempo en el Instituto. Se comenta que uno de ellos terminó en Irlanda lavando platos en un restaurante. "Nos llevaba a todas partes, siempre tenía un consentido y aseguraba que nos reprendía porque era nuestro vigía moral y espiritual".

Como en otros aspectos, José Luis Soberanes muestra contrastes más que evidentes. Su religiosidad ortodoxa le impide admitir públicamente su cercanía con jóvenes homosexuales, aunque no todos los Efebos lo son. Su laxitud para admitir las relaciones erótico-sexuales entre varones no es ningún secreto. Algunos defensores de la diversidad sexual revelan que el ombudsman es un aliado de esa causa de derechos humanos. Esta opinión contrasta con la de defensoras de los derechos de las mujeres que lo han calificado como "misógino" y "machista".

El 20 de abril del 2002, ante la exigencia de la sociedad civil de dar seguimiento a las denuncias de pederastia clerical hechas por víctimas del padre Marcial Maciel, ante las preguntas expresas de reporteros, la CNDH, a través de Soberanes, informó que estaba "fuera de su competencia" la investigación relacionada con los infantes que fueron violados por religiosos y aseguró que tendrían que ser las procuradurías de justicia de cada estado quienes indagaran las denuncias respectivas. Sin embargo, el 26 de abril —seis días después— durante un acto en Cuernavaca, Morelos, el presidente de la CNDH, asesorado por su jefe de prensa, ante las ya públicas sospechas de que el ombudsman pudiera estar solapando a pederastas, condenó a los abusadores sexuales y propuso que se aplicara la ley en contra de aquellos sacerdotes que violaran sexualmente a menores. Se sabía entonces que todos los acusados pertenecían a la orden religiosa del Regnum Christi o Legionarios de Cristo, una organización con serias diferencias con el Opus Dei.

Sus valores se ponen a prueba cuando de sus amigos se trata. Carpizo Mac Gregor asegura que "algunos de los contratos que se han firmado para la redacción de libros de la CNDH son millonarios; hasta casi dieciséis veces lo que percibe anualmente como salario un investigador titular C de tiempo completo. Increíble, realmente increíble", dice moviendo la cabeza el jurista. "Los contratos se han otorgado por razones de amistad o para granjearse simpatías políticas". Carpizo no se queda allí: asegura que en varias comisiones los encuentros académicos que organizan están lejanos al tema de los derechos humanos y en cambio se utilizan para invitar a amigos y para promociones personales de amigos entrañables.

En febrero de 2000, la reportera Silvia Magally de Comunicación e Información de la Mujer (CIMAC), publicó una nota en la que describía una muestra de la vinculación del ombudsman con la iglesia católica: "Organizaciones no Gubernamentales (ONG), reprobaron la participación del presidente de la Comisión Nacional de Derechos Humanos, José Luis Soberanes, dentro del Congreso 'Jesucristo, Encarnación de Dios, Jubileo de la Sacralidad de la Vida Humana' —convocado por la Iglesia Católica—, ya que con su sola presencia, respalda la política que esta institución eclesiástica, tiene respecto a los derechos reproductivos y la planificación familiar. José Luis Soberanes participó con su ponencia: 'El derecho a la vida en los Estados Constitucionales Modernos'. En tanto, María Consuelo Mejía, dirigente de 'Católicas por el Derecho a Decidir', cuestionó la participación del presidente de la CNDH en un acto donde no se respetaban los derechos humanos de las mujeres".[71]

En noviembre de 2003 y en septiembre del 2004, como preámbulo a su reelección, Soberanes organizó dos grandes congresos nacionales en dos de los sitios turísticos más caros del país: Puerto Vallarta y Playa del Carmen. En hoteles de lujo y pagando todos los gastos de los cientos de invitados, la CNDH erogó 5 millones 716 mil 475 pesos en Vallarta y casi 10 millones en Quintana Roo. Entre sus invitados había organizaciones que firmaron cartas para solicitar su reelección ante el Senado de la República, entre ellas muchas que nada tienen que ver con los derechos humanos y mucho con el tráfico de influencias y amistades; como la Organización de Productores del Maguey y el club de futbol "Pumitas", de Baja California.

Los vínculos del titular de CNDH con políticos de alto vuelo son públicamente reconocidos. Pablo Escudero Morales, su consentido y Oficial Mayor de la CNDH, es un joven al que conoció en el gimnasio

---

[71] Silvia Magally, Agencia CIMAC, 9 de febrero de 2000.

e invitó a trabajar a su lado. Recientemente, Pablo se casó con Sylvana Beltrones Sánchez, la hija del polémico priista Manlio Fabio Beltrones.

El 15 de febrero del 2006, un día después de que salieron al aire las llamadas telefónicas entre Kamel Nacif, Mario Marín y otros colaboradores del empresario libanés, los medios entrevistaroon al ombudsman, pues Kamel Nacif asegura en una de ellas que podría parar el impacto del caso pidiendo ayuda a su "amigo Soberanes de la CNDH". Ante la pregunta expresa del reportero Héctor Guerrero de Noticieros Televisa, Soberanes, en tono nervioso, respondió: "¿Quién hizo las intervenciones telefónicas? Hay que ver si no fue un organismo responsable del Estado. Me preocuparía que fuera un organismo de seguridad del Estado mexicano, que son los que tienen la tecnología para hacer este tipo de intervenciones telefónicas". Y se deslindó de cualquier responsabilidad. "Bueno, soy amigo [de Kamel Nacif], pero conmigo no hablaron en lo más mínimo y si me hubieran hablado, yo les hubiera dicho lo mismo que a ustedes: que no podemos nosotros intervenir porque tenemos una queja abierta de Lydia Cacho" (*www.esmas.com*).

Soberanes informó al reportero que la CNDH integraría al expediente que ya tenía abierto, las grabaciones telefónicas que se hicieron públicas e hizo un recuento de los casos de agresión contra reporteros y dijo que éstos se han incrementado en un 60 por ciento al pasar de 43 en el año 2004, a 72 en el 2005. "El 2004 y el 2005 han sido los años negros para la actividad y labor de los periodistas, reporteros, directivos y miembros de los medios de comunicación", aseguró Soberanes.

Zongolica y el CSI de Soberanes

La intervención de Soberanes en los casos de mayor trascendencia política de los últimos años: Oaxaca, Atenco y Zongolica, parecería confirmar los temores de aquellos que consideran que su presidencia ha servido para proteger los intereses de la clase política. Y eso a pesar de que en estas coyunturas estuvo asesorado por el periodista Guillermo Ibarra, un liberal que le cuidó las espaldas con estrategias dignas del mejor politólogo.

Por lo que toca a la crisis de Oaxaca y el consiguiente enfrentamiento entre manifestantes y fuerzas del gobernador Ulises Ruiz, es frecuente encontrar declaraciones impecables de Soberanes, que lo presentan como un defensor férreo de la legalidad. Sin embargo, fue señalado por las diputadas Maricela Contreras, presidenta de la Comisión de Equidad y Género y los legisladores Javier González Garza y Aleida Alavés Ruiz, quienes denunciaron al ombudsman porque éste entregó ilegalmente a la Secretaría de Gobernación el contenido del informe especial sobre Oaxaca. Por debajo de la mesa, acordó con el titular Francisco Ramírez Acuña que éste le hiciera llegar sus observaciones al texto en un plazo máximo de 72 horas. Soberanes no solamente violó el artículo cuarto del reglamento de la CNDH, que establece que ese organismo "no recibirá instrucciones o indicaciones de autoridad o servidor público alguno", sino que además utilizó ilícitamente la información que se encontraba bajo su custodia y con ello se alió con el Secretario de Gobernación y con el titular de Seguridad Pública Federal, "para tomar medidas contrarias a la ley, lo que afecta las garantías ciudadanas". El Defensor del Pueblo que debía velar por los derechos de los detenidos y asesinados por el gobierno de Ulises Ruiz y había declarado sobre ello, tendió una trampa a quienes confiaron en sus visitadores al narrarle los hechos de abuso de la autoridad policial oaxaqueña. La Segob pasó una copia de este informe al propio Ulises Ruiz.

Hubo 21 personas asesinadas, alrededor de 370 lesionadas, 306 detenidas, unas 300 perseguidas y más de 100 desaparecidas. De los 306 presos, 214 fueron capturados el 25 de noviembre —entre ellos cuatro extranjeros— a raíz de los enfrentamientos entre miembros de la APPO y fuerzas del "orden" (incluyendo a los provocadores), que ocasionaron daños materiales calculados en más de 60 millones de pesos. Unos 170 detenidos fueron llevados a centros penitenciarios de Nayarit, Tamaulipas y Jalisco. En el penal de San José del Rincón —a 15 kilómetros de Tepic, Nayarit— fueron recluidas 141 personas (106 hombres y 35 mujeres), entre las cuales había algunas menores de edad. Tras pagar una fianza de 108 mil pesos cada una, fueron liberadas tres de ellas y luego se sumó una más, por lo que 139 seguían presas. Más de cien personas eran transeúntes que no participaron en la manifestación de aquel día y fueron detenidas arbitrariamente y torturadas antes, durante y después de su traslado; las 139 estaban acusadas de rebelión, sedición, delincuencia organizada, asociación delictuosa y daños por incendio. Este era un caso para demostrar si el ombudsman protegía o no a la sociedad civil, inocente hasta probarse lo contrario, pero el dirigente eligió aliarse con el poder al que su consigna exigía supervisar y señalar.

En el caso Atenco, las contradicciones se hicieron presentes de igual manera. Eduardo Medina Mora quien durante las aprehensiones fuera secretario de Seguridad Pública y luego procurador general, aseguró que no había nada que investigar en la Fiscalía Especial de Delitos contra Mujeres porque él mismo estuvo presente en esos operativos de la PFP y "no se violaron ningunos derechos". En respuesta, Soberanes afirmó: "En México se corre el riesgo de que la justicia se pierda cuando un funcionario, acusado de la comisión de un delito, se convierte en juez y parte". Sin embargo, él mismo colaboró en el fortalecimiento de ese esquema.

Lo cierto es que fueron las organizaciones internacionales de derechos humanos las que presionaron a la opinión pública, luego de las declaraciones de las jovenes españolas, detenidas y violadas en el operativo, que describieron los abusos de los que fueron objeto por parte de los efectivos de la PFP. La respuesta de la CNDH fue tibia y tardía y sólo como resultado de la repulsa internacional.

Más preocupante fue su actuación en el caso de la indígena Ernestina Ascensio, en Zongolica, Veracruz. Uno de los asesores de prensa de la CNDH me describió en detalle, durante una entrevista personal, el ambiente que primaba en las oficinas de la dependencia durante este caso. José Luis Soberanes había dicho que se sentía muy presionado por las autoridades y que culpabilizar al Ejército por la violación y asesinato de una anciana indígena sería un golpe para la presidencia. Su asesor le recomendó que no dijera nada "no opine, deje que concluyan las investigaciones de los peritos de Veracruz y simplemente presentamos el dictamen", pero el ombudsman ya había tomado una decisión.

La agencia de noticias CIMAC narra un informe del caso. El 25 de febrero de 2007, la indígena náhuatl Ernestina Ascencio Rosario murió víctima de una violación múltiple, cometida por cuatro elementos del Ejército Mexicano. El informe del médico forense detalla que la mujer murió por fractura de cráneo, hemorragias internas y sangrado anal propiciado por una penetración múltiple. Por ello se inició la investigación, asentada en las averiguaciones previas 140/07 y 471/07, en la Agencia Especializada en Delitos Sexuales y en la Agencia del Ministerio Público Investigador, respectivamente. Posteriormente y ante las "omisiones" halladas por la Comisión Nacional de Derechos Humanos (CNDH) en el informe forense practicado a la mujer náhuatl, afirmó la dependencia, el 9 de marzo de 2007, el cuerpo de la víctima fue exhumado por personal de la misma y de la Procuraduría del Estado.

Días más tarde y antes de que la CNDH presentara los resultados de la exhumación, los diarios publicaron una declaración de Felipe Calderón que conmocionaría a la opinión pública: la señora "falleció de gastritis crónica no atendida", dijo el presidente, deslindando veladamente de responsabilidad a la Secretaría de la Defensa Nacional (Sedena).[72] El presidente de la CNDH, José Luis Soberanes, dijo tres días después que la muerte se debía a causas naturales y que no se podía asegurar que hubiera existido violación. A través de un comunicado, el organismo especificó que había muerto a causa de "úlceras gástricas" que le provocaron una "anemia aguda". De esta manera, avaló la versión de Calderón.

El 29 de marzo del 2008, la Procuraduría General de Justicia del Estado de Veracruz (PGJEV) indicó que los médicos legistas que participaron en la necrocirugía y la exhumación del cadáver de la señora, después de la cual afirmaron que fue violada, fueron puestos bajo investigación con el expediente 61/207 y serían sancionados si se comprobaba que incurrieron en omisiones o alteraron datos en el reporte de la autopsia. Los profesionales suspendidos y puestos bajo investigación fueron María Catalina Rodríguez, Ignacio Gutiérrez Vázquez y Juan Pablo Mendizábal, peritos veracruzanos.

Esta acción en contra de los forenses se desprendió de lo dicho por la CNDH: que la mujer originaria de Tetlazinga, municipio de Soledad Atzompa, de la sierra de Zongolica, no murió por lesiones derivadas de abuso sexual, sino por muerte natural. Sin embargo, a pesar de la denuncia interpuesta por el propio presidente de la CNDH en su contra, el médico legista Juan Pablo Mendizábal Pérez defendió su dictamen inicial, en el que certifica que Ernestina Ascencio sufrió traumatismo craneoencefálico, luxación de vértebras cervicales y que le fueron encontrados en el recto residuos de fosfata ácida y p30, sustancias propias del semen. Además, reiteró que el personal de la CNDH que participó en la exhumación del cuerpo de la indígena en ningún momento solicitó tejidos de la piel de la anciana para practicar algún tipo de estudio, limitándose únicamente a la observación del trabajo del personal de la PGJEV de Veracruz y de especialistas forenses, quienes reafirmaron el dictamen inicial de Mendizábal Pérez. El Defensor del Pueblo nunca pudo aclarar qué le llevó a invertir tantos recursos y energías en un pleito penal contra la Procuraduría de Veracruz.

[72] Diario *La Jornada*, 13 de marzo de 2007.

La ONU y otras molestias

Según diversas notas periodísticas, en 2008 Soberanes se alió al presidente Felipe Calderón para expulsar del país al representante de los Derechos Humanos de la ONU en México, Amérigo Incalcaterra, luego de las críticas de esa organización al trabajo de la CNDH. "La política del gobierno mexicano es esquizofrénica", dijo Irene Zubaida Khan, Secretaria General de Amnistía Internacional, al concluir su visita de trabajo a México. Luego, la Comisión Interamericana de Derechos Humanos, de la Organización de Estados Americanos, a través de Florentín Meléndez, determinó que la impunidad persiste en temas como la tortura, los feminicidios en Ciudad Juárez, Chihuahua, los crímenes contra periodistas y las desapariciones forzadas.

Soberanes arremetió contra sus críticos. Lo mismo hizo con el amplio informe de Human Rights Watch (HRW), que incluso evaluó al propio ombudsman. Las respuestas de José Luis Soberanes fueron lapidarias, casi tanto como las del presidente Calderón o las del secretario de Gobernación, Camilo Mourinho, quienes salieron en su defensa. La réplica por parte del titular de la CNDH descalificó el informe de HRW y resaltó los logros y el papel constructivo de su institución, dando ejemplos de algunas acciones del organismo, como el haber documentado la matanza de Aguas Blancas en 1995 o las denuncias sobre detenciones ilegales, tortura y ejecuciones extrajudiciales. El ombudsman se refugió en el argumento de que la CNDH cuenta con un mandato limitado, que edita muchas publicaciones y que se le exige más de lo que su mandato le permite hacer. Este argumento fue cuestionado por HRW, por el Proyecto Atalaya, por FUNDAR y una veintena de ONG's especializadas.

El informe de HRW concluía: "la CNDH no cumple bien con su labor". Personal del equipo de HRW me dijo: "El ombudsman debe trabajar para proteger los derechos y la dignidad de los gobernados del abuso de los gobernantes, pero Soberanes parece que fue contratado para proteger a quienes gobiernan".

A principios de 2008, Amérigo Incalcaterra fue retirado de México como representante de la oficina de Derechos Humanos de la ONU. Aunque la versión oficial argumentó razones burocráticas, el círculo cercano al funcionario confirmó que se trataba de una concesión que el gobierno mexicano había conseguido luego de presionar a las más altas esferas del propio organismo. Algunos analistas no dejaron de advertir los favores que habían intercambiado, en menos de un año Calderón y Soberanes: Zongolica VS representante de la ONU.

Ex colegas de Soberanes del Instituto de Investigaciones Jurídicas de la UNAM, explican que hay una veta xenófoba en el ideario del ombudsman. El dirigente suele mostrar un desprecio especial hacia quienes militan en la izquierda o, paradójicamente, hacia defensores de los derechos humanos o sobrevivientes de dictaduras. "Son varios los casos que se dieron entre 1990 y 1998, cuando un grupo de eminentes investigadores refugiados de Chile y Argentina entró al Instituto, cuenta María de la Luz Mijangos, ex investigadora de la institución. Soberanes se quejaba de ellos despectivamente, tanto por su calidad de extranjeros como por su militancia progresista, al grado de que saboteó, junto con un joven del Opus Dei, la definitividad de Oscar Correas y otros juristas prestigiosos para "sacarlos a la mala". Muchas fueron las ocasiones en que Soberanes se indignaba ante la opinión de extranjeros sobre cualquier asunto mexicano, afirma la académica.

Las mujeres y el aborto

Dueño de una amplia cultura y un lenguaje típico de jurista ilustrado, Soberanes rara vez se descompone al expresarse, pero dos temas suelen romper su compostura y sacarlo de quicio: las críticas de su ineficacia y los derechos sexuales y reproductivos de las mujeres. En tales ocasiones, su rostro suele enrojecerse, las carnes que le cubren el cuello y las mejillas, tiemblan, su respiración se entrecorta, sus pequeñas manos se empuñan como las de un niño rabioso, la saliva le enmarca las comisuras de los labios. Ante la exigencia de los grupos feministas que exigen su renuncia por contravenir los derechos humanos de las mujeres, responde: "que se sienten para que no se cansen de esperar, porque no voy a renunciar. El derecho de la mujer a elegir sobre su cuerpo en la concepción es un machismo al revés. Lo dice la Constitución: Lo que es plano no es chipotudo." Las feministas afirman que no encuentran ese artículo chipotudo de la Constitución, por más que lo buscaron.

Más que titular de la CNDH, Soberanes ha sido un militante implacable en materia de prohibición del aborto. Los legisladores Ricardo Ruiz, Víctor Hugo Círigo y Nancy Cárdenas, del Partido de la Revolución Democrática; Jorge Díaz Cuervo, del Partido Alternativa; Tonatiuh González, del Partido Revolucionario Institucional y la diputada federal Aleida Alavéz Ruiz, entregaron a la Contraloría Interna del organismo un documento en el que solicitan investigar la actuación de José Luis Soberanes por no defender los derechos humanos de las mujeres y exigieron, además, que sea sometido a un juicio político y con ello se proceda a la destitución de su cargo. Díaz Cuervo aseguró que Soberanes es el único ombudsman en el mundo que se ha opuesto a la despenalización del aborto, pues en los cincuenta y cuatro países donde ya se despenalizó, dirigentes de su rango y responsabilidad han estado del lado de las mujeres. "Por eso es tan indignante, pues le da la espalda a las mujeres y pretende imponer su moral religiosa. No es un defensor de los derechos humanos sino de su religión y eso no se hace al frente de una institución tan importante como la CNDH".[73]

En 1977, luego de la segunda Jornada Nacional sobre la Liberalización del Aborto, convocada por la Coalición de Mujeres Feministas (CMF), las feministas presentaron a la Gran Comisión de la Cámara de Diputados el texto final de los trabajos, en el que rechazan el aborto como un medio de control natal y defienden la maternidad voluntaria.

En respuesta, en 1978 nació como asociación civil el Comité Nacional Provida, que enarbola "la defensa de la vida". En 1979, las feministas marcharon vestidas de negro en memoria de todas las mujeres muertas al practicarse abortos clandestinos. El 10 de mayo de dicho año se instituyó el Día de la Maternidad Libre y Voluntaria. En 1980, las diputadas María Luisa Oteysa y Adriana Luna Parra enviaron una carta al presidente José López Portillo, en la que solicitaban que "el aborto, aun como último recurso, constituye una solución a la que toda mujer tiene derecho y que requiere de atención médica reconocida y capacitada… La penalización del aborto viola a todas luces el espíritu de nuestra Constitución". Como candidato a la Presidencia de la República, Miguel de la Madrid Hurtado se refirió a la despenalización del aborto. Ya como presidente, en la Reunión Nacional sobre la Mujer, efectuada en 1982 en Colima, autorizó al Conapo a promover leyes más severas contra los violadores, así como la creación de un organismo que defendiera los derechos de las mujeres. En 1989 apareció un anteproyecto de Código Penal para el Distrito Federal en materia de fuero común y para toda la República en materia de fuero federal, sobre la despenalización del aborto, sin que prosperara.

En abril de 2007, la Asamblea Legislativa del Distrito Federal (ALDF) aprobó reformas a la Ley de Salud y al Código Penal del DF que permiten a las mujeres decidir la interrupción legal del embarazo (ILE) hasta las 12 semanas de gestación.

[73] Hypatia Velasco Ramírez, Agencia CIMAC noticias, 30 de mayo de 2007.

En mayo del 2007, se interpuso un recurso de Inconstitucionalidad ante la Suprema Corte de Justicia de la Nación, promovido por el ombudsman nacional José Luis Soberanes y por Eduardo Medina Mora, titular de la Procuraduría General de la República. Al interponer el recurso ante la Suprema Corte, Soberanes ignoró a su Consejo Consultivo, que le había cuestionado tal activismo, sin recibir una respuesta verosímil. El Consejo de la CNDH es un órgano colegiado; Jorge Carpizo asegura que las razones para la creación del Consejo al fundar la CNDH fueron las siguientes: a) existía, y con razón, desconfianza de la sociedad hacia cualquier órgano creado por el poder ejecutivo; b) el presidente de la CNDH iba a enfrentarse a los grandes violadores de derechos humanos, principalmente miembros de procuradurías y corporaciones policiacas y se quería que tuviera el respaldo de personalidades nacionales con prestigio y credibilidad; c) para que desempeñara funciones parecidas a las de un órgano legislativo interno, que discutiera y aprobara los aspectos generales e importantes de la Comisión; d) para que fuera una especie de contralor de la misma. Soberanes sabía que su Consejo nunca aprobaría el proyecto de inconstitucionalidad del aborto, por eso los ignoró premeditadamente.

El proyecto de sentencia de la Suprema Corte fue elaborado en tan sólo tres días por el ministro Salvador Aguirre Anguiano —quien votó en 2007 a favor de la protección de Mario Marín y las redes de pederastas—. En él afirma la inconstitucionalidad de la ley que permite la interrupción del embarazo.

Una de las visitadoras que aún trabaja en la CNDH, me aseguró que durante la primera batalla mediática sobre el aborto, el ombudsman dijo a uno de sus jóvenes asistentes: "ahora siento que renové el propósito de dirigir mi vida entera al cumplimiento de la voluntad divina: a la Obra de Dios". La abogada no sabía que Soberanes parafraseaba a Monseñor Escrivá de Balaguer. Se encontraba emocionado hasta las lágrimas con la posibilidad de ser él mismo quien derrocara al movimiento feminista y a la Asamblea Legislativa del Distrito Federal, en un tema por demás importante para él y para el movimiento religioso al que pertenece.

Marcela Lagarde, antropóloga y una de las expertas con mayor reconocimiento en el tema, señaló sobre los planteamientos de la corriente que representa Soberanes que: "la ideología que subyace en el supuesto debate de los últimos días, que carece de pruebas, es misógina y de ninguna manera es un intercambio de puntos de vista". Esta ideología se niega a aceptar a las mujeres como sujetos de derechos, ciudadanas, dueñas de sus cuerpos, toda vez que confiere a los cigotos, embriones y/o fetos una condición humana, de la cual carecen, por encima de la de las mujeres. "Las mujeres son colocadas en posición de inferioridad y tratadas como delincuentes, mientras que los hombres se han colocado a un lado del producto", por lo que preguntó: "¿Del lado de las mujeres quién se coloca?"

Aunado a ello, los mismos hombres misóginos que alardean sobre conceptos como el derecho a la vida y no al aborto, han sido capaces de "achicar el proceso de gestación. Mientras que para las mujeres un ser humano se forma a lo largo de nueve meses, para ellos el feto, el embrión, una célula o un cigoto es equivalente a un niño".

En resumen, señaló la etnóloga feminista, estos son hombres fascinados con usurpar autoritariamente el derecho de las mujeres sobre su sexualidad, porque el aborto y el embarazo son sustento fundamental de sus derechos como humanas que han tenido que construir a lo largo de por lo menos los últimos treinta años.

El 25 de agosto, la Suprema Corte de la Nación (SCJN) inició la discusión para que el pleno de ministros decidiera si la ley seguiría permitiendo a las mujeres ejercer su derecho a decidir en el Distrito Federal. Soberanes se mostraba orgulloso de su intervención para penalizar el aborto nuevamente, los grupos de las coaliciones religiosas esperaban celebrar al ombudsman como el verdadero héroe de los derechos de los no nacidos. Sin embargo, de manera unánime y en un revés al procurador general de la República, Eduardo Medina Mora y al ombudsman nacional, José Luis Soberanes, el 28 de agosto del 2008, el pleno de la SCJN determinó lo contrario. De los once ministros, ocho dictaminaron que es facultad y competencia de la Asamblea Legislativa del Distrito Federal (ALDF) legislar en materia penal y de salud, definir conceptos de embarazo, aborto y cuestiones materno-infantiles, así como establecer sanciones.

La primera batalla se había perdido, pero Soberanes, luego de consultas con su grupo del Opus Dei y más tarde en un comunicado con miembros del Consorcio Latinoamericano de Libertad Religiosa, ha replanteado su estrategia. Con ímpetus renovados, los grupos de Provida se han ido insertando en los partidos con vistas a las próximas elecciones intermedias del Distrito Federal en 2009.

Educación de buenos cristianos

La Declaración Universal de los Derechos Humanos exige entre otros derechos mínimos, el acceso a la educación gratuita y de calidad. José Luis Soberanes ha hecho de la demanda por la educación una de sus banderas. Ha sabido unificar sus criterios personales con aquellos de los grupos conservadores que consideran que la salvación del país está en la familia tradicional, en la cercanía de Dios y el pueblo. En nombre de esa pasión, el ombudsman trabajó afanosamente en la elaboración de un libro para la reforma del Artículo 130 Constitucional, que da reconocimiento jurídico a la Iglesia. El defensor del pueblo está abiertamente en contra del laicismo en México.

Es por ello que Soberanes pertenece y trabaja activamente con el Consorcio Latinoamericano de Libertad Religiosa, fundado en Lima, Perú, en el año 2000. El consorcio cuenta con un sitio web (*www.libertadreligiosa.net*) alimentado con información proveniente de agencias católicas como ACI y Noticias Eclesiales, manejadas por los grupos peruanos denominados Sodalicio de Vida Cristiana y Zenit. Esta fuerte red internacional no solamente defiende a los jerarcas católicos, además promueven el ecumenismo tendiente a fortalecer los vínculos de los gobiernos de diferentes países con los valores religiosos.

Entre los miembros del Consorcio encontramos, además del ombudsman mexicano, al peruano José Antonio Calvi del Risco, quien en los años noventa fue abogado del episcopado de ese país; al argentino Norberto Padilla, quien además de participar en organizaciones y proyectos del clero ha sido subsecretario y secretario de culto en su país. Entre otros mexicanos se encuentra Raúl González Schmal, militante panista que en 1975 presidió ese Partido y que colabora también con organizaciones como el Instituto Mexicano de Doctrina Social Cristiana (IMDOSOC), creado por el empresario Lorenzo Servitje. A él pertenecen también Álvaro Castro Estrada, quien durante el sexenio foxista fue director general de Asociaciones Religiosas, en la Segob; así como Horacio Aguilar, quien ha sido apoderado legal de la Arquidiócesis de México, al igual que comisionado del Instituto Federal de Acceso a la Información (IFAI) y fue hace unos años el candidato de Norberto Rivera para ocupar la Subsecretaría de Asuntos Religiosos. Una de las bases del consorcio es abatir los principios del estado laico; es por ello que en noviembre de 2005, la CNDH y la Secretaría de Gobernación promovieron el Coloquio de la CLLR, dedicado al "Derecho Eclesiástico del Estado en Latinoamérica". En él se juzgó con enardecimiento la idea de implantar la enseñanza religiosa y se desestimó al laicismo en México.

Será melón, será sandía

Cuando la misión es clara, los caminos son diversos. Eso le resulta evidente al presidente de la CNDH. Cuando José Luis Soberanes estaba seguro, como millones de personas en México, que los diez puntos de ventaja que Andrés Manuel López Obrador llevaba en las encuestas de la carrera presidencial eran irrebatibles, se acercó a AMLO e hizo declaraciones puntuales sobre la inconstitucionalidad del desafuero.

El jueves 17 de febrero de 2005, Roberto Garduño y Enrique Méndez, reporteros de *La Jornada*, entrevistaron a Soberanes al respecto. Muy afable se explayó sobre el tema:

—¿Como defensor de los derechos humanos, usted considera que procede el desafuero contra el jefe de Gobierno?

—Yo, como presidente de la CNDH, no puedo opinar porque no es parte de mi competencia. Me voy a permitir hacerlo a título personal, como profesional del derecho. Creo que el desafuero del jefe de Gobierno no es procedente. Mire, no sé si él quebrantó la suspensión o no, no le podría decir, pero suponiendo que lo haya hecho, no tiene pena. Hay un principio jurídico que dice que no hay delito sin pena: lo dice así una forma latina: *nullum crimesina poena*. [...] Recordemos que la materia penal es de estricto derecho; aquí no se puede aplicar la analogía, sino como les digo, el estricto derecho. Creo que un juez federal no le podría iniciar proceso, porque no hay una pena contra esta situación. Entonces no procede, lo tiene que dejar en libertad por falta de méritos, punto.

—¿Entonces se impone el carácter político en el tema?

—Sí, claro. No es una cosa jurídica si no entrevemos una especie política; y además se revertiría a favor del jefe de Gobierno, porque no siendo procedente se lo desaforó y entonces el beneficio político sería para él.

—En caso de proceder el desafuero, ¿qué pasaría con los derechos de López Obrador?

—Por eso les digo, no procede; ahora, si a pesar de que no procede y lo quieren desaforar o lo hacen, a pesar de no proceder, pues un juez de distrito no lo puede sujetar a proceso, porque no hay supuesto legal.

Un juez lo tendría que declarar en libertad absoluta, porque no hay de otra.

—El secretario de Gobernación, Santiago Creel Miranda, insiste en que el proceso de desafuero se originó por un conflicto entre particulares…

—No, imagínese si va a ser entre particulares […] lo que se pretende es quitarle esta inmunidad que tiene para someterlo a proceso; entonces, no es un asunto entre particulares, simple y sencillamente es algo del régimen constitucional, de las instituciones fundamentales de este país.

—¿En qué momento intervendría la CNDH?

—¿Qué es lo que ha sucedido en otros casos? Es muy interesante. ¿La Procuraduría General de la República, qué ha hecho? No ha ejercido la acción penal. Hay el precedente reiterado que la PGR se ha negado a ejercitar la acción penal por violación a la suspensión. Entonces lo que no puede hacer la Procuraduría es que en todos los casos mande el asunto al archivo y no ejercitar la acción… y en este caso, sí ejercitarla. Sería verdaderamente incorrecto. La dependencia debe actuar siempre con el mismo criterio.

—¿La CNDH actuaría una vez iniciado el proceso penal?

—En el momento de ejercitar la acción penal, porque estaríamos precisamente en una situación de discriminación. ¿Por qué? Porque en otros casos no lo han ejercitado y ahora sí, pues entonces, ¿dónde está el principio de igualdad que proclama el artículo primero de nuestra Constitución? Nunca se ha metido a la cárcel a ningún servidor público por violar una suspensión. Por lo tanto, no tiene por qué hacerse ahora.

La extraña observación de Soberanes sobre la impunidad sistematizada por la PGR para someter a proceso a servidores públicos es de llamar la atención. En primer lugar nunca dice "impunidad", sino que habla de que la PGR no ha ejercido acción penal y por eso en el caso de Andrés Manuel López Obrador, si se le aplicara la ley, habría discriminación. Unos días después el Senado de la República llamó la atención de Soberanes y el periódico *El Universal* consignó declaraciones de legisladores sobre la posible salida de Soberanes si se "inmiscuía en asuntos políticos que no le competen". El ombudsman jamás volvió a referirse al desafuero.

Cuando, bajo fuertes acusaciones de fraude electoral, Felipe Calderón, tomó protesta como Presidente de la República, Soberanes sabía que tendría que resarcir su imagen con el nuevo mandatario. El caso de Ernestina Ascencio, revelado por *La Jornada*, según sus colaboradores más cercanos, fue la moneda de cambio.

Soberanes estaba en su oficina, luego de hablar con algunos de sus asesores explicando la petición que le había llegado de Los Pinos, su jefe de prensa, Guillermo Ibarra, le insistió que no declarara nada. "Espere a que los peritos especialistas entreguen sus reportes", le insistió Ibarra, pero la necesidad perenne de ser aceptado por los dueños del poder, llevó a Soberanes a declarar que Ernestina Ascensio había fallecido de gastritis crónica. Al día siguiente, el Chuby había renacido en su oficina, todos los medios, por casi todos los flancos cuestionaban la declaración de Soberanes. Ricardo Rocha dijo en su editorial de *Detrás de la Noticia*: "[El ombudsman] Chilloteaba desesperado, preguntando casi al borde del llanto, como un niño al que le arrebataron su pelota ¿por qué ese encono de los medios? Por los pasillos de la CNDH esa semana, corría un chiste de mal gusto "¿Saben de qué murió Ernestina?: De lo que diga el presidente. ¿De la CNDH? ¡No hombre, de la República!"

A José Luis Soberanes se lo ama o se lo odia, aseguran activistas sociales, feministas, políticos y defensores de Derechos Humanos. Lo cierto que este polémico personaje ha sido capaz de mantenerse durante nueve años al frente de la Comisión Nacional de Derechos Humanos haciendo una carrera política y tejiendo redes de amistades poderosas, tanto entre funcionarios, dirigentes de Partidos, como entre empresarios e incluso con algunos millonarios sospechosos de estar vinculados con el crimen organizado y la trata de menores (como es el caso de su amistad con Kamel Nacif).

¿Y la inseguridad?

Jorge Carpizo Mac Gregor se ha convertido en un crítico de la pasividad de Soberanes con respecto al aumento de la inseguridad pública y el flagelo que representa para los ciudadanos. En los últimos años, a partir de la primera manifestación (la marcha ciudadana contra la inseguridad de 1997), la CNDH debió hacer recomendaciones y señalamientos sobre este problema —afirma el ex Procurador—. La CNDH tendría que haber hecho estudios y estadísticas sobre la corrupción e ineptitud de los funcionarios públicos, sobre la impunidad galopante, sobre la preparación técnica y práctica de los agentes del ministerio público y de la policía, sobre la administración de justicia; delinear proyectos de ley y trabajos serios sobre la seguridad pública. ¿Es que en estos once años no se ha percatado de esta terrible problemática?, ¿las quejas que recibe no se refieren a ella?"[74]

Carpizo se pregunta: "¿Es que la CNDH no siente que tiene cuando menos un granito de responsabilidad en la situación de inseguridad en la cual México se encuentra horriblemente sumergido? Si su finalidad es la defensa y protección de los derechos humanos, ¿qué ha hecho en estos once años? Solicitar más y más presupuesto (y gastarlo superfluamente, no en las funciones sustantivas) e intentar crearse buena imagen derrochando recursos en medios de comunicación". En esta situación, asegura Carpizo, tiene también responsabilidad la Comisión de Derechos Humanos del Senado de la República que no le ha solicitado a la Comisión Nacional explicación alguna. Al contrario, varios de los miembros de esa comisión de la anterior legislatura, al quedarse sin trabajo, recogieron los frutos de su connivencia, cuando menos uno, el más importante, se convirtió en funcionario de la CNDH, con una remuneración envidiable. "Por eso estamos como estamos", concluye Carpizo.

Pero él no es el único con preguntas para Soberanes y para el Senado: el Centro de Derechos Humanos Miguel Agustín Pro Juárez, Católicas por el Derecho a Decidir, Sin Fronteras, Centro de Derechos Humanos Fray Francisco de Vitoria, Red Nacional de Organismos de Derechos Humanos, Todos los Derechos para Todos, Red por los Derechos de la Infancia, Fundar, y otras noventa organizaciones civiles han estudiado, analizado y cuestionado a Soberanes, sin más respuesta que una rabieta del ombudsman, quien se percibe blindado por el poder.

En cuatro ocasiones, el programa Atalaya —conformado por especialistas y estudiosos surgidos del ITAM y FLACSO—, ha reprobado la actuación de la CNDH en materia de acceso a la información, en especial por no facilitar el acceso a las averiguaciones que no terminan en recomendación. Ante estos señalamientos, Soberanes ha reclamado un "complot en su contra" o "una falta de comprensión de los especialistas sobre lo que significa transparencia". El titular de la CNDH ha dicho que "les he mostrado los expedientes en la oficina cuando me lo han pedido", aludiendo a alguna forma de favoritismo malentendido. El reclamo de Atalaya ha sido que el acceso a la información no puede

---

[74] Diario *La Jornada*, 10 de septiembre de 2008.

ser diferenciado y dosificado personalmente por Soberanes. Él ha ignorado estos llamados.

Ni las víctimas, ni los quejosos pueden tener fácil acceso a sus propios expedientes y no existe claridad sobre los métodos de conciliación entre las víctimas y las autoridades. El burocratismo y la discrecionalidad predominan en la institución pese a un presupuesto de 79 millones de dólares para 2008 y un contingente de más de mil empleados. Para 2009 se contempla un presupuesto de 952 millones de pesos.

La CNDH asegura que el 90 por ciento de sus quejas se resuelve a través de la conciliación; sin embargo, se niega a explicar qué sucede y en qué estado se encuentran aquellas quejas en las que no se medió con el agente del estado violador de garantías, sino por el contrario, las violaciones se acrecentaron y las amenazas también. El argumento de que esos expedientes son clasificados, es la salida fácil para Soberanes. Hay gran opacidad en el acceso de ciertos servidores públicos y sus representantes legales a expedientes de quejas, particularmente de periodistas. Aunque está claro que dentro de la CNDH, como en cualquier institución hay personas éticas y responsables, con una convicción sobre la importancia de la protección de los Derechos Humanos en un México colapsado por la violencia, también es cierto que el maestro instruye bien a sus pupilos. La visitadora adjunta Ingrid Herrera ha dicho sobre el informe de HRW que "no se vale que los extranjeros vengan a criticarnos", como si de una fiesta privada se tratase. Varios colegas reporteros de diferentes medios coinciden en haber escuchado a algunos visitadores quejarse, al igual que Soberanes, sobre "lo criticones y malintencionados que son los medios mexicanos con la CNDH" o lo "exagerados que son los de Amnistía Internacional". Olvidan que a la llegada de Felipe Calderón a la presidencia, Soberanes declaró que Fox le dejaba a su sucesor una "herencia maldita" en "materia de derechos humanos, que quedaban pendientes muy graves como el aumento de la tortura y de la impunidad".[75]

¿Un ministro de Dios en la Suprema Corte?

Se han documentado intervenciones de Soberanes con los gobernadores de Guanajuato, San Luis Potosí, Sinaloa, Distrito Federal, Guerrero, Chiapas y Querétaro para que los ombudsman locales no fueran reele-

[75] Emir Olivares, diario La Jornada, 14 de noviembre de 2006.

gidos, porque los consideraba personas liberales o de izquierda. Logró imponer a sus propios candidatos en varios estados, proponiendo alianzas en temas que personalmente le interesan. Se ha documentado su intervención para premiar y castigar a representantes del Estado de México, Durango, Campeche y Aguascalientes. Al hacer un Pacto de Unidad con todas las comisiones del país, dejó fuera a tres a quienes considera sus enemigos, entre ellos a Emilio Álvarez Icaza, ombudsman del Distrito Federal.

En ocasiones, como con Bernardo Romero, su oposición al activismo del ombudsman queretano llegó al extremo de avalar la creación, en el gobierno del Estado, de áreas especializadas de protección de derechos humanos que sirvieran de contrapeso a la Comisión Estatal y de bloquearle el acceso a financiamiento de organismos internacionales. En lugar de apoyar a la Comisión Estatal, Soberanes decidió apoyar al ex gobernador Ignacio Loyola, famoso, entre otras frases, por declarar que sus guaruras no habían torturado a un ciudadano, sino sólo lo habían "madreado".

Con frecuencia ha sustituido con declaraciones la pasividad de la CNDH. En los primeros días de su mandato llegó a declarar que ni el presidente ni el Ejército serían intocables para él; más tarde los defendería. Luego propuso crear escuelas especiales para niños evangélicos, a fin de evitar más conflictos a consecuencias de la intolerancia religiosa de que son víctimas en los Altos de Chiapas. Dijo que no había presos de conciencia en México, pero sí desapariciones forzadas; mientras sus visitadores declaraban que los presos de conciencia habían aumentado. En 2001 aseguró que "la CNDH podrá cumplir con la deuda que tiene con la sociedad y esclarecer los casos de desapariciones forzadas" a lo que Rosario Ibarra de Piedra, presidenta del Comité Eureka, respondió que la CNDH "actuó de manera dolosa y malintencionada al ocultar datos y testimonios" sobre la desaparición de personas en las que estuvieron implicadas las fuerzas de seguridad del Estado mexicano.

María Guadalupe Morfín Otero, presidenta de la Comisión Estatal de Derechos Humanos de Jalisco, acusó a José Luis Soberanes de graves actos de omisión y de presionar a un grupo de custodios del penal de Puente Grande, para que desistiera de sus denuncias sobre corrupción que perfilaban, desde enero de 2000, la fuga de Joaquín, el Chapo, Guzmán.[76]

[76] Actualmente Guadalupe Morfín dirige la Fiscalía para la Atención de Delitos de Violencia contra Mujeres y la Trata de Personas.

Un día, Soberanes llama "genocidas modernos" a George W. Bush y a Tony Blair y al otro se indigna ante el "intervencionismo del gobierno norteamericano al criticar a México".

En octubre de 2002, Soberanes expresó su apoyo a una reforma de la Ley de Asociaciones Religiosas y Culto Público para que se aceptara en el sistema jurídico mexicano "el derecho de objeción de conciencia", que permite a una persona (incluido él) exentar de cumplir las normas (jurídicas) que vayan en contra de sus convicciones.

Un día, Soberanes, hijo de un militar de alto rango, declaró que los militares deberían volver a sus barracas por las violaciones a los derechos humanos y a la semana siguiente defendió la necesidad de militarizar algunas zonas del país para mejorar la seguridad. Organizó más de una veintena de foros sobre los derechos humanos de las mujeres y el combate a la violencia de género y en el documento en que argumenta ante la SCJN contra el aborto en el Distrito Federal escribe: "...la libertad absoluta que tiene la mujer para decidir sobre su cuerpo termina en cuanto se embaraza". El ombudsman y el Procurador General de la República, solicitan a la Corte "que privilegie la vida del embrión a la de la mujer". El diario *El Universal* aseguró que tiene en su poder copia de dicho documento.[77]

El 27 de febrero de 2004, la CNDH y organismos civiles manifestaron que Estados Unidos no tenía calidad moral para juzgar a nuestro país en materia de derechos humanos. El 3 de marzo de 2004, el ombudsman calificó de "chismes", exagerado y amarillista, el informe del gobierno de Estados Unidos que plantea una visión negativa de los derechos humanos en México. Y el 2 de marzo del 2005 declaró que los señalamientos que hizo el gobierno de Estados Unidos, al ubicar a México entre las naciones donde más se violan los derechos humanos, "desgraciadamente son ciertos". Un día dijo que no hablaría de la pederastia clerical y seis días después exigió todo el peso de la ley para sacerdotes pedófilos. Durante el Seminario Metodista de México, criticó la educación laica. En el caso de Mario Marín, el mandatario de Puebla, se enfocó en la defensa del gobernador porque fue grabada una conversación privada. En el caso Atenco primero guardó silencio, después dijo que las violaciones eran graves y luego fue tibio. De Oaxaca entregó la recomendación a Gobernación para que se la revisaran antes de que la publicara; mientra tanto, declaraba la gravedad de las violaciones de Ulises Ruiz y la PFP a los derechos humanos. No apoya la

[77] Diario *El Universal*, 31 de mayo de 2007.

presencia de relatores especiales, como el de educación, el de venta, trata y explotación, el de indígenas, el de migrantes, el de tortura y el de libertad de expresión. A veces apela a la jurisprudencia y asegura que "se precisa comprobar plenamente la verdad histórica" y otra vez declara como juez las causas de muerte en un caso no resuelto.

Quizá el protagonismo y el rosario de contradicciones y posturas encontradas que exhibe el ombudsman a lo largo de estos años obedecen al empeño de conquistar simpatías y voluntades, para alcanzar la mayor de sus aspiraciones: en círculos del poder judicial se asegura que la ambición de Soberanes es convertirse en ministro de la Suprema Corte de Justicia de la Nación. El 30 de noviembre del 2006 se abrió una vacante en la Suprema Corte pues el ministro Juan Díaz Romero dejaría su función después de casi doce años de servicio. En consecuencia, el Presidente de la República enviaría a consideración del Senado una lista con tres nombres para iniciar el procedimiento para designar a un nuevo ministro para el periodo 2006-2021. Durante una entrevista de la autora con el subprocurador de la PGR, José Luis Santiago Vasconcelos, ante los rumores de su interés por aparecer en dicha terna, el ex zar antidrogas aseguró que le interesaba, pero no era un buen momento para él; "sin embargo creo que José Luis Soberanes ya ha pedido el puesto" aseguró. Meses después, Franco González-Salas sería designado para ese cargo, pero, los planes de Soberanes para su futuro inmediato ya se habían dado a conocer.

En el verano de 2008, los diarios documentaron el hecho de que los tres ministros más conservadores —Sergio Aguirre Anguiano, Ortiz Mayagoitia y Mariano Azuela— parecían votar en bloque, a juzgar por el historial de resoluciones de los últimos años. La inclusión de un cuarto voto, el de José Luis Soberanes, ofrecería enormes posibilidades de asegurar la agenda ideológica de un hombre que se ha propuesto traer el "reino de Dios a la tierra", como reza la consigna del Opus Dei.

En resumen, José Luis Soberanes es un hombre que se ha caracterizado por su ambigüedad y la opacidad de sus acciones como ombudsman. En nueve años ha tenido logros, es cierto, pero estos han quedado disminuidos por sus contradicciones, escándalos y prácticas personales. Él ha probado que está aquí para servir ante todo a Dios y en segundo lugar al poder. Para devolverle a Dios, acompañado de jóvenes varones, lo que el hombre ha arrebatado del Derecho Natural.

LYDIA CACHO es periodista y activista social, dirige el Centro Integral de Atención a las Mujeres. Ha sido directora de la revista *Esta boca es mía* y reportera o columnista de los diarios *Novedades*, *Voz del Caribe*, *Crónica* de Cancún, entre otros. Actualmente su artículo semanal se publica en *El Universal*, y otra decena de diarios. Autora de los libros: *Los demonios del Edén* (Grijalbo, 2005), *Muérdele el corazón* (Plaza y Janés, 2006), *Esta boca es mía* (Planeta, 2007) y *Memorias de una infamia* (Grijalbo, 2007). Recibió el premio de periodismo UNESCO-Guillermo Cano en 2008 y el Ginetta Sagan de Amnistía Internacional USA en 2006.

Diego Fernández de Cevallos
Abogado del diablo

ROBERTO ROCK

Habitante durante largos años de los palacios y las alcantarillas del poder en México, Diego Fernández de Cevallos es el único político —quizá con la excepción de Carlos Salinas de Gortari— capaz de estar al centro de cuatro escenas que revelan la capacidad de usar sus recursos para torcer la voluntad de un presidente de la República:

"Pues yo no soy intelectual, pero aquí estoy para defender a Carlos, levántate", grita Felipe Calderón, al tiempo que se quita los lentes. El ahora presidente de México retaba así a golpes a Fernández de Cevallos, luego de un comentario de éste en una reunión privada que expresaban dudas sobre la hombría de los intelectuales, entre quienes incluyó a Carlos Castillo Peraza, tutor político del actual mandatario nacional. La escena transcurrió a finales de 1996. Las discrepancias entre Calderón y Fernández de Cevallos tenían ya larga data y se habían agudizado cuando ambos fueron diputados (1993).

"Margarita, no puedo ir a la comida que ofreces para la campaña de Felipe, pues el propio candidato ha expresado varias veces en reuniones cerradas que yo represento a la corrupción que él quiere combatir. Y si es así, ¿para qué me invitan?", alerta y reconviene Diego a Margarita Zavala de Calderón, quien lo había convocado a un encuentro a inicios de 2006. Antecedente adicional del tema era la insistencia mostrada por Luisa María Calderón, hermana de Felipe, quien como legisladora impulsó la llamada "Ley Anti-Diego", que condenaba el conflicto de intereses que suponía el litigar asuntos particulares mientras la persona fuera miembro del Congreso.

En el verano de 2006, Fernández de Cevallos se reunió con representantes del presidente Vicente Fox y del presidente electo Felipe Calderón. Le pidieron interponer sus buenos oficios con los magistrados del Tribunal Electoral del Poder Judicial de la Federación, quienes entonces analizaban si declaraban legal o no la elección presidencial de ese año. Se consideraba que una mayoría de los integrantes del tribunal le debía el cargo total o parcialmente al entonces todavía poderoso senador panista. Al final, el tribunal resolvió a favor de Calderón.

En septiembre de 2008, con motivo de su segundo informe de gobierno, que entregó por escrito al Congreso, el mismo Felipe Calderón ofreció una amplia ronda de entrevistas a medios electrónicos. El día 2 de ese mes, en conversación radiofónica con el periodista Carlos Puig, Calderón refirió: "Como dice *un buen amigo*… que no menciono porque su solo nombre es polémico; bueno, sí lo digo, como dice Diego Fernández de Cevallos: 'las heridas que se reciben en campaña, antes dan honra que la quitan'".

Pocos políticos mexicanos han recibido y, quizá merecido, tantos señalamientos y adjetivos como Diego Fernández de Cevallos: polémico, controvertido, contradictorio, hombre de doble moral, de pactos secretos, manipulador, intrigante, mercader del derecho, defensor de criminales, propietario de una riqueza ofensiva y sospechosa, símbolo de la corrupción en el PAN. También, polemista feroz, de vehemencia volcánica, dueño de un lenguaje que azora e intimida…

Esas son sólo algunas de las facetas de quien, al menos en los últimos veinte años, ha logrado ser uno de los referentes de nuestra vida pública, siempre en la cresta de la ola, en el filo de la navaja. Lo mismo aspirante a la Presidencia de la República que litigante en contra del Estado; igual en recepción de homenajes de dignatarios eclesiásticos que rozando los intereses del narcotráfico. Señor de puro y levita y merodeador de los sótanos de la política y los negocios oscuros en México.

Con ningún personaje acumuló Fernández de Cevallos tantas discrepancias como con el ex presidente Vicente Fox. La historia de desencuentros tiene larga data y se tornó abierta durante las elecciones en Guanajuato de 1991, en la que contendieron el panista Vicente Fox y el priista Ramón Aguirre. Testimonios recogidos para este trabajo aseguran que la noche de los comicios, Fox advirtió a sus cercanos que Diego negociaba su triunfo en la ciudad de México para anular el proceso y dar paso al priista Salvador Rocha Díaz. Fox aseguró que no lo iba a permitir, por lo que al día siguiente denunciaría en público la "traición del PAN".

Esa madrugada, Fox y Fernández de Cevallos conversaron en privado. De ahí el ex presidente salió aceptando la anulación de los comicios, pero la designación como interino recayó en Carlos Medina Plascencia.

Este evento develó el rol de operador central que empezaba a distinguir a Fernández de Cevallos, quien según diversos testimonios, acordaba con el secretario de Gobernación, Fernando Gutiérrez Barrios, y con José Córdoba Montoya, jefe de la Oficina de la Presidencia, la forma en que se negociarían diversos conflictos. No resultaba extraño que en materia de elecciones, se cedieran al PAN plazas donde no había ganado, para reservar para el PRI aquellas que consideraba estratégicas.

Uno de los primeros casos ocurrió en Sinaloa, donde en las elecciones locales para alcaldes hubo resultados muy justos en Culiacán y Mazatlán, con indicios de que Acción Nacional había logrado un virtual empate en la capital, mientras que en el puerto los resultados daban el triunfo al tricolor.

El entonces presidente del PRI, Juan S. Millán, recuerda que tuvo un mal presagio cuando recién concluidos los comicios, y en medio de protestas públicas de los panistas, se encontró en el aeropuerto de Culiacán a Fernández de Cevallos. "Ya sé a lo que usted viene —le dijo—, ojalá no resulte en algo ilegal". A lo que Diego habría respondido: "Lo que necesitamos hacer es lo políticamente adecuado…".

Millán asegura que el entonces dirigente nacional del PRI, Luis Donaldo Colosio, se quejó ante él porque el gobernador Francisco Labastida Ochoa, le había ofrecido al presidente Salinas de Gortari "disponer" de los resultados en Culiacán y Mazatlán. Al final de la historia, oficialmente el candidato del PAN a la alcaldía de Mazatlán, Humberto Rice, fue declarado triunfador. Millán renunció a su cargo en el PRI y selló una enemistad con Labastida —actualmente senador— que aún perdura.

En 1993, durante la gestión de Fernández de Cevallos como diputado federal, muchos habrán pensado en Vicente Fox cuando fue reformado el Artículo 82 constitucional que impedía a hijos de extranjeros —como era su caso— ser presidentes de la República. La enmienda incluyó un transitorio que estableció que la nueva disposición cobraría vigencia no en los comicios inmediatos de 1994, sino hasta los del 2000, lo que dejó al propio Diego el camino libre para ocupar la candidatura panista. La cólera de Fox lo llevó a considerar su apoyo para el perredista Cuauhtémoc Cárdenas, lo que finalmente no se concretó.

Cuando Fox no cumplía su primer año de gobierno y ya sostenía una tensa relación con el entonces jefe de la bancada panista en el Senado, Diego Fernández de Cevallos fue el primero que en círculos cada vez más públicos hablaba despectivamente del presidente. "Ignorante", era lo menos que decía de él y se burlaba de lo que ya era un secreto a voces: su relación con Martha Sahagún, la mujer con la que poco después se casaría. A lo largo del sexenio, el abogado panista negó tener una amistad con Fox, sugiriendo que todos los amigos del mandatario acababan traicionándolo.

"Yo hubiera querido tener a Diego como un aliado político, siendo de mi partido, como lo fue de Carlos Salinas, que era de otro partido", dijo Fox Quesada al autor de este trabajo durante una conversación hacia el final de su gobierno.

Pese a todo, Fernández de Cevallos y Fox se reencontraron en los últimos meses del sexenio, al calor del proceso de desafuero contra Andrés Manuel López Obrador. Aún más, en sus últimos días en Los Pinos, el presidente le aseguró que enfrentaba una crisis económica personal y aceptó del abogado un préstamo por "varios millones de pesos", según versiones de personas cercanas a ambos. Consultas hechas al respecto revelaron que posteriormente Fox obtuvo un crédito bancario con el cual saldó su deuda.

Visto en perspectiva, Fernández de Cevallos encarna el rostro público de la transfiguración del Partido Acción Nacional, consumada a finales de los años ochenta. De ser la "oposición leal", el PAN viró en su estrategia para volverse el núcleo de los reclamos democráticos en el país. De una agrupación que rayaba en lo confesional, donde las encíclicas papales inspiraban su plan de acción, se convirtió en eficaz ariete de diversos sectores en contra del autoritarismo y del poder unipersonal depositado en el presidente.

Acercarse a la historia personal de Fernández de Cevallos es asomarse a ese PAN en transformación. Es tomar contacto de un Diego niño formado en una disciplina familiar panista, de carácter feudal, con un entorno de hombres barbados y cristianos; de un Diego joven educado bajo la tutoría de los dos artífices del PAN, Efraín González Luna y Manuel Gómez Morín, quienes lo cautivaron y lo hicieron militante desde muy joven: su primer discurso lo pronunció a los once años.

Pero cuando el Diego hombre rebasaba los treinta años, se esfumó virtualmente de su partido, para reaparecer más de diez años después, sólo cuando el PAN ya era opción de poder y —como se documenta en este mismo trabajo—, había encontrado su principal fuerza motriz en una clase empresarial al mismo tiempo indignada por la expropiación bancaria de 1982 que, harta de ser comparsa del poder, había decidido intentar conquistarlo por sí misma.

Carlos Salinas de Gortari llegó a Los Pinos en 1988, bajo acusaciones de fraude electoral en contra del principal candidato opositor, Cuauhté-moc Cárdenas. Fernández de Cevallos había reaparecido apenas meses antes en la vida del PAN y, no obstante ello, fue designado, en su primer cargo de importancia nacional, representante de Acción Nacional ante la Comisión Federal Electoral, el brazo administrativo que permitía al gobierno controlar los comicios.

Impugnada su legitimidad desde el origen mismo —en las urnas—, la administración de Salinas de Gortari recibió como maná caído del cielo un documento elaborado por el PAN que le ofreció adhesión a cambio de que se legitimara "en los hechos". En esas páginas están las palabras y las ideas de Luis H. Álvarez, de Carlos Castillo Peraza y de Fernández de Cevallos.

A dos décadas de iniciado, el gobierno de Salinas fue objeto de análisis y exorcismos. Existe, sin embargo, un amplio consenso en el sentido de que las reformas impulsadas en su periodo fueron las más importantes en al menos los treinta años previos.

No se precisa ser un politólogo experto para descubrir que muchas de esas reformas constituían reclamos del PAN desde su fundación, medio siglo antes. No en balde en el despacho del polémico abogado panista cuelga, enmarcada, una copia del registro oficial —el 001— otorgado por la Secretaría de Gobernación a la "Iglesia Apostólica Romana de México". Esa copia tiene una dedicatoria firmada: "Para Diego Fernández de Cevallos. Con gratitud y cariño. G. Prigione", el también controvertido ex delegado del Vaticano en México.

Al cierre del gobierno salinista, el personaje central de este trabajo, que ya enfrentaba, entre propios y extraños, acusaciones de manipulador y adicto a los contubernios con el gobierno, podría haber hecho un balance luminoso de su labor. Sí —pudo haber dicho Diego—, pactamos una alianza con el gobierno, pero en la misma no traicionamos ningún principio ni demanda del PAN. Antes bien, traemos en las alforjas una singular pieza de caza, pues logramos que el gobierno concretara viejos reclamos del panismo, olvidando la historia y los programas del Partido oficial, su Partido, el PRI. Sin ser gobierno, el PAN ha ejercido el poder en los hechos.

Porque, ciertamente, el salinismo sirvió al PAN. Lo que muchos dudan es si con ello haya servido también a la democracia.

El polémico líder panista pudo también haber sellado su legado al término de su campaña por la presidencia en 1994, cuando conquistó 10 millones de votos, casi el triple de los captados por Manuel J. Clouthier en 1988.

Sin embargo, a la sombra de esta historia que pudo ser, empezó a emerger otro Fernández de Cevallos: el hombre que mientras contendía por la presidencia, en 1994, recibía en condiciones turbias terrenos en Punta Diamante valuados en varios millones de dólares; el abogado que usaba sus contactos en la política para defender incluso intereses ligados al crimen organizado; el senador que desde su representación de la República, medraba contra ésta con demandas de montos impresionantes. El litigante que impulsó desde el poder al Fobaproa y luego tomó como clientes a los beneficiarios de ese programa. El católico de doble moral que se separó de su esposa, con quien nunca se casó por el civil, para unirse a una bella joven "porque soy hombre".

De naturaleza grandilocuente, Fernández de Cevallos no ha explicado estas etapas oscuras de su historia personal ni los efectos que acarrearon para el país. Diestro en el arte de la esgrima verbal, elude siempre los cuestionamientos de fondo. Durante meses le fue solicitada una entrevista que sin duda, hubiera enriquecido este perfil sobre su personalidad y su trayectoria. En diversas conversaciones telefónicas aceptó conceder la charla, luego ofreció contestar un cuestionario por escrito. No hizo ninguna de las dos cosas. Hoy, activo aún como abogado pero en el virtual retiro político, los cuestionamientos acompañan su imagen pública. Quizá le sobrevivan.

De vacación, hacendado

Diego Fernández de Cevallos nació el 16 de marzo de 1941 en el barrio de Coyoacán de la ciudad de México. Fue uno de los quince hijos de José Fernández de Cevallos y de Beatriz Ramos. Existen testimonios diversos acerca de la vida en familia de los primeros años, lo que incluye la referencia a un padre españolizado, con vocación de hacendado; eternamente barbado. "Era como un señor feudal, muy rígido, con él mismo y con toda su familia, a la que sometía a una rigurosa disciplina", recuerda Jesús González Schmal, quien coincidió en la época con Diego como militante juvenil del PAN.

Don José, se sabía entonces, tuvo siempre problemas financieros para pagar las letras de su rancho en San Juan del Río, Querétaro, que ahora se conoce como la hacienda de San Germán, una propiedad de cien hectáreas que según reportes disponibles sigue bajo control de la familia y es habitada por las hermanas de Diego, Ema y María Fernández de Cevallos.

El propio abogado panista ha declarado que su abuelo Javier Fernández de Cevallos nació en Santander, España, donde vivió hasta los diecisiete años, para luego emigrar a América, a finales del siglo XIX. "Mis orígenes son muy claros", declaró Diego en enero de 2001, al rechazar tener nexos con el personaje Diego Fernández de Zevallos (con "z"), un supuesto censor de la Inquisición para temas de teatro, que habría vivido en la Nueva España durante el siglo XVII y que inspiró una obra al dramaturgo Jaime Chabaud, quien lo llevó a escena en marzo de aquel año.

El propio Diego ha referido que cursó la primaria en la propia hacienda, "porque no teníamos en qué irnos a la escuela". Hizo la secundaria y el bachillerato en el Instituto de Ciencias de Guadalajara, donde vivió bajo la tutela de Efraín González Luna, uno de los arquitectos históricos del PAN. Se inscribió en la Universidad Iberoamericana de la ciudad de México, pero aparentemente no tuvo los recursos para cubrir las colegiaturas, y terminó la licenciatura en Derecho en la UNAM.

Los registros disponibles ubican al año 1952 como el que marcó el primer acto político de Diego, quien cuando era un niño de once años intervino en un mitin a favor del candidato para alcalde de San Juan del Río, el mismo lugar en donde veinte años atrás su padre había pronunciado un discurso; el mismo donde su hijo, Diego, también dio un mensaje cuando acababa de cumplir doce años. En plena juventud, Fernández de Cevallos fue nombrado secretario de organización del ala juvenil panista.

En el ámbito familiar se subraya que el padre de Diego, don José, firmó el acta constitutiva del Partido Acción Nacional, en 1939. Está documentada la amistad de aquél con uno de los fundadores del panismo, Manuel Gómez Morín, quien en una de sus visitas a Querétaro aceptó constituirse en mentor del entonces joven Diego. Supervisaría su formación como abogado, en la capital del país, al grado de emplearlo posteriormente en su despacho durante casi diez años. El padre de Diego solía acudir en la ciudad de México a ciertos actos del PAN y aprovechaba para visitar a su hijo.

Don Manuel, quien tenía su despacho en las instalaciones del Banco de Londres y México, atendía asuntos legales de empresas y corporativos y Diego al parecer se aburría. Al graduarse, el nuevo abogado se fue a trabajar con Fernando Gómez Mont y lo hizo también con otro litigante cercano al PAN, Hiram Escudero. Con ambos descubre la adicción por los temas del derecho penal.

En la biografía extraoficial de Fernández de Cevallos destaca un enfrentamiento con el escritor y poeta Hugo Gutiérrez Vega, en 1963. Ambos habían coincidido en la ciudad de México cuando se acercaban a los veinte años de edad, militando ya en las filas juveniles del PAN, con una amistad cercana, nutrida por la vena católica, que también compartían. En ese año, el entonces rector de la Universidad de Querétaro escribió un poema sobre el padre de Diego, del que entre otras cosas, dijo:

"Caballero de Cristo y castellano/ de estirpe de cruzados montañeses/ hidalgo fue sin otros intereses/ que los que juzga eternos el cristiano".

Para Diego el texto fue una afrenta hacia su progenitor y decidió cobrarse el real o presunto agravio. Los reportes disponibles indican que tomó su fuete —una prenda de la que difícilmente se separaba— y fue en busca de Gutiérrez Vega, agrediéndolo en público. El escándalo acabó sacando al escritor de la rectoría universitaria.

Se dijo entonces que en la familia Fernández de Cevallos el fuete era una herramienta indispensable en la educación de los hijos y que el propio Diego echaba mano de él para corregir a sus hermanas. Los rumores indican que lo había hecho en al menos dos ocasiones, cuando le pareció que una de ellas usaba un vestido ligeramente por arriba del tobillo o en otro momento, cuando la joven se refirió al padre de ambos como "papi", lo que le pareció impropio al hermano irascible.

Años después, Fernández de Cevallos aceptó que en esos años tuvo un "incidente" con Hugo Gutiérrez Vega, pero aseguró que el asunto se hallaba "totalmente superado". Así lo describió: "Tuve, sí, una desavenencia con Hugo Gutiérrez Vega y está totalmente saldada. Fue una desavenencia fuerte, frontal, directa. Ahora somos amigos".

Jesús González Schmal, entrevistado para este trabajo, recuerda que durante su juventud coincidía con Diego —mayor que él por varios años— en mítines a favor de la campaña presidencial de Jesús Hernández Torres (1964). "Todos veníamos de discutir largas horas sobre la Revolución Cubana (1959) y de criticar al gobierno del PRI. Escuchábamos a Gómez Morín decir que había una 'tercera vía', lo que nos subyugaba a muchos".

Iniciaban los tumultuosos años de finales de los sesenta. El presidente del PAN era Adolfo Christlieb Ibarrola. El conflicto estudiantil de 1968 encontraba a Diego Fernández de Cevallos lanzando insultos a los diputados del PRI en la vieja Cámara de Donceles. Reportes periodísticos de la época, entre ellos uno de la revista *Tiempo*, dan cuenta de que la policía había expulsado del recinto a varios panistas, "entre ellos al joven Diego Fernández de Cevallos", quien según se asegura, en al menos una ocasión exasperó tanto a los priistas que el líder azucarero José María Martínez lo amenazó con su pistola, en plena sesión.

El comité de huelga de los estudiantes convocó en algún momento a la dirigencia del PAN a asistir a uno de sus mítines en Ciudad Universitaria. Christlieb Ibarrola designó en su lugar a Diego, quien pronunció un discurso en nombre de las juventudes panistas, recordando el rectorado de Gómez Morín en la UNAM, en los años treinta. "Fue una memorable pieza oratoria", concede González Schmal, quien participó también en el acto.

Tras estas jornadas la pista política y partidista de Diego Fernández de Cevallos casi se extravía. El régimen autoritario de Díaz Ordaz dio paso al de Echeverría, que abrió una larga etapa de poder unipersonal. En el PAN, donde la iglesia católica había tenido una ascendencia fundamental, hizo crisis un dilatado enfrentamiento surgido desde finales de los cincuenta, entre quienes buscaban alinear al partido en la corriente de la democracia cristiana y aquellos que lo resistían. Entre esos últimos se hallaba Rafael Preciado, reconocido ideólogo panista y profesor de Diego en la UNAM.

"Meones de agua bendita", llamó Gómez Morín al grupo que comandaba Jesús González Torres, quienes deseaban mantener al partido bajo la égida clerical, que imaginaba al partido como valladar contra el estado priista, animado aún por la ideología del nacionalismo revolucionario, al que le atribuía un gen comunista. En el debate empezaban a pesar las opiniones y las ambiciones del sector empresarial. La confrontación culminó en enero de 1976, cuando Acción Nacional no logró el consenso para lanzar candidato a la presidencia y se generó una fractura interna.

En una entrega de su autorizada columna "Plaza Pública" de noviembre de 1993, dieciocho años después, Miguel Ángel Granados Chapa rememoró lo que ocurría en aquellas jornadas de mediados de los setenta y retrató así una de las últimas apariciones de Fernández de Cevallos en esa etapa de su vida pública: "En octubre de 1975 Acción Nacional se propuso elegir a su quinto candidato presidencial, para enfrentarlo a José López Portillo, destapado por Echeverría un mes atrás. Se presentaron como precandidatos el ingeniero Pablo Emilio Madero, que notoriamente concitaba el apoyo de la mayoría de los 840 delegados de entonces; Salvador Rosas Magallón y David Alarcón, por quien nadie votó en la primera ronda, pese a la enjundia con que fue presentada su candidatura por el joven, de treinta y cuatro años, Diego Fernández de Cevallos…".

Pero Fernández de Cevallos ya casi no estaba ahí para ver todo esto. Según González Schmal, se había ausentado de la vida partidista desde muchos meses antes, sin más motivo aparente que el de dedicarse a su profesión como abogado. "Lo buscaban, lo invitaban a reuniones y no asistía", refiere. No volvería a ser visible sino hasta 1987, más de diez años después, cuando regresó al partido de la mano de Luis H. Álvarez.

El amor se atraviesa

Otro hecho, no ligado a la política, se sumaría después a los motivos que, al menos temporalmente, pudieron haber influido en la ausencia de Fernández de Cevallos: tenía treinta y seis años de edad y trabajaba en un despacho de la calle Marne, en la colonia Cuauhtémoc de la ciudad de México, cuando se topó con una vecina, Claudia Gutiérrez Navarrete, entonces de dieciséis años. Un semestre antes la chica había terminado la secundaria y había empezado a estudiar Comercio Internacional. También trabajaba para ayudar en la economía familiar, pues su padre sufría males que le cortarían la vida menos de un año después.

Diego se transportaba en una carcacha Ford y para acercarse a la joven que paseaba a sus hermanos y les compraba helados. Ella recuerda que la primera vez que él le habló "me pareció guapísimo, pero muy lanzado… me cohibió". Fueron novios durante nueve meses y se casaron en el templo de Nuestra Señora del Rayo, en Coyoacán. No hubo fiesta ni viaje de bodas. Tampoco hubo matrimonio civil, pues Diego argumentó que quería tener algo "muy especial… sólo de ellos dos". El abogado Fernández de Cevallos le dijo a su esposa que el enlace religioso era algo "mucho más importante que un contrato civil". Ella aceptó.

Para efectos legales, Diego conservó su carácter de soltero, lo que le permitía entre muchos otros efectos, eludir compromisos con su esposa en materia de bienes. Y cuando era necesario, bien se cuidaba de subrayar tal condición, como ocurrió con el notable caso de sus propiedades en Punta Diamante, Acapulco. En las escrituras mediante las cuales acepta en dación de pago valiosos terrenos, firmadas en abril de 1993, se asienta que se identifica como "*soltero*, abogado, con domicilio en Virreyes 810, Lomas de Chapultepec…".

Luego de cuatro embarazos fallidos, Claudia y Diego tuvieron tres hijos: Diego, David y Claudia, que en 2008 tenían veintinueve, veintiocho y veintiséis años, respectivamente. En 1992, la pareja estaba cumpliendo dieciséis años de casados y Fernández de Cevallos era ya una personalidad encumbrada que se encaminaba a la coordinación de la fracción del PAN en la Cámara de Diputados y a la candidatura presidencial, que conquistaría en 1994. De pronto, un viernes por la tarde un joven de dieciocho años llamó al despacho del abogado y le dijo dos cosas. La primera, que se llamaba Rodrigo; la segunda, que quería conocerlo, pues según entendía, Diego era su padre. Se citaron para el lunes siguiente.

Esa es la versión oficial acerca de Rodrigo. Se añade que ambos se sometieron a pruebas de laboratorio que confirmaron la paternidad y que Diego reconoció al joven. Fernández de Cevallos rechazó entonces versiones periodísticas según las cuales había mantenido oculta durante todo ese tiempo la existencia de otro hijo.

Este misterio resulta abonado con el hecho de que Rodrigo ostenta los apellidos paterno y materno: Fernández de Cevallos Medina, sin que se conozca si cambió el registro correspondiente para corregir su nombre o si es posible que haya sido reconocido años antes, en una fecha no determinada.

La esposa de Diego, Claudia, sustentó la versión oficial: "Ese fin de semana —declaró en entrevista, en 2004—, Diego me lo dijo, platicamos; yo sabía que él había sido muy noviero y por eso cuando nos casamos le pregunté si tenía hijos y me contestó: 'Que yo sepa, no'. El día que lo vi, supe que Rodrigo era hijo de Diego. Él vive con su madre, pero pasa algunas temporadas con nosotros…".

Esta historia de familia bien avenida encontró su quiebre público en septiembre de 2004, cuando la revista de sociales *Quién* publicó un reportaje que revelaba la relación sentimental del entonces poderoso senador panista con la joven Liliana León Maldonado, de veintisiete años. Fernández de Cevallos acumulaba ya sesenta y tres años de edad. Luego se sabría que el político de orígenes queretanos había facilitado maquinaria para ayudar a construir una carretera que comunicaría la zona de Arandas, Jalisco, donde nació Liliana, que desde entonces fue bautizada como "la carretera del amor".

Entrevistado en ese entonces por la periodista Denisse Maerker, Diego declaró que "no he contribuido ni voy a contribuir para que lo público sea privado", lo que iba a contrapelo con las fotos publicadas en *Quién*, las que desde luego contaban con su consentimiento. Sin embargo, en la referida entrevista se pronunció en contra de ventilar el tema en público "pues es andar en un sendero muy delicado". E invitó a la periodista a cambiar de tema, "para que si no se entra en mi vida, no se entre en la tuya".

Neopanismo: su plataforma

Luis H. Álvarez fue presidente del PAN de 1987 a 1993. Relevó en esa posición a Pablo Emilio Madero, que lo había sido desde 1984, tras contender por la Presidencia de la República en 1982. La gestión del carismático político chihuahuense representaría un quiebre histórico entre el PAN doctrinario y el pragmático. Ahí estaba ya Carlos Salinas de Gortari para impulsar este proceso y Diego, para operarlo tras bambalinas.

En 1993 fue elegido diputado federal y coordinó a la fracción panista. Fue un periodo de intensas reformas, entre ellas una de carácter electoral. Es la época en la que surgió el mote del "Jefe Diego", acuñado inicialmente por los priistas, quienes mostraban recelo ante la influencia del legislador panista sobre el curso de las negociaciones en el Congreso.

Analizado en perspectiva, existe un momento en el desarrollo de Acción Nacional que debe ser considerado referente obligado en su historia moderna. Se trata de la etapa en la que dejó ser una "oposición leal" —como lo bautizó en los años ochenta la politóloga Soledad Loaeza— y se convirtió, por primera vez en décadas, en una entidad política con el proyecto, la voluntad y los recursos para disputar el poder real.

Este punto de quiebre en el PAN está marcado por una renovación de sus cuadros dirigentes en todo el país, que desplazaron —en muchos casos, hasta echarlos de sus filas— a dirigentes tradicionalistas influidos por la doctrina cristiana. Surgieron en su lugar personajes pragmáticos, alentados desde las principales agrupaciones de la iniciativa privada, notablemente la Confederación Patronal de la República Mexicana (Coparmex). Sin esta transmutación de rostros y de visión política, en Acción Nacional hubiera sido impensable el encumbramiento de un hombre como Diego Fernández de Cevallos.

Este auge de una nueva clase política, de ideología conservadora y con claro arraigo en la visión empresarial, ha sido estudiado desde diversas ópticas. Profundizar en el mismo excedería el propósito y los alcances de este trabajo. Cabe sin embargo, exponer someramente algunos tratamientos alusivos.

El primero de ellos, el de Porfirio Muñoz Ledo, personaje clave del priismo tradicional, testigo y actor de la transición mexicana. Así lo refirió, en entrevista para este trabajo: "La iniciativa privada empieza a presionar desde inicios de los años sesenta, con reclamos políticos. Su activismo llevó a Gustavo Díaz Ordaz (presidente de 1964 a 1970) a pensar en la posibilidad de crear un sector para ellos dentro del partido. Desde que tomó posesión, inició un acercamiento con empresarios de provincia. Le dio esa encomienda a Alfonso Martínez Domínguez, quien la desarrolló en el PRI y, luego, desde Nacional Financiera. La idea de fondo era preservarle al PRI el carro completo".

Durante el gobierno de Luis Echeverría —en el que participó como subsecretario de la Presidencia y Secretario del Trabajo—, dijo Muñoz Ledo, se produjo un crecimiento en los reclamos empresariales.

"Se expresaban con varios pretextos. Contra los libros de texto gratuito, por ejemplo. El entonces secretario de Educación, Víctor Bravo Ahúja, recibió instrucciones de reunirse con ellos, para apaciguarlos, pero no pudo. El papel empresarial empezaba a modificarse. Era evidente su interés por entrar a la política. Echeverría los animaba a ingresar al PRI; le preocupaba desde entonces su participación en el PAN. Muchos aceptaron y participaron en procesos internos. Cuando dirigí el PRI (1975), alguna vez Manuel Clouthier acudió a mi oficina con gestiones ligadas a candidaturas. Estuvo adentro y luego salió".

Muñoz Ledo refirió otro suceso como un punto de no retorno en la participación de los empresarios en política, que de hecho frustró los intentos echeverristas de asimilación por parte del PRI: el asesinato, en septiembre de 1973, del empresario regiomontano Eugenio Garza Sada.

"Esto confirmó una ruta que ya se marcaba cada día más con una visión diferente de los empresarios, que tradicionalmente habían apostado al PRI y al gobierno como garantía de estabilidad y como árbitros que permitían el florecimiento de sus negocios. Las cosas sin embargo, cambiaron. Influyó también que los hijos de los empresarios se formaban en el extranjero y regresaban con nuevas ideas".

"Ya no querían un papel subordinado. Siempre hubo voces leales al sistema, como las de Azcárraga y Alarcón, a quienes les iba bien con el gobierno, pero resurgió la influencia de Juan Sánchez Navarro, que ya había creado en esa línea el Consejo Mexicano de Hombres de Negocio, cuyo protagonismo creció".

Después de la muerte de Garza Sada, refirió Muñoz Ledo, Echeverría se enteró de que los empresarios de Monterrey habían convocado a una reunión en las instalaciones de la fundidora.

"Me ordenó asistir en nombre del gobierno. Me tocó tomar la palabra después de don Daniel Cosío Villegas, al que habían invitado para que se burlara del gobierno... acababa de publicar su libro sobre el estilo personal de gobernar, escribía en *Excélsior*. Cuando yo hablé hubo debate fuerte...".

Esta polémica en ámbitos reservados entre empresarios y el gobierno fue creciendo, aseguró, hacia finales de la administración Echeverría. Muñoz Ledo citó otro encuentro, en una hacienda de Chihuahua, al que entre otros, asistió el hijo de Garza Sada, Eugenio Garza Lagüera (muerto en mayo de 2008).

"Hubo voces de alianza con el gobierno, pero los de Monterrey caminaban ya por otro lado. En algún momento, Garza Lagüera tomó la palabra para decir: 'Nosotros queremos el poder'..."

Para concluir, refirió que en medio de esa confrontación, Echeverría cerró su gobierno con un gesto "de izquierda, fuerte", con la expropiación de predios en el sur de Sonora. Vendría luego José López Portillo, "quien desde el principio hizo un pacto con los empresarios, que duró hasta la ruptura de la expropiación bancaria".

El citado Granados Chapa escribió sobre las circunstancias que rodearon la crisis interna del PAN en 1976, cuando no encuentra el consenso para designar candidato:

"En octubre [de 1975], [Efraín] González Morfín renunció a la presidencia panista. Al hacerlo, evidenció el fondo de la crisis al denunciar la creación y mantenimiento, incluso mantenimiento financiero, de otro Partido Acción Nacional, con ideología, organización, jerarquía, lealtades y comunicaciones al margen y en contra del Partido Acción Nacional legítimo y estatutario". Otro PAN había nacido.

El impacto del 82

Otros analistas coinciden acerca de la creciente participación empresarial y la manera en que encontró cabida en el Partido de Acción Nacional. Se trató de un proceso que, en la percepción pública, fue caracterizado por la incorporación de personajes provenientes del norte del país, casi todos ellos ligados al sector privado. Habían llegado al PAN, se decía, los "bárbaros del norte", término con el que se denominaba lo mismo a Francisco Barrio, de Chihuahua, a Ernesto Ruffo, de Baja California, a Manuel *Maquío* Clouthier, de Sinaloa, que incluso a Vicente Fox, de Guanajuato.

Una visión un poco más sofisticada del momento acuñó el término "neopanismo", para distinguir entre el Partido sustentado por una visión provinciana y católica y una fuerza política que —por impulso interno o inducida por factores externos— encarnaría los reclamos de millones de mexicanos en contra del régimen priista y del poder presidencial absoluto.

Soledad Loaeza —sin duda la más reconocida estudiosa del PAN— identifica a la expropiación de la banca por parte de José López Portillo, el 1º de septiembre de 1982, como el detonador para lo que llama el surgimiento de la derecha moderna, agrupada en Acción Nacional.

En el libro *Las consecuencias políticas de la expropiación bancaria*, publicado en 2008 por El Colegio de México, la analista advierte que en 1982 "pocos vieron que los cambios en la cultura política que galvanizó la expropiación bancaria, sobre todo entre las clases medias, propiciarían el ascenso de Acción Nacional".

Otra visión sobre este momento la tiene el citado Jesús González Schmal, quien refiere que ante el crecimiento de los intereses políticos empresariales, el PAN no era visto como una alternativa para canalizar sus ambiciones. "Recuerdo que Luis Felipe Bravo Mena, quien operó estos acercamientos desde la Coparmex, donde trabajaba, nos criticaba que Acción Nacional se sustentaba en encíclicas de la iglesia sobre justicia social y reclamaba la cogestión de las empresas con la participación de los trabajadores. No nos veían suficientemente a la derecha…".

Añade que Guillermo Velasco Arzac y otros personajes cercanos a los empresarios buscaron por ello crear su propio partido. "Formaron Desarrollo Humano Integral, A.C., el DHIAC, que sí recogía sus tesis. Pero no les dieron el registro de partido. Y voltearon a ver nuevamente al PAN. Surgió esa historia en la que durante un paseo en yate, Manuel J. Clouthier convenció a varios empresarios de participar en política". En ese momento, el PAN era un partido minoritario, si bien constituía mayoría dentro del resto de los partidos, al grado de controlar seis de cada diez curules en manos de la oposición en la Cámara de Diputados.

Según Loaeza, las bases del PAN fueron tradicionalmente alentadas por sectores conservadores, sobre todo el clero, con el eje de la batalla contra el comunismo. No obstante, refiere, "todos esos elementos pasaron a un segundo plano frente al discurso democrático que se instaló en el corazón de la movilización antiautoritaria […] característico de la ola democratizadora de finales del siglo XX".

Dice González Schmal: "Con Luis H. Álvarez llegan los neopanistas, los aventureros, los 'dhiacos'. Con dinero de los empresarios, muchos de ellos de Monterrey, compran a los comités estatales, imponen a nuevos dirigentes pagados por ellos. Y don Luis, pese a las resistencias, logra el apoyo para que el PAN acepte las prerrogativas que otorgaba el gobierno a los partidos políticos".

El nuevo rostro del PAN, como defensor ya no de tesis clericales sino de los intereses empresariales, más su capacidad de incorporar las tesis democráticas, hizo del partido "el franco vehículo de protesta de las élites locales contra el centralismo", subraya Loaeza. En 1983, diversos liderazgos se encumbraron políticamente gracias a las urnas: Luis H. Álvarez ganó la alcaldía de Chihuahua, Francisco Barrio la de Ciudad Juárez y Rodolfo Elizondo la de Durango.

Acción Nacional se había transformado. Representaba ya —dice Loaeza— "mucho más que el viejo conflicto entre la Iglesia y el Estado de la Revolución. Se había convertido en el pivote de la democratización. Entonces se inició el avance del partido desde la periferia al centro, hasta que en 2000 conquistó la Presidencia de la República".

El ascenso de Diego

Fernández de Cevallos cobró imagen pública nacional en 1988, cuando por gestiones de José González Torres, que ocupaba ese cargo, fue designado representante del Partido ante la Comisión Federal Electoral, entidad que organizaba las elecciones, entonces bajo control gubernamental.

En noviembre de 1993 se presentó a la Convención en la que fue elegido candidato de Acción Nacional a la Presidencia de la República. Lo hizo rodeado de un consenso construido por su éxito en la conducción de la fracción del PAN en la Cámara de Diputados, a lo que se había sumado un intenso trabajo en los comités estatales del partido. Sus adversarios eran el sonorense Adalberto Rosas Magallón y el regiomontano Javier Livas.

Una figura de amplio peso dentro de Acción Nacional, Carlos Castillo Peraza, que en marzo anterior había arribado a la presidencia del organismo, decidió no oponerse a sus aspiraciones, lo que daba cuenta ya de los apoyos que Fernández de Cevallos acumulaba, dentro y fuera del partido. En este último ámbito no eran menores los indicios de satisfacción del gobierno de Carlos Salinas de Gortari ante el encumbramiento de Fernández de Cevallos.

Con su postulación estaba a prueba también la línea de negociación con el gobierno —claudicación, la calificaban no pocos—, a partir de la cual un sector del partido consideraba que se irían construyendo las condiciones para que el PAN llegara al poder. Sus críticos afirmaban que la línea por él impulsada resultaba riesgosa para la integridad del partido, pues la creciente coincidencia con el gobierno lo lesionaba y prostituía sus principios.

Así lo analizaba Granados Chapa: "El trato frecuente del PAN con este gobierno los ha mimetizado y aún simbiotizado, pero ha sido mayor la influencia de Acción Nacional sobre el régimen. Éste se ha *panificado*, es decir, puesto en práctica la política de Acción Nacional en algunos de los puntos cruciales de su actuación. La reforma del Estado que es honra y prez del salinismo, es una reforma preconizada por el PAN desde su nacimiento, puesto que surgió como una agrupación antiestatista y anticardenista, atributos de la actual administración".

"El gobierno priista y su partido han girado hacia donde está el PAN, hasta confundirse con él en varios sentidos. Acción Nacional no ha permanecido, ciertamente, inmutable en este intercambio. No es el mismo de 1939, ni el de 1975. Ni siquiera el de 1988. Aunque en el último decenio no ha sido dirigido por abogados, el partido ha practicado en ese periodo el típico negocio jurídico: *do ut es* (doy para que des). Ha obtenido logros, pero ha pagado costos. La mayor parte de sus miembros parece juzgar que ese canje se ha hecho sin daño para la misión del partido. Desde afuera de él se aprecia mejor el peligro de que esa adecuación de los principios a la realidad conduzca al PAN a la paradoja de servirse a sí mismo con eficacia, en medida semejante en que sirve menos a la democracia".

"Las heridas en campaña..."

Polemista nato, temible, con una agudeza verbal forjada como tribuno y abogado litigante, la retórica de Fernández de Cevallos ha cautivado a millones durante años. De ella se sirvió desde muy joven, cuando encabezó a un piquete de militantes panistas que hacían breves mítines en favor de algún candidato.

El propio Diego ha hecho declaraciones en las que habla de sí mismo durante su maduración como político, sea rompiendo mítines priistas, provocando a sus adversarios en reuniones de colegio electoral o en sesiones del Congreso. Incluso respondiendo con rispidez a correligionarios panistas que le reprochaban su comportamiento. Sostiene que un fraude le impidió llegar antes a la Cámara de Diputados, pero pondera que eso haya evitado que se convirtiera en legislador "un joven desbordado, cuya pasión ante nada se detenía y que difícilmente hubiera podido sujetarse, siquiera, a la disciplina interna de su propio partido".

Sin duda alguna, su momento de gloria en este campo lo alcanzó el 13 de mayo de 1994, cuando sorprendió a todo el país como aspirante a la Presidencia de la República por el PAN, al enfrentarse en un debate televisado con el priista Ernesto Zedillo y el perredista Cuauhtémoc Cárdenas, en el primer evento de esta naturaleza en la historia de la política mexicana. A la mañana siguiente, diversos medios, especialmente los periódicos, dieron cuenta de sondeos entre el público, que presentaban a Fernández de Cevallos como ganador del debate. El pasmo del oficialismo fue evidente.

La prensa extranjera, ávida de novedades dentro de la predecible política mexicana, habló de una "Diegomanía" en el país. "¿Presidente Fernández?", preguntaba un artículo de la revista *Newsweek* en junio de ese año, según el cual de ser el tercero en la lista de preferencias, el aspirante panista había llegado a encabezar las preferencias ciudadanas después del debate.

Desde Londres, el periódico *The Sunday Times* dijo: "Fernández de Cevallos ha devuelto a México el gusto por la democracia". Y agregaba, "cuando las instituciones políticas mexicanas se tambalean bajo las presiones del interior y de Estados Unidos, Fernández de Cevallos ha surgido de repente como figura a considerar. Un carismático conservador con la posibilidad de llegar a la presidencia".

En su libro de memorias, Carlos Salinas de Gortari obsequia varios elogios a Fernández de Cevallos. Y al aludir al citado debate, refiere que esa misma noche dio instrucciones para que su gobierno saliera al rescate del candidato priista Ernesto Zedillo.

En las semanas siguientes, sin embargo, la presencia pública de Diego se desdibujó y se presentó a la jornada electoral con una imagen de guerrero en retirada, lo que despertó múltiples suspicacias que abundan hasta la fecha.

"Se enfermó", advirtieron algunos, según los cuales Fernández de Cevallos sufría un mal incurable, un cáncer voraz, que lo había obligado a recluirse en un hospital de Houston. No lo podía revelar, se decía, porque supondría su muerte política anticipada, por el mero hecho de que legalmente estaba limitado a salir del país durante varios meses antes de la elección.

Otras versiones, menos generosas, atribuyeron su debilitamiento a una componenda con el gobierno y a la existencia de un "expediente negro" con el que lo habían logrado recluir en su casa o cuartel de campaña. La duda estalló en un libro de Vicente Fox, publicado tras ganar la presidencia en el 2000, donde lamentaba que tras su éxito en el debate del 94, Diego hubiera rendido las armas. Esto, desde luego, añadió un capítulo al ya antiguo distanciamiento entre ambos y fue el argumento para que la mayor parte del sexenio foxista existiera una rispidez mutua.

José Luis Durán Reveles, coordinador de la campaña de Fernández de Cevallos en 1994, tiene otro registro de los hechos. Consultado al respecto, sostiene que el triunfo en el debate obligó a que el equipo revisara las estrategias para aprovechar esa nueva circunstancia. "Nos recluimos tres días para revisar el programa y buscar que los siguientes eventos tuvieran la mayor repercusión posible, convencidos de que el país estaría más pendiente de nosotros". Sin embargo, aseguró que desde la noche misma del debate, los medios electrónicos iniciaron un aislamiento contra Fernández de Cevallos.

"En apenas unos días estábamos totalmente fuera de la pantalla. Mientras Zedillo lograba amplias coberturas, nuestros actos eran ignorados o disminuidos. En lugar de difundir una concentración masiva en Guadalajara o en Monterrey, presentaban a Diego cuando bajaba de su automóvil, en actitud distraída. Así fue durante semanas. Los medios electrónicos nos sabotearon hasta el final".

Según Durán Reveles, esta situación desató la furia de Diego, al grado de que en algún momento se reunió con los reporteros acreditados en su campaña por las televisoras para reclamarles y pedirles trasmitir su queja ante los directivos de Televisa y Televisión Azteca, "pero de nada sirvió".

En la recta final de su campaña, Fernández de Cevallos protagonizó un mitin en Ciudad Universitaria, que congregó a miles de jóvenes. Ello representó un quiebre en la presencia históricamente débil del PAN en la UNAM. Bajo la mirada de la prensa, sin embargo, el acto fue dominado por un grupo de activistas simpatizantes de Cuauhtémoc Cárdenas, que llegaron al acto armados de huevos podridos y capuchas negras.

En pleno discurso del candidato panista, los proyectiles ovalados empezaron a volar con dirección al templete. Diego echó manos de frases que años antes, en 1968, le habían ayudado en ese mismo lugar: los orígenes del PAN, el rectorado de Gómez Morín. Fue inútil. Él y su comitiva —entre ellos Luis H. Álvarez, Gonzalo Altamirano, Ricardo García Cervantes— acabaron bañados en clara de huevo y cáscaras.

El candidato hubo de interrumpir su discurso luego de improvisar al decir que "más allá de huevos podridos, más allá de esas acusaciones, más allá de esas calumnias, más allá de esa pobre roña moral, hemos de insistir que la esperanza de Acción Nacional está soportada en las mujeres y en los jóvenes de México". Todavía antes de ser sacado casi a empujones del templete por parte de su equipo, citó nuevamente una de sus frases predilectas, atribuida al Quijote: "Las heridas que se reciben en campaña, antes dan honra que la quitan".

Punta Diamante: se asoma otro rostro

Un tema poco tratado en la polémica sobre Fernández de Cevallos es su fortuna personal, su patrimonio, que se sabe vasto. Como ocurre con amplios aspectos de su vida familiar y sentimental, ha logrado conservar esta faceta bajo una plena opacidad, presentándola como parte de su entorno reservado, para lo cual usa un lenguaje que apela a la honra y a la privacidad.

Una ruidosa excepción a esto fue el escándalo por los terrenos de Punta Diamante, un tema que es desde hace más de una década referente obligado cuando se polemiza sobre el abogado panista.

La historia empezó a trascender durante la campaña presidencial de Fernández de Cevallos en 1994. Incluso, se le atribuyó el potencial explosivo suficiente para frenar lo que se consideraba una marcha ascendente del panista en la contienda que libraba esencialmente contra Ernesto Zedillo, del PRI, y Cuauhtémoc Cárdenas, del PRD.

El nombre de Punta Diamante cimbró al país cuando, el 18 de marzo de 1997 —año de elecciones federales—, Fernández de Cevallos tomó el teléfono para llamar a Jacobo Zabludovsky, el conductor del influyente noticiario de Televisa 24 Horas, para decirle que había políticos que tenían propiedades ilegales en esa zona turística, donde, dijo, se valen de su poder para no pagar siquiera el impuesto predial. Cuando el periodista le pidió nombres, Diego contestó: "Me refiero, Jacobo, a Zedillo Ponce de León, Ernesto. El presidente de la República...".

"¡Ah, caray!", contestó Zabludovsky, soldado de mil batallas y por ello, consciente de que nunca en la historia del país se había trasmitido algo similar en el horario estelar de la televisión.

A la noche siguiente, los mexicanos vimos al mismo Jacobo en la residencia oficial de Los Pinos, muy serio frente a un Ernesto Zedillo más serio todavía, quien replicó a Diego:

"No soy ni he sido nunca dueño de propiedad alguna en dicho desarrollo. Tengo entendido que esa es una zona de Acapulco de altísimo valor. Con toda franqueza afirmo que sólo con dinero mal habido, es decir, con dinero robado, hubiese yo podido adquirir, en algún momento de mi vida, una propiedad en Punta Diamante…".

Zedillo añadiría que compró mediante un crédito bancario un condominio en un fraccionamiento cercano, en una zona más modesta, pero conocido como Villas Diamante.

Desde ese momento el priismo cerró filas en torno a Zedillo y lanzó una serie de señalamientos contra Fernández de Cevallos, lo que añadió elementos para entender la lectura que el gobierno y su partido estaban haciendo sobre los motivos del ataque del abogado panista.

Rosario Guerra, quien había formado parte del Comité Ejecutivo Nacional del PRI, acusó a Fernández de Cevallos de haber recibido los terrenos de Punta Diamante, "en pago por su gestión para quemar las urnas del proceso electoral de 1988, en perjuicio del entonces Frente Democrático Nacional, base de las posteriores 'concertacesiones' del sexenio salinista". En el ambiente quedó la sensación de que la mano oculta en el acto de Diego podía ser la del ex presidente Carlos Salinas de Gortari, quien sostenía un crecientemente público diferendo con su sucesor.

Lo que nunca quedó claro, lo que no reveló ninguna encuesta que haya sido publicada, fue el daño real causado por su denuncia ni los motivos reales de la misma. El PRI ganó por estrecho margen las elecciones de 1997, pero el ascenso de la oposición le hizo perder por primera vez en su historia, el control de la Cámara de Diputados, lo que impuso desde entonces una nueva correlación de fuerzas entre el Ejecutivo y el Legislativo.

Incluso la parte legal de la historia de Punta Diamante ha quedado dominada por la sospecha. Porque esta historia soporta diversas lecturas e interpretaciones. Desde aquellos que la presentan como un simple pago en especie mediante terrenos a cambio de los servicios profesionales de Fernández de Cevallos, hasta los que ven con claridad una línea que comunica esta operación con el otorgamiento de privilegios al más alto nivel del gobierno federal, encabezado entonces por Carlos Salinas de Gortari. Pago, sí, sostienen estas versiones, pero no por servicios profesionales, sino políticos, en la discreción de los pasillos del poder.

En términos formales, el tema puede explicarse con relativa rapidez: en junio de 1992, el entonces gobernador de Guerrero, José Francisco Ruiz Massieu —ex cuñado del presidente en funciones, Carlos Salinas de Gortari— decretó la expropiación de una enorme superficie de terrenos de pequeños propietarios y ejidales, en las afueras de la bahía de Acapulco, para impulsar un nuevo polo de desarrollo turístico e inmobiliario que sería conocido como Punta Diamante.

La superficie expropiada fue entregada para su administración al organismo estatal descentralizado Promotora Turística de Guerrero (Protur), que había sido creado en agosto de 1987 "para promover el fomento y el desarrollo de la actividad turística en la entidad". El director de Protur en esa época era Adrián Cordero García, a quien en 2002 se le atribuirían ligas con el narcotráfico y fuera incorporado por la Procuraduría General de la República como testigo protegido.

Fernández de Cevallos habría participado en los trámites legales que implicó este proceso, si bien no existen detalles amplios de cuál fue precisamente su intervención y sobre qué base se determinó pagarle mediante terrenos. Lo que sí se conoce es que recibió dos predios, denominados C-4, de 53 mil 418 metros cuadrados, y el C-8, de dos mil metros cuadrados. Al momento de formalizar la cesión, cuando en esa zona surgía ya un impresionante desarrollo hotelero y de condominios de lujo, ese tipo de terrenos comenzaba a ser comercializado a razón de mil dólares por metro cuadrado. Es decir, el pago a Fernández de Cevallos representaba en ese momento 55 millones de dólares.

Al valor de los predios en sí mismos debe añadirse que en el convenio de dación de pago por parte de Protur, se agregó que ese organismo cubriría "los honorarios, gastos y todo tipo de impuestos, derechos o cooperaciones que resulten directa o indirectamente por el otorgamiento de la escritura y su inscripción en el Registro Público de la Propiedad, así como los que resulten de la subdivisión que conforme al Plan de Desarrollo urbano realice el adquiriente o sus derechohabientes".

Asimismo, Protur se comprometió "frente al adquiriente a obtener del H. Ayuntamiento de Acapulco una exención del impuesto predial respecto de los inmuebles a partir de esta fecha y hasta que hayan transcurrido dos años de la conclusión y puesta en operación de todos los servicios e infraestructura del fraccionamiento en que se ubican los predios". En ese momento el alcalde de Acapulco era René Juárez Cisneros, quien luego fue gobernador del estado.

No hay registros disponibles sobre el destino que Diego dio a esas propiedades; si las vendió o desarrolló ahí algún inmueble. Lo que sí puede asegurarse es que ya no son más terrenos baldíos, pues en esa zona, que dio cabida al "Acapulco de los ricos", no existe ya un solo metro sin construir.

El apetito por los ranchos

Y si el tema de las propiedades del político panista es desde hace por lo menos tres lustros, materia de conversación frecuente en diversos ámbitos de la política mexicana, en Querétaro, su estado adoptivo, roza el campo de la leyenda.

En febrero de 2003, la periodista María Scherer Ibarra documentó en la revista *Proceso* una lista de propiedades de Fernández de Cevallos, que se extiende por múltiples ranchos en Querétaro. Varias de esas propiedades figuran a nombre de integrantes de su familia. Así, a nombre de su hijo David Fernández de Cevallos Gutiérrez figura la finca La Asturiana, de noventa hectáreas, un rancho agrícola y ganadero con bodegas, planta lechera, tres casas, sala de ordeñe, taller para maquinaria, dos pozos, corrales, chiqueros y parideros para ganado. Su valor ascendió a 4.5 millones de pesos. Diego hijo figura como propietario de otro rancho, La Escondida.

En 2002, le compró a su hijo Rodrigo Fernández de Cevallos Medina dos predios de veintitrés y cincuenta hectáreas que fueron parte de la hacienda Guadalupe, en Pedro Escobedo, en el mismo estado. El precio de compra por ambos fue de casi cuatro millones de pesos. En abril de ese mismo 2002, una notaría local registró la compra a nombre de Claudia Fernández de Cevallos Gutiérrez, hija de Diego —entonces de veintiún años— la finca rústica La Palma, valuada en casi siete millones de pesos. Otro registro notarial da cuenta de que en 1995 Diego y su hijo compraron también La Llave, de cien hectáreas, pagando por ello más de seis millones y medio de pesos.

El orgullo del abogado panista parece ser el rancho El Estanco, donde le gusta recibir a sus invitados especiales, lo que en el verano de 2008 incluyó a un nutrido grupo de legisladores de su partido, a los que agasajó en el lugar. Esta propiedad tiene un origen oscuro: en 1994, mismo año en que Diego fue candidato presidencial presentándose como hombre de honestidad intachable, el abogado Jorge Ugalde, representante de Mario Moreno, Cantinflas, lo acusó de haberse apropiado del rancho de 220 hectáreas, mediante una maniobra de despojo.

El Estanco se halla situado a ocho kilómetros del citado municipio de Pedro Escobedo. Tiene una barda de ladrillos de un kilómetro de perímetro. Se estima que el valor total de la finca es de 20 millones de dólares.

La dimensión de los casos que ha atendido Fernández de Cevallos como abogado y la aparente inclinación a cobrar en especie, mediante terrenos u otros inmuebles, como ocurrió con el caso de los predios en Punta Diamante, en Acapulco, permiten suponer que sus ranchos en Querétaro no forman la parte esencial de su patrimonio. De ahí que Diego sea considerado por muchos uno de los hombres más ricos del país.

Batallas sin honra

En el singular registro público que suma hechos concretos con anécdotas y percepciones, Fernández de Cevallos mantuvo otro debate televisivo, pero esta vez con resultados adversos. Se trata del encuentro sostenido en marzo del 2000 con Andrés Manuel López Obrador, entonces candidato del PRD a la jefatura de gobierno de Distrito Federal. El lugar: el espacio noticioso, entonces matutino, de Joaquín López Dóriga, en Televisa. Si bien la agenda de la discusión fue reducida a los encono de cada parte, lo que ha trascendido en el ánimo general es que López Obrador logró contener y humillar al afamado polemista, al que imputó ser un falso opositor, un "alcahuete del régimen" y un "corrupto que se ha enriquecido a costa del sufrimiento de los demás".

Otro de los adversarios con el que Diego se ha engarzado en múltiples debates, aunque de carácter mediático, ha sido Porfirio Muñoz Ledo, especialmente cuando éste se desempeñó como presidente del PRD. A partir de mayo de 1994, en plena campaña presidencial en la que Fernández de Cevallos contendía por el PAN, Muñoz Ledo dirigió acusaciones, señalamientos y burlas incesantes que se extendieron hasta diciembre de 1995.

Entre otras críticas, el perredista atribuyó al abogado panista ser defensor de narcotraficantes y lo retó a un debate en el que, aseguraba, "lo haría talco". Al final del ciclo, Diego envió una carta a las oficinas del PRD en la que entre otras cosas, afirmaba: "Mis actividades profesionales, que no mezclo ni confundo con mi trabajo político, están a la vista, son legales y públicas, y en ellas aparece mi nombre y firma…

Perdone si lo lastimo, pero yo soy un hombre de trabajo y no un vividor de la política…".

En ese periodo, Muñoz Ledo aseguró en más de una ocasión que Fernández de Cevallos había defendido a médicos abortistas, lo que lo evidenciaba como un hombre de doble moral. Colaboradores cercanos del perredista aseguran que la primera ocasión en que Muñoz Ledo habló de los abortistas, recibió una llamada de Fernández de Cevallos, quien le solicitó reunirse, acordando encontrarse en un discreto restaurante de la colonia Roma, cerca del edificio sede del PRD. En la conversación, Diego habría explicado que cuando un abogado se inicia, en el despacho al que está asignado se reciben encomiendas que pueden no ser de su agrado y que en su caso aceptaba que una de ellas en aquella época podría haber sido defender a médicos acusados de practicar abortos, pero también explicó su opinión de que un abogado no siempre defiende a gente inocente, sino también a culpables, siempre y cuando se haga con apego a la ley.

Para entonces ya se acumulaban muchas versiones de que efectivamente, personajes de comportamiento sospechoso se beneficiaban de los servicios del afamado y notable abogado. Personas incluso de su entorno aseguran que en algún momento extendió sus servicios al ex presidente Carlos Salinas de Gortari, en la época en la que éste residía entre Cuba e Irlanda. No fue posible confirmar esto ni en qué habrían consistido estos servicios.

En marzo de 2000, bajo una fuerte presión en contra proveniente del equipo foxista que entraba al gobierno, Fernández de Cevallos fue designado por la directiva del PAN coordinador de la bancada en el Senado. Su principal contendiente para ocupar esa posición fue Carlos Medina Plascencia.

Las fricciones entre Diego y su bancada siempre fueron ríspidas y se dieron varios intentos para removerlo. A mediados de 2002, 26 de los 46 senadores firmaron una carta donde pedían un cambio en la coordinación. Entre los inconformes se hallaban Javier Corral y César Jáuregui. En agosto de 2003, la fracción fue citada a deliberar durante una reunión fuera de la ciudad de México, donde se esperaba el golpe final. Sorpresivamente, hasta ese lugar llegó el presidente Fox acompañado por el secretario de Gobernación, Santiago Creel, lo que derivó en un respaldo a favor de Fernández de Cevallos.

La lectura fue que Creel había intercedido a favor de Diego como parte de una alianza rumbo al 2006, que al final quedaría frustrada. En el momento en que Creel más lo necesitó —en la contienda interna por la candidatura— y a pesar de reclamos para que se manifestara a su favor, Fernández de Cevallos eludió asumir un compromiso público de apoyo a Creel. Y luego, en corto, tuvo juicios lapidatorios contra quien se asumía su aliado.

Finalmente, hacia 2004, Fernández de Cevallos dejó en forma discreta la coordinación de la bancada panista. Todavía tuvo tiempo de protagonizar dos escándalos: la compra de un edificio para albergar oficinas de legisladores panistas, en Paseo de la Reforma 136 —la llamada desde entonces Torre Azul—, aprovechando los recursos que entrega el Senado a las fracciones, pero en un esquema tan irregular que varios senadores se negaron a mudarse a las nuevas oficinas.

El otro tema, en la primavera del 2006, fue su abierto apoyo a la llamada "Ley Televisa", promovida por los consorcios televisivos para garantizarse canonjías adicionales. Eso llevó a que el 29 de marzo de 2006, Diego fuera agredido por una multitud que protestaba en las afueras del Senado. Fue jaloneado y su saco destrozado. Durante varias horas se mantuvo así, con el saco sin una manga, para dar cuenta del ataque en su contra.

La nueva normatividad de la también llamada ley de medios fue impugnada posteriormente por un grupo sustantivo de senadores, entre los que se hallaban el panista Javier Corral y el priista Manuel Bartlett. La Corte les dio la razón, causando un revés sin precedentes al poder de la televisión.

En contraste, en febrero de 2003 Televisión Azteca lanzó una campaña contra el entonces senador, con diversos señalamientos, aunque fue del común conocimiento que el motivo real era la posición de Fernández de Cevallos contraria a la embestida de la empresa de Ricardo Salinas Pliego en contra de Rafael Moreno Valle, propietario de Canal 40, lo que incluyó un asalto a las instalaciones de la televisora en el cerro del Chiquihuite, encabezado por el ahora senador Jorge Mendoza.

El desafuero de AMLO

El caso de Carlos Ahumada escaló la tensión entre Fernández de Cevallos y el PRD hasta niveles nunca vistos. En marzo de 2004, luego de que el abogado panista sostuviera una entrevista con Joaquín López Dóriga, en el noticiario nocturno de Televisa, el conductor aceptó una llamada telefónica de un alto funcionario del gobierno de la ciudad de México, Martí Batres, subsecretario de Gobierno de la capital.

Éste dijo al aire que entre diciembre de 1996 y abril de 1997, Jorge Bastida Gallardo, considerado "cerebro financiero" del Cártel de Juárez y del capo Amado Carrillo Fuentes, pagó a Fernández de Cevallos cheques por un total cercano a cinco millones de pesos. Batres describió al entonces coordinador del PAN en el Senado como "empleado de la mafia", "coyote de angora" que es, dijo, "el corrupto número uno de México, impune… hace atrocidad y media, pillería y media; parece un pandillero de saco y corbata".

El tono de los señalamientos contra un senador, desde la posición de un funcionario del gobierno de la ciudad capital, sólo podía comprenderse por el hecho de que semanas antes se había dado a conocer en Televisa una serie de videos donde se mostraban escenas en las que el empresario contratista de origen argentino Carlos Ahumada, entregaba fajos de billetes a René Bejarano, ex secretario particular del jefe de gobierno, Andrés Manuel López Obrador y en ese momento líder de la Asamblea de Representantes del Distrito Federal.

Días después de los hechos, el gobierno de la ciudad acusó a diversos personajes, ente ellos a Fernández de Cevallos, de estar atrás de la presentación de estos videos.

El 16 de marzo de 2006, en un nuevo video trasmitido en el noticiero de Carmen Aristegui, el mismo Carlos Ahumada reveló que las imágenes dadas a conocer en 2004 fueron entregadas a Fernández de Cevallos y dijo creer que se conocieron antes de su difusión por Carlos Salinas de Gortari, el entonces secretario de Gobernación, Santiago Creel; el procurador general de la República en ese lapso, Rafael Macedo, e incluso por el presidente Vicente Fox.

Esto marcó el inicio de lo que López Obrador y sus seguidores llamarían un "complot" en su contra para impedirle contender por la presidencia en las elecciones de 2006. El conflicto incluyó una demanda de desafuero en contra del entonces Jefe de Gobierno, acusado de desacatar un amparo concedido por la Corte a los propietarios de un terreno en Santa Fe, donde la autoridad local había autorizado la construcción de una calle para dar acceso a un hospital.

El juicio por desafuero llegó a la Cámara de Diputados, donde con el aval del PRI y del PAN, López Obrador fue destituido para enfrentar el proceso judicial en su contra. Semanas después, ante indicios de que este proceso fortalecía la imagen política del perredista antes que deteriorarla, el gobierno de Fox bloqueó la denuncia a través de la PGR, lo que generó un efecto en cascada: López Obrador regresó a su puesto, el entonces procurador, Rafael Macedo de la Concha, presentó su renuncia; el PRI montó en cólera al decirse utilizado. El asunto llevó a que sus tres principales operadores sellaran una nueva relación: Vicente Fox, Diego Fernández de Cevallos y Santiago Creel.

Los jugosos litigios

Durante décadas, la actividad profesional de Fernández de Cevallos ha estado entreverada con la política, al grado de que en ocasiones es difícil distinguir dónde acaba una y empieza otra. Fuentes de la Corte, por ejemplo, refieren que durante varios años, antes y después de ser senador, Diego ha sostenido encuentros con ministros, para promover asuntos, muchos de los cuales estaban ligados con clientes suyos.

La lista de clientes incómodos de Fernández de Cevallos fue creciendo con el paso del tiempo. Los casos más notables han sido aquellos que por su connotación política o por los montos económicos que encerraron, colocaban a Diego como un abogado carente de escrúpulos, ajeno al hecho de que sus defendidos estuvieran señalados por ligas con el crimen, o que el litigio supusiera golpear al Estado en sus recursos.

No obstante, casos de otra naturaleza tuvieron gran resonancia en la trayectoria profesional del abogado panista, como lo fue su defensa de Gerardo de Prevoisin, pionero de los programas de privatización en el inicio del gobierno de Carlos Salinas de Gortari, al asumir en 1988 el control de Aeroméxico. Tras una etapa donde se lo presentó como salvador de la aerolínea y su guía visionario, renunció a su cargo en el Consejo de Administración de la misma en septiembre de 1994. Al día siguiente se le fincaron cargos por desfalco que lo hicieron huir del país y defenderse durante años, hasta que fue extraditado, juzgado, encontrado culpable y, por fin, recientemente condenado.

Uno los casos con implicaciones políticas más importantes de Fernández de Cevallos se derivó de la constitución del organismo denominado Fobaproa, una entidad pública constituida para sanear el quebranto impuesto por los bancos a raíz de la devaluación de 1994-1995, a lo que sumaron excesos y abusos de muchos banqueros y empresarios que obtuvieron créditos sin las garantías necesarias. En las postrimerías del sexenio de Ernesto Zedillo, la Cámara de Diputados deliberó si aprobaba que el Estado asumiera una enorme deuda con cargo al erario, que entonces superaba los 202 mil millones de pesos, liberando a los bancos de esa carga, que pasaría a ser administrada por el citado Fobaproa.

Existe una historia no publicada de cómo personajes diversos, entre ellos panistas encumbrados, como Vicente Fox —algunas de cuyas empresas estuvieron en el Fobaproa— y Fernández de Cevallos, realizaron gestiones con diputados para sacar adelante la votación favorable correspondiente.

No pasó mucho tiempo para que los despachos de los abogados panistas Fernández de Cevallos y Fauzi Hamdan tomaran en sus manos la redituable defensa de algunos actores ligados al tema. Debe subrayarse que Hamdan fue, como Diego, senador, ocupando la posición clave de presidente de la Comisión de Hacienda de la Cámara Alta.

Entre los casos que desahogaron figuran el del Banco Bital, que desde diciembre de 2007 adquirió el Banco Atlántico, pero el proceso de fusión se prolongó excesivamente, en espera de que las gestiones de Hamdan y Fernández de Cevallos lograran que Fobaproa entregara pagarés por 13 mil millones de pesos al Atlántico , que fueron a parar a las arcas de Bital.

Profundizar en la clientela seleccionada por Diego y sus abogados cercanos, así como en los detalles de cada juicio, excedería las posibilidades de este trabajo, pero es preciso destacar que el abogado panista siempre se ha escudado en diversas interpretaciones legales para justificar su proceder desde el punto de vista político.

En los momentos en que las impugnaciones en su contra alcanzaron mayor vuelo e incluso legisladores de su partido impulsaban una legislación para poner coto a este tipo de conductas, Fernández de Cevallos dio declaraciones alegando que el tráfico de influencias, por ejemplo, era una un delito tipificado y que si alguien consideraba que incurría en él, que lo llevara a tribunales, lo que nunca ha ocurrido. Las condenas en su contra, por lo tanto, acaso por la ausencia de una ley específica, se han concentrado en subrayar que su accionar puede ser legal, pero cae en el campo de la inmoralidad.

Un asunto literalmente jugoso litigado por Fernández de Cevallos fue la demanda ganada por la empresa Jugos del Valle para lograr la devolución de 1,800 millones de pesos a raíz de un amparo contra un impuesto especial establecido por la Secretaría de Hacienda. El caso provenía desde 1996, y diversos bufetes habían fracasado en sus gestiones para obtener la devolución del dinero. Al tomar el asunto en los primeros días del gobierno de Vicente Fox, Diego precisó sólo algunas semanas para lograr que el flamante Secretario de Hacienda, Francisco Gil Díaz, autorizara el pago en forma casi inmediata.

En el año 2000, su despacho, con la participación de Antonio Lozano Gracia, quien se había desempeñado como Procurador General de la República durante el gobierno de Ernesto Zedillo, asumió la defensa del empresario de Quintana Roo Fernando García Zalvidea, preso desde 1998 por acusaciones de lavado de dinero proveniente del Cártel de Juárez, de acuerdo con las acusaciones hechas por la PGR. El delito se habría configurado mediante la compra del hotel Gran Caribe Real. García Zalvidea fue liberado y, en declaraciones dadas a la radio, agradeció públicamente las gestiones de Fernández de Cevallos y de Lozano Gracia.

Meses después, la prensa publicó la transcripción de varias conversaciones telefónicas, al menos una de ellas sostenida entre Diego y Lozano Gracia, según las cuales sus gestiones abarcaron el campo político e incluyeron presionar a la PGR para que cesaran las investigaciones.

Quizás el caso más escandaloso y significativo haya sido el promovido por Fernández de Cevallos y Lozano Gracia a favor de la familia Ramos Millán. Ello, desde finales del 2000 hasta muy avanzado el 2003, justo el periodo en el que Diego se desempeñaba a plenitud como coordinador de la bancada del PAN en el Senado.

Los herederos de los Ramos Millán solicitaron los servicios de Fernández de Cevallos y Lozano Gracia para revivir una demanda que dio comienzo en 1985 en reclamo de 33 hectáreas del ejido Santa Úrsula Coapa, que habían sido expropiadas para regularizar la tenencia de la tierra a quienes vivían en esos terrenos desde décadas anteriores.

En marzo del 2002, tras escaso año y medio de gestiones, la dupla Diego-Lozano logró que un juzgado ordenara a la Secretaría de la Reforma Agraria pagar a los herederos de Ramos Millán poco más de 1,214 millones de pesos. La dependencia recurrió a un amparo, pero el Tercer Tribunal Colegiado en materia administrativa ratificó la resolución y requirió tanto a la Reforma Agraria como a la Secretaría de Hacienda pagar el enorme adeudo.

El gobierno acordó cubrir esa cifra en cuarenta entregas anuales, pero en julio del 2003 Fernández de Cevallos y Lozano regresaron a tribunales para demandar a la entonces ex secretaria de la Reforma Agraria, María Teresa Herrera Tello —quien era ya consejera en la Judicatura Federal, a su sucesor, Florencio Salazar y a la Federación misma, por daños y perjuicios, exigiendo un pago adicional de 118 millones de pesos por concepto de intereses de la cantidad adeudada.

Existe registro de un serio malestar en el gobierno de Vicente Fox por este problema. Testigos cercanos al entonces mandatario aseguran que él mismo expresaba juicios "durísimos" contra Fernández de Cevallos por usar su influencia en los tribunales para litigar en contra del Estado.

El asunto concluye con un juicio paralelo emprendido por la autoridad ante la Corte, donde se determinó que el criterio utilizado para calcular el monto de la deuda estaba equivocado. Antes de que ello ocurriera, Diego realizó gestiones urgentes entre los ministros para frenar esa resolución. La presión más fuerte se concentró en los nuevos integrantes del alto tribunal, elegidos por la votación del Senado, como José Ramón Cosío. Este sin embargo, votó en favor de reducir drásticamente el monto del pago que debía cubrirse a los herederos de los Ramos Millán. Ello marcaba una señal de que el poder de Fernández de Cevallos frente a los órganos administradores de la justicia en México había empezado a disminuir. La época del Jefe Diego iniciaba su ocaso.

ROBERTO ROCK es periodista y autor de la columna política "Expedientes abiertos" en *El Universal*, diario del que fue vicepresidente y director general editorial. Es egresado de la facultad de Ciencias Políticas y Sociales de la UNAM, becario de las fundaciones Ford y Miguel Alemán en Washington. Ha realizado coberturas periodísticas en diversos continentes y es coautor de varios libros, además de ser vicepresidente de la Comisión contra la Impunidad de la Sociedad Interamericana de Prensa (SIP) y miembro del Consejo Consultivo de la Academia Mexicana del Derecho a la Información (Amedi). En 2001 integró el Grupo Oaxaca, que promovió la Ley de Acceso en 2001.

JORGE HANK RHON
Rojo y caliente

MARCO LARA KLAHR

El rojo denota una personalidad voluntariosa, excéntrica, agresiva, competitiva y propensa a la apetencia, a la excitabilidad y al ejercicio autoritario.[79] A su paso, Jorge Hank Rhon lo ha coloreado todo con el tono granate, incluidos su imperio corporativo global de apuestas —Grupo Caliente—, la ciudad de Tijuana cuando alcalde, sus campañas electorales, lo relacionado con su equipo futbolístico Xoloitzcuintles, la Hummer de su colección, su misma vestimenta y hasta el tequila que bebe. A este personaje lo envuelve un espectro rojo. ¿Esta proclividad por el color encarnado vivo nos dice algo sobre sus adentros? Quizá el test de los colores de Max Lüscher respondería que por supuesto. Hasta la fama pública del hijo del Profesor de Santiago Tianguistenco se halla salpicada del mismo color en tono subido, hecho que, por lo demás, ni le va: por caso, sobre las versiones sobre su supuesta proximidad con los Arellano Félix, responde, "Mitos. Las campanadas, como las recordadas de mamá, son para el que las quiere oír".[80]

Lo han hecho millonario, formalmente, las apuestas remotas y los sorteos de números. Son los suyos unos establecimientos donde el transcurrir de la vida exterior se antoja banal. Por lo visto, lograr que las personas se *piquen* es un arte donde, aparte de la adrenalina, tienen gran papel el decorado y el servicio. Las alfombras acallan el andar, que entonces no distrae. La luminosidad de las consolas (para sorteos de números) contrasta con las atmósferas de suave luz artificial, acá verde, allá azul. Los monitores (para las apuestas remotas) atraen la de

[79] Según la teoría psicológica del color, de Max Lüscher.
[80] Entrevista a Jorge Hank Rhon efectuada por el autor el 7 agosto de 2008, en la ciudad de Tijuana. Salvo que se indique lo contrario, el resto de las palabras atribuidas a Hank Rhon proviene igualmente de dicha entrevista.

pequeños grupos. Las manos sudan y los ojos apenas parpadean. La crispación mengua cuando las manos hurgan en carteras y bolsillos. A una simple señal, aparece una servidumbre que puede resolverlo todo. La mayor parte del día y de la noche (de nueve a cinco de la mañana, en muchos casos), conforma su clientela una comunidad de solitarios que vienen felices y ávidos, aunque al cabo seguro pierdan mucho más de lo ganado.

Un tercio de los veinticuatro permisos de apuestas remotas y sorteos de números que existen en México pertenece a Hank Rhon. A través de sus empresas Grupo Caliente S.A. de C.V., Turística Akalli SA de C.V. y Jomaharho S.A. de C.V., posee ochenta y siete centros en funcionamiento (aunque tiene autorización para decenas más), registrados bajo las permisionarias Grupo Océano Hamán S.A. de C.V., Espectáculos Latinoamericanos Deportivos S.A. de C.V., Hipódromo de Agua Caliente SA de CV, Impulsora Géminis S.A. de C.V., Libros Foráneos S.A. de C.V., Operadora Cantabria S.A. de C.V., Operadora de Apuestas Caliente S.A. de C.V. y Operadora de Espectáculos Deportivos S.A. de C.V. El siguiente dato sirve para dimensionar lo que podría estar ganando al menos de manera oficial: en el primer semestre de 2007, según los estados financieros entregados por dichas empresas a la Secretaría de Gobernación, sus centros de apuestas remotas y sorteos de números tuvieron ingresos de siete mil millones de pesos.[81]

Esta corporación del juego ha ido ampliándose también hasta volverse global; si bien Hank Rhon lamenta no tener la propiedad, acepta ser concesionario o franquiciatario de centros de apuestas en otros 13 países de Centro y Sudamérica y Asia, "y espero que en un futuro no lejano comencemos en España".

A finales de los años noventa, dos periodistas revelaron en Estados Unidos y México incidencias de la Operación Tigre Blanco (*White Tiger Operation*),[82] del Centro Nacional de Inteligencia sobre Drogas del Departamento de Justicia de Estados Unidos, dirigida a Carlos Hank González y sus hijos Carlos y Jorge Hank Rhon. Ente otras cosas, tal investigación oficial precisaba que Grupo Caliente "representa la sede

---

[81] Información aportada por la Dirección General Adjunta de Juegos y Sorteos, de la Secretaría de Gobernación: http://juegosysorteos.gob.mx/Portal/PtMain.php?nId Header=83&nIdPanel=153&nIdFooter=86

[82] Jamie Dettmer, "Family Affairs", en *Insight on the News*, 29 de marzo de 1999, *www.insightmag.com*. Dolia Estévez, "La familia Hank, bajo la lupa del NDCI", en *El Financiero*, 31 de mayo de 1999, pp. 80-81.

de la corporación [de los Hank] y el centro de las actividades delictivas, incluido el lavado de dinero y el almacenamiento de drogas". A través de MIR by Marketing, subsidiaria de aquella empresa en Estados Unidos (con oficinas en San Diego), Jorge Hank Rhon monopolizaba, según dicho documento, la transmisión televisiva satelital de las carreras de los hipódromos estadounidenses y retrasaba la transmisión simultánea para poder tomar apuestas a sabiendas de los resultados: "Con la habilidad de retrasar las señales durante el tiempo necesario para hacer apuestas con garantía de triunfo y derrota, el lavado de dinero se vuelve una operación sencilla".[83]

Además de su negocio mundial de apuestas, el hijo de Hank González es propietario en Tijuana del Hotel y Plaza Pueblo Amigo (Zona de Río) y de una gama de negocios dentro del predio de seiscientos mil metros cuadrados que originalmente eran parte del Hipódromo de Agua Caliente, los cuales incluyen el Galgódromo, el Colegio Alemán Cuauhtémoc Hank, el Club Hípico Caliente Jockey Club, un zoológico con más de veinte mil especies, el equipo y estadio de Primera División A, Club Tijuana Xoloitzcuintles de Caliente, una plaza de toros y el restaurante Mujeres divinas, dentro del centro de apuestas Caliente.

Detrás de su escritorio, ríe con cierta ambigüedad cuando escucha la suma a la que, dicen versiones periodísticas, llega su fortuna: 3 mil 500 millones de dólares. Enseguida, piensa un segundo y se pone de pie convertido en un marchante: "¡Si me dan la mitad, les vendo [...] pero si a alguien le interesara comprar todo el negocio, su valor comercial andaría como en mil millones".

El Profe

La historia de los Hank —o el Grupo Hank, como lo denominaba aquel documento del Centro Nacional de Inteligencia sobre Drogas del Departamento de Justicia de Estados Unidos—[84] comenzó cuando Carlos Hank González y Guadalupe Rhon procrearon seis hijos, a partir de 1947: Carlos, César (muerto tras meses de nacido), Jorge, Ivonne, Marcela y Cuauhtémoc (fallecido en un accidente a los veintinueve años). Luego, las existencias de Carlos y Jorge fueron siendo beneficiadas especialmente por los sexenios presidenciales, primero debido

[83] Dolia Estévez, *op. cit.*
[84] Ver nota 82.

al ascenso político del padre —que de profesor rural llegó a burócrata priista poderoso y millonario— y más tarde en virtud de su propia capacidad para hacer negocios de cualquier manera y capitalizar las relaciones políticas heredadas y propias. Es claro que los Hank en modo alguno ven incompatibles los negocios y el ejercicio de la política, adonde incursionan según su conveniencia.

Hijo de Julita González Tenorio y el coronel bávaro Jorge Hank Weber, nacido en 1927 en Santiago Tianguistenco, Estado de México, Carlos Hank González emprendió su carrera como político en Atlacomulco, a mediados de los cincuenta. Recién egresado de la Escuela Normal Superior del Estado de México y al tiempo que se iniciaba en el magisterio de Atlacomulco, fue secretario de la Federación Juvenil Mexiquense (1944) del Partido Revolucionario Institucional y una década más tarde (1954) ocupó su primer cargo de gobierno, como tesorero municipal de Atlacomulco. Es un misterio si aprendería ahí lo que resumió más tarde en una frase que, según Julio Scherer, le escuchó decir Fernando Elías Calles: "Mientras más obra, más sobra".[85]

Es el caso que un año después se convirtió en alcalde de Toluca, la capital del estado (1955-1957). Al mediar su trienio de gobierno, el 28 de enero de 1956 nació su hijo Jorge, quien cincuenta y dos años y medio después refiere la escena de la víspera de su alumbramiento tal como —dice— se la contaron sus padres: "El 27 de enero del 56 estaban cenando en la casa [...] mi papá, Fidel [Castro], creo que el Che [Guevara], mi tío y dos o tres personas más [...] en ese momento mi mamá se fue al hospital para tenerme, ¡nací el 28 a la una de la tarde!".

Al año siguiente su padre despachaba ya como director de Gobernación del Estado de México (1957-1958) y a finales de los cincuenta irrumpió en la política nacional con los sucesivos cargos de diputado federal (1958-1961); director general de Conasupo (1964-1969), gobernador de su estado (1969-1975); regente del Distrito Federal (1976-1982) durante el gobierno nacional de José López Portillo, secretario de Turismo (1988-1990) y de Agricultura y Recursos Hidráulicos (1990-1994) durante el salinismo.[86]

Alguien como el llamado Jefe del Grupo Atlacomulco —que habría sido un poderoso cártel de políticos-empresarios priistas mexiquenses al cual entre 1960 y 1990 se le atribuía el control político absoluto del

---

[85] Julio Scherer García, *La terca memoria*. México, Grijalbo, 2007, p. 77.
[86] Humberto Musacchio, *Milenios de México*. México, Raya en el Agua, 1999, pp. 1272-1273.

país, incluidas diversas actividades proscritas y cuya existencia Hank González negó siempre— podría haber llevado de la mano a sus hijos por los palacios de la *familia revolucionaria*.

Sin embargo, según Jorge Hank Rhon, su padre optó por separar los ámbitos de la familia y el trabajo, manteniendo a aquella en un ambiente de gueto. "Mi papá decía que, en términos políticos, era soltero, de modo que mi mamá no iba a casi ninguna cosa oficial con él. Siempre fui un poquito irreverente; yo tenía catorce o quince años y cuando era gobernador, una vez en un desayuno ahí en la casa de gobierno le dije: 'Oye, tú eres muy bueno y todo mundo habla maravillas de ti y eres súper organizado; si eres lo máximo como papá, en la política ni se diga. Y me has platicado que esto es porque sabes escoger gente. Pues yo estoy acostumbrado a tener a mi mamá en mi casa, ¿no serás tan bueno que puedas conseguir a alguien para el DIF y me dejes a mi mamá en mi casa? Desde entonces ella nunca volvió al DIF y se quedó en la casa con nosotros. Mi mamá siempre fue de mi casa, yo siempre sabía que llegaba y ahí estaba ella".

Carlos Hank González se retiró de la vida pública en 1995, meses después de su último cargo público (el de Secretario de Agricultura y Recursos Hidráulicos del presidente Carlos Salinas de Gortari). Por lo visto, se quedó con las ganas y sintiendo que, a no ser por las restricciones constitucionales para hijos de extranjeros (Artículo 82), pudo haber sido presidente de México. A Fernando Benítez le confesó en obsequiosa entrevista: "...mi padre era el alemán. Mi padrastro era Trinidad Mejía, mexicano puro. Si mi mamá hubiera aceptado que me adoptara, como él quería, yo me habría llamado Carlos Mejía. Y a lo mejor entonces no hubiera tenido impedimento para ser candidato a presidente de la República. ¡Fíjate qué curiosa es la vida!".[87]

Entre su retiro y el inicio de su carrera como profesor rural en Atlacomulco y su liderazgo en las juventudes priistas mexiquenses (1944) había transcurrido poco más de medio siglo, así como 41 años desde que asumió su primer puesto de gobierno (1954). La precariedad de mentor rural con la que emprendió su vida matrimonial con Guadalupe Rhon, a mediados de los cuarenta, con alrededor de 20 años de edad, queda retratada en el siguiente testimonio de Jorge Hank Rhon: "Carlos, mi hermano mayor, nació cuando mi papá estaba todavía en una situación muy, muy precaria, como director de una escuela de Atlacomulco [...]

[87] Fernando Benítez, *Relato de una vida (Conversaciones con Carlos Hank González)*. Océano, 1999, p. 25.

nos platican que la primera cuna de Carlos fue una caja de botas de madera a la que mi tío le puso unos palitos para que se hiciera como mecedora. Vivían en una trastienda, entonces a él sí le tocó verla difícil". Pero una década más tarde la pobreza se acabó para siempre: "Yo ya nací en pañales de seda, ya fui hijo del presidente municipal [de Toluca], ya la tenía hecha". Y al pasar a retiro, a sus sesenta y ocho años de edad, Hank González poseía oficialmente la concesión de la Mercedes Benz en México y una gama de negocios en el sector financiero, entre otros negocios. A finales de los noventa *Forbes* calculaba su fortuna en 1,300 millones de dólares.

Simbólicamente, sirve advertir que a lo largo de esos 41 años en la política acumuló un promedio de 31.7 millones de pesos por año. Pero él no relacionaba el origen de tal fortuna con su carrera política, sino con su visión empresarial, que se reveló por primera vez, dijo a Benítez, cuando asociado con un amigo "montamos una fabriquita de dulces. Empezamos haciendo chiclosos y natillas. Con el tejocote hice ate y jalea, luego corazones de chocolate rellenos de tejocote. [...] Empecé vendiendo en Atlacomulco y después en los pueblos de alrededor. Más tarde fui a vender a México. [...] Para entonces ya estaba más desahogado: tenía la pequeña fábrica y había comprado una camionetita vieja en la que distribuía mis productos".[88] Y así, se supone, hasta los 1,300 millones de dólares.

Murió el 11 de agosto de 2001, no sin conocer que su capital era visto por el rabillo del ojo entre ciertas agencias estadounidenses. Los meses de marzo y mayo dc 1999, como se ha dicho,[89] en Estados Unidos y México fue revelada por los periodistas Jamie Dettmer y Dolia Estévez, entre otros, la investigación del Centro Nacional de Inteligencia sobre Drogas (perteneciente al Departamento de Justicia) intitulada Operación Tigre Blanco, dirigida al Grupo Hank, a petición de las oficinas en San Diego de la Agencia Federal Antidrogas y el Buró Federal de Investigaciones. Se basaba en el análisis de setenta mil páginas relacionadas con casos criminales atendidos por la Agencia Federal Antidrogas, el Buró Federal de Investigaciones, el Servicio de Aduanas, el Servicio de Recaudación de Impuestos y la Agencia Central de Inteligencia de Estados Unidos.

Se presumía que de todo ese esfuerzo investigativo resultó un documento cuyo resumen de diecinueve páginas fue revelado por los

---

[88] *Ibid.*, p. 93.
[89] Ver nota 82.

periodistas y según el cual "Carlos Hank González, sus hijos, Carlos y Jorge Hank Rhon y sus socios criminales, representan una amenaza significativa para Estados Unidos", en virtud de que "supervisan una vasta red de personas y empresas que ayudan a las organizaciones narcotraficantes mexicanas a lavar dinero y transportar grandes cargamentos de droga" a aquel país. Específicamente, se les relaciona con los cárteles de Tijuana y Ciudad Juárez, y se reitera que "varios años de investigaciones de inteligencia apoyan firmemente la conclusión de que la familia Hank ha lavado dinero, asistido a organizaciones de narcotraficantes en el transporte de remesas de droga, y practicando corrupción pública". Y tras diversas consideraciones acerca de la relación entre los Hank y la política mexicana, el Centro Nacional de Inteligencia sobre Drogas estadounidense concluía que "Jorge Hank Rhon lava dinero, distribuye cocaína y se entrevista con prominentes narcotraficantes para hacer negocios [...] es más abiertamente criminal que su padre o su hermano, y se lo considera peligroso y propenso a la violencia contra sus enemigos".[90]

La relación de negocios de la familia Hank con narcotraficantes, asienta dicha investigación, data de principios de los años ochenta, comenzando por la protección que Carlos y Jorge Hank Rhon brindan a los hermanos Arellano Félix[91] —entonces líderes del Cártel de Tijuana.

Fechado el 20 de enero de 2000, un documento oficial de la Corte de Distrito en Alejandría, Virginia, permite dimensionar adecuadamente la sostenibilidad legal y, en consecuencia, periodística de las revelaciones hechas por los periodistas Dettmer y Estévez en 1999. Se trata de una copia certificada,[92] obtenida y hecha pública por el reporte virtual estadounidense *Corruption on the Border*,[93] que contiene la declaración de Michael T. Horn, director del Centro Nacional de Inteligencia sobre Drogas, en el juicio iniciado por el Departamento de Justicia contra Donald Schulz, señalado como responsable de haber sustraído el resumen que sirvió de base para los reportajes de los periodistas citados.

En dicha declaración, Horn afirma que en noviembre de 1997 el Centro que dirige recibió, en efecto, una solicitud de la Agencia Federal Antidrogas y el Buró Federal de Investigaciones en San Diego para

---

[90] Ver nota 83.
[91] Jamie Dettmer, *op. cit.*.
[92] *http://www.customscorruption.com/white_tiger/operation.htm*
[93] *www.customscorruption.com*

iniciar una investigación que involucraba cincuenta y seis expedientes de diversas agencias gubernamentales sobre blanqueo de dinero y facilitación en el tráfico de drogas a través de una red en Estados Unidos, México, Colombia, Perú, Costa Rica y eventualmente en países europeos, dirigida por mexicanos implicados con las organizaciones de narcotraficantes. Al cabo, añade, la operación fue denominada White Tiger Project [Proyecto Tigre Blanco], tuvo un costo de 750 mil dólares, y en 1999 arrojó un borrador de aproximadamente ochocientas páginas.

Michael T. Horn no precisa si la investigación se enfocaba principalmente en la familia Hank, ni cita nombres o apellidos específicos; tampoco niega o afirma que los Hank formaran parte de los mexicanos investigados como parte del Proyecto Tigre Blanco. Además, insiste en que se trataba de un borrador con opiniones de investigadores que no necesariamente reflejaban la posición del Centro a su cargo y que al ser revelado prematuramente afectó a personas que podrían ser inocentes y a la propia comunidad de inteligencia de su país. Los periodistas mencionados, añade, habrían obtenido la información de un resumen ejecutivo del borrador en cuestión.

A la siguiente pregunta de Julio Scherer, "Señora, [Jorge] Hank Rhon sostiene que no tienen problema alguno con el gobierno de Estados Unidos. Cita que de la investigación conocida como White Tiger, salió limpio, cerrado el expediente", Adela Navarro, directora del semanario tijuanense *Zeta*, se apresura a responder: "Hank Rhon dice parcialmente la verdad: White Tiger es una pesquisa congelada, pero eso no significa que el caso esté cerrado".[94]

El 20 de febrero de 2002, el Comité para la Protección de los Periodistas, con sede en Nueva York, emitió una alerta ("Periodistas citados por reportajes acerca del narcotráfico en México"), "alarmado por las citaciones notificadas recientemente a varios periodistas mexicanos y estadounidenses, a quienes se les ordenó entregar material relacionado con artículos de 1999 sobre la familia Hank, de México, la cual ha sido vinculada con el narcotráfico". Los periodistas llamados por un tribunal del este de Virginia a propósito de aquellas revelaciones sobre el Proyecto Tigre Blanco fueron los propios Dettmer (*Insight on the News*) y Estévez (*El Financiero*), así como Tracey Eaton (*The Dallas Morning News*).[95]

[94] Scherer García, *op. cit.*, pp. 202-203.
[95] *www.cpj.org/news/2002/USA20feb02na_Sp.html*

Carlos Hank Rhon, el hermano mayor de Jorge, los había demandado, lo mismo que a Schulz, por difundir la información del Proyecto Tigre Blanco. Este último se disculpó públicamente y al cabo el juicio no prosperó.

Welcome to Tijuana

En muchas cosas, Tijuana y Jorge Hank Rhon han ido mimetizándose. Algunos años después de terminar Ingeniería Industrial en la Universidad Anáhuac —a finales de 1970— él decidió establecerse en esa ciudad de frontera, para dirigir el Hipódromo de Agua Caliente, propiedad de su padre, indeciso todavía entre su carrera profesional, los negocios, la política o la paternidad. Llegó el 30 de enero de 1985 sin conocer siquiera la ubicación exacta de la empresa que le fue encomendada. "Tanto conocimiento tenía yo del asunto, que llegué a la casa de San Diego con tres de mis hijos aún muchachitos, mi perro y mis maletas, los instalé y me vine a Tijuana; subo por la Calle Primera y dos cuadras antes de la Revolución, sin tener idea, me orillo y pregunto a un policía por el Hipódromo de Agua Caliente. Se suponía que era el atractivo turístico número uno y el policía no sabía de él. Me sigo por la Revolución y me meto en el Club Campestre. Creí que era ahí, pero me dijeron que estaba unos quinientos metros adelante. Bueno, ¡no sabía siquiera qué cosa era Tijuana!". Hoy es, probablemente, el empresario-político más emblemático de la compleja y desconcertante cultura política tijuanense.

Cuando tenía alrededor de los veinte años, evoca Hank Rhon, "estábamos en el sauna y mi papá me dijo, '¿Ya pensaste qué quieres ser?' Le dije: 'Ingeniero industrial. Mira, tengo dos ejemplos en mi vida, reales, claros y tangibles: tú y mi hermano, que es al que entrenaste, por si te ibas, para que se hiciera cargo de la familia. Es un empresario exitoso, se pone lo que quiere, anda en el carro que quiere, sale de vacaciones cuando y adonde quiere, con su familia; tiene sus tres hijos y los disfruta. Y tú, que eres el político, te vistes como debes, andas en el carro que debes porque los buenos los tienes en el rancho para usarlos para dar la vueltecita allá dentro; tus chamarras son las que te regala Carlos; tus viajes son siempre de la *polaca*, conoces bien poquito mundo por lo mismo (una vez le pregunté por qué no viajaba y su respuesta fue: 'No, porque luego, cuando regresas se dan cuenta de que funciona mejor si no estás'. Aparte, no disfrutas a tu familia. Te respetamos y nunca te hemos reprochado nada, pero a mí me encantan los niños y cuando los tenga quiero disfrutarlos, cargarlos, cambiarlos'". Sin embargo, dos años después de llegar a Tijuana sintió que le gustaría ser presidente municipal, o ser gobernador de Baja California, y dejó crecer ese sentimiento.

Al incorporarse a la sociedad tijuanense, el joven y extravagante fuereño que era, de ojos verdeazules, alto, delgado, con chaleco de piel animal, gesto huraño, el aire bávaro del abuelo paterno y el tono imperativo de voz, ha ido alimentando la idea del hijo descarriado del magnate prócer de Santiago Tianguistenco que llegó atraído por esa ciudad de mala reputación —aunque sólo muy parcialmente merecida—, inspiradora de Manu Chao en una canción con el evocador estribillo *Welcome to Tijuana, tequila, sexo y mariguana*.

Rápido fue construyendo la senda que desde aquel extremo de México lo convertiría en un importante operador de apuestas a nivel global y quizás el hombre más rico e influyente de su ciudad adoptiva, no sin sombríos episodios relacionados lo mismo con la —cuando menos— controvertida propiedad del Hipódromo de Agua Caliente y el extenso predio donde se asienta, que con el ejercicio habitual de la violencia, el tráfico de drogas, el blanqueo financiero y la corrupción política.

La historia que cuenta Hank Rhon acerca de la concesión del hipódromo tijuanense y la privatización paulatina del terreno de propiedad federal en el que está situado, tiene más que ver con una amistad afortunada que con la mezquindad y el despojo. "Don Fernando González Díaz Lombardo, que en paz descanse, había venido a Tijuana en 1972, 1973, porque el señor presidente [Luis] Echeverría le había dado la concesión y luego la facilidad de vender un terreno para con eso construir el hipódromo, porque el antiguo se había quemado. Mi papá, que siempre fue dado a apoyar a sus amigos, lo empezó a ayudar financieramente".

A finales de los setenta "don Fernando le dijo, 'Carlos, tú eres dueño de la mitad'. 'No, yo no soy dueño de nada, te presté, ahí luego me pagarás'. '¡No, tú eres dueño de la mitad y aquí están las acciones, no me digas que no!'. Luego don Fernando tuvo un problema personal y se fue a Europa un año, y cuando regresó le dijo a mi padre, '¿Sabes, Carlos?, soy un hombre rico, pero no disfruto mi dinero, te vendo'. […] Total, mi papá le compró y estuvo tratando de vender el hipódromo cuatro años, del 79 al 84, aunque desde el 78, en que me hizo favor de invitarme al Consejo de Administración, le decía: 'Dame chance de manejar esto'. […] Yo sentía que mi papá encontró en el hipódromo el negocio perfecto para mí, porque yo ya tenía tiendas de animales, ranchos, clínicas veterinarias. […] Los caballos me encantan y aquí había carreras de caballos. Los perros me fascinan y había carreras de perros. ¿La comida?, ¡soy tragonsísimo y aquí había restaurante! La bebida me encanta y teníamos ocho bares dentro de las instalaciones. Y, finalmente, yo salí con 8.75 de la carrera de ingeniero industrial a volados y jugando a la rayuela, le ganaba a los profesores, entonces la apuesta me encanta".

La versión de su hijo es que al principio a Carlos Hank González le chocaba que relacionaran a su familia con un negocio tan abiertamente controversial como el de las apuestas. "En 1982 me dijo: 'No nos conviene que esté uno de los Hank en eso, ya no me insistas'. Pero al poco tiempo sale del Departamento del Distrito Federal, según él con la idea de no volver nunca a la política, y en 1984, en un viaje a Washington para visitar a don Antonio Ortiz Mena, andábamos caminando por Georgetown cuando me pregunta si verdaderamente quería ir al hipódromo y me dice: 'Pues órale'. Vendí mi casa, empaqué y aquí estoy desde entonces".

A petición de Julio Scherer, el ex secretario de Gobernación Manuel Bartlett Díaz escribió una versión divergente de la misma historia, basada en su larga experiencia burocrática y en documentos oficiales que el periodista afirma poseer. Coincide en que el presidente Luis Echeverría concesionó a Fernando González Díaz Lombardo el Hipódromo de Agua Caliente —a través de la Secretaría de Gobernación, en el primer lustro de los años setenta—, y añade que esto ocurrió mediante una decisión traslúcida; está de acuerdo también con Hank Rhon en que Carlos Hank González prestó a González Díaz Lombardo los millones necesarios para la construcción del nuevo hipódromo (el anterior se había incendiado), pero refiere que "posteriormente […] le demandó […] el pago del préstamo, y al no poder liquidarlo, el profesor tuvo a bien quedarse con la concesión".[96]

Además, está la paulatina privatización de la propiedad federal dentro de la cual se hallaba originalmente el Hipódromo de Agua Caliente y en la actualidad es el sitio donde Hank Rhon ha concentrado la operación de su corporativo Grupo Caliente y el resto de los negocios. Scherer antecede con esta acusación la versión de Bartlett Díaz sobre la historia de la concesión: "Con la complicidad de Carlos Hank

[96] Scherer García, *op. cit.*, p. 59.

González y la cadena de presidentes que va de Luis Echeverría a Vicente Fox, Jorge Hank Rhon fue el beneficiario del despojo a la nación de una superficie de 203 mil metros cuadrados, ubicados en la zona de oro de Tijuana, que colinda con San Diego. El atraco descomunal le permitió montar, a través del Hipódromo Agua Caliente, un centro de apuestas que abarca la república y se extiende por el mundo".[97]

El Gato Félix

Sólo tres años después de la llegada de Jorge Hank Rhon a Tijuana, el 20 de abril de 1988, la ciudad vivió uno de sus episodios de mayor crispación: la muerte del director adjunto y frívolo columnista del semanario local *Zeta*, Héctor Félix Miranda, abatido en la calle, a tiros de escopeta 12 milímetros. Era pública la amistad entre ambos, pero también su distanciamiento personal por las críticas que Félix hacía en su columna a la operación del hipódromo y a la vida social del empresario fureño. Jesús Blancornelas, socio y director de *Zeta*, escribió cientos de páginas, en textos periodísticos y libros, acusando a Hank Rhon de ser autor intelectual del asesinato. Aún ahora, veinte años después, fallecido Blancornelas y bajo la dirección de Adela Navarro, el semanario sigue dedicando en cada entrega una página con fondo negro para recordar a sus lectores que el homicidio no se ha esclarecido, con el dramático encabezado "JORGE HANK RHON: ¿Por qué me asesinó tu guardaespaldas Antonio Vera Palestina?", una fotografía de la víctima y la siguiente cita de quien gobernaba Baja California, Ernesto Ruffo, a propósito de aquellos hechos: "Todos los caminos conducen al Hipódromo de Agua Caliente".

"¿Habló usted alguna vez con Blancornelas?". Para responder, Hank Rhon trae a cuento su relación con Félix Miranda: "Con don Jesús, que en paz descanse, hablé una sola vez, hace como veintidós años, casi recién que llegué. [...] Nos juntó un amigo. Fui y platiqué con él; en algún momento me dice: 'Oye, no te enojes con el Gato' [mote de Félix Miranda]. Le respondo: 'No, pues si es mi cuate, lo invito a las pachangas y va, ahí anda en todas partes, lo que pasa es que se le brincan los cables de repente, pero ni me va ni me viene'. Blancornelas me advierte: 'Así es él'. Y le respondo: 'Sí, ya sé, no hay ningún problema'".

[97] Scherer García, *op. cit.*, pp. 52-53.

El ex policía judicial Victoriano Medina Moreno y Antonio Vera Palestina fueron condenados por un juez y están en prisión como autores materiales del asesinato de Félix Miranda. El primero era guardaespaldas y el segundo jefe de seguridad y compadre de Hank Rhon, quien hoy opina que el verdadero problema es que "me tocó bailar con la más fea, dijeron que fueron mis gentes. Yo sigo confiando en mis autoridades del sistema judicial de mi país, pero de repente cometen errores y yo insisto en que el que está adentro no fue el que privó de la vida al Gato. [...] Yo nunca me vi implicado, pero, bueno, a final de cuentas se le metió en la cabeza a don Jesús [Blancornelas] que habían sido mis gentes. No lo puedes corroborar ahora, pero él decía [en privado], 'Yo sé que no fue él, pero yo sé que él sabe quién fue'".

Cierto mediodía dominical, en el intermedio de un partido de los Xoloitzcuintles de Caliente como locales, Elvia Amaya de Hank se aparta un momento del palco familiar para conversar acerca de su esposo, con las ensordecedoras porras como fondo.[98] Está convencida de que las historias lóbregas en torno de Jorge Hank Rhon son "leyendas populares, no pasan de ahí". Para ella, el caso específico de Félix Miranda es en sí mismo controversial: "Aunque nos duela cómo hayan sucedido las cosas, porque es algo que no le deseamos a ningún ser humano, podríamos pensar que así como ofendió al ingeniero [se refiere a su esposo], ofendió a muchas personas en la comunidad: a señoras, a clubes sociales, a organismos que se han dedicado toda la vida el bienestar social. Si usted se va a los ejemplares [del semanario *Zeta*] que salieron antes de su muerte, vamos a decir, un año antes, ¡lastimó a tantísima gente!, ¡hay tanta gente que pudiera haber tenido muchas razones para hacerle daño! [...] Yo me recuerdo. Aunque en aquellos entonces yo no conocía bien al ingeniero, había leído mucho el semanario y era la constante en las columnas... era simpático, ocurrente, nos entretenía mucho, pero llegaba a lastimar mucho también".

Eso que Elvia Amaya denomina "leyendas populares" de cierto modo ha dictado su propia sentencia acerca del brutal acallamiento de Héctor Félix Miranda. En el corrido *El Gato Félix*, Los Tigres del Norte versifican con ciertas inferencias populares, metaforizando la conclusión de Blancornelas y su semanario en cuanto al crimen y la responsabilidad del dueño del Hipódromo de Agua Caliente y magnate de las apues-

---

[98] Entrevista a Elvia Amaya de Hank efectuada por el autor el 10 de agosto de 2008, en la ciudad de Tijuana. Salvo que se indique lo contrario, el resto de las palabras atribuidas a ella proviene igualmente de dicha entrevista.

tas: "De una forma traicionera, / le llegó al Gato el final, / de una vez y de a de veras, / en caballo de carreras, / la muerte corrió a ganar".

El animalero

Jorge Hank Rhon despacha en una oficina que podría considerarse modesta para alguien con su fortuna, situada en el corazón del predio del Hipódromo de Agua Caliente; ocupa el fondo de la planta superior de una construcción cúbica, con paredes en tono ahuesado. El humo de sus Marlboro Light disimula la atmósfera que crea alguien que vive rodeado de animales. Trinan pájaros. Revolotean pericos y loros. Perros Chihuahua, xoloitzcuintles —incluido Bolex, un animal enorme y vivaz que llamó así "porque es el Rolex de los xoloitzcuintles"— y un pastor alemán transitan desde la parte posterior sorteando el mobiliario, hasta la recepción, a través de la trampilla inferior de la puerta principal. Esto es realmente su mundo, enrejado pero limpio de guardaespaldas, tráfago y miradas indeseadas. Se antoja una extensión en miniatura de su zoológico de 20 mil especies, instalado a unos metros, dentro de la misma propiedad. En muebles y paredes lucen los retratos familiares, al estilo de un clan. Y posee un recuerdo vivo y coleando llamado Amigo, aquel pastor alemán, de ocho años. Se lo ofreció como regalo a su padre, quien lo bautizó así. Se quedó con él dos meses para entrenarlo, pero no pudo dárselo ya porque Carlos Hank González murió antes.

A veces puede ser bonachón. En esa faceta de personalidad explica su filia por los animales: "con este tema siempre me regaña mi mamá, porque le digo que lo que pasa es que en su vientre jugaba siempre con las lombrices. No sé, desde que salí lo traigo. ¿Cómo? Quién sabe. ¿Por qué? No sé; creo que mi abuelo era muy animalero". Repite también una de las frases que ha agitado recientemente las aversiones locales en su contra: de todo el reino animal, el que más le gusta es "la mujer". Y dice que no le gusta venderlos, que no son un negocio para él.

Si es pasión o negocio quizá no sea importante, sino que eso lo ha conducido por los peligrosos filos de la trata de animales. En agosto de 1991, durante un registro agentes aduanales estadounidenses lo sorprendieron cuando volvía de San Diego con una cachorra de tigre blanco, que *The San Diego Union* (hoy *Union-Tribune*) describió como "blanca rara, con rayas marrones, ojos de color azul claro y nariz rosa", de "apenas unos meses de nacida". Según el mismo diario, Hank y su abogado expusieron que originalmente había sido llevada de Tijuana a San Diego, donde permaneció en la casa de la hermana del empresario llamada Ivonne, en la zona de Coronado, y que las autoridades aduanales la encontraron ya de regreso.[99] El animal, tasado en 45 mil dólares y que pertenece a una especie en extinción, fue requisado y enviado al zoológico de aquel puerto californiano, e impuesta a Hank Rhon una multa de 25 mil dólares.

En mayo de 1995, siete años después del asesinato del periodista Héctor Félix Miranda —cuyo caso se reaviva con frecuencia— y cuatro después del incidente con la cachorra de tigre blanco, el segundo hijo vivo de Carlos Hank González fue detenido en el aeropuerto internacional de la ciudad de México al volver de Japón, cuando pretendía introducir ilegalmente una docena de maletas con abrigos de piel y figuras de marfil de especies en extinción.

Son públicas dos cartas personales de Carlos Hank González a su hijo Jorge;[100] ambas exhiben esa retórica edificante de profesor de Santiago Tianguistenco que no abandonó ni cuando se hizo magnate y jefe del Grupo Atlacomulco. Escribió la primera —fechada en Toluca, en 1974— a propósito de la mayoría de edad del hijo, instándolo a ser de sí mismo "la obra más perfecta de la naturaleza: un Hombre".

La segunda, veinticinco años después, agradeciéndole haber asistido "a una cena familiar en que platicamos sobre alguna aportación importante para mi pueblo, nuestro pueblo, Tianguistenco", para lo cual "Recorriste más de 3 mil kilómetros…" y volvió de madrugada… "para cumplir con tus responsabilidades y compromisos". En esta última misiva alude a la primera cuando le agradece "haber convertido al adolescente de hace veinticinco años en la obra superior: un Hombre", y "doy gracias a la vida por haberme regalado entre tantos bienes, el más importante: un Hombre que es un hijo extraordinario". Está fechada el 26 de febrero de 1999, mientras se aproximaba el escándalo de alcances internacionales que produjo la revelación periodística, en marzo del mismo año, del Proyecto Tigre Blanco —del cual es proba-

---

[99] Gina Lubrano, "*Confiscated white tiger cub is claimed by zoo in Tijuana*", 15 noviembre de 1991, p. B12.2. Gina Lubrano, "*White tiger cub claimed by zoo in Tijuana run*", 16 de noviembre de 1991, p. B2. Terry Rodgers, "*Mexican claiming tiger cub*", 16 de noviembre de 1991, p. B2. Gina Lubrano,"*Workers erred, owner of white tiger declares*", 3 de diciembre de 1991, todas en *The San Diego Union*.
[100] Fernando Benítez, *op. cit.*, pp. 426-429 y 432-433.

ble que los Hank tuvieran al menos noticia antes de que la sociedad supiera de su existencia.

Estas cartas no muestran que el padre hable a un hijo fuera del redil ni dejan entrever la amargura y frustración que un hijo fuera de control puede producir. Hacen creíble esta afirmación de Hank Rhon: "Mi mejor amigo siempre ha sido mi padre". Entre la primera y la segunda carta media la etapa de la vida en donde éste acumuló su propio capital y se erigió en el más importante inversionista del mercado mexicano de las apuestas. Puede aventurarse que las acusaciones públicas contra el hijo a resultas de la muerte violenta de Félix Miranda, el tráfico de animales, la operación financiera de Grupo Caliente y la relación con los Arellano Félix —de la que daba cuenta el Proyecto Tigre Blanco—, así como la revelación de un informe de diputados federales perredistas en 1998, según el cual recibió créditos del Banco Unión por 63 millones 969 mil pesos que acabaron siendo cargados al Fobaproa, no hicieron mella en Carlos Hank González, en quien parece haber prevalecido el espíritu de clan. Eso, sin contar con que en la vida hay quien suele justificar las consecuencias de ciertos actos atribuyéndolas a *gajes del oficio*.

El Schwarzenegger de TJ

Como en Fantasía de Michael Ende, el rojo de su chaleco de piel salvaje fue extendiéndose por Tijuana, coloreándola. Jorge Hank González se afeitó y suavizó el trato. No abandonó los automóviles suntuosos ni los guardias personales, pero se arremangó para meterse como nunca en las colonias que miserabilizan los cerros y hondonadas. Ello fue porque recién cumplidos los cuarenta y ocho años, en enero de 2004, Jorge Hank Rhon se convirtió en candidato a la alcaldía tijuanense por el Partido Revolucionario Institucional, el PRI, tan apaleado en Baja California desde que en 1988 debió ceder el gobierno estatal a Ernesto Ruffo Appel, del Partido Acción Nacional. Lo designó su viejo y desprestigiado amigo Roberto Madrazo Pintado, entonces presidente priista y quien había estado en la ciudad dos semanas atrás gozando de su hospitalidad.

El publicista Carlos Alazraki capitaneó el marketing político, imponiendo al discurso del candidato un tufo machista reivindicativo, reduccionista frente a los problemas sociales y de mano dura, que Hank Rhon protagonizó con naturalidad, en spots televisivos salpicados de coloquialismos, como aquellos donde aparece diciendo que "para luchar contra la inseguridad se necesita inteligencia y muchos... ¡de éstos!" —mostrando enseguida un plato de huevos— y que contra los vendedores de drogas "¡no me va a temblar la mano!".

Durante su campaña electoral una de las mayores presiones que Hank Rhon debió aguantar no se originó entre sus adversarios políticos, sino en el homicidio de Francisco Ortiz Franco, co-director del semanario local *Zeta*, la mañana del 22 de junio de 2004, en las calles de Tijuana. Entonces, el prestigioso periodista estaba a cargo de los esfuerzos de la Sociedad Interamericana de Prensa para reabrir la investigación penal por el homicidio de Héctor Félix Miranda (abril 1988), a partir de nueva información probatoria. Públicamente, autoridades de las procuradurías General de la República (en particular, José Luis Santiago Vasconcelos, subprocurador de Investigación Especializada en Delincuencia Organizada) y General de Justicia del Estado reconocieron que una de las líneas de investigación conducía al candidato a la presidencia municipal —tal como en el caso del Félix Miranda.

De cualquier modo, el 1 de agosto (2004) fue elegido presidente municipal de Tijuana, tras quince años de gobiernos panistas. Fascina la cultura política tijuanense, que condujo al Ayuntamiento al controvertido empresario de las apuestas. Intriga la manera en la que embonaron el perfil de un hombre, un publicista cuyo negocio y fama es apelar a la mezquindad humana y una época en la vida local, donde vastos segmentos de la sociedad sucumbieron a la cultura del *entertainment*. A petición expresa, el ensayista, poeta, catedrático y novelista Heriberto Yépez, autor de *A.B.U.R.T.O.*, *Aquí es Tijuana/Here is Tijuana*, *Made in Tijuana* y *Tijuanologías,* reflexiona no sobre Hank Rhon como persona u hombre público, sino como figura simbólica, como construcción del imaginario colectivo y, tal vez, también como síntoma cultural.

"Para explicar a Hank hay que salir de las interpretaciones usuales del fenómeno. Vamos preguntándonos algo más hacia el fondo de esto: ¿qué es lo que provoca que un gran número de individuos apoye a una figura identificada con la corrupción, el asesinato y, en general, lo peor de la política mexicana? Son factores psico-históricos los que lo explican.

"Voy al grano: Hank encarna un tipo psicológico con el cual se identifican muchas personas en la frontera; ese tipo psicológico es *la construcción frustrada de lo masculino*. No se puede decir esto sin decir esto otro: no sabemos quién es psicológicamente Hank; no podemos decir nada de su vida real, lo único que importa aquí es cómo es imaginado por la población.

"Hank simboliza a un hombre que enfatiza su masculinidad —a través de su poder, su vestimenta, sus anécdotas, los mitos en torno a su vida— y, sin embargo, junto a ese ideal de una masculinidad fuerte (violenta, impositiva, temible) existen estos otros factores de cierto malogro —haber echado abajo el hipódromo como empresa, no haber ganado las elecciones,[101] ser identificado como el asesino del Gato Félix—, y ambas partes integran la fórmula de su popularidad, ya que la población se identifica con ese símbolo ambivalente: el súper macho y el macho en desventaja.

"A largo plazo, haber perdido la elección se convirtió en un factor de popularidad para Hank. Fortaleció lo que él simboliza, como decía: el intento de construcción de una masculinidad imponente, en medio de serias dificultades.

"El perfil psicológico del tijuanense es la de un *underdog* que para triunfar incrementa los rasgos machistas de su ser, queriendo sobreponerse a las desventajas —frente al 'gringo' y al 'chilango'—. El tijuanense y el fronterizo, en general, se sienten obligados a incrementar sus fantasías de ego, para compensar sus desventajas geopolíticas.

"En otras palabras, quizá más duras: Hank representa a un machote y ese machote levanta la admiración de miles de hombres y mujeres apocados de la frontera, que ven en Hank no sólo lo que desean ser, sino también los rasgos de sus propios malogros, es decir, si Hank fuera solamente un ganador no sería tan popular.

"Hank representa al *chingón* y por eso sus bases populares son los apocados psicológicamente, es decir, los que provienen de estructuras familiares autoritarias, en donde sus padres (especialmente la figura masculina), los *ningunearon,* los descalificaron o, como decía Laing, los invalidaron. Por eso Hank puede maltratar a sus seguidores (a través de su lenguaje o actitud) y no los pierde: sus seguidores están compuestos de seres acostumbrados a la invalidación por parte de la figura de autoridad.

"Hank, claro, es popular gracias a su personalidad. Como político no tiene logros. El apoyo que posee, por supuesto, en el contexto del gobierno y los medios los puede (o no) tener con base en el dinero,

[101] Yépez se refiere a las elecciones del 5 de agosto de 2007 para la gubernatura de Baja California, en las que Hank Rhon fue derrotado por el candidato panista.

como se alega, pero ¿por qué miles de personas lo apoyan? Para responder a esa pregunta, hay que acudir a por qué se identifican (psicológicamente) con su figura. Ahí está la mitad de la clave de Hank. La otra mitad es el dinero, el funcionamiento de la política mexicana, pero la clave de su popularidad es otra. Se trata de la dependencia y la identificación psicológicas que su figura de millonario excéntrico, chingón, mandamás, freguetas, cabrón, súper macho genera.

"Ahora, pasando al lado más convencionalmente político hay algo que ha pasado inadvertido: Hank no pertenece exclusivamente a la política regional de la frontera; es la *versión* fronteriza del post-PRI. Por post-PRI me refiero a la estructura psicológica y social del PRI operando como oposición, que fue en el marco en el cual ya se desarrolló Hank como político (desde finales de los ochenta, en Baja California el PRI se convirtió en oposición). En cierta medida, Hank podría convertirse en uno de los modelos a seguir dentro de la política nacional, ya post-priista en su generalidad.

"¿Cuál es la *plataforma de popularidad* de Hank? Se adelantó a Schwarzenegger: basar su carrera política en una carrera espectacular. Hank se hizo popular a través de los espectáculos del hipódromo, del mundo de la música pop y norteña que promovió a través de su empresa, a través de los casinos, el *Jai Alai*, es decir, a través de la plataforma del espectáculo, la "fiesta". Esto, creo, no lo han notado los analistas políticos mexicanos. No en balde —y nótese lo claro que él tiene esta visión de la popularidad— para alcalde de Tijuana en las elecciones Hank designó como candidato al principal conductor de noticias de Televisa. No hay que perder de vista esto: con Hank estamos en la telepolítica mexicana.

"Y estos dos elementos —la *clave psicológica* de la popularidad de Hank— y su *plataforma espectacular* —no ser un político de raíz, sino un hombre del espectáculo social convertido en político, con quien pueden identificarse muchas capas de la población fronteriza— se complementan perfectamente.

"¿Puede ganar Hank en el futuro? Si la frustración de la construcción del proyecto masculino —tanto en mujeres como en hombres— aumenta o continúa, por supuesto que sí. Si la población capta que falta "mano dura" o falta "un verdadero hombre" en el poder, Hank se hará más popular. Y es que Hank al ser objeto de ironía por parte de sus adversarios, por ser impune, por imponerse a pesar de todo, por perder y ponerse de pie de nuevo, encarna lo que una vasta mayoría de la población fronteriza mexicana no sólo *desea ser* (el chingón) sino también *es (el que, sin embargo, no lo logra)*. Esta es la base del poder psicológico, es decir, la popularidad psicológica de Hank."[102]

El alcalde

Este alcalde marcó hitos o se los impusieron otros: todo su poder económico y político, por ejemplo, no impidió que los editores de *Zeta* siguieran publicando semanalmente la página incriminatoria sobre el crimen contra Héctor Félix Miranda y se negaran a contratar espacios publicitarios con el Ayuntamiento local mientras él lo presidiera, así como a entrevistarlo.

En su primer día de funciones, el 1 de diciembre de 2004, llegó al Palacio Municipal acompañado de Amigo y lo primero que dijo fue que renunciaba a su salario y al pago de seguridad personal con fondos públicos. Se fue a las calles, para encabezar los actos oficiales, conduciendo algunos de los costosos automóviles de su colección —que había sido engrosada por ocho que heredó de la de su padre—, como el Maybach 57S azul marino, de más de tres y medio millones de pesos, a bordo del cual llegó a la presentación pública del Grupo de Reacción Inmediata de la policía municipal —a mediados de febrero de 2006.

En agosto de 2005, Jesús Blancornelas publicó un completo reportaje sobre una primera derrota de Jorge Hank Rhon en un juicio de amparo contra la Secretaría de Gobernación, por haber otorgado durante la gestión de Santiago Creel Miranda permisos para 130 centros de apuestas remotas y salas de sorteos de números a la empresa Apuestas Internacionales S.A. de C.V., presidida por Emilio Azcárraga Jean. El periodista apuntó que en una entrevista concedida a *Zeta,* Creel Miranda, convertido ya en pre-candidato presidencial panista, había reconocido que su decisión de otorgar los permisos a favor del dueño de Televisa pretendía "pisar los callos" a Jorge Hank Rhon e hizo notar esta paradójica situación: "El ayuntamiento de Tijuana, que preside el ingeniero Jorge Hank Rhon, deberá autorizar [a la empresa de Azcárraga] la instalación de los centros de apuesta remota y salas de sorteos de números. En el caso de que como funcionario niegue al empresario

---

[102] Escrito enviado por Heriberto Yépez a través de correo electrónico el 23 de agosto de 2008, como respuesta a cinco preguntas sobre la figura de Jorge Hank Rhon en el contexto de la cultura política tijuanense.

y competidor permiso en negocios que le afectan, dejará ver que mezclará sus asuntos empresariales con los gubernamentales. Si no autoriza las instalaciones de Televisa, estará virtualmente censurando las propias".[103]

Durante su trienio como alcalde no creció la economía. Tampoco la infraestructura tuvo un desarrollo notable. No se tienen noticias de que haya mejorado la calidad de vida de los tijuanenses, pero puesto que le encantan las fiestas masivas se convirtió en el presidente más pachanguero de la historia local, secundado por las iniciativas filantrópicas de su esposa, entonces presidenta del DIF municipal. Su toma de posesión (con misa celebrada por el arzobispo tijuanense, juegos mecánicos, antojitos, fuegos artificiales y gran algarabía), Navidades, Años Nuevos, cabalgatas de Reyes Magos, festivales del Día del Niño, de la Madre y del Padre, y espectáculos y cenas de gala destinados a recaudar fondos para el DIF local, muchos de ellos en el predio de Grupo Caliente, dieron a la ciudad cierto toque festivo contrastante con una violencia, una inseguridad pública y una corrupción policial que, por ejemplo, en 2006 costó al menos trescientas vidas.

El 4 de enero de 2007 ocurrió la virtual ocupación militar y el desarme —durante un inesperado operativo que encabezaron agentes federales— de la policía municipal, al sospechar la Procuraduría General de la República que muchos de sus miembros trabajaban también para el Cártel de Tijuana. De todas formas, al caer la tarde del día posterior, los Reyes Magos recorrieron las calles montados en animales pertenecientes al zoológico de Hank Rhon después de ser bendecidos por el arzobispo de Tijuana, Rafael Romo Muñoz, íntimo de la familia Hank. Entre la incertidumbre por la irrupción de las fuerzas federales, decenas de miles de tijuanenses se concentraron en los alrededores del Palacio Municipal para evadirse con los Reyes Magos, recibir regalos y comer rosca gratis, como en festejo virreinal.

Semanas más tarde, en febrero, el alcalde de las fiestas callejeras dejó a sus gobernados; obtuvo licencia de su cargo para aspirar a la candidatura priista a la gobernación de Baja California, después de enfrentar dos nuevos escollos políticos: el impedimento de la Constitución local para pasar de un puesto de elección popular a una candidatura (la llamada "ley antichapulín") y el que antes de marcharse decidiera colocar por todo el municipio propaganda acerca de lo que considera-

[103] Jesús Blancornelas, "Jorge Hank pierde primer *round* ante Emilio Azcárraga", en *La Crónica de Hoy*, 12 de agosto de 2005, Portada y pp. 6 y 8.

ba sus logros de gobierno, lo cual produjo protestas entre los opositores. En el primer caso, el 21 de junio, el Tribunal de Justicia Electoral de Baja California anuló su registro como candidato ante el Instituto Estatal Electoral por considerarlo anticonstitucional, pero menos de un mes después, el Tribunal Electoral del Poder Judicial de la Federación revocó la decisión del órgano local y ordenó la restitución de su candidatura, arguyendo, entre otras cosas, que prevalecía el derecho a votar y ser votado consignado en la Constitución Política de los Estados Unidos Mexicanos.

Desde su cuartel general, montado en un espacio contiguo al Hipódromo de Agua Caliente, se reavivó la Ola Roja, como fue denominado el nutrido activismo corporativista a favor de la Alianza para que Vivas Mejor que formaron los partidos Revolucionario Institucional, Verde Ecologista de México y Estatal de Baja California para postular a Hank Rhon. Entretanto, el Partido Acción Nacional intensificó su estrategia para denostar al priista en spots televisivos como el que inicia, en fondo rojo, con un aparato telefónico y una copa de vino, mientras una voz entre cínica y siniestra responde a un supuesto llamado telefónico: "Gracias por llamar al Corporativo Hy7, donde lo patrocinamos todo [carcajadas]. Para comprar gente, marque 1; animales exóticos, marque 2; para comprar jóvenes, marque 3; para comprar partidos políticos, marque 4; para comprar candidatos, marque 5; para convertir a Tijuana en San Diego, marque 6; para comprar restaurantes de comida china y hacerlos casas de gobierno, marque 7; para comprar su voto, marque 8; si como para mí, la mujer es su animal preferido [carcajadas], me encanta, marque 9, y para comprar gente como extras para mis anuncios, marque 0; y nuevamente, muchas gracias por marcar, recuerde, yo, lo compro todo", para cerrar con la leyenda sobrepuesta "¿Tú vendes tu voto? Yo tampoco", mientras la toma se abre y aparece un chaleco rojo sobre un sillón.

Otros anuncios aluden al candidato priista como peligroso, misógino, violento, mafioso y diabólico, mientras él responde con los suyos propios, acusando a los gobiernos estatales panistas de incompetentes para abatir la delincuencia y la inseguridad, aprovechando para retomar el discurso machista que había iniciado como candidato a la alcaldía de Tijuana, con clichés del tipo de "Tú ya me conoces, yo no me rajo".

Aunque había gastado más de cien millones de pesos, Hank Rhon perdió las elecciones del 5 de agosto de 2007 ante el panista José Guadalupe Osuna Millán. Un año después, evocó su diálogo interno en medio de aquella derrota, "Me dije, ya perdí, ya ni pedo, se acabó, a otra cosa, mariposa".[104]

Otra mariposa

Jorge Hank Rhon ha hecho de su familia un clan monolítico que cogobierna con su esposa actual, la psicóloga Elvia Amaya, y está conformado por diecinueve hijos (diez de cuatro parejas anteriores, seis del primer matrimonio de ella, y tres con ella) de treinta a ocho años (los más pequeños, Nirvana y Jorge Carlos, gemelos), y cuatro nietos. Dos de sus hijos viven con su madre en Estados Unidos y llevan nombres que dan cuenta de la pasión del padre por los animales: Lobo, de quince años, y Tigre, de 16. A un costado de su despacho instaló un quirófano para que nacieran algunos de sus descendientes. Para Alejandro Amaya, su hijo adoptivo mayor, matador discípulo de Eloy Cavazos y que vive en España, edificó una plaza de toros en su propiedad del Hipódromo de Agua Caliente. Muy cerca de ahí se levanta también el estadio de futbol para su equipo Club Tijuana Xoloitzcuintles de Caliente, presidido por su hijo Jorge Alberto Hank. Muy cerca se hallan el Colegio Alemán Cuauhtémoc Hank y el Club Hípico Caliente Jockey Club, donde han estudiado y entrenado algunos de sus hijos.

Y así van sus miles de millones de pesos materializando sueños tantas veces banales: la última semana de noviembre de 2006, semanas antes de que el Ejército ocupara Tijuana y él solicitara licencia como alcalde para asumir la candidatura priista a la gobernación, convocó a la aristocracia de Tijuana y Mexicali para celebrar la "recepción prenupcial" de Mara Hank, su hija adoptiva, y el suizo Marc Moret —quienes se habían casado ya por el civil en Mónaco—. Luego, el 2 de diciembre la pareja contrajo matrimonio religioso en ceremonia oficiada por Rafael Romo Muñoz, arzobispo de Baja California, Onésimo Cepeda, obispo de Ecatepec, y Abelardo Alvarado, obispo auxiliar de la Arquidiócesis de México, para la cual fueron contratados el coro de Niños Cantores de Viena y Plácido Domingo. Más tarde, el banquete para varios cientos de personas tuvo lugar en la sede del Grupo Caliente, donde después de la una de la mañana Luis Miguel ofreció un concierto sorpresa.

Cada miembro de su nutrida familia se hace acompañar de guardaespaldas, algo que no parece trastornar sus vidas. "Antes teníamos cho-

[104] Ver nota 80.

feres o uno o dos ayudantes, pero no necesariamente guardaespaldas ni en la cantidad en que los tenemos ahora. Yo creo que los tiempos han dictaminado muchas de nuestras actitudes y hoy en Tijuana desafortunadamente se tienen que traer guardaespaldas en esa cantidad. Cuando me casé con el ingeniero [once años atrás] traía un ayudante como anteriormente, y ahora ya tengo que traer cuatro, aparte de que mis hijos cada uno tiene que tener. Antes a cada uno lo manejábamos con choferes y las nanas, y ahora tiene que ser distinto [...] la ciudad ha crecido mucho y se necesitan muchas otras cosas", dice Elvia Amaya de Hank.[105]

Como jeque, Jorge Hank Rhon gusta de viajar en tribu. Su esposa cuenta asimismo que "hemos viajado hasta dieciocho, veinte personas, por ejemplo a los Juegos Olímpicos de Sidney [2000] o al Mundial de Francia [1998]", pero también a Sudamérica, Rusia, China y Japón. "Viajamos con los hijos que pueden, según se los permiten sus trabajos o sus estudios, con mis papás, con sus papás [de Hank Rhon, cuando vivía su padre], e inclusive con compadres. Es un grupo muy bonito, es un ambiente muy familiar, únicamente en los viajes se convive de esa manera. Los hijos grandes atienden a los pequeños. Es una enseñanza de ida y vuelta. Sobre todo moverse en los aeropuertos con tanta gente, de saber viajar y convivir tan de cerca normalmente podría parecer difícil, pero en cambio nos ha enriquecido mucho como familia".

Procesada la derrota electoral del patriarca, la pareja dedica parte de su tiempo a la filantropía, a través de su Fundación de Apoyo para Niños Especiales, A.C., la Fundación Cuauhtémoc Hank (para becas escolares) y Caliente Ayuda (para construcción de vivienda y proyectos comunitarios de obra pública). Karla Carrillo Barragán, presidenta de la primera fundación y madre de un muchacho con discapacidad, afirma que recibe fondos del empresario desde 1994 y que todo eso es parte de "la filantropía secreta del señor Hank". De hecho, sobra gente dispuesta a hablar de lo que ha recibido y lo que, se supone, da con fruición. Uno de sus apologistas más animosos es monseñor Rafael Romo Muñoz,[106] arzobispo de Tijuana, quien se considera ya "amigo de la familia" y está convencido de que como alcalde "hizo un papel muy bueno, hubo detalles importantes en su gestión". Bendice el árbol navideño gigantesco y da un mensaje para abrir la celebración del 6 de enero que cada año los Hank ofrecen para los tijuanenses. Como

[105] Ver nota 98.
[106] Entrevistado en Tijuana, vía telefónica, el 8 de agosto de 2008.

cura de parroquia, oficia las primeras comuniones, los matrimonios, las misas y las ceremonias luctuosas de la familia, incluidas las que tienen lugar en el distante de Tijuana rancho de Tianguistenco y las de los aniversarios luctuosos de Carlos Hank González.

—¿Y qué piensa de quienes lo acusan de mafioso?

—Realmente en eso no me meto —responde el prelado—, no tengo detalles de que pertenezca a un grupo mafioso, tiene su línea de empresa con apuestas, juegos, carreras, el galgódromo, los centros Caliente de apuestas, supongo que no hay nada ilegal.

—¿Qué dice la Iglesia sobre la apuestas?

—Mientras yo no encuentre detalles contra la fe y las costumbres... No participo en apuestas, eso es negocio de ellos y está aprobado, está dentro de la legalidad.

Aparte de todo, los Hank de Tijuana se consideran personas sencillas. Ahora mismo, puesto que su mansión en las proximidades del Hipódromo de Agua Caliente está siendo remodelada, ocupan un piso en Pueblo Amigo, su hotel, próximo a la línea fronteriza. Prefieren la comida mexicana y en especial los platillos sonorenses, que Elvia Amaya aprendió a cocinar de una rama de su familia materna de ese origen. Algunas veces el matrimonio pasa un par de noches solo, en Ensenada o San Diego, porque, dice ella, "siempre nos hace falta que no nos interrumpa el teléfono, poder platicar nuestras cosas. Yo creo que eso ha enriquecido mucho nuestra relación, el poder darnos mutuamente todos los días algo, y pues sí, ciertamente, como decía don Carlos, mi suegro: 'Pues ya empezaron muy grandecitos, ahora se tienen que cuidar mucho y tienen que, de alguna manera, complementarse para que esto les dure toda la vida'". Con frecuencia van a San Diego en familia a ver películas de acción y suspenso, aunque para ello tengan que cruzar la garita fronteriza como todo mundo, soportando filas, acelerones y chequeos, pues por alguna razón las autoridades migratorias estadounidenses han negado a Jorge Hank Rhon la autorización para utilizar la Sentri, esa costosa vía exprés de cruce fronterizo creada para el confort y presunción de la gente bonita.

MARCO LARA KLAHR es periodista con veintinueve años dedicado a cubrir temas de violencia, delincuencia y conflictos sociales. Ha publicado en *Día Siete*, *Metapolítica*, *Replicante*, *Gatopardo*, *Letras Libres*, *El Universal*, *Proceso*, *La Jornada* y *El Financiero*. Coordina *El Rotativo* en Canal

22 y el Proyecto de Violencia y Medios en Insyde y es consultor de *Open Society Justice Initiative.* Entre sus libros: *Prisión sin condena* (coordinador, 2008), *Más allá de víctimas y culpables* (coautor, 2008), *Los amos de México* (coautor, 2007), *Violencia y medios 3* (co-coordinador, 2007), *Hoy te toca la muerte. El imperio de las Maras visto desde dentro* (co-coordinador, 2006) y *Diarismo* (2005). Ganó el Premio Nacional de Periodismo en 2000.

VÍCTOR GONZÁLEZ TORRES
Lo mismo pero más barato

RICARDO RAPHAEL

De un solo empellón lo tiraron al suelo. Ese día Ramón Durán Juárez experimentó los primeros síntomas de lo que luego él mismo bautizaría como el efecto Mickey Mouse. De niño le contaron que las personas que trabajan para el parque de Disneylandia disfrazadas como Mickey Mouse, el Pato Donald, Pluto o Daisy solían llorar escondidas tras sus inmensas y siempre sonrientes botargas, mientras al ritmo de una alegre canción bailaban y saludaban como si fuera personas felices. El efecto Mickey Mouse está confeccionado por una paradoja: mientras el personaje ríe, quien se encuentra dentro de él llora sin poder contenerse. Frente a sus propias circunstancias, Ramón confirmó la consistente incoherencia: a mayor felicidad del Doctor Simi, más grande era su propia depresión.

Apenas lo ayudaron los empleados de la farmacia a ponerse de pie, Ramón se dispuso a demostrar que nada había pasado. Con su botarga a cuestas movió todo el cuerpo del alto y robusto personaje y puso a girar su voluminosa cadera. Lo hizo mejor que nunca. Y fue justo en ese instante que ya no pudo detenerse. Ante la carcajada de quienes lo habían visto caer y también frente a la involuntaria pero divertida mueca de sus compañeros de trabajo, Ramón lloraba y bailaba. También pensaba en los dos mil pesos que Farmacias Similares le pagaba mensualmente por esas cuatro horas al día y que complementaban los gastos que su madre hacía para que él terminara su bachillerato.

Todavía pueden encontrarse en Internet las imágenes de esa caída y de tantas otras que el Doctor Simi ha sufrido por todo México a causa de los bromistas. La razón es que se puso de moda derrumbar esas botargas de dos metros de altura. A Ramón le tocó la mala suerte de ser una de las víctimas elegidas al azar. Fue grabado en su derrumbe por unos adolescentes que luego subieron la bochornosa escena a la célebre página de *You Tube*. Estas *simi-caídas* reciben varias visitas al día. Después de aquel día, para Ramón se volvió una y la misma cosa llorar de incógnito y mover la cadera. Practicando ese ritual —tan público como íntimo— se quedó durante dos meses más ocupando el puesto de móvil anuncio publicitario de una farmacia ubicada en la esquina de las calles Privada del Parque Nuevo y 20 de Noviembre, en el primer cuadro de la ciudad de Durango. Interpretó a uno de los más de dos mil Doctores Simi que han adquirido carta de residencia en el paisaje urbano de México y otros países de América Latina. Desde que renunció a aquel trabajo, Ramón asegura que no ha vuelto a llorar. Una vez entregado el disfraz pudo deshacerse de aquel ánimo que tan súbitamente se había apoderado de su persona.

Como todo médico que se respete, el Doctor Simi va siempre vestido de blanco. Es gordo, como un Buda chino que proveyera salud y felicidad. Tiene el pelo escaso, porque es un hombre mayor y sabio. Tiene el bigote cano, poblado y bien recortado, idéntico al que usaba aquel músico y comediante de la época dorada del cine mexicano, Joaquín Pardavé. Su inventor asegura que fue precisamente en este hombre tan querido para el imaginario popular de México donde encontró inspiración. Lo necesitaba para vencer la desconfianza de sus clientes. ¿Quién podría poner en duda la palabra de don Susanito Peñafiel y Somellera, el personaje principal de la película *México de mis recuerdos*? ¿O negarse a escuchar un consejo del doctor Porfirio Rojas, personaje estelar del filme *Esos de Pénjamo*?

El viejo y bonachón Doctor Simi fue creado para provocar una sensación de estrecha familiaridad. Es el retrato del médico que, en otros tiempos, acudía a casa cuando los parientes lo necesitaban. Uno distinto a los galenos contemporáneos muchos de los cuales se atreven a lucrar con la enfermedad de sus pacientes. El amigo del cura y del maestro, en su respectiva imagen mítica. Hombres que en el mejor de los *Méxicos* habrían estado hechos de una materia humana similar (nunca mejor dicho) a la del apóstol social. El Doctor Simi quiere ser paladín de los desprotegidos; el generoso defensor que lucha contra la más trágica de las pobrezas humanas: la enfermedad.

Tiene diversas representaciones. Es botarga —como aquella de Ramón— que se bambolea en el umbral de las farmacias. Es caricatura plasmada en inmensos anuncios espectaculares donde, entre otros productos, se promueven vitaminas, complementos alimenticios y estimulantes sexuales. También es héroe de cómics en donde se narran sus aventuras, así como las de sus aliados y adversarios. Sin duda se trata de una de las creaciones publicitarias más exitosas que hayan surgido en México en toda su historia. A poco más de diez años transcurridos, desde que aterrizara con toda su corpulencia en las populares calles del Distrito Federal, se ha convertido en uno de los personajes mejor identificados. Según Omar López, de la revista *Expansión,* su reconocimiento en México y otros países de América Latina ha rebasado el que tiene Mickey Mouse (curiosa coincidencia). Así lo afirma una medición que hiciera en el año de 2005 la renombrada encuestadora María de las Heras.[107]

Los atributos de este hombre poseedor de una barriga respetable ayudaron, y mucho, a que las Farmacias Similares se extendieran a velocidad impresionante. Por obra suya, Víctor González Torres —dueño de esta cadena de establecimientos— es admirado como publicista. Dice el empresario que su entrañable Doctor Simi no provino de firma alguna dedicada a la mercadotecnia. Es creación suya y sólo suya. De su peculiar sentido común y de la comprensión precisa sobre las razones que llevarían a los pobres urbanos de México y de otras latitudes, a confiar en los productos que se venden en sus farmacias. El Doctor Simi es un garante de que ahí se obtienen productos mejores y más baratos.

Ni la popularidad del Doctor Simi, ni el gran éxito empresarial experimentado por Víctor González Torres podrían replicarse en un contexto social que fuera muy diferente al de México. Ambos son la expresión de una lastimosa pobreza y del muy bajo poder adquisitivo que padece una buena parte de la población. En pleno siglo XXI, aún son demasiadas las personas cuyo estado de salud depende de la ocurrencia de algún milagro y no de las políticas emprendidas por el Estado en la materia. Cuando este empresario abrió su primera farmacia al público —en el año 1997— más de la mitad de la población mexicana no contaba con un seguro médico.

Innecesario decir que sin esta protección los altos costos relacionados con la enfermedad son una vía precipitada hacia la ruina financiera, sobre todo para las familias con menos recursos. No hay gasto que iguale en depredación cuando se trata de curar a un pariente. Ni catástrofe patrimonial más predecible que la provocada por la ausencia de un sistema público y eficaz de seguridad social. Según la Secretaría de

---

[107] Omar López Vergara, "Más famoso que Mickey Mouse", revista *Expansión*, Agosto-Septiembre de 2006.

Salud del gobierno federal mexicano, dos de cada diez personas en este país ven anualmente empequeñecido su patrimonio por los gastos destinados a pagar honorarios médicos y medicinas.[108] Y por lo menos la mitad de las familias mexicanas ha estado librada a su sola suerte y a los milagros que puedan acontecer para escapar de esta tragedia. Sólo desde esta perspectiva puede entenderse la baladronada que Víctor González Torres suele repetir cuando se refiere a la clientela que acude a sus farmacias: "Antes de que apareciéramos, la gente pobre de México le rezaba a la Virgen para mejorarse porque no podía permitirse las medicinas. Ahora acuden a nosotros".[109]

Bien decía el Niño Fidencio en su muy miserable desierto de Espinazo: "no son pobres los pobres, no son ricos los ricos, sólo son pobres los que sufren un dolor." Las farmacias promovidas por el Doctor Simi no han sido únicamente una opción más de entre los remedios que están al alcance de los mexicanos. Terminaron convirtiéndose en la alternativa más racional para hacerse de medicamentos accesibles y también para acudir a una vista médica de bajo costo. Las medicinas que González Torres distribuye en sus farmacias tienen precios, en promedio, 75 por ciento más económicos. Y los consultorios médicos de este emporio sólo cobran veinticinco pesos (2.5 dólares) por consulta. En el mejor de los casos, un 90 por ciento por debajo de la tarifa que requiere el resto de los doctores.

Secretos públicos del Simi Señor

El centro de la ciudad de Mérida ha sido tapizado de pósters y pendones que invitan al acto que hoy por la noche se celebrará en el teatro principal. La convocatoria es para asistir a una conferencia sobre las perspectivas de la depresión psicológica entre los mexicanos. El conferencista único será el empresario y también político, Víctor González Torres. En la propaganda se pidió a los interesados llegar puntuales. Como estaba previsto, a las veinte horas subió al escenario del Teatro Mérida un hombre de baja estatura, de entre cincuenta y cincuenta y cinco años, flaco, desaliñado y poseedor de una lucidora nariz aguile-

---

[108] *Información para la Rendición de Cuentas.* México, Secretaría de Salud, 2003.
[109] David Luhnow, "Empresario mexicano desafía a las farmacéuticas", diario *Reforma*, 14 de febrero de 2005.

ña. El reflejo de los proyectores de luz rebotó entre los dos rizos grasos y negros que cubrían la parte frontal de su cráneo. Con una voz muy fácil de olvidar presentó así al orador principal: "sólo un hombre que ha vencido tantos retos puede darnos la fórmula de la felicidad. Recibamos con un aplauso muy fuerte al empresario, al político, al conductor social [sic] don Víctor González Torres".

A pesar de que las butacas han sido ocupadas casi totalmente, se hace en ese momento el silencio. Los asistentes esperan. Muchos de ellos son empleados de quien ahora tomará el micrófono. Otros trabajan para una franquicia de Farmacias Similares. Sus patrones los han obligado a asistir. Muchas mujeres han venido acompañadas por sus hijos. No tenían con quien encargarlos. Uno que otro ha acudido al acto por interés. Hay también periodistas en el teatro. Muchos han visto antes a ese hombre en las pantallas de televisión y en los espectaculares publicitarios, pero no es lo mismo mirarlo ahora, de cuerpo entero, de carne y hueso y dispuesto a dar un discurso acerca de cuál es el camino más prometedor hacia la felicidad. Con un poco de dificultad pero ningún retraimiento, Víctor González Torres comienza su intervención:

"A lo largo de mi vida he sabido enfrentar y resolver retos muy difíciles. Nací con problemas motores, fui tartamudo, fui alcohólico, padecí de impotencia sexual, tuve una muy fuerte dependencia hacia mi madre que luego trasladé hacia otras mujeres. Padecí también severas depresiones. Dos de ellas fueron prolongadas. La primera duró dos años. La segunda, un año siete meses. En aquellos momentos llegué a considerar suicidarme. Sin embargo, mírenme ahora. Soy un hombre muy exitoso. Soy un hombre muy feliz. Desde el año 2002 no he vuelto a sentirme deprimido. En un par de ocasiones me interné en un sanatorio y logré dejar de beber. He podido convertirme en una persona independiente de las mujeres. Ahora sostengo, al mismo tiempo, relaciones amorosas con siete mujeres y a todas las hago muy, muy felices. Soy un empresario en la mañana, un político por la tarde y un amante por la noche. Vengo aquí para enseñarles cómo dejar atrás la depresión. Mucha gente la padece por falta de espíritu. Está más preocupada en tener y no en ser. Está inundada de valores materiales y no de valores espirituales. Pero todo tiene solución. Comparto aquí con ustedes mis frases favoritas: 'Sí se puede.' 'Dios dispone.' 'Hechos no palabras.' Y, 'metas más aceptación, igual a no depresión.' He aquí mi filosofía para acceder al éxito y la felicidad."

Víctor González Torres necesita ser visto. Ahora su adicción más poderosa es la exhibición. Suele pagar grandes sumas de dinero con tal de exponerse en público. Compra tiempos largos de televisión donde aparece él como conductor. Probablemente en sus empresas queda registrada esta inversión dentro del rubro de costos de publicidad. Financia la satisfacción de su inagotable narcisismo gracias a una facturación que reduce del pago de sus contribuciones al fisco. Cierto es que, además de dictar discursos sobre superación personal, la felicidad, el éxito en la vida sexual y la fe en Dios, González Torres promueve la venta de medicinas, complementos alimenticios y otros productos disponibles en las Farmacias Similares. Esto último, sin embargo, no es lo principal como resulta evidente. El propósito de tales programas televisados es abrir espacios de visibilidad para este "conductor social", como él mismo se denomina, quien seguramente padecería bastante si dejara de ser mirado. Como puede constatarse en los anuncios espectaculares que inundan muchas de las calles, puentes y avenidas de las principales ciudades mexicanas, la televisión no es su único medio de autopromoción. La sonrisa impostada y la frente surcada pero amplia de Víctor González Torres forman parte del paisaje urbano con el que los mexicanos conviven todos los días. Fue más intensiva su presencia en el año 2006, cuando este empresario quiso jugar a ser candidato a la presidencia de México. Pasada aquella aventura cómica, su figura elegante y encorbatada continuó siendo visible y familiar.

Como ya se dijera antes, el Doctor Simi —el otro, la réplica de Joaquín Pardavé— se convirtió en un personaje muy popular. Su creador, en cambio, se ha convertido en un homónimo de su creación. Hoy, cuando se hace referencia al empresario, es también común llamarlo Doctor Simi. De la misma manera que Ramón se esconde detrás de aquella botarga del viejito bigotón, Víctor González Torres pretende ser una y la misma persona con aquel doctor.

Es posible rastrear los resortes de la aparatosa necesidad que el Señor Simi (término utilizado a partir de ahora para distinguirle del Doctor Simi) tiene por ser visto. Basta, por una parte, escuchar con atención los datos que este empresario farmacéutico ha divulgado de su propia intimidad y, por la otra, añadir un par de reflexiones a propósito del contexto cultural mexicano, para seguirle la pista a los motivos de su narcisismo. Pertenecer a una familia de apellido célebre, entre la élite mexicana conlleva oportunidades, pero también puede convocar a la comedia y en ocasiones conducir a la tragedia. Víctor González Torres es bisnieto de quien hace más de 130 años fundara en México las farmacias El Fénix. Su abuelo y su padre, Roberto González Terán, fueron también exitosos empresarios. A este último se debe la gran plataforma de despegue del Señor Simi ya que creó, en el año 1953, los Laboratorios Best, industria dedicada a la producción de medicamentos genéricos.

Se trata de una familia, como las hay varias en la poderosa élite mexicana, cuyos integrantes fueron educados para asegurar la supervivencia del apellido, y con él, la memoria de los éxitos y las glorias de la progenie. Hay una inconmovible idea de misión en la familia González Torres. Una convicción acerca de un destino familiar al que es muy difícil renunciar sin perderlo todo. La identidad incluida. Una dependencia que hace muy difícil para cada cual emprender por separado la vida y el oficio. De cinco hermanos que llevan el mismo apellido, actualmente hay en la escena pública mexicana cinco personajes muy conocidos. Enrique, un sacerdote jesuita que administra gran parte de los fondos filantrópicos derramados sobre la economía mexicana gracias a las bondades de la alta feligresía católica. Sus destrezas profesionales le llevaron a ser el rector de la Universidad Iberoamericana —una de las más importantes de México— entre los años 1996 y 2004. Bien saben quienes conocen a esa orden que entre jesuitas se aprende más de política que dentro de los Parlamentos o los Partidos.

También pertenece a esta estirpe Jorge González Torres, el fundador del Partido Verde Ecologista de México y un millonario inversionista en desarrollos turísticos y proyectos de vivienda en la península de Baja California. Igualmente es un hábil negociador político que, según la fuerza del viento que la vela de su partido necesitara, hizo en su día alianzas con los Partidos de izquierda, de centro y de derecha. Su mandato al frente de esta fuerza política concluyó con la inestabilidad ideológica del PVEM. Una vez que heredara a su hijo —también de nombre Jorge, y también de apellido González— la dirección del organismo, ocurrió que el PVEM se volvió extensión y muleta del Partido Revolucionario Institucional. Un partido con el que, por cierto, la familia González Torres ha tenido una larga y muy magnética relación.

Otra integrante de esta prole es Virginia. Ella ha hecho su vida profesional como activista de la sociedad civil y como funcionaria pública. En el presente es quizá la voz más influyente en las políticas que el Estado mexicano despliega en materia de salud mental. Su habilidad para desbarrancar a sus enemigos abulta el anecdotario de quienes conviven con ella en este sector. Los dos hermanos que restan fueron los únicos que, a la postre, continuaron como notorios empresarios del ramo farmacéutico: Javier, el hermano mayor, y Víctor, el quinto de los herederos. Este último lugar en la descendencia familiar ayuda a comprender algo de la historia personal del Señor Simi.

Todavía en la generación a la que pertenecen los González Torres se mantuvo el mandato pre-feudal de heredar los principales activos económicos —el negocio más importante— al mayor de los hijos. De ahí que fuera Javier quien estuviese destinado a la posesión accionaria relevante de la cadena de farmacias El Fénix. No ha de entenderse esta regla como excluyente para el resto de los integrantes de la herencia familiar. Dicho metafóricamente, lo que antes hubiera producido la gran vaca lechera fue repartido equitativamente entre los hermanos González Torres, pero la gestión futura del animal quedó en manos de Javier, el primogénito. No deja de llamar la atención que algunos integrantes de la actual élite mexicana, pertenecientes inclusive a generaciones posteriores, continúen con esta percudida tradición. En los hechos, dicha regla dejó a Víctor fatalmente subordinado a la dirección empresarial de su hermano mayor.

Una segunda norma, también recurrente entre las familias de la clase alta mexicana, es que las mujeres —salvo causas extraordinarias— no tienen derecho a jugar en la sucesión de los activos más importantes. Por prejuicios muy parecidos, tampoco lo hacen aquellos que padecen algún tipo de discapacidad o quienes poseen una identidad homosexual explícita. Como el menor de la familia y con problemas motores de nacimiento, Víctor González Torres creció alejado de toda posibilidad de convertirse en la cabeza del negocio fundado por su bisabuelo. Arriba suyo había tres hermanos varones. Todos ellos le dispensaron por mucho tiempo un trato condescendiente por su condición física. Actitud seguramente continuada por sus estados depresivos y su adicción al alcohol. Al principio su talento empresarial habrá sido menospreciado al punto en que sus habilidades para la mercadotecnia permanecerían desconocidas en el seno familiar. De origen, el futuro Señor Simi estaba destinado a jugar un papel menor en los negocios de los González Torres y había quedado condenado a guardar compostura a cambio de recibir la parte que le correspondió por herencia.

El Señor Simi ha definido públicamente a Javier González Torres como su ex hermano. Hoy, gracias a su propio emporio farmacéutico, se da el lujo de ser él quien deshereda a su familiar. El pleito con el primogénito no se ha limitado al desconocimiento de los lazos fraternales. El más joven de los González Torres ha acusado públicamente a Javier de querer asesinarlo. Según declaración suya hecha en el año de 2006, el hermano habría pagado cinco millones de dólares para desaparecerlo de la escena. Como en la trama de una pésima telenovela mexicana, estos dos parientes combaten en el terreno de los negocios tal como lo hubieran hecho los primeros vástagos de Eva y Adán; van exhibiendo sus mutuos rencores, lanzan espumarajos sobre su respectiva descendencia y no contentos con lavar la ropa fuera de casa, han llevado lejos del país la exhibición de su muy rocambolesco vínculo filial.

Con todo, a sus sesenta y pocos años, el Señor Simi puede sentirse tranquilo por haberse vuelto el más popular de la familia González Torres. Nadie entre todos ellos es mejor conocido en México que el último retoño de la familia. Es así porque ninguno de sus hermanos acumuló fortuna tan grande por méritos propios, pero sobre todo, porque ninguno de ellos ha dispuesto de su riqueza personal para hacerse tan fantástica autopromoción como lo ha hecho el Señor Simi. Los espejos que en la televisión, la radio, o en los anuncios de calle, dispuso este hombre para mirarse y ser mirado no tienen comparación en la historia del narcisismo mexicano.

El origen del emporio

La primera Farmacia Similar abrió sus puertas en el año 1997, en la colonia Portales de la ciudad de México. Nadie antes se había atrevido a vender medicamentos genéricos al público. Estos fármacos eran adquiridos en exclusiva por las instituciones gubernamentales del sector salud y no tenían salida directa hacia los consumidores. Aunque el margen de ganancia no era muy amplio, se trató a la larga de un negocio redituable. En el año 1953, Roberto González Terán, padre de los hermanos González Torres, fundó los Laboratorios Best con el propósito de que la empresa familiar también participara en el mercado de los genéricos. La diferencia entre una medicina con patente y un medicamento genérico intercambiable necesita una explicación que, aunque tediosa, es clave para dimensionar al emporio del Señor Simi. Un ejemplo que sirve para entender esta distinción nos lo ofrece la historia de la aspirina. Desde hace 1500 años se tiene noticia de que la corteza del sauce posee propiedades para reducir el dolor físico. No fue, sin embargo, hasta el año 1897, cuando el alemán Fénix Hoffmann aisló el ácido acetilsalicílico, que esta sustancia química se convirtió en un medicamento procesado y distribuido popularmente. Este científico trabajaba para la farmacéutica germana Bayer y estaba investigando las propiedades del ácido con el propósito de encontrar una cura contra la artritis. No halló lo que buscaba, pero en su exploración se topó con el que se convertiría en el medicamento más célebre de la era contemporánea. Bayer había financiado la investigación de Hoffmann y por tanto tuvo derecho a explotar el descubrimiento. Aspirina fue el nombre del medicamento con el que esa farmacéutica de talla internacional comercializó al ácido acetilsalicílico.

Para recuperar la inversión realizada sobre su investigación, las grandes farmacéuticas tienen el derecho a conservar en exclusiva la elaboración y distribución de sus productos. Se trata de una ruta que ha sido exitosa para asegurar que estas empresas continúen soportando los altos costos requeridos en la investigación médica. Sin embargo, la protección que las patentes ofrecen a estas industrias no es eterna. Tiene límites temporales que, por lo general, van de los diez a los veinte años. Una vez transcurrido el periodo de protección, cualquier competidor queda liberado para colocar en el mercado la misma sustancia activa. Hoy el ácido acetilsalicílico puede adquirirse como Aspirina, pero también es posible obtenerlo como Mejoral, Bufferin o Asawin, entre otras denominaciones. La Aspirina es conocida como la marca originalmente de patente y las demás como genéricos intercambiables. Una vez que el plazo de gracia para la exclusividad concluye, el precio del fármaco se reduce en un porcentaje muy importante. De ahí que los genéricos intercambiables suelan ser más económicos que los de patente. La diferencia en su costo llega a ser de hasta 300 por ciento. En las Farmacias Similares, los remedios son tan accesibles, porque allí se venden mayoritariamente medicamentos genéricos.

Durante cuarenta años, los laboratorios fundados por González Terán tuvieron como cliente principal al Instituto Mexicano del Seguro Social (IMSS). También fueron proveedores del Instituto de Seguridad y Servicios Sociales de los Trabajadores del Estado (ISSSTE) y de otras dependencias públicas del sector dedicado a la salud. La política de sustitución de importaciones, impulsada en aquel entonces por el Estado mexicano, protegió a las farmacéuticas nacionales frente a la competencia que representaban las industrias extranjeras. Los Laboratorios Best fueron beneficiados. Al convertirse en uno de los escasos distribuidores del sector salud se aseguraron una renta constante. Sin embargo, no fue el negocio principal de la familia porque las farmacias El Fénix se mantuvieron como su fuente más importante de ingresos.

Dada la distribución predestinada de las responsabilidades entre los integrantes del clan, a Víctor González Torres le tocó desarrollarse profesionalmente en esa filial de segunda división. A la edad de dieciocho años, cuando apenas comenzaba sus estudios de Contador Público en la Universidad Iberoamericana, con el apoyo de su padre, y sobre todo con el de su madre, entró a trabajar en los Laboratorios Best. A los veintinueve años se convirtió en la cabeza de la Compañía, desde la cual adquirió el conocimiento y la experiencia para comprender la dimensión del mercado de los genéricos. De 1976 a 1996, Víctor González Torres se encargó de vigilar la producción de los medicamentos, gestionó los contratos con el gobierno y administró convenientemente los intereses de la familia dentro de la filial. Todo ello, claro está, bajo la férula y supervisión de sus mayores.

Así fue hasta que llegó el día en que decidió independizarse. Con el dinero proveniente de la herencia paterna y sus propios ahorros, le compró al resto de la familia su respectiva parte accionaria en los Laboratorios Best. Corría el año 1996 y poco antes habían comenzado las fricciones fuertes con su hermano Javier. Todavía como integrante del consorcio, Víctor comenzó a vender genéricos directamente al público, a través de la entrega a domicilio. Javier se opuso a lo que consideró una absurda operación comercial. La venta al menudeo no era la vocación de esa filial. El menor de los hermanos defendió su proyecto y en lugar de dimitir optó por la libertad. Fue así como surgieron las Farmacias Similares. El primer establecimiento demostró muy rápido la viabilidad del nuevo negocio. La demanda por medicamentos baratos en el establecimiento de la colonia Portales resultó ser tan alta que pronto fue necesario recurrir a otras industrias. Actualmente, la producción de los Laboratorios Best apenas alcanza a cubrir una quinta parte de los fármacos que se expenden en las Farmacias Similares. Durante los diez años posteriores a su emancipación, González Torres construyó en México la cadena más extensa, en puntos de venta, de medicamentos genéricos. En este país existen actualmente alrededor de dos mil quinientos establecimientos y habría unos mil más repartidos en otras naciones como Guatemala, El Salvador, Chile o Argentina. Las Farmacias Similares poseen un régimen diferenciado de propiedad. El Señor Simi es dueño de cerca de la mitad. El resto ha sido entregado, bajo la modalidad de franquicia, a otros propietarios.

González Torres tomó la decisión de salir a vender genéricos al público porque el régimen de protección frente a la importación de medicamentos llegó a su fin. Durante el segundo lustro de la década de los noventa, una vez que hubo entrado en vigor el Tratado de Libre Comercio con América del Norte, el IMSS tomó la decisión de abrir al mejor postor la compra de medicamentos, sin importar ya si se trataba de compañías nacionales o internacionales. Este nuevo contexto eliminó los privilegios de las empresas mexicanas que, como los Laboratorios Best, tenían asegurada la compra de toda su producción gracias a la demanda constante y creciente de las instituciones públicas. Bajo este nuevo escenario, las ganancias de la empresa comenzaron a experimentar una reducción considerable. De no haber apostado por la creación de las Farmacias Similares, muy probablemente los Laboratorios Best habrían terminado siendo absorbidos por alguna empresa transnacional. La venta directa al público fue la única estrategia posible de supervivencia frente a la apertura comercial.

El mercado farmacéutico mexicano, por su tamaño, ocupa el número nueve en el mundo y mueve alrededor de nueve mil millones de dólares. Hasta antes de la creación de las Farmacias Similares, los medicamentos de marca o patente concentraban casi el 94 por ciento de las ventas en México. En sólo una década estos han visto reducida su demanda en un 10 por ciento. Los genéricos intercambiables han arrancado parte de la plaza. En el presente, cerca de siete millones de mexicanos acuden anualmente a las Farmacias Similares y dado que el mercado farmacéutico crece en México alrededor de un 3 por ciento por año, es muy probable que la fase de expansión de estos establecimientos no haya encontrado todavía su techo.

Los Laboratorios Best y las Farmacias Similares son sólo dos de las siete compañías que posee Víctor González Torres. En 1987 creó Plásticos Farmacéuticos, compañía dedicada al empaquetado y etiquetado de los productos similares. En 1999 fundó Transportes Farmacéuticos con el objeto de surtir a sus establecimientos. Luego vendría Simimex, una compañía encargada de explotar los derechos por publicidad del célebre Doctor Simi. Se añadirían más tarde a la lista la Droguería México-Argentina S.A. y los Sistemas de Salud del Doctor Simi S.A. de C.V. Así como la Fundación Best y una organización política supuestamente dedicada a luchar contra la corrupción en el sector público de la salud. Hoy todas estas instancias son gestionadas por un corporativo que lleva el curioso nombre "Por Un País Mejor".

El pleito con los titanes

Extraviar en sólo una década el diez por ciento del mercado y saber que esa propensión tenderá a incrementarse es razón más que suficiente para lanzarse a una guerra comercial en la industria farmacéutica. En todo el mundo los genéricos desplazan a los medicamentos de marca, una vez que estos han perdido la protección que en sus primeros años les otorga la patente. Por las razones antes expresadas, es un fenómeno que presiona a la baja los precios en beneficio de los consumidores. No obstante, para que tal cosa ocurra es necesario que tanto los médicos como las farmacias, y sobre todo los pacientes, tengan confianza en este tipo de medicamentos. La salud es un asunto demasiado importante como para ponerla en riesgo por consumir fármacos, que si bien son económicos, pueden provocar consecuencias indeseables. Es por esta razón que la guerra comercial entre las farmacéuticas se libra en el territorio de la confianza y la credibilidad que despierten los distintos competidores. Los laboratorios de talla internacional, tales como Elli Lilly, Smithkline, Glaxo, Novartis o Pfizer, entre otros, que dedican una parte importante de sus ganancias a la investigación y a la innovación médica, han emprendido una dura campaña publicitaria y también de cabildeo con el propósito de que las autoridades gubernamentales mexicanas aseguren la calidad de los genéricos intercambiables. Buscan que estos productos cumplan con los exámenes requeridos por la práctica científica. De acuerdo con tales empresas, los productos que se venden en las Farmacias Similares no responden a los estándares indispensables. Por principio insisten en que la nomenclatura utilizada por los especialistas no reconoce el término de medicamentos "similares". O son de patente o son genéricos, de ahí que el vocablo "similares" haya despertado suspicacia. Se afirma, en el mismo sentido, que el término no fue escogido al azar. González Torres habría querido hacer pasar gato por liebre, como se dice coloquialmente; genéricos por similares.

La Asociación Mexicana de Industrias de Investigación Farmacéutica (AMIIF) afirmó a principios de la presente década que algunos de los productos ofertados por el Señor Simi no contenían la sustancia activa anunciada en sus etiquetas. Es decir que no pasaron lo que los especialistas llaman las pruebas de bioequivalencia. Además de contener la misma sustancia activa, el genérico intercambiable está obligado a provocar efectos parecidos sobre la salud humana, en comparación con el medicamento original. La AMIIF asegura que —por la manera como han sido fabricados los comprimidos y los compuestos intravenosos— éstos no eran absorbidos por el organismo humano con la prontitud necesaria para la salud de los pacientes o de plano eran desechados íntegros, sin que el cuerpo humano los aprovechara. En términos científicos, no cumplían positivamente con las pruebas de biodisponibilidad. A partir de estas conclusiones, siete grandes laboratorios (Elli Lily, Smithkline, Glaxo, Pfizer, SheringPlough, Promeco y Wellcom) presentaron una queja en contra de veinticuatro medicamentos similares. También comenzaron a exigir al gobierno mexicano una nueva legislación con el propósito de que las pruebas de bioequivalencia y biodisponibilidad fueran obligatorias para el otorgamiento de los registros sanitarios.

La reacción de Víctor González Torres para enfrentar tales acusaciones no se dejó esperar. Respondió a sus adversarios con lo que mejor sabe hacer: con publicidad y mucha mercadotecnia. Inventó un personaje llamado Raterín Raterón para representar a sus enemigos. Un fulano gordo, parecido a los burgueses plasmados por Diego Rivera en el mural del Palacio Nacional. La botarga de Raterín Raterón utiliza un sombrero de copa, carga con un bulto repleto de dinero sobre sus espaldas y va montado sobre un mexicano angustiado. Obviamente el defensor de este personaje oprimido vuelve a ser el bonachón y bien intencionado Doctor Simi. Fue de esta manera como las Farmacias Similares reinterpretaron, ante los ojos de su clientela, el pleito con las grandes farmacéuticas. Las aventuras del Doctor Simi con Raterín Raterón fueron también plasmadas en historietas, pretendidamente divertidas, que todavía hoy se distribuyen en sus establecimientos. González Torres sabe que en México, a excepción de la televisión, las vías más ágiles para comunicarse con quienes tienen menos educación continúan siendo la caricatura y los corridos. Esta narración gráfica y simplificada encontró igualmente cabida en los programas de radio y televisión patrocinados por sus compañías.

Podría suponerse que la decisión de no proceder a la certificación de los medicamentos fue tomada porque González Torres previó que su clientela no estaría en condiciones de comprender los tecnicismos del asunto. Más convincente era la palabra del clon de Joaquín Pardavé que la celebración de las meticulosas pruebas de laboratorio. También cabe la posibilidad de que este empresario eludiera hacer las cosas correctamente porque el costo de los exámenes es exorbitante o porque sabe que sus medicamentos son, en efecto, defectuosos. El hecho que consta es que hasta antes de que se volviera una obligación legal no estuvo dispuesto a distraer recursos destinados al crecimiento de su emporio para satisfacer tales requisitos.

Esta campaña publicitaria necesitó de una estrategia simultánea de relaciones públicas para protegerse de las eventuales sanciones que pudieran provenir de las autoridades del gobierno mexicano. El argumento que este empresario esgrimió fue que durante más de cincuenta años los Laboratorios Best y sus asociados habían vendido a las instituciones mexicanas de salud, particularmente al IMSS y al ISSSTE, los mismos productos que ahora se distribuyen en las Farmacias Similares sin que antes se hubieran presentado reclamos por su respectiva calidad. No se trata de un razonamiento baladí. Si la Secretaría de Salud se hubiera atrevido a coincidir con las críticas de los competidores de González Torres, hubiera tácitamente aceptado que durante todo ese tiempo el gobierno mexicano adquirió medicamentos defectuosos. O en su caso, que distribuyó entre sus pacientes productos que no cumplían con los estándares científicos requeridos. Fue fundamentalmente por esta razón que el Estado mexicano optó, en el año 2003, por encontrar una solución que atendiera los conflictos por venir, dejando enterradas en el pasado las denuncias realizadas por la gran industria farmacéutica.

El razonamiento esgrimido por el Señor Simi deja más dudas que certezas. ¿Cabe la posibilidad de que las instituciones mexicanas del sector salud hayan adquirido durante cinco décadas toneladas de medicamentos genéricos sin haber reclamado a sus fabricantes las pruebas de bioequivalencia y de biodiversidad? ¿Es factible que Farmacias Similares haya vendido, desde 1997, fármacos que no pasaron por los exámenes necesarios antes de llegar a manos de su consumidor final? ¿Qué niveles de complicidad y corrupción se han solapado en México detrás de los escritorios ocupados por los funcionarios del sector dedicado a la salud? Con esta batalla comercial se ha vuelto público que la razón por la que tales pruebas de laboratorio no solían practicarse se relaciona con que son muy costosas y porque pocos laboratorios cuentan con la tecnología y capacidad para practicarlas. También ahora se sabe de la laxitud que sostuvieron las leyes mexicanas con respecto a los requisitos exigidos para el otorgamiento de los registros sanitarios. En efecto, la competencia feroz entre las farmacéuticas obligó a dejar atrás la negligencia imperante.

A partir del año 2003, durante el gobierno panista de Vicente Fox Quesada, se aprobó un nuevo Reglamento de Insumos para la Salud con el propósito de sujetar a cualquier medicamento genérico a las pruebas antes referidas. Esta norma otorgó, sin embargo, un plazo de gracia para que los laboratorios celebraran los exámenes; lo cual indica que habrá que esperar hasta que se termine la presente década para que absolutamente todos los fármacos distribuidos por las Farmacias Similares y otros establecimientos del mismo tipo, hayan cumplido con los nuevos requisitos. Si se considera que cada prueba de laboratorio destinada a este fin cuesta varios miles de dólares y que las industrias de González Torres mueven en México más de 250 genéricos intercambiables, cabe asumir que la nueva ley le está costando a su emporio una verdadera fortuna. Quizá antes no violó la ley por la injusta razón de que esta era extremadamente laxa. Sin embargo, la falta de cumplimiento con un requisito que era sin duda deseable, le está costando a Víctor González Torres muy cara en el presente. También puede suponerse que la impunidad de la que gozaron las Farmacias Similares durante sus primeros años de vida habrá enriquecido de sobra a su propietario para enfrentar estos gastos.

La gran industria farmacéutica no permaneció en calma después de esta decisión normativa tomada por el gobierno federal. Optó también por proceder jurídicamente en contra del eslogan con el que las Farmacias Similares promocionaban sus fármacos: "Lo mismo, pero más barato." Según su parecer, este lema publicitario conduce al equívoco ya que no es posible afirmar tal similitud sin contar con los documentos de certificación que así lo acrediten. Los adversarios del Señor Simi acudieron ante los tribunales, ante la Procuraduría Federal del Consumidor y también ante el Instituto Mexicano de la Propiedad Industrial (IMPI), que les dio la razón. De acuerdo con dicho Instituto, los medicamentos similares no son genéricos intercambiables y por tanto es una falsedad afirmar que se trata de productos iguales a los de patente. El IMPI ordenó entonces a las Farmacias Similares que cancelaran el uso del eslogan. Se basó en el artículo 213 de la Ley de Propiedad Industrial que prohíbe los actos de competencia desleal. González Torres se defendió por la vía legal logrando que los tribunales jurisdiccionales desconocieran las facultades del IMPI para imponer la sanción. Sin embargo, el Tribunal Federal de Justicia Fiscal y Administrativa terminó otorgando justicia a los argumentos de las grandes farmacéuticas. El Señor Simi debía deshacerse de su publicidad tendenciosa. Si se observa con cuidado, hoy puede constatarse que la frase "lo mismo, pero más barato" ha ido desvaneciéndose de la intensiva publicidad de las Farmacias Similares. No obstante, está lejos de haber desaparecido. Cientos de establecimientos del emporio continúan utilizando el eslogan prohibido y las autoridades han hecho muy poco para evitarlo.

Los consultorios similares

La campaña de desprestigio lanzada por los competidores no fue el único problema con el que se enfrentó la expansión del emporio. Los medicamentos que dejan ganancias más jugosas son los que requieren receta médica para ser vendidos. Y la gran mayoría de los médicos no está dispuesta todavía en México a avalar la adquisición de productos en las Farmacias Similares. Fue por esta razón y no por una actitud de impoluto altruismo, que Víctor González Torres tomó la decisión de construir una cadena propia de consultorios médicos. Sólo un médico que trabajara para sus negocios podría sentirse libre de recetar los productos similares. Según datos ofrecidos por el corporativo Por Un País Mejor, los profesionales del Señor Simi atienden alrededor de un millón y medio de consultas mensuales (la cifra podría estar inflada). Algunas anomalías, sin embargo, surgieron detrás de esta estrategia complementaria. La primera se relaciona con el hecho de que sea la Fundación Best —una institución que está registrada ante la Secretaría de Hacienda y Crédito Público como donataria autorizada— la que paga la nómina de tales consultorios. Si bien los sueldos que los doctores reciben son bastante bajos, resulta difícil concebir que tales gastos puedan cubrirse con los veinticinco pesos que los pacientes pagan por consulta. ¿Quién cubre entonces la diferencia? Lo hace la Fundación Best, la cual a su vez recibe donativos autorizados que son deducibles ante el fisco y que por lo general provienen de los demás negocios, esos sí muy lucrativos, propiedad del Señor Simi. Fue de esta manera como Víctor González Torres logró mañosamente darle vuelta a dos problemas en simultáneo. Por una parte contrató varios cientos de médicos obligados a recetar sus propios medicamentos y, por la otra, obtuvo una reducción importante de impuestos, ya que presentó esta actividad ante las autoridades hacendarias como una práctica filantrópica deducible de impuestos. No es el emporio del Señor Simi quien financia su red alternativa de consultorios para la atención de los más pobres, sino la misma población que con sus impuestos ha ayudado a que las Farmacias Similares salten el cerco que los médicos profesionales le hubieran tendido por su desconfianza.

La otra anomalía se relaciona con el hecho de que está prohibido por la legislación en materia de salud y eventualmente por la normatividad en materia de competencia empresarial, que los médicos despachen en el mismo local donde se venden las medicinas que ellos recetan. Sin embargo, junto a toda Farmacia Similar de tamaño medio puede observarse un consultorio médico de la Fundación Best. Así, el cliente de la farmacia pasa prime: o a ver al doctor y luego, a menos de dos pasos de distancia, acude para surtirse de los medicamentos prescritos por la receta médica. Se trata de una práctica comercial evidentemente desleal hacia el resto de las farmacias. Frente a este hecho, las autoridades han guardado también absoluto silencio. Las Farmacias Similares y la Fundación Best han defendido esta práctica argumentando que el médico en cuestión no atiende, en estricto sentido, dentro de la farmacia. Y en efecto, por artimañas arquitectónicas el razonamiento resulta correcto. No obstante, es de lo más evidente que con la estratagema de colocar un delgado muro de tablaroca entre un local y otro —tal y como ocurre en la gran mayoría de los casos— se está vulnerando el espíritu original de la norma que quiso desvincular a los médicos del negocio farmacéutico, pero la ley en países como México no sólo suele ser laxa en su confección sino también en su aplicación. Quienes terminan pagando los costos de esta sistemática transgresión son los consumidores. Por su pobreza, ellos no encuentran mejor opción para recibir un tratamiento médico que acudir a la consulta con el médico de la Fundación Best, quien a su vez, se limita a recetar medicamentos de la farmacia vecina. ¿Quién puede asegurar, en esta irregular situación, que los medicamentos prescritos sean los adecuados o las cantidades recetadas sean realmente las necesarias? Nadie, porque el Estado cierra los ojos ante la posibilidad de que en ese contubernio entre Farmacias Similares y Laboratorios Best pueda estarse generando un grave abuso en contra de los consumidores.

Siguiendo esta línea de negocio, González Torres comenzó recientemente a desarrollar un seguro médico cuyo costo no rebasa los cincuenta pesos (5 dólares). Este tiene por objeto beneficiar en una primera fase a alrededor de un millón de personas. El Simiseguro, gestionado por la empresa Sistema de Salud del Doctor Simi, otorga derecho a un descuento de un 50 por ciento en la consulta médica y también ofrece una reducción importante en los costos de los medicamentos y análisis clínicos. Dada la desprotección en la que un importante segmento de la población mexicana permanece con respecto a los riesgos de su salud, es previsible que esta nueva apuesta de González Torres vaya a tener mucho éxito. Y de la mano de este nuevo negocio, también tendrán éxito las Farmacias Similares y demás empresas que tendrán a su disposición un público cautivo.

A periodicazos

A media tarde, Luz Elena González se topó con un desplegado de página entera, en contra de su persona, en la publicación semanal TV Notas. No salía todavía de su asombro cuando su teléfono comenzó a sonar. Una amiga se había encontrado con otro documento idéntico en una revista donde se hace escarnio de las aventuras y desventuras íntimas de los famosos. Una revista del corazón. No podía creerlo. Su único pecado —además de ser joven y angulosamente atractiva— fue negarse a seguir saliendo con Víctor González Torres. Ni por la azarosa coincidencia en los apellidos la pudo respetar. Hasta ese momento tuvo conciencia de la enorme necesidad que este señor tenía de hacer públicos sus asuntos privados. Miró su fotografía una y otra vez en las páginas de aquella revista. Junto a ella estaba otra imagen de su (¿cómo llamarle?)... atacante público. Los dos retratos eran prueba más que suficiente de la imposibilidad de ese amor. La bella muchacha previamente había caído en la cuenta de que ni todo el dinero del mundo la convencería de volverse una de las novias oficiales del Señor Simi, pero no se había percatado que ese mismo dinero podría propinarle aquel desagradable disgusto.

Cuando se tiene una fortuna tan exorbitante como la de Víctor González Torres pueden pagarse lujos de igual talla en su excentricidad. Tales como contratar vistosas modelos para promocionar la imagen pública de un aspirante a Don Juan o publicitar de paso los productos que se venden en sus farmacias. Uno de los objetos que más se consumen en los establecimientos de este empresario mexicano son los calendarios de las muy jacarandosas Simi-chicas. Estos personajes han mejorado el cuadro de caricatura dentro de este onírico universo. Son ellas las encargadas de atraer a los hombres disueltos en su aburrimiento para que adquieran, en las Farmacias Similares, productos para aumentar la actividad sexual. Las Simi-chicas son pícaras, pero no malas personas porque comparten la escena con el bueno del Doctor Simi. Éste, a su vez, se encarga de atraer a las señoras esposas de los compradores de calendarios. Así es como toda la familia puede sentirse complacida en dichos establecimientos.

Los gastos en publicidad parecieran no tener límites para el emporio de González Torres. Cuenta con un periódico semanal, "Simi Informa," y una revista mensual, "Las aventuras del Doctor Simi." Ambas se distribuyen en sus farmacias. También paga avisos comerciales en los dos canales de televisión abierta más importantes del país: el 2 y el

159

13. Y tiene una emisión televisada que pasa todas las semanas por el canal 4 de Televisa a las cin :o de la madrugada. Toda esta propaganda hace sinergia con el doble propósito de su mercadotecnia: crecer el negocio de su empresas y obligar a que nadie olvide a Víctor González Torres. De esta manera, el Señor Simi se ha convertido en un personaje más de su mágica *Similandia*. Del universo propio que, como ocurre con cualquier gran parque de diversiones, sería inexistente sin los muchos ingresos que los pobres mortales le aportan todos los días.

Como Luz Elena pudo constatar, en ese idílico lugar también se cocinan intenciones perversas. El Señor Simi igual usa su dinero para promoverse que lo invierte en actividades, cuyo propósito ha sido destrozar la reputación de sus adversarios. A golpe de periodicazos y en particular de desplegados, maltrata a quienes difieren de su parecer. Por igual han sido víctimas de su ensañamiento periodistas como Joaquín López Dóriga o Víctor Trujillo; lo mismo que Patricia Mercado Castro, quien no quiso cederle una candidatura presidencial que por derecho propio le correspondía. En parecida circunstancia han estado Jorge Amigo, ex director del Instituto Mexicano de la Propiedad Industrial (IMPI), Santiago Levy, ex director del IMSS, Luis Carlos Ugalde, ex presidente consejero del Instituto Federal Electoral (IFE), o Julio Frenk, ex secretario de salud. Al lado de Luz Elena González, todas estas personalidades —y muchas más que en la obviedad del ejemplo no es necesario mencionar— han pasado por el tablero del tiro al blanco del dueño de las Farmacias Similares.

Es probable que ningún otro mexicano haya gastado tantos recursos en esta eficaz forma de relacionarse con los medios de comunicación. Quizá sólo Elba Esther Gordillo, presidenta vitalicia del sindicato magisterial mexicano, haya hecho algo parecido. Sin embargo, el número de páginas pagadas por el Señor Simi no tiene comparación. Según cálculos de la revista *Etcétera*, este empresario mexicano ha llegado a invertir hasta veinte millones de pesos mensuales en los comunicados que se reproducen en los principales medios escritos. Entre las publicaciones más beneficiadas por esta derrama económica están *Milenio Semanal*, la revista *Proceso* y los periódicos *Reforma* y *La Jornada*.[110] El daño real que estos desplegados ocasionan a sus agraviados podría ser menor si no fuera porque las monedas de oro que González

---

[110] José Antonio Gurrea C., "El poder del Dr. Simi", revista *Etcétera*, abril de 2003.

Torres lanza sobre el escritorio de los medios en cuestión hace que las críticas a sus negocios y a su persona queden inoculadas. ¿Qué medio en México estaría dispuesto a pelearse con uno de sus anunciantes más asiduos mediante la publicación una nota que pudiere ofenderle? Al final los anunciantes siempre serán más preciados para el medio que sus lectores o televidentes. A la usanza de otros magnates mexicanos y también extranjeros, el Señor Simi ha comprado en México un amplio archipiélago de impunidad mediática. Gracias a la inversión que hace en publicidad consigue que los periodistas eviten meterse con él o con sus intereses. Y por esta misma vía con sus periodicazos también ha logrado, más de una vez, mantener a raya a aquel que se le cruce malamente en su camino. No importa que se trate de un alto burócrata del Estado mexicano, de un periodista reputado o de una novia que se atrevió a decirle que no.

Dentro de su repertorio estratégico de impertinencias para combatir a los enemigos, el Señor Simi posee una última arma que ha utilizado algunas veces. Como pocos empresarios, puede sacar a la calle a sus empleados para que protesten contra las cosas que a él lo incomodan. Después de las elecciones presidenciales del 2 de julio del año 2006 decidió, en varias ocasiones, despertar en su domicilio a Luis Carlos Ugalde, presidente del IFE, apostando fuera de su casa a un pequeño pero muy gritón contingente de sus empleados, para reclamarle por el supuesto fraude electoral y, sobre todo, porque no se hubieran podido contar los votos que según él, se emitieron por su candidatura presidencial independiente. Esta estrategia ya la había utilizado antes. Un antiguo destinatario de la movilización social al estilo Simi fue Santiago Levy, cuando fuera director del Seguro Social. Por aquellos días de finales de los noventa, González Torres estaba convencido de que los Laboratorios Best habían sido desplazados como surtidores de esta institución porque su hermano había corrompido a los funcionarios del IMSS. Entonces organizó una simpática manifestación donde varias decenas de Doctores Simis salieron a marchar por la calle Reforma para reclamar el supuesto atropello. Esta ala de militantes sociales, que trabajan para su corporativo empresarial, está organizada a través del Movimiento Nacional Anticorrupción que fundara en el año 1996. Justo cuando la competencia entre farmacéuticas hizo que Laboratorios Best perdiera importantes concursos de adquisiciones.

La apuesta transnacional

Es verano en Guatemala. Corre el año 2003. Una gran fiesta se celebra en la Plaza de la Constitución para festejar la primera incursión de las Farmacias Similares fuera de su país de origen y tres actrices mexicanas han acudido para decorar el acto. También hay un nutrido contingente de Simi-chicas. El personaje central es la nueva socia de Víctor González Torres. Se trata de Rigoberta Menchú, Premio Nobel de la Paz, quien durante su estancia previa en México, había entrado en contacto con el empresario. Él la convenció de probarse en los negocios. Le ofreció el 50 por ciento de las acciones de la filial guatemalteca y le entregó cinco franquicias para que su familia las administrara. La Premio Nobel quedó deslumbrada. Se involucró en esta aventura y aterrizó poco después en el suntuoso acto de inauguración donde Menchú se codearía con las beldades que, por tradición, animan la vida y los momentos públicos del Señor Simi. En entrevista con los medios de comunicación, esta líder de relevancia mundial declaró que Víctor González Torres debería ser considerado como candidato a la obtención del Premio Nobel. Y añadió: "el trabajo que realiza el Doctor Simi es digno de tomarse en cuenta por su empeño en rescatar valores como la ética para atender a millones de pobres que en este momento no tienen acceso a los medicamentos... Hoy es el mejor ejemplo del empresario socialmente responsable".[111]

El esquema de construcción de la cadena farmacéutica en Guatemala fue una réplica del celebrado en México durante el lustro anterior. Impulsó la modalidad consultorio-farmacia. En ambos se ofrecieron productos y servicios a muy bajo costo. Ofertó también franquicias en tres modalidades: las farmacias grandes a un costo de 25 mil dólares, las medianas a 10 mil y las pequeñas (González Torres las llama "chirris") a cinco mil dólares. Simultáneamente, con esta operación comenzó a desarrollarse el proyecto de expansión de las Farmacias Similares en el resto de América Latina. Entre 2003 y 2005 abrió establecimientos en Costa Rica, Honduras, Panamá, Nicaragua, Ecuador, Perú, El Salvador, Chile y Argentina. Para los intereses del Señor Simi todos estos países tienen, con México, dos cosas en común: una inmensa población de muy escasos recursos para la que el acceso a los servicios de

---

[111] "Labor del Dr. Simi, digna del Nobel de la Paz: R. Menchú", consultado en: *http://www.macroeconomia.com.mx/articulos*, 1 de julio de 2005.

salud permanece restringido y legislaciones nacionales excesivamente flexibles con respecto a los genéricos intercambiables. Tal y como lo hizo el mercado mexicano en 1997, estas nuevas regiones del subcontinente a colonizar con sus farmacias reunían condiciones de lo más prometedoras. La proyección internacional fue por tanto de amplias proporciones. El país donde menos establecimientos se pensó en instalar contaría con al menos cien farmacias.

Rigoberta Menchú significó para esta estrategia un muy importante activo. El aval que podía ofrecerle, sobre todo en América Central, era invaluable. Todavía más importante habrá sido que ella siguiera repitiendo aquella propuesta de que Víctor González Torres también merecía recibir la presea sueca. Con Menchú viajó González Torres a buena parte del subcontinente. Ella fue su carta de presentación en Managua, en Tegucigalpa y también en Buenos Aires. En cada lugar por donde iba pasando este bolívar del sector farmacéutico se organizaron fiestas de pretensiones inolvidables. En Buenos Aires, por ejemplo, la gran comitiva mexicana y su invitada guatemalteca se instalaron en el lujosísimo Hotel Alvear (favorito del ex presidente Menem) para participar en la gran inauguración de las diez primeras Farmacias Similares. En esa ocasión se anunció que para mediados del año 2005 habría cerca de 200 establecimientos en la región platense. Un diario local por aquellos días reportó lo siguiente: "el nuevo paladín de las masas repartió yerba, fideos, azúcar y harina a quienes visitaron sus locales en los días inaugurales".[112]

Fue en esa misma ciudad donde Víctor volvió a enseñarse los colmillos con su hermano Javier. Antes de su llegada, las farmacias El Fénix ya se habían asentado en esas tierras con el objeto de vender genéricos. La nueva filial del hermano mayor para la distribución al público de estos medicamentos lleva por nombre Doctor Ahorro. Para cuando Farmacias Similares llegó a instalarse en Argentina, Doctor Ahorro ya contaba ahí con sesenta establecimientos. A los sobrinos no les cayó nada en gracia esta invasión comercial de su tío Víctor. Xavier González Zirión declaró entonces a los medios: "nos fuimos a Argentina y nos siguió, ahora se fue a Guatemala y a Chile y lo vamos a seguir".[113] El pleito público entre los dos hermanos concitó bastante morbo entre los bonaerenses. Al punto en que hace pocos años era común subirse a un taxi y escuchar al conductor reírse a carcajadas

---

[112] José Antonio Gurrea, *op. cit.*
[113] Sara Cantera, "Pelean hermanos mercado" diario *Reforma*, 14 de agosto de 2006.

del ridículo que uno y otro hermano estaban haciendo por aquellas tierras.

Las cosas en Argentina terminaron muy mal para el Señor Simi. A mediados del 2005 ya había desmantelado la mitad de las farmacias inauguradas en octubre del año anterior. El expediente se cerró tan mal que las autoridades de ese país se vieron obligadas a revisar las deudas laborales y fiscales que las Farmacias Similares acumularon durante su corta estancia en ese país del Cono Sur. Lo mismo ocurrió en Guatemala. Las reglas de operación impuestas a los propietarios de franquicias guatemaltecos ahogaron el negocio. Varios fueron los recién estrenados empresarios que antes de dos años acudieron con González Torres para que les regresara su dinero. Por obvio que suene decirlo, México no es Guatemala. También la familia de Rigoberta Menchú fracasó en el negocio de las farmacias. No aportaron los ingresos prometidos y, peor aún, arrojaron pérdidas considerables. A principios del año 2005 comenzó a resquebrajarse la relación entre esta líder latinoamericana y el futuro Premio Nobel. El pleito debió de haber sido gordo ya que el rostro de la señora Menchú, que en todos los establecimientos compartía estelares con el Doctor Simi, fue borrado de la noche a la mañana. A la postre, la parte accionaria de la aprendiz de empresaria quedó reducida de un 50 a un 33 por ciento. Poco después Víctor González Torres declararía al suplemento 'Enfoque' del periódico *Reforma* "que ya se había divorciado de la Menchú".[114] ¿Cuánto habrá perdido el Señor Simi en su aventura latinoamericana? Es difícil saberlo, pero con seguridad no fue poco.

Hipótesis de una candidatura presidencial

Los negocios del Señor Simi andaban de capa caída al concluir el sexenio de Vicente Fox Quesada. La guerra con las grandes farmacéuticas, las costosísimas pruebas de laboratorio que debió practicar a sus medicamentos genéricos para refrendar el registro sanitario y el fracaso de las incursiones por América Latina, representaron un duro revés para la proyección futura de su emporio. Sin embargo, al mismo tiempo se abrió una ventana que era potencialmente prometedora. El gobierno estaba a punto de echar a andar el Seguro Popular. Un sistema de pro-

---

[114] Mario Gutiérrez Vega, "Entrevista / Víctor González Torres / 'Fortalezco mis negocios'", Suplemento "Enfoque" del periódico *Reforma*, 19 de febrero de 2006.

tección para los mexicanos más pobres que ofrecería atención médica y medicamentos para todos aquellos que no se encontraban afiliados a ninguna otra forma de protección sanitaria.

No hay otra empresa en este país que cuente con una red tan extendida de establecimientos farmacéuticos donde puedan adquirirse directamente las medicinas del Seguro Popular. Víctor González Torres hizo cuentas y se topó con la idea de convertir a las Farmacias Similares en el distribuidor más importante para el gobierno federal. Si convencía a las autoridades sanitarias de entregar vales a los usuarios de este seguro para que pudieran convertirlos en medicamentos en el establecimiento de su elección, el siguiente paso en la edificación de su emporio estaba garantizado. Pero tenía un problema político doble. Durante el periodo de negociación previo con la Secretaría de Salud y también con el IMSS, las relaciones con el gobierno panista quedaron desgarradas. Era obvio que si el Partido Acción Nacional reincidía para el mandato 2006-2012, su proyecto de expansión quedaría eliminado. Otra contrariedad fue la distancia política que también sostenía con el candidato de la izquierda, Andrés Manuel López Obrador. Este político tabasqueño desconfiaba fuertemente del origen de la fortuna de Víctor González Torres. Así las cosas, al Señor Simi no le quedó otra opción que acercarse a su amigo Roberto Madrazo Pintado. No era la mejor opción sino la única. El candidato presidencial estaba colocado en el tercer lugar de la preferencias, pero el Seguro Popular merecía más que una misa.

No queda claro si la propuesta de convertirse él mismo, Víctor González Torres, en candidato presidencial, provino del priista o se le ocurrió primero al empresario. Lo cierto es que el Señor Simi terminó aceptando jugarse algo más que un donativo para la campaña del otro tabasqueño. Sería abanderado independiente y buscaría arrancarle a las clases populares todos los votos que pudiera para que éstos no acudieran al llamado de Andrés Manuel López Obrador. La intención era desfondar la candidatura de la izquierda con la esperanza de que Felipe Calderón Hinojosa no creciera demasiado. De lograrlo, Roberto Madrazo recuperaría posibilidades de triunfo. El proyecto podía funcionar si los siete millones de clientes de las Farmacias Similares veían con simpatía la candidatura del Señor Simi.

Por esta razón y quizá también por el deseo irrefrenable de verse en la contienda, Víctor González Torres desplegó una activa promoción de su alternativa. Para su sorpresa, en las primeras encuestas levantadas a finales del 2005 obtuvo preferencias electorales por arriba del 5 por ciento. Habrá entonces supuesto que si lograba doblar ese porcentaje, la estrategia planteada alcanzaría visos de realidad. O eventualmente su peso político crecería a tal punto que podría negociar en condiciones de ventaja con el futuro presidente de México para lograr el acuerdo que buscaba. Una declinación oportuna de sus aspiraciones presidenciales a cambio de asegurarse la distribución de los medicamentos en el futuro sistema del Seguro Popular no sonaba descabellada.

El primer obstáculo se presentó cuando no pudo atraer a su causa a un número suficiente de dirigentes dentro del Partido Alternativa Socialdemócrata y Campesina. El ala rural de esa organización política le aseguró que controlaba al órgano de dirección que podría sustituir a Patricia Mercado Castro y colocarle a él en su lugar. El tamaño de la ingenuidad de González Torres en este episodio fue sólo comparable con la que lo llevó a construir su pacto político con Roberto Madrazo. Sobre todo cuando el Instituto Federal Electoral confirmó a Mercado como la única candidata presidencial reconocida ante la autoridad. Para entonces habrá estado demasiado embelesado con las razones de su candidatura como para retirarse. Optó entonces por convertirse en candidato sin partido y continuar en la brega sin la autorización que la ley mexicana exige para hacerlo: contender con las siglas de una fuerza electoral con registro.

Fue evidente durante aquel episodio que la alianza con Madrazo Pintado representaba el objetivo principal. También lo fue que el esfuerzo invertido debía restarle votos al candidato de las clases populares, Andrés Manuel López Obrador. A la postre, por la manera cómo se cuentan los votos en el sistema electoral mexicano, fue imposible saber cuánto apoyo obtuvo realmente este candidato independiente. Su verdadero peso político permaneció desconocido. Una vez que el triunfador reconocido por el órgano que calificó la elección resultó ser Felipe Calderón Hinojosa, el Señor Simi vio cómo se desvanecía su ambición. El nuevo presidente panista no apoyaría sus intenciones para convertirse en el gran proveedor de medicamentos para el nuevo Seguro Popular. Esa fue una de las últimas aventuras enfebrecidas de aquella época. Desde entonces, Víctor González Torres ha tenido que dedicarse con más tiento y serenidad a reconstruir los daños sufridos por su emporio.

Por más que Víctor González Torres haga esfuerzos para que otros se mofen de su persona, es un error caer en su trampa. No hay que reírse del Doctor Simi. Este es un buen consejo para sus adversarios. Por no tomarlo en serio, Javier su hermano perdió una valiosa oportunidad para hacer fortuna en el negocio de los genéricos intercambiables. Lo mismo ocurrió con las grandes farmacéuticas que tardaron seis años —de 1997 a 2003— para reaccionar frente a la expansión que lograran las Farmacias Similares. No lo han tomado tampoco en serio las autoridades que vieron nacer un sistema alternativo de salud popular sin vigilar adecuadamente el cumplimiento de las normas sanitarias. Ni los medios de comunicación que, con tal de quedarse con una tajada de las inversiones en desplegados y programas publicitarios, se han vuelto cómplices de su agresiva estrategia empresarial. El Señor Simi es mucho más hábil de lo que él mismo ha querido proyectar. Lo demuestra su inteligencia para construir, en una sola década, su gran emporio farmacéutico. Pero sobre todo para convertirse en uno de los empresarios intocables del actual régimen político mexicano. Fue primero su tejido de relaciones políticas el que le permitió eludir la ley. Cuando la política dejó de ser suficiente optó entonces por abusar de la mercadotecnia y la publicidad para vencer la desconfianza hacia sus productos y, al mismo tiempo, para amedrentar a sus detractores. Esa mezcla de cabildero y publicista le ha permitido maniobrar impunemente a través del espacio público mexicano y de otros países latinoamericanos. En mucho le ha servido para influir en decisiones delicadas que sólo debían ser responsabilidad de los funcionarios del Estado.

El Señor Simi ha innovado en su forma de relacionarse con el poder para lograr que la ley no se aplique en su contra. La última ocurrencia suya fue postularse como candidato independiente a la Presidencia de la República. Creyó que con esta aventura podría asegurar la siguiente etapa de crecimiento de su emporio. La experiencia referida terminó en un rotundo y muy costoso fracaso. No tenía conciencia de que en democracia es mejor que los empresarios eviten inclinarse descaradamente por alguno de los contendientes. Suele ser un mal negocio para todas las partes. Si Andrés Manuel López Obrador hubiera llegado a la presidencia, la estrella del Doctor Simi habría terminado en un entallamiento de proporciones galácticas. La animadversión entre ambos personajes es muy grande. Con el triunfo de Felipe Calderón Hinojosa la tragedia para este empresario no ha sido tan grande, pero la expansión de su emporio encontró francos y fuertes límites. Los medicamentos genéricos que brinda el Seguro Popular, por lo pronto no pueden ser adquiridos en las Farmacias Similares. Se trata de uno de los golpes más rudos que el Señor Simi ha recibido en su trayectoria como exitoso empresario. Bien dicen los japoneses que el martillo suele golpear al clavo sobresaliente del madero. La excesiva exposición pública de Víctor González Torres terminó siendo uno de sus yerros más notables. Quizá sea tiempo para que este hombre imite a aquel muchacho durangueño, Ramón Durán Juárez. Buena cosa para él sería dejar a un lado la botarga para recuperar su propia identidad.

A partir de esta experiencia anómala del sector dedicado a la salud emblematizada por la trayectoria empresarial de Víctor González Torres, también las autoridades del Estado deberían asumir algunas lecciones. Su complicidad y negligencia permitieron el surgimiento de un negocio que sólo pudo crecer a partir de la pobreza y desprotección sanitaria de muchísimos mexicanos. La ausencia de autonomía y vigor del gobierno mexicano son la principal explicación para comprender por qué Víctor González Torre se volvió un personaje intocable. Hace falta que los responsables de la salud atraviesen la botarga del Doctor Simi para que Víctor González Torres se convierta en un empresario sujeto a las reglas de la realidad. Para que los límites del Estado y las leyes puedan imponerse sobre todos los ciudadanos, incluido este personaje tan peculiar.

RICARDO RAPHAEL es profesor del CIDE, analista político en Núcleo Radio Mil, articulista del diario *El Universal*, conductor de televisión en Canal 11 y Proyecto 40, consultor ante la FAO y el Programa de la ONU para el Desarrollo. Licenciado en Derecho por la UNAM, tiene estudios de posgrado en Sciences Po y en la Escuela Nacional de Administración, ambas en Francia, y en la Universidad para Graduados de Claremont, en Estados Unidos. Es autor de diversos libros, los más recientes: *Para entender la institución ciudadana* (2007) y *Los socios de Elba Esther* (Planeta, 2007).

EMILIO GAMBOA
El Broker

JENARO VILLAMIL

Emilio Gamboa Patrón siempre saluda agitadamente, reparte sonrisas aun a sus más incómodos críticos, contesta decenas de llamadas a su celular, al tiempo que está pendiente de las conversaciones circundantes. Jamás pierde la compostura, aunque siempre ande con prisa. Es un *correcaminos* de la política. Hábil para olfatear algún asunto que necesite de sus artes como "operador político", veloz para ofrecer sus servicios de intermediación. Eficaz y discreto, según sus seguidores.

Sin embargo, aquella mañana del 12 de septiembre de 2006 el buen semblante le cambió, la indiscreción estalló y se perdieron sus fórmulas de cortesía. Recién nombrado coordinador de los diputados del PRI para la legislatura que culmina en el 2009 y presidente de la Junta de Coordinación Política de San Lázaro, Gamboa Patrón enfrentaba un sonoro escándalo. Una grabación telefónica lo vinculaba con Kamel Nacif, el "Rey de la Mezclilla", cuyo rastro corruptor llegaba hasta la red de pederastas de Jean Succar Kuri en Quintana Roo.

En esa mañana fatídica, el noticiero radiofónico *Hoy por Hoy*, conducido por Carmen Aristegui, y el periódico *La Jornada* difundieron la mentada conversación:

—Papito, ¿dónde andas cabrón? —saluda Emilio Gamboa Patrón.

—Pues aquí estoy en este pinche pueblo de los demonios, papá —le responde con voz ronca Kamel Nacif.

—Pero, ¿dónde andas mi rey? Porque habla uno todo el día bien de ti, pero te pierdes, hijo de la chingada.

—Pues ando chingándole, no queda otra... ¿Y cómo estás tú, senador?

—Uy, a toda madre, aquí echando una comida con unos senadores, que si te cuento te... (inaudible), cabrón.

—¿De dónde?

—Vamos a sacar la reforma del Hipódromo, cabrón, ya no del juego... del Hipódromo.

—¿Para qué?

—Para hacer juego ahí, cabrón.

—¿Cómo...? Bueno...

—¿Cómo lo ves?

—No, no la chingues.

—Entonces, lo que tú digas, cabrón, lo que tú digas, por ahí vamos, cabrón.

—No, dale pa' tras, papá.

—Pues, entonces va pa' tras, esa chingadera no pasa en el Senado, eh.

—¡A huevo!

—Ok.

—¡Pues a huevo!

—Te mando mi cariño.

—¿Cuándo nos vemos? —pregunta inquieto Nacif.

—Cuando quieras mi Kamelito.

—Pues cuando tú digas...

—Regresando, yo me voy a Washington a ver a unos cabrones, pero regresando te veo... Regresando yo te llamo... créeme que yo te llamo... ya no me llames... yo te llamo, amigo.

—Órale senador.

—Un abrazo.

—Estáte bien, *bye*.

La grabación se interrumpe. En otra llamada, se escucha a Kamel Nacif hablar con su hija.

—¿Qué pasó, mi amor?

—Nada papi, ¿qué haces...?

—Estaba hablando con el Gamboa y con otro senador.

—Ah, y ahora, ¿qué traes problemas?

—No. Me buscan todos para ver de a cómo le caigo.

—(Risas) Ah, bueno.

En el momento de la difusión de esta conversación telefónica, Emilio Gamboa Patrón había conseguido por quinto sexenio mantenerse en un lugar privilegiado, a pesar de la derrota del PRI, su partido, en la

170

disputa por la Presidencia de la República. El político tenía una posición clave en el Congreso. Al mismo tiempo, mantuvo durante tres años, hasta el 2009, el fuero legislativo, que en México se traduce en un código de impunidad, en una regla no escrita sobreviviente de la era priista.

No era la primera vez que Gamboa Patrón estaba en el centro de una tormenta política. El Pemexgate del 2000, sus vínculos y favores a Televisa, su conflictiva relación con el clan de los Salinas, las acusaciones en su contra por quebranto patrimonial en Fonatur o las reiteradas versiones en la prensa estadounidense que lo vinculaban con el crimen organizado, han sido algunos de los asuntos polémicos que lo han ido señalando en casi treinta años de carrera política.

Tampoco era la primera ocasión que su voz aparecía grabada en una conversación telefónica para intercambiar favores políticos por beneficios económicos. Sin embargo, fue la primera vez que tuvo que admitir ante una nube de reporteros la veracidad de la conversación con Kamel Nacif.

"No me avergüenza; es una canallada, una acción concertada; no voy a renunciar (a la coordinación de los diputados priistas)", afirmó en aquella tumultuosa rueda de prensa en la que a duras penas podía sostener su congelada sonrisa.

Gamboa Patrón reconoció que conocía, de varias décadas atrás, a Kamel Nacif. En otras declaraciones exculpatorias soltó una frase enigmática: "existen por lo menos tres grabaciones más" que lo vinculaban al empresario textilero radicado en Puebla, protegido y financiador de las campañas de varios candidatos priistas, incluyendo al "góber precioso" de Puebla, Mario Marín.

El 9 de julio de 2008, dos años después de este escándalo, Gamboa Patrón insistió en considerarse víctima del espionaje telefónico. Su "investigación personal" estableció que la mala relación de Nacif con su esposa fue la causa de que se grabara la conversación telefónica. "Fue la esposa de Kamel", dijo. Sintomáticamente, el jefe de la bancada priista no negaba el fondo de la conversación con el Rey de la Mezclilla: el presunto tráfico de influencias.

Gamboa se colocó como víctima y evitó también referirse al caso de la red de pederastas en la que ha sido involucrado junto con Kamel Nacif y Miguel Ángel Yunes, director del ISSSTE, y eterno candidato a la gobernación de Veracruz.

Por tercera ocasión desde la investigación del escándalo sobre el Pemexgate y el quebranto en las cuentas de Fonatur, la administración

171

foxista, en pleno ocaso, demostró que no estaba dispuesto a llamarlo a cuentas. La exoneración oficial se produjo al día siguiente de la difusión de su conversación con Kamel Nacif. El procurador general de la República, Daniel Cabeza de Vaca, afirmó que no existía ningún indicio que involucrara a Gamboa Patrón con hechos de pederastia.

La agencia oficial de noticias Notimex difundió la condena de Cabeza de Vaca a la intercepción de llamadas. El abogado de la nación evitó mencionar algo sobre el intercambio de favores y de presiones que revelaba la conversación entre un senador y un empresario con fama pública de corruptor.

"Nosotros reprobamos esos hechos (la intercepción de llamadas), creo que se debe respetar la privacidad de las personas. Esperaremos si los interesados quieren presentar alguna denuncia para proceder a investigar", afirmó el último procurador de la era foxista.

Gamboa Patrón también negó que hubiera existido algún intento de reformar la Ley Federal de Juegos y Sorteos durante los seis años que estuvo en el Senado (2000-2006). Mucho menos, que se buscara beneficiar a empresarios como Kamel Nacif.

No obstante, la llamada es anterior a la reforma del reglamento de la Ley Federal de Juegos y Sorteos (septiembre de 2004), que fue impugnada ante la Suprema Corte de Justicia, luego de que los ministros la hubieran aprobado. Esta reforma, impulsada por Santiago Creel, se realizó sin necesidad de pasar por el Congreso. En mayo de 2005, la Secretaría de Gobernación otorgó 198 permisos para centros de apuestas remotas y salas de juego a siete consorcios. La compañía Apuestas Internacionales, filial de Televisa, fue la más beneficiada con 130 permisos. Gamboa Patrón no protestó. En 2003 él había impulsado una reforma legal para permitir que empresas extranjeras pudieran invertir en casinos e hipódromos.

El escándalo del *dale pa'tras, papá* aminoró con el tiempo, pero para todos los observadores políticos resultaba un hecho que Gamboa Patrón estaba nuevamente "tocado" por su propia y compleja trayectoria. El gran operador político priista estaba desnudo ante la opinión pública. Ya no contaba con aquel caparazón de protección de la censura velada que le permitió a lo largo de su trayectoria en ocho cargos de primer nivel —desde secretario privado de la Presidencia de la República, titular de Comunicaciones y Transportes, hasta subsecretario de Gobernación— evadir una respuesta pública a las constantes menciones de su nombre en operaciones de dudosa legalidad.

Consultado por este reportero, el político Porfirio Muñoz Ledo afirmó en aquella ocasión que el diálogo entre Kamel y Gamboa Patrón respondía a "una subcultura del narco, del cachondeo que revela la promiscuidad de intereses".

"Lo que pasa con Gamboa Patrón es extremadamente grave", insistió el ex embajador de México ante la Unión Europea y ex presidente nacional del PRI y del PRD. Muñoz Ledo advirtió el siguiente escenario: "El riesgo es que se instituya la corrupción como método en el Congreso. Gamboa representa el fin del sistema de partido hegemónico que será sustituido por el sistema de dinero hegemónico. Ya lo vimos con la Ley Televisa".

El diálogo telefónico confirmaba el reinado del *cabroñol*, término acuñado por el escritor Carlos Monsiváis, como síntesis del español y de la "cabronería". Agudo observador del lenguaje de los poderosos, Monsiváis advirtió, desde la difusión de las llamadas entre Kamel Nacif y Mario Marín, la incorporación al argot político de las fórmulas de confianza e impunidad que denotaban la certeza de ser "intocables" e impunes.

La conversación entre Nacif y Gamboa Patrón fue la confirmación de este fenómeno de interacción entre negocios, política y cultura de la impunidad, sintetizado en frases de impúdica confianza. No lo llevó a comparecer ante ninguna instancia judicial, pero la voz de Gamboa Patrón trascendió en el imaginario social a través de un rap que aún se puede escuchar en Internet.

El demonio en el Edén

El 6 de enero de 2004, la reportera Patricia Vázquez Pérez publicó en el efímero periódico *El Independiente* que "fuentes oficiales de la Procuraduría de Justicia del Estado de Quintana Roo afirman que el senador Emilio Gamboa Patrón y el diputado Miguel Ángel Yunes Linares y el empresario Kamel Nacif figuran en la lista de los asistentes a las fiestas del presunto pederasta de origen libanés, Jean Hanna Succar Kuri".

"Presuntamente llegaba a Cancún a bordo de una aeronave privada para incorporarse a las fiestas en las que niñas de catorce años eran el atractivo principal", agregaba la nota periodística.

Al día siguiente, el 7 de enero de 2004, *El Independiente* publicó un desmentido "categórico" de Gamboa Patrón a lo publicado: "No conozco al señor Jean Hanna Succar Kuri" y "nunca asistí a la fiesta que hace mención la nota".

Un año después, en 2005, los nombres de Emilio Gamboa Patrón, de Miguel Ángel Yunes Linares y de Kamel Nacif volvieron a entrelazarse en el libro *Los demonios del Edén*, la investigación más completa publicada hasta ese momento sobre una red de pederastia y de pornografía infantil, con asiento en Cancún, Quintana Roo, y con extensas ramificaciones políticas.

La vida de su autora, Lydia Cacho, se transformó desde ese momento. No así la de los principales implicados, salvo Jean Succar Kuri, que estuvo prófugo del país y actualmente preso en el penal de La Palma, en Almoloya. Cacho fue detenida ilegalmente en Quintana Roo, torturada en su trayecto a Puebla y hostigada por el gobernador priista de esa entidad, Mario Marín, el Góber Precioso, cuya voz apareció en otra grabación filtrada a los medios de comunicación con Kamel Nacif.

La primera mención a Gamboa Patrón en el libro de Cacho aparece en la página 32, como presunto protector político de Succar Kuri. La referencia procede de la reproducción del testimonio de la joven Emma, una de las víctimas de la red de pederastia: "Yo estuve con el señor Miguel Ángel Yunes y con el señor Emilio Gamboa Patrón en una comida. Johny me llevó con él al Distrito Federal, a un restaurante muy elegante de la avenida Insurgentes, donde fueron llegando varios señores. Me saludaron con mucha amabilidad".[115]

El libro documenta los vínculos de negocios y protección existentes entre Gamboa Patrón y Alejandro Góngora Vera, ex director general de Fonatur y ex regidor de Cancún, presunto protector y miembro de la red de Succar Kuri. En el capítulo 8, "¿Políticos y Explotación Sexual?", Cacho va describiendo así los vínculos entre ambos personajes:

> Entre los cargos públicos que ocupó Alejandro Góngora Vera figuran la delegación de Migración y del Seguro Social en Cancún, la dirección general de Fonatur en la misma ciudad y en fechas recientes (2001) el del primer regidor en el cabildo municipal...
>
> Durante aquella entrevista en el programa radiofónico *Desde el Café*, Góngora declaró que conoció a Succar Kuri cuando intentaba vender unos locales comerciales propiedad suya y del entonces senador priista Emilio Gamboa Patrón en el aeropuerto de Cancún.

---

[115] Lydia Cacho. *Los demonios del Edén*. México, Grijalbo, 2007. p. 46, 2ª edición.

Según él, el contacto inicial entre Succar Kuri y él ocurrió hace cerca de diez años y cultivaron una amistad que se consolidó a lo largo de una década, al grado que se convirtieron en compadres.[116]

Desatado el escándalo mediático en torno a Succar Kuri, quien se mantuvo en la prisión de Chandler, Arizona, tras su salida del país en 2004, la investigación en torno a Alejandro Góngora Vera aportó varias pistas sobre una colusión de intereses más compleja con Gamboa Patrón. Cacho relató que la PGR se centró en la investigación de tres terrenos que ligaban a Góngora Vera con los demás personajes mencionados en las denuncias de las menores.

> Cuando Emilio Gamboa Patrón fue director de Fonatur negoció con Lorenzo Zambrano, dueño de Cemex, una renta multimillonaria del predio que aún ocupa el parque acuático *Wet'n Wild* en Cancún… Aunque en 2001 el libanés Kamel Nacif ofreció comprar el predio de *Wet'n Wild*, no tuvo éxito…
>
> El segundo predio que se investiga está en la segunda sección de la zona hotelera, lugar donde se ubica el restaurante La Destilería, perteneciente a dos socios, Mario Gamboa Patrón y Alejandro Góngora Vera. El primero es hermano del senador Emilio Gamboa Patrón…
>
> El tercer predio relacionado es el que ocupa el hotel Dunas, construcción que se convirtió en un fraude hotelero cometido por el hasta hoy prófugo de la justicia, el español José Aldavero. Hoy se indica que fue vendido a Lorenzo Zambrano por Gamboa Patrón (bajo una licitación plagada de extrañezas). Pero el primero que tuvo el poder sobre ese predio era el dominicano Víctor Cabral Amieva, vendedor estrella de Fonatur y quien se hiciera famoso en México cuando se divulgó que le consiguió a Carlos Cabal Peniche un pasaporte falso de la República Dominicana, con el que el banquero pudo huir a Australia. Víctor Cabral era asiduo a las fiestas de Jean Succar Kuri cuando éste apenas había comprado un par de departamentos en Solymar.[117]

El fraude en el hotel Dunas generó un quebranto por 18 millones de dólares, según el propio Alejandro Góngora Vera, ya que Fonatur tuvo que ceder el terreno, cubrir los gastos del juicio, los avalúos y

[116] Ibid., p. 69.
[117] Ibid., pp. 153-154.

demás procedimientos que se realizaron para resolver el litigio. Gamboa Patrón, como director de Fonatur, nunca rindió cuentas respecto a este caso.

"Un dato para el asombro —anota Lydia Cacho—: la directora de ventas de Fonatur en los tiempos de Gamboa Patrón era Guadalupe Rachí de Nacif, cuñada de Kamel".[118]

Los vínculos entre el Rey de la Mezclilla y el Rey de los Operadores Políticos iban más allá de llamadas telefónicas interceptadas. Emilio Gamboa Patrón ha negado insistentemente cualquier tipo de negocios con Kamel, uno de los empresarios que ha aportado más fuertes cantidades de dinero a las campañas de varios gobernadores del PRI, a cambio de prebendas, permisos, terrenos, negocios de dudosa legalidad.

Vivir en el presupuesto

La fortuna ha favorecido en su ascenso burocrático a este político nacido el 23 de agosto de 1950 en la ciudad de México. Egresado de la Universidad Iberoamericana como licenciado en Relaciones Industriales, Gamboa se enroló en el PRI en 1972, a los veintidós años, y su único objetivo fue el ascenso a la burocracia gobernante. Lo logró con creces.

Apoyado por su amigo Genaro Borrego, de la misma generación de la Iberoamericana, Gamboa Patrón fue secretario auxiliar de Ricardo García Sáinz, efímero secretario de Programación y Presupuesto en el sexenio de José López Portillo (1978); se distanció del ex director del Seguro Social para enrolarse en la corriente tecnocrática de Miguel de la Madrid, quien lo nombró su secretario particular en lugar de Alfonso Muñoz Cote, cuando aún era secretario de Programación y Presupuesto (1979).

Dueño del poder del picaporte, Emilio Gamboa Patrón se convirtió en pieza clave de lo que se conoció como la "familia feliz", denominación de la camarilla que gobernó con Miguel de la Madrid (1982-1988). A este grupo pertenecieron Eduardo Pesqueira Olea, coordinador de delegaciones de la SPP y luego secretario de Pesca; el canciller Bernardo Sepúlveda Amor; el secretario de Energía, Minas e Industria Paraestatal, Francisco Labastida Ochoa; Francisco Rojas, titular de la Contraloría y posteriormente director de Petróleos Mexicanos durante la

[118] Ibid., p. 155.

última parte del sexenio de Miguel de la Madrid y los seis del salinismo; Alfredo del Mazo, ex gobernador del Estado de México y uno de los consentidos en el afecto presidencial; y, por supuesto, el joven secretario de Programación y Presupuesto, Carlos Salinas de Gortari, distanciado generacionalmente de Miguel de la Madrid, pero cercano en la aplicación de las medidas económicas de corte monetarista.

Como secretario particular, Gamboa Patrón benefició el ascenso del propio "grupo compacto" del titular de la SPP. A este grupo pertenecieron Manuel Camacho Solís, Pedro Aspe Armella, Ernesto Zedillo, José Córdoba Montoya, Luis Donaldo Colosio y Jaime Serra Puche.

A lo largo del sexenio de la "renovación moral", Gamboa Patrón utilizó su influencia para eliminar del camino a posibles competidores de Salinas de Gortari, como el joven ex gobernador mexiquense Alfredo del Mazo, el ex secretario de Hacienda, Jesús Silva Herzog y Manuel Bartlett, ex secretario de Gobernación.

Su cercanía con Miguel de la Madrid fue acreditada por el propio ex presidente en sus memorias. El periodista Miguel Ángel Granados Chapa citó estas consideraciones de De la Madrid: "Emilio Gamboa desempeñó un papel crucial como transmisor de información. Es una persona que sabe suscitar la confianza de otros, por lo que puede obtener confidencias que siempre me comunicó. Mantuvo la confianza de sus interlocutores hasta el final, lo que demuestra que lo consideraban imparcial y discreto".[119]

Carlos Salinas de Gortari, en la entrevista que le concedió a Jorge G. Castañeda para el libro *La herencia*, describió así el grado de influencia de Gamboa Patrón: "era el termómetro del estado de ánimo de Los Pinos".

Ese "termómetro" fue esencial para que la sucesión beneficiara al titular de la SPP. Una anécdota referida por los miembros del gabinete de La Madrid retrata cómo operó Gamboa Patrón, el "imparcial y discreto" secretario particular, para acelerar el "destape". El hijo del presidente, Federico de la Madrid, muy cercano a Alfredo del Mazo, le preguntó al colaborador de su padre quién sería "el bueno". Mañosamente, Gamboa le dio una pista falsa. Le dijo que sería el procurador general de la República, Sergio García Ramírez.

Despistado, Del Mazo protagonizó el bochornoso episodio del "falso destape". Fue a felicitar a Sergio García Ramírez en su domicilio par-

[119] Miguel Ángel Granados Chapa, columna Plaza Pública, diario *Reforma*, 20 de septiembre de 2006.

ticular la mañana del 4 de octubre de 1987. La confusión duró toda la mañana, hasta que al mediodía Jorge de la Vega, presidente del PRI, destapó oficialmente a Salinas de Gortari.

En retribución a los favores, Gamboa Patrón ocupó durante el sexenio salinista las tres posiciones que había negociado con su aliado: director del Infonavit (1988-1990), director del Instituto Mexicano del Seguro Social (1990-1993) y secretario de Comunicaciones y Transportes (1993-1994).

Su capacidad para ser funcionario plurinominal fue de la mano con su habilidad para estar siempre presente en las principales intrigas palaciegas y en los procesos de sucesión presidencial. Gamboa Patrón apoyó la candidatura de Luis Donaldo Colosio (1994), pero tras el crimen político del sonorense no tuvo mayor problema para enrolarse en el equipo de Ernesto Zedillo. Su audaz cambio de estafeta motivó que Carlos Salinas de Gortari lo considerara un "traidor".

En el zedillismo, Gamboa Patrón fue director de la Lotería Nacional (1994-1995), director de Fonatur (1996-1998), subsecretario de Comunicación de la Secretaría de Gobernación (1998-2000) y por tercer sexenio consecutivo le apostó a ser el consejero más importante del candidato presidencial del PRI: Francisco Labastida Ochoa (2000). Coordinó su campaña presidencial, marginando a la dirigencia del partido, encabezada entonces por su contemporánea y paisana, Dulce María Sauri, ex gobernadora de Yucatán.

La derrota del PRI en las elecciones presidenciales del 2000 no descobijó a Gamboa Patrón, a diferencia de muchos otros priistas. Durante seis años estuvo en el Senado de la República, como el vicecoordinador y operador de la frustrada candidatura presidencial priista de Enrique Jackson. Gracias a su apoyo a la Ley Televisa y a su inocultable favoritismo con los concesionarios de radio y televisión, Gamboa Patrón logró colarse en la campaña de Roberto Madrazo (2006), garantizando su permanencia como candidato a diputado plurinominal por Yucatán.

Con el calderonismo, Gamboa Patrón comparte con su viejo amigo y compadre, Manlio Fabio Beltrones, la coordinación de las bancadas priistas en el Congreso y el papel de oposición "socialmente útil" al proyecto económico del PAN.

Sin ser economista o abogado ni tener grandes dotes intelectuales, Emilio Gamboa Patrón ha logrado convertirse en pieza clave de las camarillas que transformaron el modelo económico mexicano, al tiempo que mantuvieron las reglas no escritas de la impunidad como manto protector de lo que aún denominan como "el Sistema".

Transexenal su trayectoria, metapartidista su poder, Gamboa Patrón ha logrado la hazaña de casi tres décadas de permanencia ininterrumpida haciendo suya la máxima de Carlos Hank González, el político al que él ha afirmado que más admira: "un político pobre es un pobre político".

La ostentación de recursos públicos y de contratos polémicos han sido las constantes en los diversos cargos que ha desempeñado. Por supuesto, el dinero que le sirve para operar tan hábilmente siempre proviene del erario y no de su fortuna personal.

En la entrevista con el blog *Galería de triunfadores*, en octubre de 2007, Gamboa Patrón definió así sus cualidades: "Soy una persona de resultados. Así me considero. Estoy desde 1981 en los primeros niveles de la política de mi país. En política se hacen adversarios, no digo enemigos, yo no los tengo, no los considero... Lo más importante en política es ser eficaz y eficiente con un instrumento fundamental: la lealtad a mis jefes, a mi partido y a mis principios".

Esa lealtad ha sido puesta en duda no pocas veces. Su ex jefe y aliado, Carlos Salinas de Gortari, lo acusó de traidor en el capítulo doce de sus memorias *México, un paso difícil hacia la modernidad*. En una nota al pie de página, el ex presidente le pasa la factura a Gamboa por su alianza con Ernesto Zedillo: "Quienes traicionan a un amigo, no merecen otras palabras que las expresadas por el ex presidente de España, Felipe González, a propósito de la traición que él mismo padeció: 'la pasión por subirse sobre el que ha caído para parecer más alto está muy extendida. Los que se suben suelen ser los que limpiaban con la lengua los zapatos del caído'".[120] Ese sería el caso de la traición que padecieron, entre otros, Jaime Serra y José Córdoba, dos amigos íntimos de Zedillo. En mi caso, algunos amigos no se comportaron correctamente, entre otros, Manuel Camacho y Emilio Gamboa".[121]

Catorce años después del distanciamiento público y ocho después de que Salinas publicara su voluminoso libro, Gamboa Patrón y el ex presidente se encontraron públicamente el 28 de junio de 2008 en la boda de la hija de Manlio Fabio Beltrones, el coordinador de los senadores del PRI, aspirante a la Presidencia de la República y amigo de ambos.

Crónicas periodísticas como las de Joaquín López Dóriga, publicada en *Milenio Diario* el 3 de julio, refieren que Gamboa y Salinas estuvieron

[120] Diario *El País*, 24 de noviembre de 1999.
[121] Carlos Salinas de Gortari. *México, un paso difícil hacia la modernidad*. México, Plaza y Janés, 2008. p. 1266.

juntos hasta el amanecer y no se separaron hasta llegar a la Fuente de Petróleos, quizá alguna metáfora no explícita de que la reconciliación más bien es una alianza forzada por la reforma energética del calderonismo.

En la página 880 de su libro autojustificatorio, Salinas de Gortari revela otro elemento de su presunto distanciamiento con Gamboa Patrón. En medio del luto por el asesinato de Luis Donaldo Colosio, el ex presidente Luis Echeverría Álvarez, la antítesis del salinismo en el interior de las camarillas priistas, se presentó en el salón Morelos de Los Pinos. Así rememora Salinas el encuentro con Echeverría: "Me expresó su pena. Sin esperar más, me propuso que el relevo de Colosio fuera, según sus palabras, 'alguien que no hubiera tenido que ver nada'. Se manifestó a favor de mi colaborador Emilio Gamboa, secretario de Comunicaciones y Transportes. Me sorprendió mucho su propuesta, en medio del luto".[122]

"¿Usted cree, como Hank González, que 'un político pobre es un pobre político'?" le preguntó José Martínez Bolio en el blog *Galería de triunfadores*. Magnánimo y sencillo, Gamboa Patrón respondió: "La política me ha dado la posibilidad de vivir bien, pero nunca en los treinta y cinco años de funcionario público he hecho un negocio, ni tengo socios, pero se me acredita que era dueño de Televisa, de TV Azteca y de Multivisión, también que el World Trade Center, el edificio, era mío. Ojalá tuviera una oficinita y ojalá tuviera el cero punto por ciento de las empresas donde se me ha mencionado".

Habilidoso, Gamboa Patrón evade hablar sobre la principal acusación que acompaña su carrera política: el constante intercambio de favores y posiciones llevado a cabo en la opacidad. No se le acusa de ser propietario sino de ser el intermediario del dinero y el poder político. Un *broker* transexenal.

Ruta de escándalos

Durante el sexenio de Ernesto Zedillo, en mayo de 1995, la figura de Emilio Gamboa Patrón se vio envuelta en el mayor escándalo que hasta ese momento vinculara públicamente su figura. Se trata del denominado *Affaire Bodenstedt*. El 14 de mayo de 1995, el suplemento "Enfoque" del periódico *Reforma* publicó una serie de llamadas entre el ex poderoso jefe de la oficina de la Presidencia, José Córdoba Montoya y

[122] Ibid., p. 880.

Marcela Bodenstedt, ex locutora de Televisa y ex agente de la Policía Judicial Federal.

La pista de Bodenstedt condujo pronto a la de Emilio Gamboa Patrón. Según la denuncia de Eduardo Valle, ex asesor del procurador Jorge Carpizo, tanto Bodenstedt como su pareja sentimental, el ex policía Marcelino Guerrero Cano, trabajaban como presuntos lavadores del capo del Cártel del Golfo, Juan García Ábrego. Marcelino Guerrero fue vinculado también con Jorge Hank Rohn, entonces dueño del hipódromo de Agua Caliente en Tijuana.[123]

La revista *Proceso* reprodujo una carta de Valle dirigida a Salinas de Gortari en la que señala que Gamboa Patrón, como titular de Comunicaciones y Transportes, sostuvo un encuentro el 8 de noviembre de 1993 con Marcela Rosaura Bodenstedt Perlick.

"No sé lo tratado y acordado", escribió Valle, conocido como "el Búho". "Además, me enteré mucho después, cuando preparaba un cateo a una de las casas de Marcela en las calles de Tajín. En esa misma calle habíamos cateado la casa del Charro Blanco, para conocer reacciones. Lo cierto es que Marcela había presionado a su amigo (y quizá socio) Arturo Morales Portas —oficial mayor de la SCT— para conseguir la entrevista (con Gamboa). La SCT es una pieza estratégica y esencial, lo sabe usted mejor que nadie, para la seguridad del Estado. Tan lo sabe, ciudadano presidente, que ha colocado a su hombre de más confianza por muchos años en esa posición. Controla carreteras, puertos, aviones, telecomunicaciones, telefonía celular, espacios aéreos, radares, pilotos, compañías de trasporte (de carga o de personas). Y a la Policía Federal de Caminos y Puertos".

La periodista Dianne Solís publicó en *The Wall Street Journal* que tanto Eduardo Valle como la DEA coincidieron en vincular a Bodenstedt con García Ábrego y con Gamboa Patrón. Al detonarse el escándalo, Gamboa Patrón reconoció que conoció a Bodenstedt, pero que sólo sostuvo un encuentro con ella para "comprarle unas pinturas".

Para Eduardo Valle, "lo de menos que debió hacer la PGR con esta relación sospechosa de Marcela Bodenstedt y Emilio Gamboa Patrón era esclarecer cómo una supuesta vendedora de cuadros pudo tener acceso al secretario. ¿O cualquiera puede llamar a un secretario de Estado para venderle algo? Que no se burlen del sentido común".[124]

---

[123] Revista *Proceso*, Núm. 937.
[124] Idem.

El periodista Raymundo Rivapalacio reveló que Emilio Gamboa presentó a Marcela, a principios del sexenio, a José Córdoba Montoya, el poderoso jefe de la Oficina de la Presidencia, y con quien sostuvo un presunto romance.[125]

De este escándalo, Gamboa se salvó con explicaciones y contradicciones muy similares a las que reprodujo once años después, tras conocerse una conversación telefónica con Kamel Nacif.

No pocos analistas especularon que se trataba de un ajuste de cuentas entre Carlos Salinas de Gortari y su sucesor, Ernesto Zedillo y, de paso, con el propio ex secretario de Comunicaciones y Transportes que ya despachaba como titular de la Lotería Nacional.

En 1998, Gamboa Patrón volvió a los centros neurálgicos del poder, tras su paso por Fonatur y la Lotería Nacional. Francisco Labastida Ochoa, recién designado titular de Gobernación, lo nombró subsecretario de Comunicación, dada su añeja relación con los concesionarios de radio y televisión a quienes ha beneficiado y protegido invariablemente desde 1993 a la fecha.

El informe de Carla del Ponte

En octubre de 1998, el nombre de Emilio Gamboa Patrón volvió a aparecer en uno de los escándalos más sonados de la justicia internacional. En su informe presentado ante la prensa europea sobre "los nexos de Raúl Salinas de Gortari con el narcotráfico", la fiscal suiza Carla del Ponte, involucró al propio Emilio Gamboa Patrón junto con otros prominentes empresarios, políticos y militares en las actividades presuntamente vinculadas con delitos contra la salud.

El informe de Del Ponte se basaba en testimonios de narcotraficantes presos en Estados Unidos y de testigos protegidos. En específico, el nombre de Gamboa Patrón fue mencionado por un narcotraficante colombiano identificado como "el Brujo" y por otro de origen chileno, Jorge Pallomaris, presunto contacto de Amado Carillo Fuentes, jefe del Cártel de Juárez.

Este último relató reuniones en el rancho de Las Mendocinas, en 1990, y en Monterrey, donde estuvieron presentes varios integrantes del círculo político y empresarial del salinismo. En el expediente VI del

[125] Diario *Reforma*, 29 de agosto de 1994.

informe de Carla del Ponte, otra fuente, Enrique Torres, relató el siguiente encuentro en la capital neoleonesa: "Yo recuerdo una reunión en Monterrey, previamente convocada por Carlos Salinas para contribuir con dinero a la campaña presidencial. Juan García Ábrego (jefe del Cártel del Golfo) estuvo presente. Gilberto Rodríguez Orejuela estuvo presente. No recuerdo en este momento a toda la gente. Lorenzo Zambrano, Emilio Gamboa Patrón, Domiro García Reyes, José Córdoba Montoya, una persona con nombre Mancera que no creo que fuera traficante de drogas. También estaban presentes Raúl Salinas, Carlos Salinas y su padre".[126]

La publicación de partes del expediente de la fiscal suiza cimbró las estructuras políticas. El entonces vocero de la Secretaría de Gobernación mantuvo un silencio sepulcral. Del Ponte resolvió que estos expedientes justificaban la confiscación de 114 millones de dólares depositados por Raúl Salinas de Gortari en la banca suiza, por tener un presunto origen ilícito.

El 3 de julio de 2000, Raúl Salinas se defendió ante las investigaciones de la justicia suiza. Afirmó que Carla del Ponte se basó en declaraciones "fabricadas", de testigos protegidos y narcotraficantes. Un año después, el 22 de julio de 2001, el juez Raúl Perraudin, sucesor de Del Ponte, ratificó la acusación en contra de Salinas de Gortari y realizó varias diligencias en México. Uno de los citados a declarar ante Perraudin fue Emilio Gamboa Patrón, senador de la República. Nunca trascendió el contenido de estas declaraciones. La justicia suiza delegó en las autoridades ministeriales mexicanas la investigación sobre el presunto origen ilícito de esos recursos.

Raúl Salinas de Gortari cumplió su condena de diez años y fue exonerado de la autoría intelectual del crimen contra Ruiz Massieu, por las autoridades foxistas. El 10 de julio de 2008, doce años después de confiscados, Suiza decidió liberar 105 millones de dólares asegurados al hermano presidencial, pero 74 millones de dólares fueron devueltos a la Tesorería de la Federación y sólo el empresario Carlos Peralta Quintero, quien acreditó la propiedad de parte de esos fondos, recuperó poco más de 74 millones de dólares.

Los polémicos expedientes de Carla del Ponte y las declaraciones de los implicados no volvieron a aparecer en la prensa mexicana. Gamboa Patrón, como casi todos los implicados, mantienen un silencio sepulcral en torno a este escándalo.

[126] Diario *La Jornada*, 21 de octubre de 1998.

El Pemexgate

Emilio Gamboa Patrón fue el coordinador de la fallida campaña presidencial priista de Francisco Labastida Ochoa en el 2000. El triunfo de Vicente Fox estuvo acompañado de dos grandes escándalos de financiamiento irregular: el Pemexgate y las cuentas de los Amigos de Fox, red informal de simpatizantes del entonces candidato presidencial panista.

El Pemexgate apuntó a un quebranto de, por lo menos, 500 millones de pesos de recursos desviados de la paraestatal petrolera a la campaña de Labastida Ochoa. El nombre de Emilio Gamboa Patrón salió a relucir en las investigaciones.

Melitón Antonio Cazares, Alonso Veraza López y Andrés Heredia Jiménez, tres testigos protegidos, declararon ante la PGR que la triangulación de fondos del Pemexgate se instrumentó así: los recursos se recibieron en bolsas de plástico de la empresa Cometra a dos asociaciones civiles. Una de ellas, Impulso Democrático, era dirigida por el propio Emilio Gamboa Patrón, según consta en la escritura constitutiva 93641 que apareció en los expedientes del Instituto Federal Electoral. La otra asociación era Nuevo Impulso, dirigida por Guillermo Ruiz de Teresa, secretario privado de Labastida y responsable de Finanzas del CEN del PRI.

Las investigaciones acreditaron que tan sólo en junio de 2000, hubo transferencias por 500 millones de pesos a la campaña labastidista sin que se integraran a las cuentas del PRI, fiscalizadas por el IFE. Otro de los mecanismos para triangular los recursos fue a través de sorteos falsos como Milenio Millonario. Se imprimieron 25 mil boletos que nunca se vendieron y, según Veraza y Teódulo González, los fondos se enviaron a militantes priistas en varias entidades y se depositaron en bancos. Los fondos fueron a parar a las asociaciones civiles dirigidas por Gamboa Patrón y Ruiz de Teresa.

El ex coordinador de la campaña labastidista estuvo bien pertrechado por el fuero que le otorgó su condición de senador durante las investigaciones. El Pemexgate derivó en una millonaria multa del IFE al PRI que colocó al otrora "partidazo" en un déficit histórico.

El caso Fonatur

Otro expediente polémico volvió a vincular a Emilio Gamboa Patrón con manejo irregular de fondos públicos. En enero de 2001, la Secretaría de Contraloría y Desarrollo Administrativo (Secodam) lo investigó por el probable delito de daño patrimonial por 57 millones de pesos en perjuicio de la Secretaría de Gobernación, para beneficiar a Televisa, empresa con la que contrató la transmisión del Plan Nacional contra la Delincuencia, bajo la figura de "dación de pago", sin contar con la suficiencia presupuestal autorizada.

La Secodam, en ese momento encabezada por Francisco Barrio, indicó que el senador priista también había beneficiado a la empresa de la familia Azcárraga con el contrato de la transmisión de cobertura nacional de la sesión ordinaria del Congreso de la Unión, durante el informe presidencial de Ernesto Zedillo, el 1 de septiembre de 1998.

De nueva cuenta, Gamboa Patrón fue exonerado de toda responsabilidad. Funcionarios de menor rango como Jorge Cárdenas, ex oficial mayor de la Secretaría de Gobernación, y Alfonso Bretón Figueroa, fueron sancionados por la Contraloría que se quedó sin ningún "pez gordo" de los que prometió atrapar al inicio del "gobierno del cambio".

Gamboa Patrón aclaró que "sólo cumplió órdenes del entonces secretario Francisco Labastida Ochoa, quien le asignó la función de planear, negociar y ejecutar la transmisión de programas televisivos oficiales con la empresa Televisa", según la investigación del periodista Miguel Badillo.[127]

La Ley Televisa

En el 2006, Gamboa Patrón volvió a tener un papel estelar por partida doble: como promotor de la candidatura priista de Enrique Jackson, jefe de los senadores del tricolor, y como defensor de la polémica Ley Televisa, que se aprobó el 31 de marzo, en medio del más fuerte escándalo generado en la opinión pública nacional, por el sometimiento del Congreso a los intereses de las televisoras.

Gamboa Patrón no ocultó su proclividad a los intereses de Televisa. En una reunión a la que asistieron los sesenta senadores del PRI, en vísperas de la aprobación de la iniciativa proveniente de la Cámara de Diputados, Gamboa Patrón le dio "línea" al senador Gil Elorduy, quien le advirtió a sus correligionarios: "sólo el que quiera que pierda Roberto Madrazo puede estar en contra de esta ley". En abril, Gil Elorduy fue impulsado por Gamboa Patrón, en alianza con Televisa, para inte-

---

[127] Diario El Universal, 11 de marzo de 2002.

grar la Comisión Federal de Telecomunicaciones, a pesar de su nula experiencia en la materia.[128]

El equipo de Roberto Madrazo, al igual que el de Felipe Calderón, habían pactado el apoyo de Televisa mediante anuncios televisivos y cobertura para su campaña, a cambio de que el PRI y el PAN respaldaran la iniciativa en el Congreso. Gamboa Patrón había cambiado una vez más de bando: de su apoyo inicial hacia Jackson se transformó en un "operador político" esencial para Madrazo y en elemento clave para convencer a los senadores panistas y vencer el bloque opositor a la ley, encabezado por Javier Corral. Para ello contó con los buenos oficios del coordinador de la fracción, Héctor Larios, coordinador ahora de los diputados del PAN, de Diego Fernández de Cevallos y de Jorge Zermeño Infante, el efímero presidente de la Cámara de Diputados en esta legislatura.

Todavía en junio de 2007, cuando la Suprema Corte de Justicia debía resolver la acción de anticonstitucionalidad interpuesta por 41 senadores que se opusieron a la Ley Televisa, Gamboa Patrón se presentó ante varios ministros para cabildear y explicar "la importancia de la convergencia" y del desarrollo tecnológico.

Cabildero en la Corte

En noviembre de 2007, los ministros de la Suprema Corte debían resolver la violación grave de garantías contra la periodista Lydia Cacho y la responsabilidad del gobernador poblano, Mario Marín, en la detención arbitraria de la autora de *Los demonios del Edén*.

Emilio Gamboa Patrón tenía un interés especial para que los ministros no abrieran la caja de Pandora. Las grabaciones que lo vinculaban con Kamel Nacif y su relación con Alejandro Góngora Vera, protector de Succar Kuri, eran, por lo menos, dos poderosas razones para que el coordinador de los diputados priistas hiciera valer su influencia con los ministros de la Corte.

Testigos del máximo tribunal señalan que Gamboa Patrón no fue el único que se reunió con varios de los integrantes de la Sala Superior. También su colega y homólogo en el Senado, Manlio Fabio Beltrones, sostuvo encuentros con los ministros.

[128] Revista *Proceso*, Núm. 1559, 17 de septiembre de 2006.

El cabildeo rindió resultados. El 30 de noviembre de 2007, por una votación cerrada de seis votos contra cuatro, el pleno de la Suprema Corte decidió que no existían evidencias contundentes para acreditar la responsabilidad de Mario Marín en la detención irregular de Lydia Cacho. La mayoría de los ministros, contra lo estipulado en el proyecto de resolución de Juan Silva Meza, consideró que no hubo violación grave de las garantías individuales de la periodista, a pesar de que, según la propia ministra Olga Sánchez Cordero, la autora de *Los demonios del Edén* sufrió "tortura psicológica".

El cambio de posición de la ministra Sánchez Cordero fue clave para constituir la mayoría de seis votos en un pleno de diez ministros. Junto con ella votaron Salvador Aguirre, Mariano Azuela, Margarita Luna Ramos, Sergio Valls y el presidente de la Corte, Guillermo Ortiz Mayagoitia. Los cuatro ministros que quedaron en minoría fueron Genaro Góngora, José Ramón Cosío, José de Jesús Gudiño y el propio Juan Silva Meza. A diferencia del caso de la Ley Televisa, el cabildeo de Gamboa Patrón prosperó ante varios integrantes de la Suprema Corte.

El Broker

¿Cuál ha sido el secreto de la permanencia y de la condición de intocable, incombustible y hasta impecable que Emilio Gamboa Patrón ha mantenido en los círculos políticos, a pesar de la serie de escándalos que lo vinculan en expedientes poco claros?

Conocedores del estilo de Gamboa Patrón y adversarios políticos de éste en momentos distintos de su trayectoria política, Porfirio Muñoz Ledo y Manuel Bartlett coinciden en caracterizar al actual coordinador de los diputados del PRI como un *broker* político.

"El no es un operador político. Es un gran corruptor. Es un broker, un negociante", afirma Bartlett, quien sostuvo una relación difícil y tirante con Gamboa Patrón, primero en el gabinete de Miguel de la Madrid, posteriormente durante los últimos años que coincidieron en el Senado.

"Durante cuatro años, Enrique Jackson y Emilio Gamboa me hostigaron porque quisieron avanzar en la privatización del sector energético, pero no pudieron, porque había un frente en el interior de la fracción del PRI" —recuerda Bartlett—. Sin embargo —puntualiza—, durante la Ley Televisa rompieron ese frente y lograron la mayoría".

El secreto de la "operación política" de Gamboa no es muy difícil de entender: prometió dinero, viajes y candidaturas políticas, al tiempo que lanzó amenazas veladas o abiertas. La mayoría de los once senadores del PRI que se opusieron a la Ley Televisa, fueron "congelados" políticamente. Y Gamboa Patrón obtuvo la coordinación de los diputados del tricolor.

Por su parte, Porfirio Muñoz Ledo, actual coordinador del Frente Amplio Progresista y ex dirigente nacional del PRI en tiempos del echeverrismo, describió así la forma de operar de Gamboa Patrón: "La *gamboización* es lavarle el cerebro a un jefe todos los días para manejar la agenda política de los intereses".

Un buen *broker* político es un intermediario entre diferentes grupos y camarillas. En este sentido, Gamboa Patrón jugó un papel importante para que a fines de los años ochenta el grupo de Carlos Salinas se aliara con la camarilla política más poderosa en ese momento: la del Grupo Atlacomulco, encabezada por Carlos Hank González, ex gobernador del Estado de México, ex regente de la ciudad de México, y titular de la Secretaría de Turismo y de la Secretaría de Agricultura y Recursos Hidráulicos durante el sexenio de Carlos Salinas.

Ideológicamente, nunca se ha contrapuesto a la línea dominante neoliberal de los gobiernos a los que ha servido. En sus tres posiciones durante el salinismo, Gamboa fue uno de los operadores privilegiados de las privatizaciones. En el Seguro Social privatizó prácticamente todo lo que pudo: desde los servicios de limpieza hasta la recolección de basura, sin excluir el manejo de pensiones y jubilaciones y las millonarias adquisiciones de medicamentos en beneficio de empresas cercanas a su entorno.

Como titular de la SCT, Gamboa emprendió la gran operación de privatización de carreteras, que dejó una estela de obras mal construidas y no pocos despilfarros, como ocurrió en el caso de la Autopista del Sol México-Acapulco, que inauguró el propio Carlos Salinas.

En octubre de 1994, al final del sexenio, Gamboa otorgó de manera discrecional 83 concesiones de Frecuencia Modulada a los principales grupos radiofónicos del país que operaban en Amplitud Modulada. Fueron las famosas "combos" que ahora pretende entregar el senador Manlio Fabio Beltrones a través de una reforma jurídica a la Ley Federal de Radio y Televisión.

Además, Gamboa le entregó 62 concesiones a Televisa que le permitieron tener su segunda red nacional con el canal 9, mediante la incursión en 28 entidades. Favoreció la venta de Televisión Azteca al empresario regiomontano Ricardo Salinas Pliego, quien carecía de experiencia en el sector y que había contado con un jugoso "préstamo" de veintinueve millones de dólares de Raúl Salinas de Gortari, el hermano del presidente quien fungió también como *broker* durante el sexenio.

En declaraciones a Andrea Merlos, Gamboa Patrón explica así su mítica relación con el poder mediático: "Yo no encuentro alguien que quiera ser político sin ser amigo de los medios, pero no soy dueño de ningún medio, no tengo ninguna acción".[129]

Por supuesto, las ambiciones políticas de Gamboa Patrón se orientaron hacia la silla presidencial. Durante el sexenio de Miguel de la Madrid, aspiró a ser gobernador de Yucatán, pero su condición de nativo de la ciudad de México, a pesar de ser hijo de yucatecos, motivó una fuerte resistencia del cacicazgo local encabezado por Víctor Cervera Pacheco, su rival regional más fuerte.

Los cerveristas promovieron entonces el mote de "el Chupón", con el que se conoce en Yucatán al ex secretario privado delamadridista. Durante más de una década el control de los cerveristas impidió que Gamboa Patrón aspirara a la gubernatura, pero no evitó que expandiera sus redes, sus negocios y su influencia en toda la Península, particularmente en Quintana Roo.

A finales del sexenio salinista, Gamboa Patrón aspiró a la candidatura del PRI, a sabiendas de que estaba en desventaja frente a los tres precandidatos más importantes: Luis Donaldo Colosio, Pedro Aspe y Manuel Camacho. A lo largo del sexenio, consolidó una alianza con el poderoso jefe de la oficina presidencial, José Córdoba Montoya y con el propio Colosio. Gamboa Patrón formó parte del grupo de los "otros" aspirantes "de relleno": Emilio Lozoya Thalman, Ernesto Zedillo y Patrocinio González Garrido.

El periodista Óscar Hinojosa calificó a Gamboa Patrón como el "caballo negro": "La historia de Gamboa es una historia de dos sexenios, conectados como siameses. Secretario particular de Miguel de la Madrid a partir de 1979, se convirtió en un funcionario de gran poder. A diferencia de Rogelio de la Selva, secretario particular de Miguel Alemán hasta la muerte y de Humberto Romero Pérez, el segundo hombre en el gobierno de Adolfo López Mateos, el joven yucateco logró sobrevivir a su sexenio y figurar en el siguiente como aspirante a la presidencia. Es un récord en la historia política del México contemporáneo".[130]

---

[129] Diario *El Universal*, 30 de julio de 2006.
[130] Óscar Hinojosa. *La sucesión presidencial 94 en la recta final*. México, 1994, p. 142.

La hazaña de Gamboa Patrón, recuerda Óscar Hinojosa, no se debió a su talento como cor. ocedor o especialista de algún área del gobierno sino a sus artes palaciegas.

Él mismo articuló su pequeño grupo, dentro del gabinete salinista, para extender su influencia. Uno de los apoyos más importantes fue el de Manlio Fabio Beltrones, viejo conocido de Gamboa, segundo hombre en la red de Fernando Gutiérrez Barrios, el legendario "policía político" que estuvo al frente de la Secretaría de Gobernación durante la primera mitad del sexenio salinista. Beltrones llegó a la gubernatura de Sonora y jugó un papel clave en la detención de Mario Aburto, el asesino de Luis Donaldo Colosio en Lomas Taurinas.

La alianza Gamboa-Beltrones se ha mantenido, con altibajos, desde el final de la era salinista. Ambos se han convertido en los políticos priistas con mayor poder en el sexenio de Felipe Calderón, a partir de su posición como "factores-bisagra" y del control que ejercen sobre sus bancadas en la Cámara de Diputados y en el Senado, respectivamente.

La derrota del 2000 del PRI no dejó descobijados a ninguno de los dos. Gamboa Patrón tuvo otra intervención estelar, en vísperas de las elecciones de aquel año, como *broker* entre la campaña presidencial de Francisco Labastida y las televisoras.

Francisco de Paula León, hombre cercano a Vicente Fox durante la campaña y amigo de Delfín Sánchez Juárez, padrastro de Emilio Azcárraga Jean, relata en su libro *Los hilos secretos de las élites* un episodio nunca desmentido por Gamboa Patrón. En vísperas de las elecciones, el coordinador de la campaña de Labastida presionó para que las televisoras difundieran el triunfo del candidato del PRI, sin importar los resultados.

"La presión que provenía del PRI —rememora De Paula— se concentraba en la idea de transmitir en cadena nacional el 2 de julio, a las 15 horas —sin importar los resultados reales— el triunfo del candidato del PRI a la presidencia. Videos, satélites, *trasnponders* y toda una parafernalia tecnológica se preparaban febrilmente para confrontar y contradecir el anuncio del IFE, que informaría que Fox había ganado las elecciones: la idea era levantar en los medios a los priistas, defender los derechos políticos adquiridos en setenta años de gobierno. La tesis era que, en medio de aquella confusión inesperada, el camino por tomar de las autoridades sería, en el peor de los casos, la invalidación política de la jornada. El tiempo ganado, asumían, podría dar al PRI una ventaja estratégica para pertrecharse y jugar así una segunda vuelta.

"Esa tarde, en mi casa, sin saber todavía qué hacer, sonó el teléfono y era Javier Moreno Valle (dueño de canal 40). Me citaba urgente en su casa para comentarme un incidente importante.

"Javier, coincidiendo con la información de Sánchez Juárez, me dijo (por segunda vez en un día) que Emilio Gamboa, coordinador de la campaña del PRI, esa mañana le solicitó unirse a ese montaje mediático, programado para anunciar que el candidato del PRI había ganado las elecciones. Javier me dijo, muy preocupado, que al otro día desayunaría con Gamboa para ofrecerle una reacción a su propuesta. La encrucijada era aceptar o negarse a participar, sin dejar de temer las consecuencias.

"Mi reacción fue decirle a Javier que lo dicho por él coincidía con la información que recibí de Sánchez Juárez y le sugerí convencer por la vía legal a Emilio Gamboa, arguyendo las graves consecuencias que su partido y las instituciones políticas de México podrían tener derivadas de una acción de esa naturaleza…

"—Dile, Javier —le comenté, reflexionando—, que el propio presidente está ya psicológicamente preparado para aceptar la eventual derrota de su partido y no convendría crear en el país un clima pos-electoral de confrontaciones. Esa noche decidí hablar directamente con el secretario particular del presidente (Liébano Sáenz)".

Francisco De Paula relata que la gestión de Liébano Sáenz fue clave también para comunicar a Ernesto Zedillo con Emilio Azcárraga Jean y señalarle que ignorara cualquier presión política, aun si ésta emanaba de las altas esferas de su partido.

"'Tu padre —me afirmó que le dijo el presidente— me encargó, antes de morir, que te ayudara en estas circunstancias. Mi compromiso es primordialmente con el estado de derecho'. Me aseguró también que el presidente habló con Emilio Gamboa para comunicarle su postura intransigente acerca del asunto".[131]

El estilo personal

Incontables anécdotas han confirmado a lo largo de su dilatada trayectoria la capacidad de seducción y de presión que Gamboa Patrón, como buen *broker* político, utiliza simultáneamente para conseguir sus objetivos.

[131] Francisco de Paula León. *Los hilos secretos de las élites*. Random House, pp. 107-109.

Las historias llegan hasta el mundo de la farándula. A finales del sexenio de Miguel de la Madrid, conocedor del mito de secretario particular clave, Gamboa Patrón le pidió un favor especial a la cantante Lola Beltrán, la gloriosa intérprete de José Alfredo Jiménez, Tomás Méndez y Cuco Sánchez, entre otros clásicos de la música ranchera: que le grabara una canción de la autoría de su madre, doña Cuquita Patrón.

"Mira Lola, si me grabas esta canción, te ayudo en este asunto", recordó Beltrán que le dijo Gamboa Patrón. No fue fácil convencerla. Gamboa Patrón la cortejó, la aduló. Finalmente Lola Beltrán grabó la canción en 1987. La cantante nunca más volvió a tener problemas con la Secretaría de Hacienda, confirman quienes vivieron de cerca este episodio.

El arte también le ha interesado, no sólo para entrar en contacto con mujeres bellas como Marcela Bodenstedt. Cuando estalló el conflicto entre el pintor Rufino Tamayo y Emilio Azcárraga Milmo, el Tigre, por el control del museo del artista oaxaqueño, Gamboa Patrón vio la oportunidad de que el dueño de Televisa le donara una hermosa obra de Tamayo.

Al enterarse de este intercambio, Tamayo se quejó en un encuentro privado con el presidente Miguel de la Madrid. Le pidió que su secretario devolviera el cuadro a la colección del museo, en litigio con Televisa. Veloz como un *correcaminos*, antes de que De la Madrid le reclamara, Gamboa Patrón le mostró una carta, firmada por Azcárraga Milmo, en la que el Tigre restituía al acervo del museo la pintura "donada" a su secretario particular.

"Creo que no asusto a nadie. El problema es que he estado dieciocho años en la cúspide del poder. Conozco por dentro y por fuera las entrañas de Los Pinos, de Palacio Nacional, de la Secretaría de Gobernación. Conozco perfectamente los factores del poder del país, a los personajes más importantes del país", ha dicho Gamboa Patrón para justificar su eficacia.

En una entrevista con Ciro Gómez Leyva, Gamboa se autohalagó y describió una fascinación muy particular por la cultura del poder:

"Abrí la puerta del presidente de la República durante seis años, jugué la sucesión con Luis Donaldo Colosio. Me convertí en un *issue* porque después de ser secretario particular esa figura se desvanecía".

En realidad, no ha dejado de ser un *issue*, una versión mexicana de Fouché, el habilidoso e intrigante consejero de Napoleón Bonaparte, pero tampoco ha ocultado su gusto por la buena vida, típica en los *brokers*, capaces de introducirse en las élites más cerradas.

Quienes lo conocen en privado, relatan que es el único personaje que se atreve a presumir ante sus invitados que todos los vinos de su cava particular han sido regalos. "Nunca he tenido que comprar una sola botella", se jacta Gamboa Patrón, quien aprendió el arte de impresionar a partir de estos gestos privilegiados.

Aficionado al tenis, Gamboa Patrón suele practicarlo con sus allegados en el Deportivo Chapultepec, cada fin de semana que le permiten sus ocupaciones como coordinador de la bancada del PRI en San Lázaro. Llega a apostar hasta 12 mil dólares por partido y pobre de aquel que se "deje vencer" ante el poco habilidoso toque de raqueta del yucateco.

Cuando sus paisanos lo cuestionan por su origen y su trayectoria, Gamboa Patrón niega tajantemente pertenecer a la élite peninsular.

"No soy rico. La política me ha dado para vivir dignamente... No soy de la casta divina. Me llevo bien con los de arriba, pero tengo posibilidades de comunicarme, llevarme y ayudar a los de abajo", declaró en una entrevista laudatoria para el portal yucateco *Galería de Triunfadores*.

Emilio Gamboa Patrón se considera un triunfador nato de la política. No niega haber aspirado a ser gobernador de Yucatán ni tampoco haber acariciado la nominación priista a la Presidencia de la República, pero el verdadero juego en donde demuestra su maestría es en los procesos de sucesión presidencial. Ha sido protagonista clave en cuatro desde 1982 hasta 2006 y busca colocar sus piezas para el 2012.

Su último logro fue instalar a su ex jefe de asesores en el Senado, Francisco Javier Guerrero, como uno de los tres consejeros del Instituto Federal Electoral elegidos en junio de 2008. Esta posición la pactó con su homólogo Manlio Fabio Beltrones, quien le dejó este espacio a Gamboa Patrón ante la imposibilidad de levantar el veto partidista y mediático contra Jorge Alcocer, artífice de la reciente reforma electoral.

En enero de 2008, Gamboa Patrón prometió que "este año habrá reforma energética". Beltrones y Gamboa se aseguraron de ser los factores decisivos en una política petrolera que se le salió del control al presidente panista Felipe Calderón. Cumplieron.

También advierte que el proceso electoral de 2009 será clave para garantizar el ascenso del PRI como segunda fuerza legislativa. Trabaja para las próximas candidaturas y para su propio futuro.

Para mantenerse en el candelero, cuenta con el apoyo de su principal respaldo: el poder mediático. A menos que una grabación incómoda, vuelva a ordenarle *dale pa' tras papá*.

JENARO VILLAMIL es periodista y analista de medios, trabaja en la revista *Proceso*. Es egresado de la facultad de Ciencias Políticas y Sociales de la UNAM y profesor en el posgrado de periodismo de la Escuela Carlos Septién. Ha laborado en los periódicos *El Financiero* y *La Jornada*. Colabora en diversas revistas especializadas en medios de comunicación como *Zócalo*, *Revista Mexicana de la Comunicación* y ha participado en distintos foros académicos sobre el tema. Colaboró con Carlos Monsiváis en *Por mi madre bohemios*. Es autor de los libros *Ruptura en la cúpula*, *El poder del rating y la televisión que nos gobierna*. Coautor de *La guerra sucia del 2006* y de *Los amos de México* (Planeta, 2007).

Marta Sahagún & hijos
Los Beverly de Guanajuato

RITA VARELA

Esta historia tiene más de diez años de hilarse... Como guión cinematográfico comenzó como una idea que se anidó primero en la cabeza de pocos periodistas y luego de ciertos políticos, quienes previeron y, sobre todo, se atrevieron a confesar públicamente que esa noción podía convertirse en algo real. Pese a los diferentes ángulos que surgen de la personalidad del protagonista y de las miles de páginas acumuladas para analizarla, esta narración tiene un hilo conductor que es también relevante: es una palabra que, en el *argot* de los guionistas, engarza la estructura de la historia. Es la que le da razón de ser y con la que el personaje más importante de ésta cobra vida y abandona su carácter ficticio. Se llama ambición.

La protagonista de éste, que bien puede calificarse como un *thriller* (hay intriga, acción, héroes dispuestos al sacrificio y, por supuesto, villanos poderosos y muy influyentes) es, además, una mujer. Esta circunstancia agrega originalidad a la historia, pues no se refiere al clásico "tipo duro", sino a un ama de casa frágil, profundamente religiosa, incluso maltratada física y psicológicamente, quien paulatinamente — y con mayor énfasis durante un sexenio— se transformó en la persona más poderosa de un país anárquico como México.

Los coestelares son un marido con poco espíritu y sin don de mando —ni más ni menos que el Presidente de ese país donde reina la opacidad y quien, por cierto, da pie a todos los abusos familiares y, ¿por qué no?, hasta los de quienes no lo son—; tres hijos varones, con conflictos personales dignos de alcanzar su propio protagónico; un ex marido rudo y con tremenda bocaza; no pocos cómplices de la ama de casa, que son, encima, funcionarios de Estado —por cierto, la mayoría de altísimo rango—, y un puñado de valientes que se arriesga a combatir el mal y que, contra todos los obstáculos que el aparato de gobierno le pone en el camino, reúne pruebas que evidencian la red de complicidades y abusos del personaje central, sus hijos y, por supuesto, la torpeza de su marido.

La saga, sin embargo, está aún lejos de agotarse. Hasta ahora, los villanos llevan varios capítulos ganando la batalla, pero los justicieros los tienen cercados y 2009 podría ser el año en que esta red interminable de complicidades empiece a soltarse. Se han jalado ya muchas cuerdas y, pese a la impunidad que reina en el país del oportunismo —que no de las oportunidades—, se acerca el momento en que los personajes que han sido intocables por una década, dejen de serlo.

Los anglosajones usan el verbo *thrill* como sinónimo de estremecer y también de emocionar pero, sobre todo, de asustar. Y sí, es por eso que esta historia podría ser calificada de *thriller*: le mete susto al más valiente.

SECUENCIA 1. DE LA VETERINARIA A LOS PINOS, ALGO MÁS QUE 260 KILÓMETROS

El 19 de noviembre de 2001 —apenas unos días antes de que cumpliera su primer año de ejercicio presidencial—, Vicente Fox Quesada fue entrevistado en París por la periodista Adela Micha. Ante millones de mexicanos, vía Televisa, el Jefe del Ejecutivo dibujó el perfil de quien debería ser su sucesor: "Mi preferencia es que ojalá fuera una mujer… Yo encuentro en las mujeres una visión de mediano y largo plazo muy sólida; veo en las mujeres amor, cariño y pasión por lo que hacen; veo en las mujeres una gran disciplina y profesionalismo para lograr lo que se proponen y tienen muchas virtudes, y me parece que sería muy sano el cambio en esa dirección".

Por supuesto, lo que los mexicanos realmente vieron fue el "destape" de Martha María Sahagún Jiménez, quien cuatro meses antes se había convertido oficialmente en la esposa del primer mandatario.

Las aguas se revolvieron como nunca en el país. Los políticos, particularmente los panistas, se pusieron en alerta: unos para desestimar esa opción e incluso batallar de frente contra la posibilidad, y otros para simplemente postrarse a los pies de la "primera dama".

A los periodistas nos tocó investigar, aún con mayor énfasis, quién era y de dónde provenía esa mujer de sonrisa fácil y de amabilidad excesiva que, a raíz de las declaraciones de su marido, lideraba desde ese momento tanto a los aspirantes panistas como a los de otros partidos hacia la candidatura presidencial de 2006.

A principios de 2003 mis editores en el semanario *Día Siete* me enviaron a perseguir sus pasos, primero en Zamora, Michoacán, y luego en Celaya, Guanajuato. Esa investigación —que compartí con el periodista Ignacio Alvarado y con el fotógrafo Julián Cardona— expuso, gracias a las revelaciones de sus conocidos, amigas cercanas, su ex marido e incluso uno de sus hermanos, que Martha María no era un PAN con miel. Una vida matrimonial dura —incluso violentada constantemente—, pero a la que afrontó apoyada en la religiosidad y autocontrol que emana, según sus amistades celayenses, de su aprendizaje en las filas de la congregación de los Legionarios de Cristo, la armaron para ganar sus batallas en su particular camino hacia el poder.

La entonces Martha María Sahagún Jiménez (quien aún escribía su primer nombre así con "h", como está inscrito en su Acta de Nacimiento, y no sin "h", como se firmó después de instalarse en Los Pinos) y su primer esposo, Manuel Bribiesca Godoy, llegaron a Celaya en 1971, luego de contraer nupcias en su natal Zamora y tras una breve estancia en Chilpancingo, Guerrero. Ella tenía entonces diecisiete años recién cumplidos y él veintidós.

Martha nació el 10 de abril de 1953. Fue la segunda de los seis hijos —Beatriz, Alberto, Guillermo, Sofía y Teresa— procreados por el médico Alberto Sahagún de la Parra y Ana Teresa Jiménez Vargas, quien se dedicó al hogar y a la atención de sus seis hijos hasta su fallecimiento, el 12 de marzo de 2001; cuatros años después, el 16 de junio de 2005, se produjo el deceso del padre.

Maestra de inglés, formada en la primaria y secundaria por las madres teresianas del Colegio América de Zamora —no terminó la preparatoria—; durante la década de los setenta, Martha dividía su vida entre sus hijos: Manuel, Jorge Alberto y Fernando, las comunidades eclesiásticas (llegó a ser tesorera de los Legionarios de Cristo en Guanajuato, como comentó su hermano, el doctor radiólogo Alberto Sahagún Jiménez),[132] y la empresa que manejaba junto a su esposo: Organización Farmacéutica Veterinaria S.A. de C.V. (Ofavesa), un centro de medicina y alimento para ganado y aves de corral que, a la postre, se convirtió también en su medio de enlace con la población rural de la región.

[132] Rita Varela. "El origen de la ambición", en revista *Día Siete,* núm. 133, p. 34.

Ofavesa, que por cierto el 3 de abril de 2008 fue motivo de un aseguramiento precautorio por parte de la Secretaría de Hacienda,[133] ocupa un edificio de tres pisos en el número 323 de la calle Madero, en el centro de esa ciudad. Con su fachada pintada a semejanza de una vaca pinta —lo que la dota de una conveniente identidad ranchera— fue también el centro de operaciones desde donde Martha Sahagún buscó ser alcaldesa de Celaya en 1994. Para entonces, ya se esbozaba el perfil de una mujer que aspiraba a metas aún más ambiciosas.

Y es que su historia en política comenzó nueve años antes de esa candidatura, en 1985, cuando esa ciudad despertó de un letargo político de décadas. Ricardo Suárez Inda obtuvo la candidatura del Partido Acción Nacional (PAN) a la alcaldía y se convirtió en la primera víctima de un supuesto fraude electoral en Guanajuato. Por primera vez, la clase privilegiada de la ciudad salió a la calle para congregarse en la Alameda (una plaza muy cercana a la ex casa familiar de Martha y Manuel, ubicada en las calles de Azcarateo y Chamizal en el fraccionamiento Alameda y que fue puesta en venta por la inmobiliaria Century 21 en 2003), para colgar ahí las boletas con los resultados electorales que daban el triunfo a su candidato.

Las autoridades electorales no cambiaron el veredicto que favoreció al Partido Revolucionario Institucional (PRI), lo que provocó que cientos de personas, hasta ese momento ajenas a la política, solicitaran su filiación al PAN. Entre esos nuevos miembros del blanquiazul estaba el matrimonio Bribiesca Sahagún.

Tres años más tarde, la experiencia del fraude electoral se repetiría. La campaña del panista Carlos Aranda, un empresario más joven que Suárez Inda, tuvo una mayor planeación, pero eso no bastó para derrotar al tricolor. Los reclamos y las manifestaciones incluyeron la participación de una Martha Sahagún de Bribiesca más activa, quien convocaba a reuniones en su casa a las que asistían personajes locales como María de la Salud Hinojosa de Gallego, "Saluca", tía del entonces

---

[133] El 3 de abril de 2008, la SHCP ordenó el aseguramiento precautorio de las cuentas de inversión, cajas de seguridad, fideicomisos, contratos, cheques y otras cuentas a nombre de Manuel Bribiesca Godoy, así como bienes y derechos de la empresa. La acción de embargo precautorio a Ofavesa se debió a que, tras una serie de requerimientos para que el médico veterinario cumpliera con su pago de impuestos, la empresa cerró sus actividades comerciales sin dar aviso a las autoridades, según notificaciones publicadas del Sistema de Administración Tributaria en Guanajuato.

diputado federal y ahora Presidente de la República, Felipe Calderón Hinojosa. Por supuesto, el incipiente político y aspirante a diputado Vicente Fox Quesada era un visitante asiduo al hogar de los Bribiesca Sahagún, como nos confió en una entrevista realizada en su despacho de Ofavesa el propio ex marido de Martha: "era un amigo de la casa", dijo.

Aquí vale tener presente que 1988 es trascendental para la historia del panismo guanajuatense —y, en especial, para la de Martha y Vicente—, pues fue entonces cuando emergió el liderazgo del carismático Manuel J. Clouthier, político sinaloense que manejaba un lenguaje novedoso, directo y popular que le atrajo muchas simpatías, particularmente de empresarios y profesionales que hasta entonces no se habían involucrado directamente en la política. Muchos ciudadanos se vieron atraídos por su invitación a involucrarse activamente en los asuntos políticos. En el caso de Fox, fue el motor para aceptar contender como candidato panista por el III Distrito para las elecciones federales de ese año, en las que ganó con 58.2 por ciento de los votos.[134]

Esas experiencias políticas fueron definitivas para la señora de Bribiesca, según confesó en entrevista María Guadalupe Suárez Ponce (por cierto, hija de Ricardo Suárez Inda y quien en 2003 era diputada local del PAN por Guanajuato; posteriormente fue diputada federal de la LIX Legislatura y ahora, desde el inicio del sexenio de Felipe Calderón Hinojosa, tiene el cargo de directora general adjunta de Apoyo a las Actividades de la esposa del Presidente, Margarita Zavala).

En la terraza de un café en la Alameda de Celaya, Lupita, como suelen llamarla sus amigos, recordó que en esas luchas tanto ella como Martha y Leticia Gamiño de Aranda diseñaron un programa para penetrar en las clases populares del municipio. La colonia que eligieron fue Monteblanco, un caserío levantado en el antiguo tiradero municipal donde el PAN nunca había obtenido un voto electoral. Para Suárez Ponce, Monteblanco fue especial para Martha: ahí aprendió el verdadero ejercicio de la política.[135]

En 1991, Carlos Aranda, quien entonces era presidente del Comité Municipal del PAN, volvió a postularse como candidato. Esta vez ganó e inició sus funciones como presidente municipal el 1 de enero de 1992. Su esposa, Leticia Gamiño, fue nombrada presidenta del DIF y de inmediato invitó a sus amigas a incorporarse al gobierno celayense:

---

[134] *Apuntes Legislativos*. Instituto de Investigaciones Legislativas del H. Congreso del estado de Guanajuato. Año 2, Núm. 14, p. 13.
[135] Rita Varela. "El origen de la ambición", en revista *Día Siete*, núm. 133, p. 34.

Guadalupe se convirtió en directora del organismo, mientras que Martha se ocupó del departamento de ayuda a grupos vulnerables.

Pero no habría de pasar mucho tiempo antes de que Juan Manuel Oliva Ramírez (quien entre 1991 y 1993 fue diputado local por el IV distrito de León, en la IV Legislatura del Congreso de Guanajuato, y coordinador de la fracción parlamentaria del PAN), le ofreciera la Secretaría de Promoción Política de la Mujer del partido blanquiazul en esa entidad.

El joven panista, quien antes de tomar la carrera política fue periodista profesional, tenía entonces treintaiún años y se convirtió en el primero de los padrinos políticos de la Sahagún.

Y, al tiempo, parece que aquel primer gran apoyo fue recompensado. Dos meses antes de que Vicente Fox y la primera dama abandonaran Los Pinos, Oliva Ramírez asumió como gobernador de Guanajuato para el periodo del 26 de septiembre de 2006 al 25 de septiembre de 2012.

Antes, el 28 de noviembre de 2005, el senador con licencia Oliva Ramírez había vencido arrolladoramente al ex secretario de Agricultura, Javier Usabiaga Arroyo —llamado el "Rey del Ajo"—, en la contienda interna del PAN para seleccionar a su candidato al gobierno de Guanajuato. La derrota del favorito de Fox se interpretó entre la prensa y los políticos como un ajuste de cuentas del panismo guanajuatense tradicional al Presidente, pues era más que evidente el apoyo que recibía del centro el "candidato oficial" y, además, como una victoria de la primera dama sobre su marido.

Y es que, aunque el propio Usabiaga afirmaba que no era impulsado desde Los Pinos, el 5 de septiembre de 2005, en una entrevista publicada por *La Jornada*, confirmó que Mercedes y Juan Pablo, hermanos del mandatario, se habían sumado a su equipo de campaña: la primera, como promotora del voto en su favor como parte del proceso interno en el blanquiazul y, el segundo, para promover su imagen entre los empresarios de la entidad. En tanto, Oliva Ramírez, quien es calificado de ser un panista "químicamente puro" y, además, ligado a los grupos religiosos más poderosos de la entidad, fue apoyado por los hijos de Marthita, a través de otros empresarios locales.

Por supuesto, la cercanía del actual gobernador de Guanajuato con la señora Sahagún y sus hijos está siendo vigilada con lupa desde 2007, pues ya existen señalamientos de presunto tráfico de influencias entre empresarios leoneses —Manuel Bribiesca hijo, entre ellos— y el actual mandatario estatal.

Ya con mayores tablas, Martha decidió ir por la Presidencia Municipal de Celaya en 1994. Dentro del PAN no tuvo objeciones, pero los celayenses no pensaban lo mismo. Leopoldo Almanza Mosqueda, el candidato del PRI, le ganó la batalla y con un margen indiscutible.

Esa derrota, dijo Manuel Bribiesca Godoy, "le dolió muchísimo", pero, salvo que él lo dice, los celayenses no lo notaron, pues Martha retomó su actividad con nuevos bríos. Lo que nadie sabía entonces era que, paradójicamente, ese descalabro electoral la habría de llevar directamente a quien, al final, le facilitaría consumar grandes victorias, a Vicente Fox Quesada.

Se habían conocido seis años atrás, cuando el empresario afincado en el Rancho San Cristóbal, en el municipio de San Francisco del Rincón, buscaba la diputación federal. Esa relación se fortaleció a partir de 1991, en el tiempo en que Fox contendió por primera vez por la gobernatura del estado y Manuel Bribiesca Godoy por una diputación, en elecciones donde ambos resultaron derrotados.

Por ello, no extrañó a las amigas celayenses de Martha que, en 1994, el candidato Vicente Fox la llamara para que fuera coordinadora regional de su segunda campaña por el gobierno de Guanajuato. Incluso, tampoco les asombró que su relación avanzara más allá de lo estrictamente profesional. "En realidad no fue una sorpresa, sino un procedimiento lógico —comentó Lupita Suárez—. Había una enorme simpatía entre ambos y luego, todos sabíamos que Martha no era feliz con Manuel; sus problemas maritales estaban en boca de todos".

El 26 de junio de 1995, Fox —quien sólo llevaba siete años de militar en el PAN— asumió el gobierno de esa entidad y nombró a Martha Sahagún de Bribiesca como jefa de prensa de su gabinete. Desde entonces ya no se separarían.

La vocera del gobernador Fox había cortado definitivamente con su esposo en 1998 y en 2000 quedaron legalmente divorciados. Su matrimonio religioso se anuló en diciembre de 2004 —en la cúspide de su poder como primera dama—, lo que levantó una enorme polémica, pues según la escritora Olga Wornat, la disolución fue veloz y metieron mano en el proceso el cardenal Norberto Rivera Carrera y el obispo Onésimo Cepeda. Todo esto, luego de que ella argumentara violencia doméstica en el expediente de nulidad matrimonial, que entregó el 21 de agosto de 2000 al vicario del Tribunal Eclesiástico Interdiocesano de México, doctor Gregorio Lobato Vargas.[136]

Vicente había conocido a su primera esposa, Lilián de la Concha, en

---

[136] Revista *Proceso*, núm. 1478, 27 de febrero de 2005.

la empresa Coca-Cola, a la que ingresó en noviembre de 1964 y en la que trabajó hasta 1979. Se casaron en 1972 y se divorciaron en 1999. Adoptaron cuatro niños: Ana Cristina, Vicente, Paulina y Rodrigo, provenientes de una casa-cuna de Monterrey. Aunque divorciados por las leyes civiles, durante años Fox y Lilián se refirieron a su vínculo religioso como indisoluble; sin embargo, el 11 de junio de 2007, el Tribunal Eclesiástico de la Rota, en el Vaticano, anuló también su matrimonio religioso.

La ex esposa de Fox charló con el periodista Gabriel Bauducco sobre los días de crisis matrimonial y la influencia definitiva de Martha en su ex marido: "siempre ha sido una mujer de objetivos claros", dijo, especialmente cuando se trata de Vicente. De esa entrevista, publicada originalmente en la revista *Chilango* de mayo de 2005, extraemos algunos párrafos que, luego, fueron replicados en el más reciente libro del autor:[137]

—En 1998, Manuel Bribiesca (ex esposo de Marta [*sic*] Sahagún) me habló por teléfono. Fue cuando Gorbachov le entregó un premio a Vicente en California. Ahí, él se dio cuenta de que Vicente y Marta estaban muy cerca. Él me habló para decirme que Marta le había dicho: "Lo siento mucho, contigo no pasaré de ser la esposa de un veterinario. Con Vicente Fox voy a ser la primera dama".

—Hay cosas con las que una mujer sueña toda la vida: Como el casamiento de sus hijos o el bautizo de su primer nieto, pero seguro, en tus sueños no estaba Marta Sahagún.

—Al principio me dolía mucho. Mucho. Me dolía que disfrutara de una casa que Vicente y yo construimos con mucho esfuerzo y de la que ahora ella se siente dueña sin serlo, porque es casa de mis hijos. Me dolió que no alcancé a sacar cosas de mi casa porque yo pensaba volver ahí.

—¿Quién te lo impidió?

—Pues Vicente ya estaba con Marta. Son cosas, recuerdos que ya desaparecieron, los quemaron. Pero bueno, eso me dolía antes. Ahora ya no. La ves todos los días en todas partes, no puedes estar haciéndote el harakiri cada vez que aparece Marta en la tele. La verdad es que pensé que Vicente iba a recapacitar, como yo recapacité con lo de Miguel Ángel (la relación que tuvo cuando estaba

---

[137] Gabriel Bauducco, "Lilián de la Concha. Vicente me mintió. Vicente me engañó", *Al desnudo*. México, Ediciones B, 2008, p. 329.

separada de Fox). Pensé que mi familia valía más que cualquier otra relación. Entonces, cuando en 1997 me di cuenta de que Vicente andaba con Marta, pensé que se iba a dar cuenta de que esas cosas pueden suceder, pero que iba a recapacitar.

—¿Eso fue un acto de soberbia de tu parte, creías ser mejor que Marta Sahagún?

—Bueno, creí que Vicente elegiría el concepto de familia que nosotros teníamos. Hizo declaraciones públicas, siendo gobernador, de que él estaba casado conmigo hasta que la muerte nos separara.

—¿Alguna vez sientes celos de Marta, por la cercanía con tus hijos, con tu nieto?

—No, porque obviamente mis hijos no la quieren. No me afecta.

—Hay un momento en tu historia que permanece oculto. Poco claro. Es aquel en el que cuando te separaste de Vicente Fox, dejaste a los hijos con él. ¿Por qué lo hiciste?

— No, no. Yo no los dejé con él. Eso quiero aclararlo. Y lo grito. Ahí sí, Vicente me mintió. Ahí sí, Vicente me engañó. Y yo le creí. Estábamos arreglando lo del divorcio. Y Vicente bajó el crucifijo que había sobre nuestra cama; me juró, me dijo: "Sota (por sotaca), te pido por favor que me firmes la custodia de los niños. Porque si tú te vas con ellos, los priistas me van a atacar diciendo que yo soy homosexual, porque los cuatro niños son adoptados". Bajó el crucifijo y me dijo: "Te juro por Dios que yo nunca te los voy a quitar". Y tontamente yo le creí. Cuando le dieron el papel del divorcio, llegó al departamento de León donde vivíamos mis hijos y yo, y le dijo a los niños: "Aquí está el papel donde su mamá ya firmó que los está abandonando". Y se los llevó.

Para 1997, el gobernador de Guanajuato había manifestado públicamente su interés por ocupar la Presidencia de la República. Para lograrlo realizó una intensa campaña mediática en la que su imagen de hombre de campo —siempre en jeans, botas y camisas a cuadros—, de ranchero pendenciero, sin miedo al sistema político dominado por el PRI, fue definitiva. Atrás y adelante de ese impulso estaba Marta.

El 14 de noviembre de 1999 fue elegido candidato presidencial en representación de la Alianza por el Cambio (PAN-PVEM), para las elecciones de 2000, las que ganó por amplio margen al candidato del PRI, Francisco Labastida Ochoa.

Se habían roto siete décadas de dominio priista y él —gracias a la mercadotecnia y publicidad de su campaña— estaba convertido en un líder de multitudes. En diciembre de 2000, según María de las Heras, registró un nivel de aprobación del 79 por ciento, que es un récord en México. Pero, paulatinamente, la confianza se fue minando. Primero, porque los mexicanos pusieron expectativas muy altas en el cambio que prometió en campaña y, segundo, por la mala conducción de las políticas públicas y sus nada afortunadas declaraciones.

Muy temprano, a las ocho de la mañana del 2 de julio de 2001 (día en que el entonces Presidente de México celebraba el primer año de su histórico triunfo electoral y en el que también cumplía 59 años) una radiante Martha María Sahagún Jiménez se casó con Vicente Fox Quesada, en una de las cabañas de Los Pinos. Las que el arquitecto Humberto Artigas remodeló a gusto de la todavía vocera presidencial, lo mismo que la residencia "Miguel Alemán" y que, por cierto, son producto de cuatro contratos nada claros que actualmente están en averiguación.[138]

El camino se allanó por completo. De ahí en adelante, la primera dama instaló un cogobierno con su marido que, como afirmó Sara Sefchovich, "sólo se había visto en México en tiempos de la emperatriz Carlota".[139]

SECUENCIA 2. ¡VAMOS MARTA!

Ya *empoderada* —término que ella misma puso de moda, pero que las feministas mexicanas utilizaron desde los setenta—, la señora Martha, como la llama Fox, dio inicio a un protagonismo que, conforme se ensanchaba, redujo al mínimo la presencia y autoridad del presidente en funciones.

El 24 de septiembre de 2001 creó la Fundación Vamos México como una asociación civil y filantrópica, pero que en realidad funcionó en sus primeros años como una superestructura de gobierno que abarcaba áreas públicas como salud, educación, asistencia, desarrollo social,

---

[138] Auditoría 2015, de junio de 2001, realizada por la Secodam —actualmente Secretaría de la Función Pública—, del contrato realizado por la Presidencia de la República y la empresa "Humberto Artigas y Asociados", por un monto total de 61 millones 895 mil 989.87 pesos. Según el contrato original, la Presidencia se comprometió a pagar a esa empresa 30 millones 88 mil 783 pesos por los servicios encargados. Tras la auditoría, la Secodam detectó incumplimiento de parte del proveedor y sobre precio en diversos artículos. La averiguación está actualmente en manos de la PGR.
[139] Sara Sefchovich, "De mujeres fuertes", revista *Día Siete,* núm. 133.

protección civil, relaciones exteriores, relación con medios y gobernabilidad, entre otros.

Las actividades de Vamos México fueron inauguradas el domingo 21 de octubre de 2001, con un concierto del cantante británico Elton John en el Castillo de Chapultepec que, apenas fue anunciado, levantó enormes críticas de la opinión pública.

La intención del espectáculo fue crear un fondo de diez millones de dólares (se cobraron diez mil dólares por asistente a la cena-show en el Alcázar, donde se instalaron mil comensales distribuidos en cien mesas), cantidad que se multiplicó al disponer de la "generosa" participación de archimillonarios como Carlos Slim, Roberto Hernández, Emilio Azcárraga Jean, Lorenzo Zambrano, Roberto González Barrera, Carlos Peralta, Eugenio Clariond, Valentín Diez Morodo, Germán Larrea, Adrián Sada González, Daniel Servitjé, Ricardo Salinas Pliego, Claudio X. González, Alfonso Romo, Olegario Vázquez Raña, Javier López del Bosque y muchos más que no se arriesgaron a quedar mal con la entonces ya poderosísima señora de Fox.

El acto fue criticado por la prensa no sólo por el uso de un edificio del patrimonio histórico para un fin privado (decisión que incluso se discutió en la tribuna de San Lázaro y por la que investigadores y trabajadores del Instituto Nacional de Antropología e Historia presentaron treinta y seis amparos ante jueces federales en materia administrativa para impedir la realización del show, sin que la gestión arribara a buen puerto), sino porque las donaciones —deducibles de impuestos— se emplearon presuntamente con fines políticos y populistas y no en la beneficencia.

Un año después, en octubre de 2002, se echó a correr el rumor que la Fundación Vamos México recibió un multimillonario donativo de Fun-dación Televisa: 25 millones de dólares. Curiosamente, ese mismo mes, según una columna del periodista Jenaro Villamil,[140] el gobierno federal cedió a las presiones de los dos grandes concesionarios de medios electrónicos para cambiar, vía decreto presidencial, el reglamento de la Ley Federal de Radio y Televisión y desaparecer el impuesto de 12.5 por ciento.

Villamil expuso:

> Y así como ha apadrinado el Teletón y se ha hecho acompañar de estrellas de Televisa para ayudar a los damnificados de Yucatán (afec-

---

[140] Jenaro Villamil, "República de Pantalla", diario *La Jornada*, 9 de febrero de 2003.

tados por el huracán Isidore, en septiembre de 2002), Marta Sahagún ha participado en la campaña "Vive sin drogas", de Fundación Azteca, y en la donación de bicicletas en enero de este año (2003), justo en el momento álgido del conflicto con Canal 40 (febrero de 2003).

A estas alturas, el proyecto mediático de Vamos México no es sólo la filantropía "totalmente Palacio" sino la expresión de un programa paralelo de gobierno y una plataforma de lanzamiento político para la figura con mayor visibilidad en el foxismo: Marta Sahagún.

El 12 de enero de 2004 —con más poder, todavía—, la propia primera dama advertía en una nota de ocho columnas de *El Universal*: "Desde ahora lo digo: tendrán Marta para un buen rato… Creo que México ya está preparado para tener a una presidenta".[141]

Pero Vamos México y Martita recibirían golpes certeros que minaron por completo sus aspiraciones presidenciales y que, de paso, desinflaron su imagen piadosa. El más doloroso para su ego y su cuidada imagen ante el mundo llegó diecinueve días después de su "autodestape". El diario londinense *Financial Times* publicó un reportaje de su corresponsal en México Sara Silver, donde quedaron documentadas las oscuras operaciones financieras de Vamos México y se vertieron evidencias de las intenciones políticas de la esposa de Fox.[142]

Con excepción del desaparecido periódico *El Independiente*, que publicó la nota el mismo día que el *Financial Times* en su versión impresa, los diarios mexicanos no informaron nada al respecto. Ya para el lunes 2 de febrero, *La Jornada* reseñó el reportaje de Silver. Ese mismo lunes, y afuera de Los Pinos, a la altura de la Puerta 4, Marta enfrentó a los medios de comunicación y respondió al diario londinense. Se dijo calumniada y difamada y calificó la información de tendenciosa y tergiversada.

La primera dama ordenó publicar los estados financieros auditados de los ejercicios 2001 y 2002, pero éstos confirmaron las cifras del *Financial Times*, según las cuales la fundación sólo había donado a otras instituciones filantrópicas 46 millones de pesos, de los 153 millones que había recabado a finales de 2002. Los costos de operación habían

[141] José Luis Ruiz, "Intensificará Marta Sahagún trabajo político", diario *El Universal*, 12 de enero de 2004.
[142] Sara Silver, "Casada con el trabajo", diario *Financial Times*, 31 de enero de 2004.

absorbido casi la misma cantidad, unos cuerenta y tres millones, pese al acceso de la fundación al personal de la Presidencia y al espacio de oficinas donado. Los sesenta y tres millones de pesos restantes permanecían como aportación.[143]

Así como con Vamos México, que fue su principal bandera de promoción política, antes y después se sucedieron escándalos y acusaciones de corrupción en torno a la pareja presidencial, de los que, a continuación, se consignan sólo algunas muestras:

El toallagate

El 19 de junio de 2001, el periódico *Milenio* publicó en su portada la nota "Toallas de 4 mil pesos", escrita por la periodista Anabel Hernández, donde revelaba el costo de sólo uno de los insumos adquiridos para el menaje de las cabañas en donde vivían —hasta entonces— el Presidente de México y su hija mayor, Ana Cristina, y que fueron remodeladas a un costo de seiscientos mil dólares.

Ese mismo día, Carlos Rojas Magnon, asesor de la Presidencia y uno de los hombres más cercanos a Vicente Fox, dijo que era "totalmente erróneo difundir que se ha pagado más de lo necesario". Por ejemplo, según Rojas, la compra de dieciocho sábanas había tenido un costo de 3 mil 880 dólares, pero según Compranet, el Sistema Electrónico de Contrataciones Gubernamentales público, el precio fue de 3 mil 857 por juego (adquirieron un total de cuatro).

La cuestión no paró en sábanas y toallas, pues, por ejemplo, también compraron un cenicero de mármol en cien dólares, veintidós sillones por treinta y tres mil dólares y manteles de tres mil, todos importados.

Un día después de darse a conocer el llamado "toallagate", el presidente Fox, quizá aún ajeno a las implicaciones del escándalo, se mostró orgulloso de que "hasta el precio de las toallas es público: está en Internet", muestra de la "transparencia" de su administración. Al entonces mandatario se le olvidó que Compranet (*http://www.secodam.gob.mx/index1.html*) existe desde 1997. Al final, Rojas Magnon presentó su renuncia, pero en este asunto no hubo sanción penal.

---

[143] "La importancia del acceso a la información de los fideicomisos que reciben recursos públicos", Dip. Martha Lucía Micher Camarena, Dip. Alfonso Ramírez Cuéllas, Héctor Castañeda. En *Debate Parlamentario*, marzo de 2005, p. 7.

La pareja presidencial

El 6 de marzo de 2003, en Los Pinos, Vicente Fox dejó claro cómo estaban las cosas en su casa y lo que su esposa representaba. En una reunión con el actor Adalberto Martínez, Resortes, dijo: "Yo también tengo pareja y soy muy feliz; somos una pareja que trabajamos en equipo, como se hace hoy en día; somos una pareja que compartimos decisiones; somos una pareja que trabajamos por México; somos una pareja que queremos ver al país unido. *Somos una pareja presidencial*... A algunos no les gusta que diga eso, pero yo lo digo: somos una pareja presidencial muy feliz, trabajando por México, trabajando por los pobres, trabajando por el campo, trabajando por los marginados".

Los Amigos de Fox

El viernes 3 de octubre de 2003, el diario *La Jornada* publicó que el Instituto Federal Electoral (IFE) había comprobado que Vicente Fox Quesada recurrió a prácticas de financiamiento ilegales para llegar a la Presidencia de la República: "Por conducto de la asociación Amigos de Fox —que utilizó nueve empresas y personas físicas como "interpósita persona"—, el Jefe del Ejecutivo Federal recibió de manera ilegal 91 millones 227 mil 572 .23 pesos para su campaña electoral de 2000".

Esa historia comenzó el 21 de junio de 2000, cuando el entonces senador priista Enrique Jackson presentó, en la sesión de la Comisión Permanente del Congreso de la Unión, una serie de cheques girados por Carlota Robinson, mediante una triangulación desde la empresa Grupo Alta Tecnología en Impresos. Los priistas dijeron entonces que venían del extranjero y se correspondían con una donación por 200 mil dólares de la empresa belga *Dehydration Technologies Belgium*.

La investigación se inició el 23 de junio de 2000, pero el 9 de agosto de 2001, el Consejo General del Instituto Federal Electoral (IFE) dio carpetazo al asunto, argumentando que no tenía capacidad legal para acceder a las cuentas bancarias de las personas y empresas involucradas.

El 7 de mayo de 2002, previa queja del Partido de la Revolución Democrática (PRD) y del PRI, el Tribunal Electoral del Poder Judicial de la Federación ordenó al IFE que reabriera el caso y determinó que el instituto tenía facultades hacendarias para efectos de fiscalización.

El "cerebro financiero" de los Amigos, Lino Korrodi, y su operadora, Carlota Robinson, atrajeron los reflectores varios meses. "El PAN me dejó morir solo", acusó Korrodi en una entrevista para el diario *El Universal*, y a pesar de que ahí reconoció que "sin ese dinero, Fox no hubiera ganado la Presidencia de la República",[144] tampoco se ejerció una acción penal.

Transforma México

El 21 de junio de 2004, el conductor de *Noticieros Televisa*, Carlos Loret de Mola, escribió una columna en la página electrónica *esmas.com* en la que refirió: "En fecha reciente, el tema de los dineros de Vamos México sonaron a premio gordo, cuando diputados y senadores denunciaron que la Lotería Nacional benefició con al menos 110 millones de pesos a las mismas instituciones que reciben recursos de Vamos México, en el fondo —dicen— buscan juntas promover las aspiraciones políticas de Marta Sahagún de Fox.

> A esto súmele que la directora de la Lotería Nacional, Laura Valdés Ruiz, tiene a su hermana María Elena, trabajando como secretaria general de Vamos México.
>
> A esto súmele que uno de los integrantes de la Auditoría Superior de la Federación (ASF), que concluyó que las cuentas de la lotería no tenían problema, trabaja hoy en la Lotería, es el subgerente de adquisiciones, Vidal Ramírez Reyes.
>
> A esto súmele que Dolores Padilla, cuñada del presidente Vicente Fox, al estar casada con Javier Fox Quesada, recibió para su asociación contra la diabetes un donativo de 850 mil pesos de la Lotería.
>
> Y todo, a través del fideicomiso Transforma México y con el visto bueno de Hacienda. "La aportación por 110 millones de pesos que la Lotería Nacional otorgó al fideicomiso público Transforma México fue resultado de una aplicación de su gasto debidamente autorizada por la Secretaría de Hacienda", comentó Laura Valdés Ruiz, directora de la Lotería Nacional.

En este caso, el Congreso de la Unión ordenó auditar a la Lotería Nacional y abrirle proceso ante la Procuraduría General de la República (PGR) a su entonces directora.

[144] Anabel Hernández, "Las trampas de Korrodi", diario *El Universal*, 7 de abril de 2003.

El 13 de julio de 2004, Fox designó a Tomás Ruiz como director de la Lotería Nacional, en sustitución de Laura Valdés, quien quedó bajo investigación de la ASF, entonces a cargo de Arturo González de Aragón. Otra vez, todo quedó en el nivel de la presunción.

En enero de 2006, Tomás Ruiz comentó que en el informe que había entregado el Auditor Superior de la Federación sobre la Cuenta Pública del año 2003, "tuvimos un primer resultado positivo para la institución en el que se aclaró que del fideicomiso de la Lotería no se desviaron recursos para la organización Vamos México, no hay ningún desvío en este sentido, ni desvíos que pudieran tener un contenido político para apoyar a parientes o a personas relacionadas con la familia del Presidente".

Pemexgate II y Múñoz Leos

Raúl Muñoz Leos renunció a Pemex en noviembre de 2004. El 11 de agosto de ese mismo año, el periódico *Reforma* publicó como nota central que el funcionario había desviado dinero (163 mil pesos) de la paraestatal, para pagar operaciones de cirugía estética de su esposa, Hilda Ledesma; por cierto, íntima amiga de Marthita.

Pero no fue removido por éste y otros excesos, como recibir millón y medio de pesos para viajes y viáticos, sino por firmar un convenio para pagar 7 mil 700 millones de pesos por asistencia médica y créditos hipotecarios para el Sindicato de Trabajadores Petroleros de la República Mexicana (STPRM).

Según el columnista Ricardo Alemán, el Grupo Monterrey y Fox fueron los responsables de la caída del funcionario:[145]

> Resulta que el enojo contra Raúl Muñoz Leos también surgió desde frentes tan poderosos como la Oficina de Innovación Gubernamental, de Los Pinos, y desde las secretarías de Gobernación y Hacienda. Desde los tres flancos se detectaron focos rojos que según Ramón Muñoz Gutiérrez, Santiago Creel y Francisco Gil, ponían en riesgo la contienda presidencial para 2006, sea quien fuere candidato por el PAN. ¿Por qué razón? Porque el director de Pemex había firmado un convenio bianual con el Sindicato de Trabajadores Petroleros, por casi ocho mil millones de pesos que garantizaba

---

[145] Ricardo Alemán, Itinerario Político. "Petróleos: caída inducida". diario *El Universal*, 2 de noviembre de 2004.

que el gremio petrolero, y de ahí el PRI, podrían disponer de recursos para las elecciones de 2006.

Pero en el fondo, el problema real se había generado por un descuido tanto en Los Pinos, en la oficina de Ramón Muñoz Gutiérrez, como en las secretarías de Gobernación y Hacienda. ¿Por qué razón? Porque el contrato que firmó Pemex con su sindicato no sólo fue firmado el 26 de julio pasado, sino que fue conocido y avalado por el recién estrenado secretario de Energía, Fernando Elizondo quien asumió el cargo el 2 de junio de 2004, por la Oficina de Innovación Gubernamental y hasta por el propio presidente Fox. Así, cuando en la casa presidencial se percataron que con ese contrato se aseguraba que el PRI podía disponer de importantes recursos para su campaña presidencial de 2006, dinero que provenía de Pemex, entonces se tomó la decisión de corregir el error, una vez que se sumaron el interés del Grupo Monterrey por derribar al director de Pemex, para garantizar los contratos con la paraestatal y la necesidad de dar marcha atrás al convenio que garantizaba al PRI los dineros para fines político-electorales.

En ese mismo espacio agregó:

Es seguro que el convenio que por casi ocho mil millones de pesos firmaron Pemex y su sindicato contenga errores, pero no es ilegal, además de que fue avalado por el propio Vicente Fox. Lo cierto es que desde ese 11 de agosto, el diario *Reforma* inició una poco ética persecución contra Raúl Muñoz Leos, que pareció llegar al clímax cuando ese mismo diario hizo público que Muñoz Leos había pagado, con dinero de Pemex, una cirugía plástica para su esposa. Al final, y con el acceso privilegiado a la información de la Secretaría de Energía, *Reforma* publicó el primer gran golpe contra el director de Pemex, el 11 de agosto, y el 1 de noviembre, apenas ayer, también en su primera plana, publicó la renuncia de Raúl Muñoz Leos. Y como para que no existiera duda sobre el origen de las filtraciones y en las motivaciones políticas en la caída del director de Pemex, el secretario de Energía, Fernando Elizondo, dijo en entrevista a Joaquín López Dóriga: "El Presidente me pidió que personalmente operara y procesara todo…", la salida de Muñoz Leos de Pemex y la llegada de Luis Ramírez Corzo en su relevo. Todo, claro, incluida la filtración a *Reforma*".

Muñoz Leos, la esposa, Marthita y sus juniors

El miércoles 8 de noviembre de 2006, Raúl Muñoz Leos reapareció en la vida pública para presentar un libro[146] donde culpa a Fox de todos los malos manejos de la paraestatal y directamente de la negociación del *Pemexgate*, revelado por el periodista Miguel Badillo el 10 de septiembre de 2001, cuyo "carpetazo", según el ingeniero químico, se acordó entre Fox —asesorado por Diego Fernández de Cevallos y Santiago Creel— y Romero Deschamps so pretexto de un conflicto ficticio entre la empresa y el STPRM. Sin embargo, el ex funcionario no hace mención a presuntos "favores" hacia Martha Sahagún y, específicamente, a sus hijos.

La revista *Contralínea*, sin embargo, publicó que, contrario a los roces del Presidente y el entonces director general de Pemex, entre Martha Sahagún e Hilda Ledesma, respectivamente esposas de ambos, creció una amistad que las hacía sostener conversaciones telefónicas todos los días, asistir a fiestas familiares e incluso ir juntas de *shopping*:

> Marta e Hilda mantenían más que una relación de amistad. A través de Hilda Ledesma la esposa de Vicente Fox mantenía a Muñoz Leos informado sobre los negocios que sus hijos Manuel y Jorge Bribiesca operaban en la paraestatal y en los que debía intervenir Muñoz Leos.
>
> En el interior de Pemex, Marta tenía otro interlocutor: Eduardo Rosas Monroy, recomendado por ella misma a Muñoz Leos para que lo colocara como su secretario particular en la paraestatal.
>
> Como lo reveló *Contralínea* en octubre de 2004, en un momento algunos funcionarios de Pemex, como el entonces director de Pemex Exploración y Producción (PEP), Luis Ramírez Corzo, se negaron a otorgar contratos por adjudicación directa o mediante licitaciones amañadas a la naviera Oceanografía (ligada a los Bribiesca Sahagún), esto provocó las presiones de Muñoz Leos a Ramírez Corzo y como éstas no fructificaron, el presidente Vicente Fox pidió a Muñoz Leos su renuncia. El ex director de DuPont había dejado de ser útil a los intereses de la familia presidencial en la paraestatal.
>
> La familia presidencial se quiso deslindar de este escándalo porque ya se había acordado que con la salida de Muñoz Leos, Luis Ramírez Corzo ocuparía la vacante y que a Oceanografía se le deja-

---

[146] Raúl Muñoz Leos, *Pemex en la encrucijada. Recuento de una gestión*. México, Aguilar. Colección Nuevo Siglo. 2006.

rían los mismos márgenes de negociación. Incluso en su gestión, Ramírez Corzo autorizó que a la naviera se entregaran más contratos con montos mayores a los que logró Muñoz Leos. [147]

SECUENCIA 3. Y, ¿POR QUÉ NO? ¡VAMOS MUCHACHOS!

Aunque hay muchas otras referencias que podrían citarse de las irregularidades en que incurrió el sexenio de la pareja presidencial, son dos libros los que inician el declive en el poder de la entonces primera dama y sus hijos: *La Jefa. Vida pública y privada de Marta Sahagún de Fox*[148] y *Crónicas malditas desde un México desolado*,[149] ambos escritos por la periodista argentina Olga Wornat, y que, según dijo en entrevista el abogado y político Jesús González Schmall, fueron el resorte que impulsó a los legisladores a iniciar una investigación formal sobre el supuesto enriquecimiento de los hermanos Bribiesca Sahagún.

Dicha entidad de la Cámara de Diputados se creó el 28 de abril de 2005 y legalmente se le denominó "Comisión de investigación encargada de revisar la legalidad de los contratos de obra pública, concesiones, contratos de suministro de bienes de consumo o de compraventa de bienes inmuebles de titularidad pública, otorgados por organismos descentralizados o empresas de participación estatal mayoritaria a la empresa Construcciones Prácticas, S.A. de C.V. y cualquier otra que tuviera relación con la misma".

La comisión fue presidida entonces por la diputada Marta Lucía Micher Camarena (PRD), así como por los legisladores Jesús González Schmal (Convergencia) y Sofía Castro (PRI), los tres integrantes de la LIX Legislatura. En julio de 2008, en su despacho de la calle de Oaxaca, en la colonia Roma de la ciudad de México, Gónzalez Schmal reflexionó sobre el origen del enorme poder que desplegó Martha Sahagún de Fox y del pasado y futuro de las investigaciones legales que se ciernen sobre sus tres hijos: Manuel, Jorge Alberto y Fernando.

---

[147] Ana Lilia Pérez, "Muñoz Leos. Operación cicatriz". Revista *Contralínea*, diciembre de 2006, año 5, núm. 69.
[148] Olga Wornat, *La Jefa. Vida pública y privada de Martha Sahagún de Fox*. Grijalbo, 2003.
[149] Olga Wornat, *Crónicas malditas desde un México desolado*. México, Grijalbo, 2005.

Para González Schmal (quien en dos ocasiones fue diputado federal por el PAN, en la LI Legislatura de 1979 a 1982 y en la LIII Legislatura de 1985 a 1988 y quien en 1987 participara como precandidato del blanquiazul a la Presidencia de la República, pero que fuera derrotado por Manuel Clouthier), los legisladores no podían pasar por alto más frivolidades tanto de Martha como de Vicente Fox, a quien considera el principal responsable:

> Todos sus actos nos revelaron la inmadurez, la condición de una personalidad tan incompleta, de quien en un momento dado el pueblo eligió como presidente. Ese es el elemento más destacado de todo este asunto… Cómo un personaje de las características de Vicente Fox pudo seducir a la mayoría de un pueblo con experiencias políticas muy importantes en su historia contemporánea; cómo ese pueblo se le entregó y albergó una esperanza de que sus planteamientos realmente fueran serios, profundos y sustanciosos, y cómo Fox le atinó proyectando una fase de su personalidad que es la de la crítica mordaz y festiva de las tragedias nacionales, que fueron el anzuelo por el que muchas personas lo siguieron.
>
> Los que lo conocíamos un poco más a fondo sabíamos que se trataba de un sujeto incluso peligroso, por su inestabilidad emocional y su liviandad ética y su deslealtad a los principios en función de sus intereses. Esta contextura nos hacía dudar de él, pero cuando vimos la avalancha de personas —incluso de muy buen nivel de conocimiento político— que se le entregaban al primer contacto, yo mismo, le confieso, dudé de mi juicio. Pensé: "a lo mejor estoy equivocado. La gente lo está aclamando, lo está llevando a una gran responsabilidad".[150] Pero una vez que ocurre la elección y alcanza el triunfo —agrega— los mexicanos comenzamos a darnos cuenta de quién era en realidad Vicente Fox.

Y esto sucede desde su primer acto oficial:

> Cuando toma protesta como Presidente y él mismo se arroga la facultad de violentar el precepto constitucional y convertir ese acto en una verdadera feria, en un evento personalizadísimo, donde quiso plantear que ahí empezaba la historia del país.

[150] Jesús González Schmal, entrevista con la autora, julio de 2008.

Para el abogado torreonense, egresado de la Universidad Nacional Autónoma de México, la presencia de Martha Sahagún se tomó, al principio, como una frivolidad, como un simple *affaire*, pero no se dimensionó lo que sería este fenómeno después.

> Quien nos la descubre en su totalidad, con mayor realismo y crudeza, es Olga Wornat. Hay que reconocerle que es la primera que le hace una radiografía a fondo y quien nos vierte un drama nacional. Es decir, la esposa del Presidente estaba en realidad encasillada, y también encasquillada, en tratar de convertir a la República en su propio proyecto y en satisfacer su propio sentido y concepto de la nación. Surgió antes Vamos México y se descubrieron cada día facetas más claras de la omnipresencia de Martha Sahagún. Pero cuando la Wornart se mete a la investigación a detalle —lo mismo que Anabel Hernández y Areli Quintero en su libro— [151] al hacer una investigación periodística a fondo de los bienes de la familia Bribiesca Sahagún y de sus antecedentes en condiciones muy precarias de carácter económico, y las comunidades leonesa y celayense se dan cuenta de que esos muchachos que no tenía mayor alcance económico de repente viajan en avión privado y se mueven como magnates, es cuando se nutre una ola de demanda para saber qué está pasando realmente. Ahí es donde se produce un *shock* en el que todos tomamos conciencia del monstruo que se había erigido.

El primer libro de la periodista argentina sobre la primera dama (*La Jefa. Vida pública y privada de Marta Sahagún de Fox*) apareció en México en mayo de 2003 y, de inmediato, suscitó un enorme revuelo y rápidamente se convirtió en *best seller*.

El eje de la historia es, por supuesto, la relación entre el presidente Fox y Marta: Cómo se conocieron y dónde y cuándo se originó el romance. Cuenta quiénes son ambos personajes, historias personales e intimidades en la relación política y amorosa, su ascenso al poder y los primeros tiempos en Los Pinos. Se incluye, por supuesto, la familia, sus ex parejas y los hijos de ambos.

En particular, los Bribiesca Sahagún no salen bien parados. Ahí se hace un esbozo de su accionar que, meses después, pasaría a formar parte de una investigación judicial:

[151] Anabel Hernández y Arelí Quintero, *La familia presidencial. El gobierno del cambio bajo sospecha de corrupción*. México, Grijalbo, 2005.

Manuel, Jorge y Fernando Bribiesca son los hijos de Marta y salvo el más chico (Fernando), estudiante del Tecnológico de Monterrey, tranquilo y bastante simple, según quienes lo conocen, guapo y con un gran parecido a su madre, los dos mayores (Manuel y Jorge) hace tiempo que sembraron en el ambiente político y empresarial de México serias dudas sobre su proceder y ocupaciones.

Arrebatados, ambiciosos y prepotentes, la élite mexicana no los aguanta, pero los soportan por su estrecha ligazón con Los Pinos y porque sacan algún provecho de la relación o por lo menos "quedan bien con el Presidente y su consorte" [...]

Manuel y Jorge Bribiesca Sahagún son el costado más vulnerable de "La Jefa", según opinan empresarios, políticos y colaboradores que por una u otra razón han tenido que tratar con ellos. "Seguramente no sobreviven a una minuciosa investigación sobre sus bienes y sus gastos", me confió un hombre de negocios de Monterrey.

Sin embargo, es en 2005, semanas antes de la publicación del segundo libro de la Wornat sobre las andanzas de Marthita y sus nenes, que se detona un verdadero escándalo y se produce un hecho inédito en México: la esposa del Presidente demandaría no sólo a la periodista argentina, sino también al semanario *Proceso*.

La demanda se detona tras la publicación en *Proceso* —edición 1478, del 27 de febrero de 2005— del texto "Historia de una anulación sospechosa", escrito por Olga Wornat, quien afinaba entonces el lanzamiento de *Crónicas malditas desde un México desolado*.

La investigación se centra en el expediente de nulidad matrimonial con Manuel Bribiesca Godoy que la primera dama presentó ante autoridades de la iglesia católica, y cuyas argumentaciones redactó de puño y letra. Uno de los pasajes de esta historia, revelado por la propia Martita al Tribunal Eclesiástico Interdiocesario de México, expone:

Aproximadamente a un año de casados, recibí de parte de Manuel su primera agresión física: me aventó y me di un golpe en la pared. Fue abrupto. La razón: nuestras continuas discusiones.

Esto fue creciendo, ya que para los siete años de casados no dejaba de golpearme, de jalarme el pelo, de cachetearme y agredirme físicamente.

Con esto le cuento a usted, señor juez, que hubo varios incidentes, a través de los años, de muchos golpes. Yo seguía resistiendo y seguía callando, pero debo decir que la última vez que me golpeó levanté un acta ante la autoridad pública.

Por si esto fuera poco, el procurador de Justicia del estado de Guanajuato, licenciado Felipe Camarena, me vio un par de ocasiones llegar golpeada y amoratada al gabinete de trabajo del entonces gobernador del estado, Sr. Vicente Fox Quezada [*sic*].

Por otro lado, Manuel, ante su impotencia, ejercía chantaje y quería hacerme aparecer ante mis hijos como una mala madre por mi trabajo. Manuel siempre me hizo sentir culpable de esta relación emocional que nació muerta y que no tuvo bases.

La reacción de la primera dama a esta publicación fue virulenta. El 27 de abril de 2005, Olga Wornat y *Proceso* fueron notificados de la demanda interpuesta por la señora Sahagún, ante el juez Décimo Segundo de lo Civil, Carlos Miguel Jiménez Mora. "En mi legítimo derecho como ciudadana mexicana y con la verdad como valor, he demandado a la señora Olga Wornat", anunció Sahagún en un comunicado. "Esta demanda la hago por la forma en la que ha mentido, desinformado e invadido mi intimidad. También por el derecho que tengo de defender el honor y la dignidad, tanto de mi persona como de mi familia". Y remató: "Por lo anterior no permitiré que mis derechos sean atropellados por nadie, sin importar quién sea ni cuáles son sus intenciones".

Por supuesto, esto desató una enorme polémica entre los medios y los periodistas en torno a temas como la ética, el abuso desde el poder, la libertad de expresión y los límites que los comunicadores tenemos para cruzar de la vida pública de las personas a la privada. Pero también, se planteó que, tratándose de la pareja presidencial, los argumentos eran distintos: ellos mismos, durante todo su sexenio —y aún después de su salida de Los Pinos— se empeñaron en transformar sus momentos íntimos en acontecimientos públicos. El matrimonio Fox Sahagún pagó, y pagará, por la avidez de protagonismo que ellos mismos alientan y por sus múltiples indiscreciones y hasta locuacidad al referirse en público a sus asuntos familiares.

El 28 de abril de 2006, la revista y la periodista argentina perdieron en primera instancia la demanda por daño moral. El juez Jiménez Mora determinó que le asistía la razón a la señora Sahagún y resolvió la reparación del daño con una indemnización de un millón 958 mil pesos, a pagar de manera solidaria entre *Proceso* y Wornat. El fallo también planteó que *Proceso* debería publicar un extracto de la sentencia judicial con el mismo relieve que tuvo el material de Wornat.

Sin embargo, el 16 de mayo de ese mismo año, la primera Sala del Tribunal Superior de Justicia del Distrito Federal dejó sin efecto la resolución y le pidió al juez tramitar la declaración del presidente para dictar una nueva sentencia.

Ya para el 23 de enero de 2007, la Primera Sala de lo Civil del DF absolvió a la empresa Comunicación e Información S.A. de C.V. (CISA), editora de *Proceso*, y Wornat fue condenada a pagar una indemnización de quinientos mil pesos a Sahagún, quien ya para entonces sólo es mencionada como "la esposa del ex presidente Vicente Fox".

SECUENCIA 4. LOS BRIBIESCA SAHAGÚN, EN LA MIRA.

Casi en paralelo a las publicaciones de Olga Wornat, recuerda Jesús González Schmal, en la Cámara de Diputados se producía un cisma. "Asumimos que la responsabilidad del Poder Legislativo era profundizar qué estaba pasando en León, Guanajuato, y por qué se dieron esas condiciones de enriquecimiento súbito en los hijos de Marta Sahagún. Una situación que, obviamente, lastimaba a la comunidad local, a los guanajuatenses y trascendía para convertirse en un problema nacional".[152]

La comisión investigadora para el caso Bribiesca, dijo el ex legislador, comenzó su investigación partiendo de que la empresa Construcciones Prácticas S.A. de C.V. era beneficiaria de unas adjudicaciones del Instituto de Protección al Ahorro Bancario (IPAB). "Cuando en la historia nacional, el IPAB constituye no sólo una ofensa y una burla, al haberse trasladado ahí las deudas privadas y convertirlas en deudas públicas, sino porque ésta gravitó y gravitará por muchas décadas en el presupuesto nacional, en perjuicio de los recursos que se necesitan para otras prioridades en el país".

Obviamente no fue fácil investigar —señala el legislador— y mucho menos durante la administración de Fox. "El Presidente quiso presionar. Sentimos enemistad y hostilidad de panistas, sobre todo de los neopanistas, y no obstante una minoría del PAN, con conciencia de lo que estaba pasando, no se solidarizó con la defensa del Presidente. Sentí que dentro del PAN hubo una división en el grupo parlamentario. Había muchos que sentían vergüenza de resistirse a que se protegiera a

---

[152] Jesús González Schmal, entrevista con la autora, julio de 2008.

Fox por lo que estaba pasando y asumieron una posición neutra: ni defendieron a la familia ni condescendieron tan fácilmente con nosotros. Pero detectaba efectivamente dentro de ellos un conflicto, pues preferían no pasar la vergüenza de defender al Presidente y dejar que las cosas continuaran, que fue en realidad por lo que pudimos trasponer el límite de Diputados, armar la comisión y luego conseguir que nos asignaran espacios dentro de la Cámara, recursos para operar y facultades para citar a los servidores públicos. La parte operativa se fue abriendo, porque a los panistas les daba vergüenza resistirse abiertamente a que la investigación se hiciera".

Las investigaciones avanzaron lentamente, narra el abogado, porque ellos se esperanzaron en que no se pudiera consolidar la investigación. Detrás de esto, dice, estuvo el panista Juan de Dios Castro Lozano —en ese tiempo consejero jurídico de Fox—, quien aconsejó sobre cómo dilatar las respuestas de las entidades públicas que tenían que dar informes a la comisión: Nacional Financiera, el IPAB (al que, por cierto, el periodista Francisco Rodríguez en su columna "Índice Político" rebautizó como Instituto de Protección a los "Ahorritos" de los Bribiesca), la Comisión Nacional Bancaria, Petróleos Mexicanos, entre otras. La estrategia era clara: la Legislatura LIX —como todas— tenía una duración limitada y mandar respuestas incompletas, para que los legisladores replantearan preguntas, ayudaría a cansarlos.

Pero, a medida que los legisladores avanzaban (habían identificado hasta entonces siete empresas constructoras en las que los hermanos Bribiesca tienen participación accionaria o son obligados solidarios del empresario celayense Miguel Khoury Siman), los integrantes de esa comisión comenzaron a recibir más presión e incluso amenazas desde el poder.

En esta etapa, Martha Lucía, mejor conocida como Malú, sufrió duras amenazas. Como guanajuatense, era la más susceptible de ser agredida en su fuero familiar. Además fue blanco de amenazas e injurias directas de Vicente Fox. "Llegamos a un extremo en el que sentí —aunque ella no me lo expresó con estas palabras— que ya no podía con el barco, porque la presión era muy fuerte. Además, teníamos el antecedente de una mujer —que nos dio mucha información, porque había trabajado con los Bribiesca—, que tuvo que salir del país porque los guaruras de los hijos de Marta la perseguían", afirma González Schmal.

Finalmente, la actual directora del Inmujeres del Distrito Federal, cedió el paso al legislador de Convergencia, quien recuerda ese momento: "'Jesús, me dijo, ya no puedo con esto. Si tú tomas el puesto (la presidencia de la comisión) y la causa, voy a estar a tu lado, pero yo no puedo seguir presidiendo'. Fue cuando me quedé al frente, siempre al lado de dos mujeres valientes, muy valientes, como Malú y Sofía". El 15 de febrero de 2006, la Junta de Coordinación Política de la Cámara de Diputados designó a González Schmal, como presidente de dicha comisión.

Unos días después, la Presidencia de la República calificó la investigación de los diputados como "anticonstitucional", pues la Carta Magna no permite pesquisas sobre particulares. El torreonense argumentó y probó que todo era legal. "Proseguimos con nuestro trabajo y, obviamente, como ha sido hasta ahora, siguió la estrategia de regatearnos información, deformarla y presentarla incompleta, pero afortunadamente conté con un grupo de amigos, abogados y contadores, con el que fuimos armando el rompecabezas y finalmente logramos cerrar dos o tres investigaciones muy bien centradas".

Fue cuando se obtuvieron pruebas de un supuesto tráfico de influencias de Jorge Alberto Bribiesca y Construcciones Prácticas al pagar la tercera parte de una subasta al IPAB, la creación de la Inmobiliaria Quilate —con la que compran bienes a través del IPAB y donde aparecen los Bribiesca como socios—, y el caso del fideicomiso donde adquieren grandes extensiones de terrenos en Guanajuato que les cede el IPAB y en el que también Manuel Bribiesca Sahagún aparece como secretario técnico y con voto de calidad para las decisiones. Todos esos hallazgos de los legisladores consolidaron los elementos de prueba para la presunción de tráfico de influencias.

"Todavía ahí nos dijeron: 'tenemos el asunto listo para que no prospere', porque finalmente lo que iba a pasar es que la denuncia que se hiciera al Presidente de la República, a la Secretaría de la Función Pública y a la Procuraduría General de la República no es una denuncia formal, sino el rendir un informe para que tanto el Poder Ejecutivo como las dependencias ya mencionadas, promovieran por su propia iniciativa, conociendo los antecedentes que podían constituir el delito", recuerda González Schmal.

"Nosotros, a decir verdad, tuvimos una iniciativa que nos resultó muy eficaz: no sólo estábamos rindiendo un informe al Presidente y a los otros órganos, sino que además presentamos personalmente, conforme al Art. 177 del Código de Procedimientos Penal Federal, como servidores públicos conocedores de la presunción de un delito, tenemos derecho a denunciar.

"Entonces fue como actuamos en las dos vías: rendimos el informe al Poder Ejecutivo, como dice la Constitución que lo debe hacer una comisión investigadora de la Cámara de Diputados, y por otro lado promovimos la denuncia ante el Ministerio Público Federal".

El informe de la comisión fue turnado a la Junta de Coordinación Política de la Cámara de Diputados y posteriormente al presidente Fox. En el documento de 103 páginas se expusieron 35 recomendaciones y se planteó realizar auditorías a las personas de Manuel, Jorge y Fernando Bribiesca Sahagún, a Martha Sahagún de Fox, así como a los hermanos Miguel y Munir Isaac Khoury Simán.

Pero el presidente Fox, por supuesto, no estaba dispuesto a investigar. El 13 de febrero de 2006, y otra vez con el estilo locuaz que nunca lo abandona, envió un mensaje definitivo en una entrevista con Joaquín López Dóriga, en el noticiero de Radio Fórmula: "todas esas acusaciones son puros cuentos chinos… Conozco la vida, obra y milagros de los hijos de la señora Marta. No soy ajeno a lo que hacen, por eso estoy seguro de que se trata de historietas inventadas".

En cuanto a la denuncia ante el Ministerio Público, el último día de la gestión de Fox, el entonces procurador Daniel Cabeza de Vaca dictaminó que no iba a trasladarse a la jurisdicción de un juez para su conocimiento.

La conclusión de la LIX Legislatura marcó el fin de los dos periodos de la Comisión investigadora del caso Bribiesca, pero el 5 de marzo de 2007, los diputados la revivieron y reanudaron —también con el apoyo de González Schmal y Malú Micher— las investigaciones en torno a Construcciones Prácticas.

En esta tercera ocasión en que los legisladores estudiaron la relación laboral de las empresas de los hermanos Bribiesca Sahagún con el gobierno federal —y que, hasta agosto de 2008, fue encabezada por Elías Cárdenas, diputado de Convergencia— se incluyeron las compañías Oceanografía y Blue Marine Technology Group, que obtuvieron contratos con Petróleos Mexicanos que les redituaron ingresos cercanos a 24 mil millones de pesos entre 2002 y 2006.

En dichas transacciones aparecen los nombres de Manuel y Jorge Alberto Bribiesca Sahagún, así como los de Carlos Daniel y Amado Omar Yáñez Osuna (propietarios de Oceanografía) y los socios de éstos: Alfredo y Juan Reynoso Durand (dueños del consorcio Blue Marine Technology).

Detrás de ellos figura Antonio Juan Marcos Issa, quien se desempeñó como jefe de asesores de Rogelio Montemayor cuando este fue director de Pemex; después se convirtió en consultor de Raúl Muñoz Leos y Luis Ramírez Corzr en la misma paraestatal, durante el sexenio foxista.

La mayor prueba de la relación entre Oceanografía y los Bribiesca Sahagún la reveló el propio Manuel Bribiesca hijo al periodista Miguel Badillo en una entrevista difundida el 18 de mayo de 2005.[153] Badillo relató que tuvo dos encuentros con Manuel Bribiesca —uno en octubre de 2004 y otro en enero de 2005—; en el primero el entrevistado admitió que su hermano Jorge Alberto y su tío Guillermo Sahagún Jiménez habían gestionado ante Pemex varios contratos para Oceanografía.

El hijo mayor de Marta Sahagún declaró: "Te debo decir que sí, mi hermano [Jorge] y mi tío [Guillermo] llamaron a Pemex para que le dieran un contrato a Oceanografía. Eso sí, siempre con apego a la legalidad, mediante concurso. Esa empresa está dedicada a trabajos petroleros, mi hermano y mi tío conocen bien a los dueños. Así que no tiene nada de malo que soliciten en Pemex que se tome en cuenta a Oceanografía para ese contrato".

Eso significa tráfico de influencias, porque lo hacen a cambio de una comisión. Tu familia puede verse involucrada en acusaciones de corrupción, insistió Badillo. "No, no, no. Nosotros no tenemos dinero y no hemos hecho ningún negocio sucio. Mi familia no tiene ni un quinto, que nos busquen".

Cuando se entregaron los contratos de 2003, el área jurídica de Pemex encargada de revisar los convenios sobre los que pesaban denuncias contra empresas como Oceanografía estaba encabezada por César Nava, el actual secretario particular del presidente Felipe Calderón Hinojosa, mientras que el hoy jefe del Ejecutivo Federal fungía como titular de la Secretaría de Energía, de la cual depende la paraestatal petrolera.

El 18 de agosto de 2008, antes de que la pasada legislatura cerrara sus trabajos, la comisión investigadora entregó su informe y dictaminó que los Bribiesca Sahagún son culpables de tráfico de influencias, al que las empresas Construcciones Prácticas y Fénix Administración de Activos, S. de R.L. de C.V., obtuvieron ilegalmente contratos y millonarias ganancias por subastas del IPAB. Según el informe, los contratos otorgados por organismos descentralizados a la empresa Construcciones Prác-

[153] Miguel Badillo , *Oficio de papel*, columna que aparece en el sitio electrónico *http://oficiodepapel.com.mx*, 18 de mayo de 2005.

ticas y cualesquiera otras que tuvieran relación con la misma, los hermanos Bribiesca triangularon negocios por medio de empresas y el IPAB para ganar las mejores subastas a precios muy por debajo de lo valuado.

En el informe se denuncia que era obvia la relación de parentesco de los operadores de la empresa Construcciones Prácticas con la familia presidencial, lo que configura el delito de tráfico de influencias durante el proceso. El documento contiene doce conclusiones y algunas recomendaciones, entre las que se encuentran ejercer acción penal en contra de los servidores públicos vinculados a los contratos con la empresa Construcciones Prácticas, así como una auditoría externa al IPAB. "Para determinar si el IPAB cumplió con el seguimiento que de acuerdo a la ley debe observar en los procesos de subasta y licitaciones, sin menoscabo de las responsabilidades que se deban fincar a los servidores públicos involucrados", expone el documento. El IPAB, consignó el informe, no cumplió con las funciones que tiene encomendadas, consistentes en vigilar permanentemente el desempeño del tercero especializado Fénix Administración de Activos, según lo previsto en el Artículo 62 de la Ley de Protección al Ahorro Bancario.

"Los contratos celebrados por Fénix Administración de Activos con la empresa Construcciones Prácticas son ilegales por tener vicios de origen, derivados de la falta de observancia a las sanas prácticas que en cualquier tipo de subasta y licitación en los que se manejen recursos públicos, se deben hacer valer, como son la concurrencia, igualdad y publicidad".

Por tanto, ahora, la pelota queda nuevamente en manos del presidente en funciones. Un reto que, sin duda, marcará también para bien o para mal —según él decida aplicar la ley—, el sexenio de Felipe Calderón Hinojosa.

SECUENCIA 5. HOY POR TI Y MAÑANA POR MÍ

Paulatinamente se va ampliando el círculo de los beneficiarios de la familia Fox y ahora incluyen a los hermanos de Fox y los de Marta. Todos hicieron fortuna en esa época.

El 24 de septiembre de 2007, la Junta de Coordinación Política (Jucopo) de la Cámara de Diputados aprobó por unanimidad crear una comisión especial que investigue el presunto enriquecimiento ilícito del ex presidente Vicente Fox (2000-2006). Esta comisión ha tenido avances menos contundentes que la de los hermanos Bribiesca Sahagún, pero el diputado Juan N. Guerra, quien es integrante de la misma, espera que en el nuevo periodo —que inició el 1 de septiembre de este mismo año— se retomen los trabajos y, en particular, las autoridades federales asuman el cumplimiento de la ley.

Entrevistado en su despacho de la fracción perredista en San Lázaro, expresa que, por ejemplo, los Bribiesca tienen abiertas más de 200 líneas de investigación en la Secretaría de la Función Pública, pero "el asunto de fondo es que no se sabe la voluntad que exista para castigarlos, porque aunque Germán Martínez Cázares, actual presidente nacional del PAN, se comprometió a investigar, cuando fue titular de esa dependencia —entre el 1 de diciembre de 2006 y el 27 de septiembre de 2007—, él renunció y ya no tiene esa responsabilidad".

Y es que, dice, todo esto se resume en un solo aspecto: "En la medida que quien gobierna nuestro país —que es netamente presidencialista— extienda este manto de impunidad y mientras en México existan partidos que se prestan para hacer amarres y acuerdos por abajo del agua con el presidente, la impunidad va a persistir".

El legislador comenta que en 2009 se harán públicas las auditorías que la Comisión Fox solicitó a la ASF y ahí se sabrá si realmente el gobierno de Calderón tiene la intención de aplicar la justicia. Pero plantea dudas a partir de que el actual procurador general de la República, Eduardo Medina Mora, fue empleado de Fox, "y lo que menos tiene es voluntad para investigar".

También González Schmal se refiere al por qué en México es prácticamente imposible juzgar a altos funcionarios públicos. Por qué éstos se vuelven intocables: "Es complicado por una sola razón: por el régimen piramidal presidencial. Las entidades que en realidad tienen a su cargo hacer efectiva la justicia dependen del presidente: el Procurador de la República como Ministerio Público; el secretario de la Función Pública, ligado directamente al primer mandatario y la Auditoría Superior de la Federación, que sólo audita entre tres y cuatro por ciento del gasto.

"Pero en el caso de los Bribiesca, son tan elocuentes los elementos probatorios que —dice— no se puede resistir a que las investigaciones de todos estos meses sean un esfuerzo perdido y se frustre la esperanza de aplicar la justicia".

"Terminar con el 'hoy por mí y mañana por ti', que parece ser regla no escrita entre el presidente saliente y el entrante, con el fin de proteger sus intereses, es una oportunidad de oro para Calderón", comenta. "La tiene en las manos, pero es un asunto de voluntad política. Sería fantástico que en la siguiente legislatura este asunto concluyera. Los mexicanos podríamos decir entonces 'aquí está la ley y ya somos un país civilizado'".

Actualmente Marta y Vicente viven en el rancho San Cristóbal, pero ya no tienen los reflectores encima. Llegaron a la Presidencia en medio de ovaciones, pero salieron de Los Pinos en la oscuridad de la noche y apenas iniciado el 1 de diciembre de 2006. Ya no son más la pareja presidencial ni el foco de atención, salvo cuando provocan escándalo e indignación por presumir su nuevo estilo de vida, rodeados de lujos y comodidades,[154] o cuando son mencionados en la prensa por supuestos fraudes a la nación y sus visitas a juzgados. Muchos de sus "amigos" poderosos les han comenzado a cobrar facturas: la primera, y la más dolorosa para quien fuera aspirante a presidenta, es simplemente que no los llamen ni que los inviten a compartir su mesa.

La conclusión de este *thriller* se antoja todavía lejano pero, como decíamos al principio, los buenos han ganado ya importantes batallas. La última palabra y la oportunidad de ganar el estelar como héroe de esta película, la tiene ahora el principal habitante de Los Pinos, Felipe Calderón Hinojosa.

RITA VARELA es periodista, fue directora editorial, reportera y editora del periódico *El Economista*. Fungió como editora de Negocios del diario *Reforma*. Actualmente es directora editorial de la revista especializada *Energía Hoy, Ruta de Negocios* y columnista de la revista *Día Siete*. Ha participado como consultora de medios impresos en las reestructuraciones editoriales de diversos diarios mexicanos. Es coautora del libro *Los suspirantes* (Planeta, 2005) y de *Los amos de México* (Planeta, 2007).

[154] "Los Fox, su vida después de los Pinos", revista *Quién*, septiembre de 2007.

LOS GOBERNADORES
La República corrompida

JORGE ZEPEDA PATTERSON

1. LOS ABUSOS

Piadosos, preciosos, nepotistas, fascistas, frívolos, bailadores, ganadores de lotería, depredadores de playas, protectores de crimen organizado. No suena mal el federalismo, pero algo no está funcionando bien y cada vez lo hace peor. Tener un país democrático integrado por un pacto federal suscrito por entidades libres y soberanas parece una espléndida idea. O lo era, salvo que los beneficiados han sido los Ulises Ruiz, los Marios Marín y una enorme lista de gobernadores que parecen competir entre sí en ocurrencias, deslices, felonías y capacidad para salirse con la suya. Como en botica hay de todo, pero lo que tienen en común, además de una fortuna galopante, es que gozan de absoluta impunidad para poner en práctica sus caprichos y, en el peor de los casos, sus infamias. Por ejemplo:

• "Chinga la tuya, Etilio" decían las calcomanías que algunos jaliscienses se atrevieron a colocar en sus autos en valiente e inútil respuesta a las mentadas de su gobernador, Emilio González Márquez. En abril 23 de 2008 el Góber Piadoso había encabezado una ceremonia para entregar un cheque de 15 millones de pesos al Banco Diocesano de Alimentos, en presencia del cardenal Juan Sandoval Íñiguez. Sabedor de que sería criticado por la opinión pública que cuestiona sus donaciones a la Iglesia, pero inconsciente del efecto de los tequilas que traía encima, Emilio se envalentonó: "Digan lo que quieran… Perdón señor cardenal… ¡Chinguen a su madre!". Al regresar a su lugar en la mesa, su esposa le pidió que cuidara sus palabras, a lo que el marido respondió "Pues tu también me vales madres".[155]

[155] "Bajo Reserva". Diario *El Universal*, 4 de mayo de 2008.

• Entre 2001 y 2002 se depositaron más de 35 millones de pesos en efectivo en las cuentas de los hijos de Arturo Montiel, entonces gobernador del Estado de México, sin negocio o justificación fiscal aparente. Las investigaciones periodísticas dieron cuenta de los inmuebles millonarios adquiridos por el gobernador, con valores muy superiores a sus ingresos formales. La siguiente administración estatal lo libró de cualquier cargo.

• Ulises Ruiz llegó a la gobernación de Oaxaca con la consigna de liquidar al periódico líder de la entidad, *Noticias de Oaxaca*. Tenía un pleito casado con su propietario, pues se sentía agraviado por la línea editorial y por los antecedentes en la propiedad del diario sobre el cual el gobernador y su grupo creían tener derechos. El gobierno utilizó todo: líderes sindicales ajenos al diario declararon huelga, golpeadores tomaron instalaciones, jueces dictaron órdenes de presentación, un cadáver fue sembrado en las rotativas, las autoridades exigieron un boicot de los anunciantes. La noticia del embate de Ulises dio la vuelta al mundo, pero nada pudo pararlo. *Noticias de Oaxaca* se salvó porque la crisis del magisterio y la APPO obligó al gobernador a cerrar otros frentes abiertos.

• En abril de 2006, José Luis Adame Castillo y su hijo Luis Daniel Adame Tapia fueron detenidos y llevados a la delegación, luego de que un ladrón de autos los señalara como cómplices. Unas horas más tarde fueron dejados en libertad, al conocerse el parentesco con el entonces candidato a la gobernación del estado de Morelos. Seis meses después, uno de los agentes que participó en la detención recibió una sentencia de trece años de cárcel "por abuso de autoridad", y otros ocho policías cinco años y seis meses. Para entonces Marco Adame Castillo, hermano y tío de los detenidos, ya era gobernador de la entidad.

• En julio de 2008, un convoy de patrullas rodeó a un camión que trasladaba turistas del hotel al aeropuerto de Los Cabos. Los pasajeros fueron obligados a descender a punta de pistolas y a caminar con maletas durante un largo trecho de carretera. Los policías estaban protegiendo el contrato que posee el sindicato de taxistas, que les reserva el derecho no sólo de controlar las salidas del aeropuerto sino también las llegadas, además de los *tours* turísticos. John Solís, presidente del Consejo Coordinador Empresarial de la región, aseguró que las pérdidas acumuladas por cancelaciones, alcanzaban la cifra de 246 millones de dólares. El aparente absurdo de perder esa ganancia por un pleito local ya no lo es tanto cuando nos enteramos que el gobernador perredista, y antes alcalde de Los Cabos, Narciso Agúndez, es pariente de líderes transportistas y él mismo gran propietario de flotillas de taxis.[156]

• Después de concluir su jornada docente, el doctor Manuel Salvador González Villa —catedrático de la Facultad de Ciencias Políticas y Sociales de la Universidad de Colima— se dirigió a su domicilio. Allí lo esperaban dos agentes de la Policía de Procuración de Justicia de la entidad, quienes sin dar explicaciones y sin mostrar orden de aprehensión lo subieron por la fuerza a una camioneta y lo trasladaron a una celda de la institución. Más tarde, el procurador le explicó que el gobernador de Colima de entonces, Fernando Moreno Peña, lo había demandado por difamación y calumnias: en su clase "La pobreza en México", el profesor se había atrevido a hacer comentarios críticos al mandatario. Fue liberado horas más tarde, cuando aceptó firmar una declaración que matizaba sus apreciaciones sobre Moreno Peña.

• En febrero de 2006, el candidato Felipe Calderón marchó por las calles de Puebla y remató en su zócalo con una tarjeta roja en mano para solicitar, a manera de árbitro de futbol, la renuncia de Mario Marín como gobernador de Puebla. Cinco semanas después de tomar posesión como presidente, Calderón regresó a Puebla a tomarse la foto con el "Góber Precioso". Hay pocos países del mundo occidental en que un gobernador, como es el caso de Mario Marín, seguiría en su posición luego de ser ventilada a la opinión pública la grabación de una conversación como la que sostuvo con Kamel Nacif, a propósito de dar un "coscorrón" a una periodista. Sobre todo porque "el coscorrón", como aclaró el mismo Kamel en otra conversación, consistía en una violación en la cárcel.

• Félix González, un imberbe político priista de Quintana Roo ganó la gobernatura y celebró sus treinta y siete años con una fiesta en la casa de gobierno por la que desfilaron diez mil personas para presentar "sus respetos". El agasajo al gobernador, a la usanza de los años cincuenta, requirió el sacrificio de 21 reses, oportunamente donadas por la Unión Ganadera Regional. Considerando que la población de Quintana Roo no llega a un millón y medio de personas, significa que uno de cada 150 de sus gobernados fue ese día a saludar a su soberano.

Desde luego no todos estos pasajes ostentan la misma gravedad. Entre el culto a la personalidad de un festín como el descrito en el

---

[156] Felipe Díaz Garza, "País de suicidas", diario *Reforma*, 19 de julio de 2008. Y columna "Templo Mayor", Ibid.

párrafo anterior y las prácticas delincuenciales de Ulises Ruiz en Oaxaca, hay un largo trecho. Lo que tienen en común es que todos esos casos expresan los enormes márgenes discrecionales que disfrutan los gobernadores hoy en día. Que tales márgenes den lugar a un crimen o simplemente a una anécdota pintoresca en las distintas entidades federativas, depende de la personalidad y la ética de cada gobernante. Por desgracia, el balance no es muy reconfortante, hasta ahora.

Los nepotistas

Algunos han cometido faltas por el excesivo amor que les inspiran los suyos. Tal es el caso del gobernador panista de Aguascalientes, Luis Armando Reynoso Femat, a quien el orgullo por los logros de su sobrino le llevó a colocar inserciones de felicitación en los diarios luego de que Rodrigo ganara una competencia local de autos denominada "Desafío Corona". Pecata minuta, pese a que fue pagada con dineros del erario, según la prensa nacional. Ese mismo día, otra paisana del gobernador ganó un campeonato nacional de tenis sin que mereciera mención alguna. Carecía del apellido correcto.

Una falta inocente comparada a las de Patricio Patrón Laviada, gobernador de Yucatán hasta hace poco tiempo. Patrón Laviada salvó de la cárcel una y otra vez a sus hermanos, acusados de diversos delitos y abusos. En mayo de 2006, Antonio fue sorprendido de manera flagrante en la compra de votos, horas antes de las elecciones a la gobernatura. Detenido en estado de ebriedad, Patrón Laviada chocó contra dos patrullas al intentar darse a la fuga y atropelló a varios policías, uno de ellos de gravedad. Al lugar de los hechos llegaron más de diez unidades y decenas de agentes quienes desconocían la identidad del sujeto que sólo amenazaba con cesarlos. Tras la identificación y constatar que el conductor era hermano del gobernador, los agentes procedieron a escoltarlo hasta la delegación, donde el responsable, luego de consultar con sus superiores, lo dejó en libertad.

A mediados del 2007, los diarios nacionales revelaron que la embajada de Estados Unidos en México había notificado a este mismo hermano, Francisco Antonio José Patrón Laviada, la decisión de revocarle la visa "por sus posibles vínculos" con actividades del crimen organizado.[157] Su cuñada, hija del ex gobernador Cervera Pacheco, inicialmente también fue privada de su visa, aunque posteriormente le fue regresada.

A lo largo del sexenio de Patricio Patrón Laviada se cuestionó el vertiginoso enriquecimiento de Antonio y , sobre todo de Alejandro, conocido como "la Vaca", yerno de Cervera Pacheco. La prensa local reportó las andanzas de la Vaca, sus reiterados vínculos con intereses turbios de diversa índole y su estrecha relación con las inversiones del ex banquero Roberto Hernández en la península de Yucatán, de quien se asumía era prestanombres.[158] Todos los intentos de investigación toparon con el blindaje fraterno desplegado por el gobernador.

A su salida de Yucatán, luego del triunfo de la priista Ivonne Ortega, el ex gobernador fue designado Procurador Federal del Medio Ambiente por Felipe Calderón. Un nombramiento severamente cuestionado toda vez que Patrón Laviada había sido impugnado por grupos ambientalistas yucatecos por la entrega al capital privado de diversos recursos naturales. Para ese nombramiento no fue obstáculo que su prima, Cecilia Laviada, fuese la coordinadora de delegaciones de la Secretaría del Medio Ambiente y Recursos Naturales.

Pero si Patrón Laviada se limitó a extender su brazo protector, el gobernador de Morelos, Marco Adame Castillo fue mucho más allá. No sólo una jueza metió a la cárcel a los policías que investigaban a un hermano por el presunto delito de robo de autos, sino que Marco Adame se ha dado a la tarea de sacar de problemas a sus hijos. En enero de 2007, la prensa local reportaba que por tercera ocasión en menos de un año el poder del gobernador se había impuesto a la ley, ahora para evitar que sus hijos Juan Pablo y Mayela fueran sancionados por agredir a otros jóvenes en una discoteca de esta ciudad. La riña había comenzado al calor de las copas, pero a los golpes le entraron tanto amigos como guaruras de los hijos del gobernador, dejando malheridos a sus contrincantes.[159]

---

[157] Diario *La Jornada*, 15 de junio de 2007.
[158] Diario *Por Esto*, julio de 2007.
[159] *www.apro.com*

Un caso curioso de tráfico de influencias, aunque no necesariamente de enriquecimiento, al menos inmediato, es el del gobernador de Tabasco, Andrés Granier, y su hijo. Fabián Granier, licenciado en Comercio Internacional, de veintisiete años quien tramita desde la residencia oficial del gobernador apoyos para despensas, empleos en la burocracia, materiales de construcción, becas. El joven recibe súplicas y solicitudes y, con la ayuda de un par de empleados públicos, tramita resoluciones con los distintos secretarios del gabinete de su papá. "No es nepotismo, porque no estoy en nómina del gobierno", afirma el joven con candor, simplemente "agilizo trámites, pues si me llega una petición sé adonde mandarla para que se la tome en cuenta".[160] En marzo de 2008, el PRD local exhibió fotografías s del vástago del gobernador mientras utilizaba el avión del Ejecutivo para viajar a Cancún con sus amigos.

El nepotismo no es un atributo que monopolicen el PRI o el PAN. La familia de Leonel Cota, ex gobernador y ex presidente del PRD, muestra que estas viejas prácticas no reconocen colores ni ideologías. Aunque se ha retirado de las principales candilejas, sigue siendo la cabeza de un clan que domina la política de Baja California Sur. Su primo, Narciso Agúndez Montaño es el gobernador; su hermana, Rosa Delia Cota Montaño, es la presidenta municipal de La Paz; el cuñado de ésta es el Procurador del Estado; y otro hermano, Juvenil Cota Montaño, es el jefe de asesores del gobernador.[161] El poder de esta familia quedó demostrado en 1999, cuando el CEN del PRI rechazó a Leonel Cota como su candidato a la gobernatura, justamente para evitar la concentración del poder en este grupo. Leonel, quien terminaba su periodo como presidente municipal priista de La Paz, simplemente cambió de partido, ganó las elecciones e inauguró la dinastía Cota.

No hay gobernador en el país con mayor capacidad para convertir a su entidad en un coto personal y familiar que Héctor Ortiz Ortiz, mandatario panista de Tlaxcala desde 2005. Su hermano Rodolfo fue designado director del Hospital Infantil; otro hermano, Serafín, se convirtió en rector de la Universidad Autónoma de Tlaxcala, de la cual el

---

[160] Diario *Tabasco Hoy*, 7 de marzo de 2009. Y también en *www.apro.com*
[161] *www.apro.com*, 28 de enero de 2008.

gobernador había sido titular durante dos periodos. Para desocuparle la plaza a Serafín, el mandatario recurrió a una propuesta que el rector vigente no pudo rechazar: fue designado Subsecretario de Educación del Estado. Efraín, también hermano, es el secretario de Extensión Universitaria. Conservan su plaza universitaria de tiempo completo el hermano Rodolfo, el propio gobernador, su esposa actual y su ex esposa. Por lo demás, Serafín, el rector, es propietario de la Escuela de Argumentación Jurídica y el gobernador es fundador de la Facultad Libre de Derecho en Apizaco; ambas escuelas privadas tienen reconocimiento por parte de la Universidad pública, controlada por los hermanos.[162]

El nepotismo de los Ortiz es, además, de tres bandas. Pese a su afiliación panista, el gobernador es amigo y compadre del priista Mario Marín, el Góber Precioso de Puebla, al grado de intercambiarse favores: "el hermano y el cuñado del gobernador de Tlaxcala encontraron acomodo en la administración de Puebla, el primero fue delegado del ISSSTE y el segundo fue subprocurador de Justicia. Ortiz correspondió con el gobernador de Puebla: el hermano de Mario Marín Torres —Miguel Ángel— es director del Instituto Tlaxcalteca de Asistencia Especializada de la Salud."[163]

En honor a la verdad, habría que atribuirle al PRI "el mérito" de fabricar a este verdadero virrey tlaxcalteca: con la bandera del tricolor, cercano a Beatriz Paredes ex gobernadora del estado en los ochenta, Ortiz ha sido, además de rector, dirigente juvenil de la CNOP, presidente estatal del PRI, asesor de la CNC, secretario estatal de Educación. Como alcalde de Tlaxcala por el PRI, buscó infructuosamente la candidatura de su partido para competir por la gobernatura; el PAN se la ofreció y se convirtió en el gobernador panista más priista de México.

En materia de amor filial, estos seis gobernadores parecerían ingratos frente a la extrovertida pasión que el priista Humberto Moreira, gobernador de Coahuila, expresa por los suyos. El 15 de enero de 2008, el centro para la atención de ancianos de Progreso, pequeño municipio al norte de la entidad, abrió sus puertas con el nombre de "Vanesa Guerrero". Nada relacionaba a los ancianos con esta joven de veintiocho años de edad, ganadora de un concurso de belleza estatal, salvo por un hecho: se trata de la flamante esposa —en segundas nupcias— de

[162] Fátima Monterrosa, "Un virreinato llamado Tlaxcala", revista *Emequis*, 10 de marzo de 2008.
[163] Idem.

Humberto Moreira. El gobernador, romántico él, simplemente le ofreció un regalo de amor. Días más tarde se reportaba que una escuela primaria de Piedras Negras sería fundada con el importe de los regalos de bodas de la pareja y también llevaría el nombre de su esposa.[164]

Con la facilidad con la que otras personas regalan libros y suéteres en las reuniones familiares, Moreira obsequia a los suyos obras públicas. Bajo la consigna de que ya hay demasiadas escuelas con nombres de próceres, a un jardín de niños de Saltillo le fue impuesto el nombre de Evangelina Valdés Dávila, madre del gobernador. Una obra de remodelación en un orfanato de Monclova fue bautizado con el nombre de Alba Elena Moreira Guerrero, hija del mandatario.

Los arranques amorosos de Moreira no pasarían de la anécdota si se hubiesen restringido a esta peculiar manera de etiquetar su obra pública. El problema es que también han afectado al erario y la gestión política. El gobernador ha decidido erradicar el desempleo comenzando por sus familiares cercanos. Su hermano mayor, Rubén, fue designado subsecretario de Gobierno en el arranque de la administración. Alertado de que el parentesco era demasiado cercano para un puesto tan encumbrado, el funcionario fue designado presidente estatal del PRI y asunto resuelto. La colocación de otro hermano, Álvaro, no le representó mayor conflicto toda vez que trabaja en el ayuntamiento de Saltillo, donde Moreira fungía como presidente municipal, antes de lanzarse a la candidatura por el gobierno del estado.

En diciembre de 2007, otro de sus hermanos, Carlos, fue elegido Secretario General de la sección 38 del SNTE que aglutina a 15 mil maestros del Centro y del Este de la entidad. Hasta unos días antes había sido el líder de la sección 5 del mismo sindicato con presencia en otra zona de Coahuila. Las crónicas relatan que el mismo día de la asamblea, Carlos Moreira debió registrarse en la sección, a la que no pertenecía, para poder convertirse en su líder. La votación fue por demás sintomática: 217 delegados votaron por él, los 117 votos restantes fueron registrados como nulos.[165] Vale la pena señalar que esta sección fue la única del sindicato nacional que organizó actos de resistencia en contra del examen para la adjudicación de plazas en agosto de 2008.

Palabra, periódico de Saltillo, filial del grupo *Reforma*, señaló que una empresa propiedad de un tío paterno de Moreira Valdés, con esca-

[164] Diario *El Universal*, 29 de enero de 2008.
[165] Diario *La Jornada*, 20 de diciembre de 2007.

so capital, había ganado los concursos para hacer los planos de todos los puentes de Coahuila que se encuentran en construcción.

El caso de Humberto Moreira es peculiar, porque pese a que todos estos hechos han sido ampliamente difundidos, no hay gobernador en todo el país más legitimado y apreciado que el de Coahuila, según la Encuesta Nacional 2008 del Gabinete de Comunicación Estratégica, que mide los niveles de aprobación de políticos e instituciones (Tabla 1).

"Piense en un gobernador honesto, con líderazgo, carisma y tolerante a las distintas ideas que existen en cada Estado. En escala del cero al diez ¿qué tanto se parece el gobernador de su Estado a su gobernador ideal?

Las razones probablemente están asociadas al carisma, al manejo político y a un plan de medios de comunicación más que generoso. Lo cierto es que los coahuilenses parecen disfrutar de la personalidad dicharachera y populista de su mandatario. Igual se enfrenta a Vicente Fox y a su secretario del Trabajo con motivo de la tragedia de Pasta de Conchos, que acusa de vínculos con el narco a diputados panistas locales que lo molestaron en su informe de gobierno. Ni le importó bailar banda en una fiesta (se afirma que de joven perteneció al Ballet folclórico de Amalia Hernández) o proponerle matrimonio en un acto público a una guapa funcionaria a la que cortejaba, once meses antes de su reciente boda: "Aquí está la maestra Eréndira Loza que el próximo año será Eréndira Loza de Moreira, si ella quiere…"[166] Como apenas hacía seis meses antes el gobernador se había divorciado de su primera esposa, el Congreso del Estado decidió modificar el Código Civil de Coahuila para reducir de dos años a uno el tiempo que debe transcurrir para que una persona divorciada vuelva a casarse.

Humberto Moreira, saltillense de cuarenta y dos años, es un profesor normalista, hijo y hermano de profesores, que llegó a la política de mano del magisterio. No es un peón de Elba Esther Gordillo pero, sin duda, "la Maestra" fue decisiva para poder encumbrarse en la gobernatura. Fue funcionario medio de la SEP en el Distrito Federal, hasta que logró convertirse en secretario particular de Gilberto Guevara Niebla cuando éste fungió como Subsecretario de Educación en el periodo de Salinas. Al terminar el sexenio, a mediados de los noventa, regresó a su entidad dispuesto a incursionar en la política local. En 1999 fue designado Secretario de Educación Pública del Estado y de allí saltó a la alcaldía de Saltillo.

[166] "Anuncia Moreira boda para 2008", diario *El Siglo de Torreón*, enero de 2007.

Tabla 1: Gobernador ideal por Estados

Estado	Porcentaje	Partido
Coahuila	7.3	PRI
Sonora	7.0	PRI
Tabasco	6.9	PRI
Tamaulipas	6.9	PRI
Veracruz	6.8	PRI
Durango	6.8	PRI
Nayarit	6.7	PRI
Yucatán	6.6	PRI
Quintana Roo	6.6	PRI
Hidalgo	6.6	PRI
Chiapas	6.5	PRD
Chihuahua	6.5	PRI
Campeche	6.4	PRI
Colima	6.4	PRI
Querétaro	6.1	PAN
Sinaloa	6.1	PRI
Baja California	6.0	PAN
Guanajuato	5.9	PAN
Baja California Sur	5.9	PRD
México	5.9	PRI
Nuevo León	5.8	PRI
San Luis Potosí	5.8	PAN
Guerrero	5.6	PRD
Zacatecas	5.5	PRD
Morelos	5.5	PAN
Jalisco	5.4	PAN
Tlaxcala	5.3	PAN
Distrito Federal	5.1	PRD
Aguascalientes	5.0	PAN
Michoacán	4.9	PRD
Puebla	4.6	PRI
Oaxaca	4.4	PRI

FUENTE: Encuesta Nacional 2008 Gobierno, Sociedad y Política. Gabinete de Comunicación Estratégica. p. 5.

Síntoma del peso político nacional que ha adquirido fue la lista de invitados presentes en su boda, sin duda el acontecimiento social más importante del priismo en 2007: Carlos Salinas de Gortari, Manlio Fabio Beltrones, los gobernadores José Natividad González y Enrique Peña, entre muchos otros. Pese a las celebridades presentes y la pompa que caracterizó a la ceremonia, Moreira no tuvo empacho en darle un toque personal a su promesa de boda: "Vanessa, te entrego estas arras que son el símbolo de que siempre estaré trabajando para entregarte el producto de mi esfuerzo, de que sé que lo vas a cuidar, de entregarte mi salario cada quincena, de no esconderte el bono y darte el aguinaldo también".[167]

El enriquecimiento explicable

Mario Villanueva solía decir que todo aquel que no se hiciera millonario en Cancún era un pendejo. "El Profesor" Hank González puso en circulación la famosa frase de "político pobre es un pobre político". Ambos sabían de lo que hablaban, ambos fueron gobernadores: el primero de Quintana Roo, el segundo del Estado de México. En realidad, actualmente se requiere de muchísimo talento para llegar a ser gobernador y no terminar como millonario. Un talento que, desde luego, Roberto Madrazo y Arturo Montiel no poseen.

Según información publicada por Jaime Avilés, la cual nunca fue desmentida por Roberto Madrazo, al abandonar el gobierno de Tabasco el ex candidato presidencial transfirió 46 millones de dólares a los bancos Dresdner Bank, en Alemania, y Prudencial Securities, en Estados Unidos. Según el periodista, en la primera entidad bancaria se depositaron cerca de treinta millones de dólares a nombre del propio Madrazo, mientras que el resto se hizo en el segundo banco, a nombre de su esposa Isabel de la Parra.[168]

Y desde luego, no hay caso más célebre de enriquecimiento inexplicable reciente que el de Arturo Montiel, ex gobernador del Estado de México. Nunca sabremos si realmente pudo haber llegado a la presidencia nacional en la campaña de 2006, pero sin duda las probabilida-

---

[167] Diario *Vanguardia,* 22 de diciembre de 2007.
[168] Diario *La Jornada*, 5 de agosto de 2001.

des que tenía quedaron sentenciadas cuando Roberto Madrazo, su competidor dentro del PRI, divulgó las cuentas bancarias clandestinas y el valor de los inmuebles de reciente adquisición. Durante semanas la opinión pública se solazó con imágenes de sus espectaculares propiedades en Francia, en la Costa Alegre de Jalisco y en varias ciudades del centro del país.

¿A cuánto asciende la fortuna de Montiel? En 1999, al comenzar su sexenio declaró un patrimonio personal de 140 millones de pesos, al terminar reportó apenas 110 millones, lo cual supuso una pérdida de treinta millones. Según sus propias cuentas, Montiel habría sido el primer político mexicano que "pagó" por ser gobernador, a razón de cinco millones por año. Raro en alguien que había profitado de la política a lo largo de toda una vida: presidente municipal de Naucalpan, presidente del PRI en el Estado de México, diputado federal, director de Protección Civil en Gobernación, director de los Talleres Gráficos de la Nación, secretario de desarrollo económico en su estado.

Las fotos y las notas periodísticas arrojaban una versión distinta sobre la fortuna del político. El PAN del Estado de México denunció reiteradamente que el patrimonio total del ex gobernador ascendía a cincuenta millones de dólares, es decir, alrededor de 550 millones de pesos.

La verdadera dimensión de su fortuna pudo conocerse cuando Maude Versini, su esposa en segundas nupcias, casi treinta años más joven, planteó una demanda de divorcio en 2007, por casi 300 millones de pesos (veinte millones de euros).[169] Seguramente la francesa estaba enterada de los recursos que ni Hacienda ni las autoridades estatales "pudieron encontrar". Por suerte para el ex gobernador, aunque resultó traicionado en el amor, no ocurrió lo mismo en la política. Su delfín, protegido y sucesor, Enrique Peña Nieto, revolvió viento y marea para que las autoridades del Estado, jueces y congreso local, exoneraran al gobernador enamoradizo.

Una de las vías más usuales que siguen los gobernadores para bregar con todos los interesados en enriquecerlos, es apoyarse en su propia familia para minimizar riesgos y maximizar beneficios y control sobre las ganancias extraordinarias. Pese a lo socorrido del recurso, el apoyo

[169] Diario *Excélsior*, 27 de septiembre de 2007.

de un hermano o hijo de absoluta confianza, sigue siendo el mecanismo más seguro, aunque no el más ingenioso.

Apoyarse en prestanombres ajenos a la familia conlleva enormes riesgos una vez que el gobernador ha salido de sus posiciones de poder. Por lo demás, la escasa moralidad de un prestanombre es susceptible de volverse en contra de los intereses de su mecenas, sea por traición o simplemente por la tendencia a involucrarse en negocios turbios. Succar Kuri, el pederasta de Cancún, gozaba del apoyo de una considerable red de políticos y no porque todos estos hombres de poder fuesen aficionados al abuso de menores (algunos, no todos), sino porque fungía como lavador de dinero de muchos de ellos. La condición de hotelero de medio pelo y administrador de comercios en el aeropuerto, le permitía al libanés hacer negocios de blanqueo. Lo cierto es que con motivo de su juicio le fueron confiscados más de veinte millones de dólares registrados en sus cuentas, una cifra muy superior a la que sus negocios podrían aspirar. Varios políticos perdieron fuerte, y de manera irreversible, con la confiscación de esos fondos.

Confiar en un pariente cercano también es más seguro que apoyarse en un subordinado. La malversación de fondos o el fraude es mucho más fácil de demostrar que el tráfico de influencias. Un hermano que no pertenezca a la administración pública es prácticamente invulnerable.

Quizá por ello es tan frecuente el enriquecimiento vertiginoso de los parientes cercanos al gobernador. Una docena de entidades federativas cuentan con "hermanos incómodos" y no sólo por los desmanes o arbitrariedades que puedan cometer en una cantina. Una vez más, los Patrón Laviada, en Yucatán se hicieron legendarios a este respecto. A mediados del sexenio de Patricio, se reportó que al menos cinco ayuntamientos panistas habían sido "obligados a adquirir vehículos para servicio público en los establecimientos de los hermanos del gobernador".[170]

Sin embargo, la venta de automóviles parecería un juego de niños comparado con el atractivo que ofrecen los grandes desarrollos inmobiliarios y los enormes márgenes que reporta "la gestoría extraoficial" de parte de un pariente del gobernador. Ya se ha mencionado los señalamientos reiterados que se hicieron en la prensa local respecto al enriquecimiento de los Patrón Laviada como intermediarios para facilitar al capital inmobiliario la adquisición de extensas superficies de terrenos públicos en la península de Yucatán.

[170] *www.apro.com*

En Nuevo León, Luis González Parás, hermano del gobernador priista, se ha hecho famoso por operar como el *broker* de un controvertido y ambicioso desarrollo en la Huasteca Nuevoleonesa. En mayo de 2008 Felipe Díaz Garza, uno de los articulistas de cabecera de *El Norte* de Monterrey, abandonó el tono moderado y circunspecto para señalar al mandatario:

> ...es inaceptable la participación, documental y expresamente comprobada, de Luis González Parás, hermano del Gobernador José Natividad, en la operación de negocios privados que, de muchas maneras, han entrado en conflicto con el Estado en sus diversas instancias, la principal de ellas, la más frágil, que es la municipal de Santa Catarina.
>
> El gobernador y su hermano no pueden excusarse con la cantaleta de que no es funcionario público el abogado Luis, empleado de la inmobiliaria que patrocina el polémico, antiecológico y antisocial proyecto de fraccionar La Huasteca.[171]

El ex gobernador de Quintana Roo, Joaquín Hendricks decidió asegurar el patrimonio fraterno de una manera mucho más directa: dos de sus hermanos recibieron cientos de hectáreas de terrenos nacionales en la Riviera Maya, de acuerdo a un informe de la Secretaría de la Reforma Agraria. Tres predios, de 100, de 626 y de 279 hectáreas en zonas, "casualmente", catalogadas como de proyección de crecimiento de Playa de Carmen.[172] El valor actual de los terrenos es inestimable.

Algo similar ha sucedido con Eduardo Bours en Sonora, sólo que en versión sofisticada. En febrero de 2005, el gobernador fundó el Fideicomiso Impulsor, en el marco de los llamados "proyectos públicos privados" para hacerse cargo de la detonación de los más grandes programas de su gobierno: Puerto Peñasco, la carretera costera, el proyecto Guaymas (dos nuevas marinas), entre otras, con inversiones que podrían alcanzar hasta los 124 mil millones de pesos. A cargo del fideicomiso colocó su hermano con carácter de vicepresidente ejecutivo, y un

---

[171] Felipe Díaz Garza, "Los 10 cadillacas de Luis", diario *El Norte* de Monterrey, 21 de mayo de 2008.
[172] Diario *Reforma*, 10 de agosto de 2008.

consejo en el que participa su cuñado y un directivo de Bachoco, la empresa familiar.[173]

Desde sus inicios la operación del Fideicomiso causó polémicas por su participación en la compra y enajenación de tierras que eventualmente han ido a parar a manos de la iniciativa privada, y una parte de ellas a la propia familia Bours. "Sólo en Puerto Peñasco, al amparo del poder, los Bours Castelo han invertido cerca de tres mil millones de dólares en la adquisición de tierras y la construcción de grandes firmas hoteleras", afirma una nota periodística.[174]

Un diputado local se quejaba de Bours en Sonora casi en los mismos términos que el analista antes citado se quejaba de González Parás en Nuevo León: "La excusa de Eduardo Bours es que su hermano no está en la nómina y que por lo tanto no es empleado del gobierno. Lo que es cierto es que Ricardo tiene en sus manos todos los proyectos detonadores del Estado [...] la creación de ese fideicomiso contraviene las leyes locales que prohíben la participación de familiares del gobernador —hasta en cuarto grado cosanguíneo— en proyectos de la administración pública.[175]

El caso de Eduardo Bours es *sui géneris* porque su grupo económico se ha convertido en el más poderoso de la economía regional. Además de Bachoco, el gigante productor de huevo en México, son propietarios de Ocean Garden, adquirida de manos del sector público y convertida en la empresa comercializadora de mariscos más grande del mundo. Poseen también la fertilizadora Tepeyac y son inversionistas de la línea aérea Alma, constructoras, desarrollos inmobiliarios y hotelería, entre otras.

Es tal la amplitud de los intereses de los Bours, que con cierta razón el mandatario podría argumentar la imposibilidad de gobernar sin toparse con la actividad de su propia familia. Sin embargo, los críticos señalan que una cosa es no toparse y otra favorecer el crecimiento vertiginoso de los intereses del clan. Para referirlo, se cita una de sus primeras acciones: "Apenas tomó posesión como gobernador, el 13 de septiembre de 2003, Eduardo Bours decidió cambiar todo el parque vehicular del gobierno estatal: convirtió a las concesionarias Ford de la entidad en prósperos negocios que son controlados por su familia.

[173] Diario *El Imparcial*, 18 de febrero de 2007.
[174] Ricardo Ravelo, "El sospechoso gobernador multimillonario", revista *Proceso*, 2007.
[175] Diario *El Imparcial*, Ibid.

Desde entonces, todas las patrullas que circulan en Sonora tienen esa firma automotriz".[176]

Eduardo Bours es un gobernador priista atípico, llegado a la política desde la élite empresarial del país. Originario de Ciudad Obregón (1956) y miembro de la familia propietaria de Bachoco, estudió ingeniería en el TEC de Monterrey y trabajó en distintos puestos directivos en la empresa familiar desde 1980 hasta 1992. En este año fue elegido presidente de Consejo Nacional Agropecuario, pero en 1994 recibió el encargo de organizar la licitación de la empresa Del Monte Fresh, que el gobierno había rescatado de otra licitación cuestionable a Carlos Cabal Peniche.

En 1995 Bours se hizo cargo de la Unidad Coordinadora para el Acuerdo Bancario Empresarial (UCABE), el llamado "Barzón de los ricos", creado por los empresarios deudores para gestionar la liquidación de sus adeudos con el Fobaproa. Es una responsabilidad estratégica que le permitiría a Bours cosechar el agradecimiento de una gran cantidad de empresarios clave del país. Consecuentemente, en 1997 lo eligieron presidente del Consejo Coordinador Empresarial, el organismo que está en la cúpula de la iniciativa privada nacional.

En 1999, Francisco Labastida Ochoa lo invitó a convertirse en el coordinador de financiamiento de su campaña presidencial y le ofreció a cambio una candidatura al Senado, por Sonora. Pese a la derrota de su candidato, Bours consiguió una senaduría en el 2000, aunque tres años más tarde solicitó licencia para poder presentarse como candidato a la gobernatura de su Estado.

Con esta currícula nadie podría decir que Eduardo Bours se haya hecho rico en el gobierno, pero, del otro lado, al gobernador le costaría mucho trabajo demostrar que los intereses económicos de la familia, y los propios, no se hayan visto beneficiados. Quizá por ello, en julio de 2008, luego de tres años de cuestionamientos, decidió remover a su hermano Ricardo del poderoso Fideicomiso y anunciar la conformación de un consejo mucho más plural e inclusivo.

Otros gobernadores no gozan del patrimonio acumulado ni los puentes con la iniciativa privada que posee el gobernador de Sonora. Algunos han tenido que buscárselas por vías mucho más tortuosas. En Tamaulipas fue llevado a la cárcel el propietario de un terreno de playa de

[176] Idem.

varias hectáreas, por atreverse a denunciar el proyecto de un socio del gobernador Eugenio Hernández Flores, que intentaba despojarlo ilegalmente, según el abogado defensor.[177]

En Chiapas, el ex gobernador Pablo Salazar fue acusado de facilitar las trampas de Kamel Nacif en la instalación de maquiladoras en aquella entidad, mediante las cuales se fundaban empresas que gozaban de distintos incentivos de manera fraudulenta. En abril del 2002, el gobierno entregó en comodato bodegas compradas a Gigante por diez millones de pesos a Kamel Nacif (es decir, sin pago de renta), además de ofrecer cubrir los salarios de sus trabajadoras durante seis meses. Una vez cumplido el plazo, Nacif simplemente quitó la instalación y volvió a mudarla a otro lado.[178] Todo haría pensar que luego de estos abusos, el gobierno de Chiapas estaría indignado en contra del llamado "Zar de la Mezclilla". Pero curiosamente, cuatro años más tarde, el gobernador se mostraba agradecido: en febrero de 2006, las grabaciones telefónicas de diversas conversaciones realizadas por Kamel, reproducían un diálogo entre el empresario y el todavía gobernador chiapaneco, Pablo Salazar, en el que el mandatario asumía explícitamente un rol como gestor de negocios convenientes para el libanés.

Otros gobernadores han recurrido a vías menos expuestas para terminar con su pobreza: el presupuesto del gobierno del estado. Los casos más inocuos serían los mandatarios que han incrementado su salario exponencialmente. Por ejemplo, el de Aguascalientes, Luis Armando Reynoso, que se asignó un sueldo de 236 mil pesos al mes gracias a una partida adicional de 132 mil pesos "por riesgo laboral".[179]

Resultan mucho menos inocentes las partidas ocultas que pueden llegar a alcanzar niveles millonarios. En mayo de 2008, una investigación periodística dio cuenta de las enormes ganancias del Montepío en Oaxaca, que Ulises Ruiz maneja discrecionalmente. En tres años de su

---

[177] Agencia Apro, 25 de febrero de 2008.
[178] Miguel Pickard, "Trans-Textil Internacional, la maquilador de San Cristóbal de las Casas", abril de 2003. Revista *Contralínea*, marzo de 2006.
[179] Diario *Reforma*, 2 de agosto de 2006.

administración el gobierno estatal habría recibido 608 millones de pesos de esta institución, sin que hubiese reportado algún destino.[180] Un seguimiento de esta nota reveló que los ingresos por renta de edificios históricos en Oaxaca para eventos especiales, también representaba una fuente de ingresos adicionales nada despreciables y no reportados al Congreso local.[181] Es decir, otra caja chica del gobernador. Un boletín de prensa del gobernador argumentó posteriormente que la cifra referida al Montepío no era 608 millones sino 6 millones.

En Guanajuato, el gobernador Juan Manuel Oliva decidió incrementar los rubros destinados a su oficina para no tener que andar batallando por centavos. En 2007 pasó al Congreso local un proyecto de presupuesto que ampliaba la partida de su oficina 64 millones más que el año anterior, lo cual representaba un incremento del 34 por ciento. Adicionalmente dedicaba a la secretaría particular 84 millones de pesos (contra cincuenta millones en el ejercicio anterior). Para "ayudas sociales y culturales", asignada al gobernador, se solicitaban otros 28 millones y para asesores 13 millones.[182] Nada mal considerando que se trataba de un solo ejercicio de los seis que presidiría el mandatario.

Futbol y el jugador número 12

Una decena de mandatarios ha descubierto cuán redituable resulta convertirse en el aficionado número uno de un equipo de futbol local. La pasión futbolera suele ser mucho más intensa e indiscriminada que la pasión política. No hay autoridad estatal que no sea perdonada a cambio de "ofrecer" un campeonato a su pueblo. Nadie lo sabe mejor que el gobernador Félix González, de Quintana Roo, quien "se llevó" a los Potros del Atlante a Cancún, que en su primer año logró el torneo de liga. Pese a las sospechas de que el arreglo con el dueño del equipo, encabezado por Alejandro, el Güero, Burillo, podía estarle costando al erario mucho más que la remodelación y ampliación del estadio, la popularidad del gobernador ascendió como la espuma. Antes de cum-

[180] "Maneja Ulises Ruiz Montepío a su gusto", diario Reforma, 20 de mayo de 2008.
[181] Diario Reforma, 21 de mayo de 2008.
[182] Agencia Apro, 14 de diciembre de 2007.

243

plir dos años de su administración, el joven mandatario era uno de los titulares con mayor legitimidad en el país (Tabla 1).

Los éxitos del equipo Santos de Torreón podrían explicar en parte la popularidad de la que goza el ya mencionado Humberto Moreira, de Coahuila (Tabla 1). Con una de la mejores trayectorias en el futbol mexicano de los últimos años, el Santos ha generado una de las aficiones más intensas y apasionadas en el país, un verdadero activo para un político profesional como Moreira. El gobernador se ha convertido en el aficionado número uno y ha puesto la cartera pública al servicio de su pasión. En abril de 2008 se anunció que la tesorería del Estado ampliaría su donación a 170 millones de pesos —originalmente eran veinte millones— para la construcción del nuevo estadio Corona, propiedad de la cervecera Grupo Modelo. El estadio, con aforo de 26 mil personas, incluye un complejo deportivo y comercial ultramoderno denominado Territorio Santos Modelo.

La medida fue criticada tanto por la magnitud de la operación, superior al presupuesto anual de varias dependencias y la mayoría de los municipios del Estado, como por el destino final de los recursos. La partida no fue una inversión a cambio de acciones, sino una donación a beneficio de una de las empresas más poderosas y rentables de la economía mexicana. Una transferencia neta de recursos públicos a un cuasi monopolio privado, según distintos críticos locales. El gobernador se defendió desde la primera transferencia, asegurando que no había sido una donación sino una especie de "trueque" mediante el cual se recibirían boletos gratis en los partidos del Santos, para ser distribuidos —por él— entre la población.[183]

Unas semanas después del anuncio de los 150 millones adicionales, en mayo de 2008, el Santos venció al Cruz Azul en la final de la liguilla para conquistar su tercer campeonato del futbol mexicano. El gobernador desfiló con el equipo por tierras coahuilenses, festejando el título deportivo como un triunfo personal y de su gobierno. Tenía razones.

Igual que las tenía Pablo Salazar Mendiguchia, gobernador de Chiapas (2000-2006), que convirtió la causa de los Jaguares en alma y motor de

[183] Diario *Siglo de Torreón*, 15 de noviembre de 2007.

su administración. Nunca se sabrá cuántos recursos públicos fueron canalizados para la adquisición de la franquicia y el mantenimiento del equipo, desde 2002 cuando se supo que Grupo Pegaso lo llevaría a Tuxtla Gutiérrez, con una inversión calculada en cerca de 20 millones de dólares.[184] "Según los críticos del ex gobernador, la nómina de los jugadores, los gastos de transporte, hospedaje y alimentación, además de las visitas a Chiapas del conocido árbitro Arturo Brizio y sus acompañantes [...] corrieron por cuenta del erario".[185] En 2004, con la intervención de Salazar, Burillo vendió el equipo a un empresario local, Antonio Leonardo Castañón, propietario de la cadena nacional de Farmacias del Ahorro. Si bien es cierto que Jaguares no recompensó al gobernador con un campeonato en estos años, la euforia que despertó el equipo y el apoyo masivo en Tuxtla ayudaron a paliar los malos momentos de su gestión.

Tampoco los ex gobernadores Jesús Murillo Karam y Manuel Ángel Núñez Soto han visto mal recompensados sus esfuerzos y desvelos a favor de los Tuzos del Pachuca, el equipo de mejor palmarés del futbol mexicano en los últimos años. Terrenos millonarios para instalaciones y premios cuantiosos para los jugadores representan un costo menor si se considera los beneficios políticos que estos mandatarios han obtenido de la *tuzomanía* que siguen experimentando los hidalguenses.

Con menos éxito, pero no menos enjundia, otros gobernadores como Fidel Herrera en Veracruz y Armando Reynoso en Aguascalientes han imitado a Moreira y Félix González.

En Veracruz, la estrategia del gobierno ha sido más protagónica, pero los resultados, más pobres. Recién iniciado su sexenio, en 2005, Fidel Herrera compró las acciones de los Tiburones Rojos, de primera división, en manos del controvertido empresario deportivo y taurino, Rafael Herrerías Olea. La operación se dio en medio de un escándalo divulgado por Miguel Ángel Yunes, hijo del político veracruzano del mismo nombre, quien aseguró que Herrerías había malversado cerca de 300 millones de pesos que el gobierno del entonces gobernador

[184] Diario *Reforma*, 27 de julio de 2008.
[185] Idem.

Miguel Alemán, había entregado como apoyo para el funcionamiento del equipo.[186]

El gobierno de Fidel Herrera tomó el control del equipo y volcó recursos importantes con el propósito de dar una gran campanazo. Estuvieron a punto de lograrlo con la inclusión de Cuauhtémoc Blanco, en 2006, pero el equipo declinó en los siguientes torneos.

Al inicio de la temporada 2008, un Fidel Herrera que acababa de ganar el premio "gordo" de la lotería nacional fue al primer entrenamiento a desearles suerte y asegurarles que ese año serían campeones. Unos meses más tarde, el 27 de abril, los Tiburones perdían ante los Pumas el último partido de una desastrosa temporada y descendían a la segunda división. Ni "la suerte" del gobernador ni la enorme inversión perdida con cargo al erario habían funcionado. El gobierno también es propietario de los equipos de beisbol las Águilas de Veracruz y los Petroleros de Minatitlán, sin mejores resultados.

A fines de julio de 2008, Fidel Herrera solicitó al Congreso local autorización para vender los Tiburones a un particular. Las notas periodísticas presumían que, en realidad, el equipo ya había sido vendido por treinta millones de pesos a Eduardo Césarman y su socio, Guillermo Lara. Según cálculos conservadores, añadían, al gobierno de Veracruz la operación de los Tiburones le había costado 300 millones de pesos sólo la temporada anterior.[187]

Un caso similar al del Necaxa y los ingentes apoyos que ha tenido de parte del gobernador de Aguascalientes, Armando Reynoso. Aunque al menos en este caso la falta de éxitos deportivos del equipo no ha impedido al mandatario congraciarse con Televisa, propietario del equipo.

En el año 2003, cuando fungía como presidente municipal de Aguascalientes, el ahora gobernador fue el artífice para convencer a la televisora de trasladar al equipo a la capital hidrocálida y abandonar el páramo solitario que les significaba el estadio Azteca. Para ello ofreció los terrenos en los que se construyeron el estadio y la casa del club.[188] Ya como mandatario, su interés en el equipo ha continuado de distintas formas. Una nota del diario deportivo *Récord*, señalaba que empleados del gobierno se quejaban de las presiones de las autoridades para obli-

[186] Diario *El Siglo de Torreón*, 2 de marzo de 2005.
[187] Agencia Apro, 31 de julio de 2008.
[188] Revista *Proceso*, 20 de enero de 2007.

garles a comprar palcos y bonos de temporada para rentabilizar al Necaxa. El gobierno desmintió la información.[189] Pese a los magros resultados deportivos y económicos en el paso del Necaxa por Aguascalientes, los cuadros cercanos al gobernador confían en que la alianza estratégica con Televisa les continúe otorgando un tratamiento benigno por parte de la línea editorial e informativa de este medio de comunicación.

Televisión

Los Diablos y las Chivas constituyen poco menos que una religión en Toluca y Guadalajara, respectivamente, pero han tenido la fortuna de mantenerse al margen de los intereses políticos de los gobernadores correspondientes. Una desgracia para Enrique Peña Nieto y Emilio González Márquez, porque la ingerencia en tales equipos les habría dado una enorme ventaja para negociar con las televisoras (el futbol sigue siendo el género más rentable en la televisión y estos dos clubes son dos de las franquicias más apetecibles). A falta de argumentos futbolísticos, ambos han echado mano a la cartera.

En el caso de Peña Nieto, gobernador del Estado de México, la magnitud de los recursos destinados a los medios electrónicos sólo puede especularse, pero se asume que se trata de cantidades ingentes toda vez que es el único gobernador cuyas actividades cotidianas son transmitidas como "información" en los noticieros televisivos. La enorme cobertura mediática que Peña Nieto recibe lo ha encumbrado como el precandidato más mencionado de cara a las elecciones presidenciales de 2012.

El análisis de las cuentas públicas de las tesorerías estatales es muy opaco para registrar la transferencia de recursos a los medios de comunicación que las entidades realizan para favorecer la imagen de los gobernadores. Páginas más adelante se describe la manera en que los mandatarios hacen uso discrecional de importantes partidas presupuestales. La promoción personal es uno de los principales destinos de estas cajas chicas.

El caso de Lydia Cacho, de manera indirecta, permitió conocer parte de la dinámica que se establece en estos arreglos ocultos. Un diario

[189] Diario *Récord*, 2 de julio de 2005.

nacional dejó de publicar información sobre el caso de la periodista, luego de que en diciembre de 2006 el gobierno de Puebla firmara un convenio "de publicidad" por varios millones de pesos.[190] La propia Cacho fue notificada informalmente por empleados de las televisoras que su tema estaba vetado hasta nuevo aviso. Programas y entrevistas que ya habían sido grabados quedaron enlatados. Meses más tarde, cuando tales "contratos" habían vencido, los noticieros volvieron a denunciar las infamias del Góber Precioso de manera intensa y continua... hasta la firma del siguiente contrato.

Por lo que respecta a Emilio González Márquez, de Jalisco, no hubo necesidad de especular sobre las cifras entregadas a la televisión. En junio de 2007, el gobernador extrajo 67 millones de pesos del "fondo de imprevistos", destinados a emergencias sociales, para subsidiar a Televisa en la realización de un evento de la empresa dedicado a los jóvenes llamado Espacio 2007.

En diciembre de ese mismo año, el gobernador canalizó otros 38 millones de pesos a la empresa de Emilio Azcárraga para financiar la telenovela *Las tontas no van al cielo*, con el pretexto de difundir imágenes de Jalisco. Lo relevante de esta decisión es que constituyó una especie de desafío a la opinión pública que lo había criticado meses antes por desfondar el fondo para desastres para beneficiar a Televisa. En sólo dos transacciones, el llamado Góber Piadoso había encontrado la manera de transferir 105 millones de pesos en menos de un año a la mayor fábrica de imágenes y reputaciones del país.

Entre los costos incluidos en la producción de la telenovela, el gobierno de Jalisco se comprometió a pagar noventa boletos redondos de avión entre México y Guadalajara, el costo de cuarenta habitaciones dobles y quince sencillas, así como comidas y cenas para cien personas. Televisa solicitó un helicóptero para realizar tomas aéreas, tres camionetas, un microbús y un autobús turístico. Pidió seguridad pública, apoyo vial, permisos de grabación y asistencia médica. Un diputado local priista, con cierta ironía, señaló que con la promoción del estado que se logrará con esta telenovela, ya no será necesario que los funcionarios de turismo o de otra secretaría viajen al extranjero.[191]

Para asegurar que todos estos apoyos no lo fuesen a malquistar con la otra cadena televisora, González Márquez canalizó 3.5 millones al

---

[190] Entrevista del autor con el ex director.
[191] Alejandro Almazán, "En el nombre del padre, del góber y del espíritu santo", en revista *Emequis*, 5 de mayo de 2008.

Juguetón de TV Azteca, 4.1 millones a su concurso *Trece maravillas de México* y donó 102 mil pesos a la telenovela *Tengo todo excepto a ti*.[192]

La iglesia es mi partido

Cubierto el flanco de la televisión, González Márquez también ha buscado ganarse el Cielo gracias al erario. Con Dios y con Televisa de su lado, el gobernador parece estar convencido de que puede mandar al diablo al resto de los mortales. O a la chingada, como lo señaló en su momento.

El Góber Piadoso ha llevado más lejos que nadie la devoción a la política o, mejor dicho, a las finanzas públicas. En marzo de 2008, un recuento periodístico de las transferencias y apoyos con finalidades religiosas anunciadas o en proceso arrojaba un total de 226 millones de pesos. La nota señalaba que González Márquez había confundido al gobierno del estado con una sociedad de obras pías (en millones de pesos):[193]

- 90 para la construcción del Santuario de los Mártires.
- 30 para la ruta del peregrino en Los Altos de Jalisco.
- 1 para la remodelación de la parroquia de Yahualica.
- 800 mil para las figuras navideñas donadas a El Vaticano.
- 15 para los bancos diocesanos de alimentos Cáritas.
- 90 para la ruta cristera en Los Altos de Jalisco.

Meses más tarde, la oficina del cardenal Sandoval Íñiguez informaría su decisión de rechazar la aportación del gobierno del estado a la construcción del polémico Santuario de los Mártires. El asunto se había convertido en un escándalo nacional y le había ganado el mote de Góber Piadoso al mecenas con chequera ajena. El cardenal, guía moral del mandatario, quería disminuir la presión que estaba recibiendo el panista. El resto de las donaciones piadosas no fue mencionado.

Emilio González Márquez bien podría disputarle a Humberto Moreira el título de gobernador con más escándalos políticos en su haber en el actual sexenio. Con una diferencia sustancial: mientras que las ocurrencias y "salidas" de Moreira terminan siendo aplaudidas por la tribuna y mejoran sus índices de aprobación, las de González Márquez

[192] Idem.
[193] Diario *Público*, 29 de marzo de 2008.

invariablemente generan irritación y disminuyen el apoyo a su gobierno. En la Encuesta Nacional antes mencionada que mide los niveles de aprobación de los gobiernos estatales (Tabla 1), es uno de los mandatarios peor calificados por parte de sus gobernados. En una encuesta local, publicada por el diario *Mural*, trascendió que luego del escándalo de la *megalimosna* el gobernador había perdido diez puntos porcentuales en sus niveles de aprobación, pasando del 52 por ciento en febrero al 42 por ciento en agosto de 2008.[194]

Podría parecer paradójico que en una región de acendrado catolicismo, los excesos confesionales de su gobernador hayan irritado a tal punto a sus coterráneos. Desde luego hay otros temas de ineficiencia administrativa y pobre manejo político que ayudan a explicar el rechazo, pero incluso sus cruzadas a favor de la iglesia han molestado a algunos sectores conservadores por el desparpajo y la incongruencia que evidencian. La inclinación del funcionario a insultar a los que piensan diferente, el lenguaje de carretonero y su triunfalismo insultante han llevado a algunos católicos a considerar que sus acciones están haciendo un flaco favor a la iglesia.

Hay sectores conservadores tapatíos que consideran un error que el gobernador mantenga en su posición al procurador del estado, a quien se denunció como participante en una orgía con niñas y que además tolerara la hostilidad oficial a los denunciantes de estos hechos. No fue un comportamiento muy moral de un mandatario que, por otro lado, organizó en Casa Jalisco lecturas de la Biblia todos los miércoles durante un semestre.

Por lo demás, sus ataques a los contenidos "liberales" de los libros de texto o las medidas tomadas en contra de las campañas de educación sexual y de salud han provocado el descontento de muchos jóvenes. Para argumentar su oposición al reparto de preservativos por parte de la Secretaría de Salud advirtió: "¿Por qué nada más condones? Vamos repartiendo un *six* de cerveza y vamos dando vales para el motel, de modo que el gobierno pague la diversión de los jóvenes".[195]

Vale la pena detenerse en la biografía política de este gobernador, porque de alguna forma su trayectoria y circunstancias ayudan a explicar el arribo al poder de toda una generación de políticos conservadores: la versión nacional de los *neocons* (según el término acuñado en Estados Unidos para designar a las corrientes políticas de inspiración funda-

[194] Diario *Mural*, 4 de agosto de 2008.
[195] Diario *Público*, 6 de agosto de 2007.

mentalista que tomaron el control del Partido Republicano en los años noventa). Contra lo que podría pensarse, esta es una nueva tendencia entre las cúpulas panistas y ha dado lugar a una diferente generación de gobernadores blanquiazules.

La involución: de empresarios a cruzados

Desde fines de los ochenta, con Ernesto Ruffo en Baja California, el PAN comenzó a conquistar un número creciente de gobernaturas, gracias al arribo de candidatos de origen empresarial. El mismo Ruffo, Francisco Barrio en Chihuahua, o Carlos Medina Plascencia en Guanajuato, carecían de una militancia panista antigua y su actividad pública había transcurrido en organismos de la iniciativa privada. La candidatura presidencial de Manuel Clouthier en 1988, líder de agricultores en Sinaloa, no hizo sino confirmar la nueva tendencia bautizada como "neopanismo". Se caracterizaba por la participación de prósperos empresarios que "dejaban en segundo plano los aspectos doctrinales y poseían la tendencia a recurrir al lenguaje empresarial y a la publicidad comercial como ejes de la práctica política".[196]

Los primeros gobiernos estatales panistas tuvieron en realidad muy poco de panistas en términos doctrinales y mucho de empresariales; una caracterización que bien podría extenderse al sexenio de Fox. Estos gobernadores, "empresarios de origen con pocos vínculos con el partido, han constituido gabinetes en los que predominan ejecutivos de empresas, acostumbrados a una racionalidad administrativa que busca la eficiencia y eliminar o disminuir la corrupción. [...] El PAN incorporó ejecutivos y se concentró en lo administrativo porque carecía de experiencia en las responsabilidades de gobierno y porque suponía que, al hacer eficiente la administración pública, mejorar la atención de los ciudadanos y contener la corrupción, se convencería a los electores de votar por el PAN. [...] El conjunto de estos factores le provocó serios problemas políticos al panismo, que en ocasiones no pudo retener los puestos ni mantener sus niveles de votación [...] en más de una ocasión la inexperiencia les ha hecho incurrir en errores

[196] Juan Reyes del Campillo y Tania Hernánez Vicencia, "Partidos y sistemas de partidos en México", en Antonella Attili, *Treinta años de cambios políticos en México*. México, Miguel Ángel Porrúa, UAM-Iztapalapa, 2006, p. 85.

administrativos, lo que el priismo explota con cierta fortuna".[197] La Tabla 1, que describe el nivel de aprobación que gozan o padecen los gobernadores por parte de los ciudadanos, muestra que son los priistas los que obtienen los mejores puntajes. Salvo los casos de Mario Marín y de Ulises Ruiz en Puebla y Oaxaca, respectivamente, que ocupan las últimas posiciones, los peor calificados suelen ser panistas y perredistas.

Sin embargo, a mediados de los años noventa, el panismo tradicional comenzó a recuperar algunas posiciones frente al vendaval de la corriente neopanista. En 1996, Felipe Calderón derrotó a Ernesto Ruffo en reñida competencia por la presidencia del partido: las viejas familias panistas y los líderes nacionales enviaron el mensaje de que no estaban dispuestos a dejar el PAN en manos de aquellos que, a pesar de haberse convertido en gobernantes, en el interior del Partido eran vistos como advenedizos.[198] Para asegurar este triunfo, el panismo tradicional tuvo que hacer acuerdos con grupos conservadores con los cuales compartían identidades doctrinales. Fue un caso de necesidad mutua. Poco a poco, distintos movimientos relacionados con el clero encontraron en el PAN las vías políticas para defender sus posiciones en materia de moral pública, educación y salud. Los panistas de siempre vieron con agrado los efectos electorales que tales movimientos reflejaban en las urnas.

El problema para el PAN es que además de las bases llegaron nuevos líderes: desde fines de los noventa los grupos de derecha vinculados al Clero comenzaron a tomar las dirigencias regionales en Puebla, en Jalisco, en Guanajuato y en otras entidades del Bajío. Esto daría lugar a la nueva camada de gobernadores piadosos con tendencias confesionales.

No es que se deslinden totalmente de los criterios empresariales de los gobernadores panistas del norte del país. Comparten su desconfianza hacia el intervencionismo estatal y su fe en las virtudes de la iniciativa privada, pero han impuesto otros énfasis: los distingue su apego a los valores cristianos, su desafecto a toda expresión procedente de la sociedad que no tenga su origen en la familia, su desconfianza a lo intelectual, a lo desconocido o a lo diferente. Militan en su catolicismo

---

[197] Rogelio Hernández Rodríguez, "Cambio político y renovación institucional. Las gobernaturas en México", *Foro Internacional*, núm. 174, octubre-diciembre de 2003.
[198] Tania Hernández Vicencia, "Conflictos y transofrmación partidaria. El PAN", en revista *El Cotidiano*, septiembre-octubre, vol. 2, núm. 133, p. 39.

no sólo como un derecho de su vida privada, sino con un exhibicionismo producto de la absoluta convicción de que están reorientando a la comunidad descarriada para que tome el camino correcto. Estos nuevos funcionarios son católicos antes que panistas y redentores antes que políticos. Como dijo alguno de ellos, "entre la verdad y mi obispo, me quedo con mi obispo". Están convencidos de lo que es bueno para ellos es lo mejor para todos, sin importar la opinión de sus gobernados. O como lo planteó el propio mandatario de Jalisco, al entregar un donativo de 15 millones de pesos a una organización religiosa, en presencia del cardenal Juan Sandoval Íñiguez: "este es dinero del pueblo, pero el dinero del pueblo me ha sido confiado".

Es una concepción de la democracia electoral que termina transformando los comicios en una especie de investidura monárquica. Por el hecho de haber sido elegido por el voto del pueblo, el soberano se siente por encima de las leyes, de la rendición de cuentas o incluso de la voluntad del pueblo. Sólo así puede entenderse la famosa expresión del ex gobernador, también de Jalisco, Francisco Ramírez Acuña, cuando señaló que no iba permitir que las leyes de transparencia le impidieran gobernar y que para eso era gobernador. En el caso de estos mandatarios de religiosidad acendrada, su noción de soberanía absoluta está legitimada por el hecho de representar a Dios y a su Iglesia. Su líder moral, el cardenal Sandoval Íñiguez, lo dejó en claro al referirse a las 6,500 denuncias presentadas a la Comisión Estatal de Derechos Humanos a propósito de la "megalimosna": "cuando vayan unas tres millones de quejas que se empiecen a preocupar, pues somos seis millones de católicos…".[199] Es decir, el catolicismo como principio legitimador y superior a la noción de democracia o de ciudadanía. En agosto de 2008, luego del escándalo nacional sobre las "megalimosnas", González Márquez dejó en claro que su catolicismo militante está por encima de cualquier otra consideración: de manera retadora envió de regalo a diputados federales de distintos partidos, un libro sobre los cristeros publicado por su gobierno, con introducción del propio mandatario. Allí se establece que la lucha cristera es tan importante como la de Francisco I. Madero.[200]

La trayectoria de Emilio González Márquez ilustra esa transición fundamentalista del panismo regional. Es el noveno hijo de Bernardo

---

[199] Dolores Casas, Semanario *Crítica*, número 115, junio de 2008. Citado por Sanjuana Martínez en el capítulo de su autoría en este libro.

[200] Diario *Reforma*, 17 de agosto de 2008.

González Gómez Portugal y Ofelia Márquez quienes, se asegura, militaron en el movimiento sinarquista.[201] Nació el día del cartero, el 12 de noviembre de 1960 en Lagos de Moreno, Jalisco, en donde vivió hasta los siete años de edad, cuando su familia se trasladó a Guadalajara. En la capital de Jalisco cursó la secundaria en el Colegio Anáhuac y la preparatoria en la Prepa 5 de la Universidad de Guadalajara. Por esa época, cuando Emilio tenía quince años, su tío Carlos González, delegado del Registro Federal de Electores, le dio empleo como empadronador, aunque al joven no pareció interesarle mayormente la administración pública. Se licenció en Contaduría en la misma UDG y posteriormente hizo una maestría en desarrollo organizacional y humano en la Universidad del Valle de Atemajac, UNIVA, vinculada al arzobispado.

Cuando tenía veintitrés años, el PDM ganó la alcaldía en su natal Lagos de Moreno en la figura de Víctor Atilano Gómez, cercano a su familia. El flamante presidente municipal se convirtió en tutor político del joven universitario y lo metió de lleno en la vida partidaria. En aquel momento parecía una causa prometedora: el PDM ganó una docena de diputaciones federales a mediados de los ochenta y varias presidencias municipales.

Emilio tenía todas las credenciales de origen para destacar en un partido con arrastre popular y escasez de cuadros profesionales. En 1988, a los veintiocho años de edad, ya era presidente nacional interino, impulsado por Atilano. Para su mala fortuna, el Partido había comenzado a decaer y perdió el registro en 1991. El PAN había ganado la partida en la disputa por el voto conservador.

Este hecho modificaría la vida de Emilio, aunque no la ruta. Simplemente fueron otros los compañeros de viaje. El joven dirigente había llegado a la política para encumbrarse, no para padecer: renunció al PDM en cuanto este perdió su registro y un año más tarde, en 1992, ingresó al PAN, invitado por Herbert Taylor y Tarcisio Rodríguez. Tenía treinta y dos años.

En el PAN de Jalisco, Emilio recobró su buena estrella, aunque al principio no lo parecía. Pese la presencia de un catolicismo acendrado en la región, el panismo jalisciense había sido liderado por una de sus versiones más humanistas e ilustradas, heredera de los fundadores de 1938. Para los líderes del partido, encabezado por Gabriel Jiménez

---

[201] Versión del investigador de la Universidad de Guadalajara, Francisco Morales, militante priista, citada por el diario El Universal, en "Emilio González, de cuna cristera", de Francisco Reséndiz y Ulises Zamarroni, 6 de mayo de 2008.

Remus a principios de los noventa, conocido por su cultura y bohemia, los jóvenes provenientes del sinarquismo constituían una perspectiva trasnochada de la derecha.

Pero un acontecimiento trastocó la correlación de fuerzas y cambió la historia del panismo local: el asesinato del cardenal Posadas en 1993. La tragedia ofreció a algunos dirigentes de grupos para-religiosos la oportunidad de saltar a la política y hacer carrera a partir de la bandera que representó la denuncia e indignación que dejó la muerte del prelado. El actual secretario de gobierno de Emilio, Fernando Guzmán Pérez Peláez, hizo, literalmente, una carrera política a partir del rechazo de las tesis oficiales sobre la muerte del prelado.

No sólo fue un movimiento de personajes sino también de opinión pública. Muchos católicos albergaron la sensación de que la Iglesia estaba siendo agredida y, por ende, sintieron el impulso de salir a la escena pública para defenderla. El asesinato de Posadas fusionó esta inconformidad en un resentimiento contra el gobierno y el PRI que la nueva derecha fue capaz de aprovechar en su beneficio.

En 1995, un personaje desconocido, Alberto Cárdenas Jiménez, de Ciudad Guzmán, arrebató sorpresivamente la candidatura interna para gobernador al dirigente tradicional del PAN, Gabriel Jiménez Remus, y barrió en las elecciones estatales. Habían nacido los nuevos conservadores o *neocons*.

En beneficio de "Bebeto" Cárdenas habría que decir que pese a su conservadurismo religioso, este primer gobernador se caracterizó por su buen talante y por un gabinete relativamente heterogéneo, aunque con muestras inequívocas de militar en un nuevo panismo: empresarios conservadores vinculados al clero, desconfianza hacia la política profesional, vínculos abiertos e institucionales con la Iglesia.

La carrera de Emilio González Márquez floreció en la primavera panista que vivía Jalisco. En 1995 formó parte del cabildo de Guadalajara que encabezó César Coll, un empresario católico vinculado a los Caballeros de Colón. En 1997 fue elegido diputado federal para la Legislatura 1997-2000, aunque antes de terminar su periodo, en 1999, fue designado presidente del PAN en Jalisco. En sólo siete años se había convertido en el líder de un partido de vieja raigambre en la región, impulsado por los sectores conservadores que habían tomado el control y desalojado a cuadros de mayor experiencia.

Emilio tenía a su favor la confianza del clero, en particular del cardenal Juan Sandoval Íñiguez, un personaje crecientemente protagónico en la sociedad tapatía de esos años. El estilo chabacano y carismático, el rostro aniñado y su afición a las largas comidas de confraternidad con miembros de la élite local, hicieron de González Márquez una figura idónea para los afiches de cualquier campaña electoral. En 2004 alcanzó la alcaldía de Guadalajara para una corta y controvertida gestión, pues en diciembre de 2006 se hizo a un lado para lanzar su candidatura al gobierno estatal. En ninguno de sus tres puestos de elección popular (regidor, diputado y alcalde) terminó el periodo correspondiente.

En algún momento estuvo abajo en las encuestas de intención de voto ante su rival priista, pero Emilio se vio beneficiado por el hecho de que la votación coincidía con las elecciones presidenciales de 2006. El gobernador, Francisco Ramírez Acuña, quien había prometido un triunfo contundente para Felipe Calderón, hizo lo necesario para que venciera Emilio, pese al desafecto que le profesa. Manuel Espino, presidente del PAN, interpuso una denuncia en la PGR en contra del candidato priista Arturo Zamora, por presunto fraude al IMSS, además de afirmar que estaba vinculado al narcotráfico. En realidad se trataba de una acusación antigua que en su momento había sido investigada y rechazada, pero la PGR esperó varios días a que la noticia impactara en la opinión pública, antes de hacer la aclaración correspondiente. Pese a todo, el PAN no estuvo lejos de perder la gobernatura: su candidato ganó al priista apenas por el 3.8 por ciento de los votos. Y todavía más significativo, obtuvo el 45.2 por ciento de la votación, frente al 49.3 de Felipe Calderón en Jalisco.

El gobernador de Guanajuato, Juan Manuel Oliva Ramírez, no tiene la cartera para disputarle el mote de piadoso a su colega de Jalisco, pero ha mostrado que puede ser mejor monaguillo. En agosto de 2007, Oliva encabezó la conmemoración de los 450 años de la llegada de la Virgen de Nuestra Señora de Guanajuato, dando la primera lectura de la misa, llevando ofrendas y comulgando ante tres obispos y cincuenta sacerdotes. Además de la intervención de este inesperado acólito, la misa fue presidida por el cardenal Juan Sandoval Íñiguez.

No era la primera vez que este funcionario católico anteponía sus militancia religiosa a sus tareas de gobernador. En junio de 2007, Oliva dejó a un lado las tareas políticas y viajó con su familia al Vaticano para acompañar al obispo de León, José Guadalupe Martín Rábago, que iba a recibir de manos del Papa su nombramiento como arzobispo.

Meses más tarde generó otra nota de color cuando se supo que el

Canal TV 4, propiedad del gobierno del estado, transmitió por espacio de seis meses un programa llamado *Vida mía*, producido por "Guadalupe Comunicaciones", empresa dedicada al trabajo evangelizador en varias televisoras católicas en el Perú. Círculos políticos y culturales de la región y del país criticaron la intención del gobernador de realizar activismo religioso con recursos públicos.[202]

Quizá lo único que está haciendo Oliva es reconocer públicamente la ayuda que ha recibido de la religión para llegar adonde se encuentra. Y es que salvo por factores religiosos, resulta imposible explicar su vertiginoso ascenso. Reportero de varios medios locales y militante de medio pelo del PAN hasta los años noventa, fue convertido en senador en el año 2000 por las corrientes conservadoras agrupadas en torno al entonces gobernador, Juan Carlos Romero Hicks. En el 2003 fue designado secretario general de Gobierno. Gracias al apoyo de las cúpulas clericales, Oliva logró derrotar al precandidato de Vicente Fox a la gobernatura, el poderoso Javier Usabiaga, secretario de Agricultura, millonario y considerado "el rey del ajo" en México. El hecho de que en este pulso entre un presidente del país y ex gobernador por un lado y los obispos conservadores por el otro, resultaran vencedores estos últimos, constituye una muestra inequívoca de la correlación de fuerzas en Guanajuato. Un estado en el que varios gobernadores panistas (Medina Plascencia, Fox, y el propio Romero Hicks), han dotado a la Iglesia de un protagonismo impensable en otras regiones.

Control de la prensa

La apertura política que el país ha experimentado en los últimos años ha producido un impacto mayúsculo en la prensa del país. Hoy se puede criticar o caricaturizar al presidente o al ejército de maneras que hace quince años eran impensables; pero hoy, también hay más periodistas muertos, desaparecidos y amenazados que nunca antes en la historia de México. La apertura ha aterrizado de manera diametralmente opuesta entre la capital y el resto de la República. Mientras que en la ciudad de México los grandes medios de comunicación están viviendo un periodo de oro en cuanto a influencia, autonomía y poder, en buena parte del territorio los periodistas están padeciendo en carne propia los efectos del "empoderamiento" de los gobernadores (además, claro,

[202] Diario *Correo*, 8 de enero de 2008.

de la amenaza del crimen organizado y el narcotráfico, tema que escapa a los límites de este trabajo).

No se trata sólo de agresiones físicas o desapariciones, que las hay, sino de un rosario largo de actos de intolerancia y hostilidad que reflejan en el fondo algo mucho más preocupante. Los gobernadores consideran a la administración pública como un patrimonio propio y, en esa medida, los periodistas son actores de una intromisión ilegítima.

El caso del diario *El Imparcial*, líder en Sonora, y el gobernador Eduardo Bours es un buen ejemplo de lo anterior. Amparándose en la nueva ley de transparencia, en agosto de 2006 el periódico solicitó información sobre los recursos que el gobierno del estado canaliza a las ONG. Éste respondió que de hacerse pública tal información "podría alterarse la paz social, la estabilidad económica y la gobernabilidad de Sonora". Días más tarde, una columna editorial del diario cuestionó las razones de Bours para negarse a transparentar la información:

> ¿Por qué el empeño del gobierno del Estado por ocultar esa información? ¿Será acaso que hay datos que comprometen a gente poderosa o a funcionarios cercanos a Eduardo Bours Castelo? ¿O hasta a familiares de funcionarios o del propio gobernador?
>
> Cuando no hay transparencia, el "sospechosismo" no tiene límites, así que usted puede echar a volar su imaginación hasta donde le sea posible. ¿Algún día tendrán derecho los sonorenses de saber cuánto dinero de los impuestos destina a las ONG el gobierno del estado? Eso sólo el tiempo y la voluntad lo dirán.[203]

En respuesta a este editorial y a otras notas que —consideró— formaban parte de una campaña en su contra, el gobernador demandó al diario "por difamación", denuncia penal incluida (y luego desistida).

La áspera e indignada reacción de Bours dejaba en claro que los usos de los recursos públicos era algo que sólo le atañe al gobernante y no a los medios de comunicación y por extensión, tampoco a los sonorenses.

Una reacción aún más enfática ya había mostrado contra el periódico *Cambio*, en 2005, cuando el cotidiano publicó un reportaje que revelaba la existencia de un centro de espionaje gubernamental denominado "C-4". Doce auditorías más tarde el diario fue vendido a la Organización Editorial Mexicana.[204]

---

[203] Diario *El Imparcial*, 9 de agosto de 2006.
[204] Jesusa Cervantes, "Gobernador de Sonora, líos con la prensa", en revista *Proceso*, 26 de febrero de 2007.

En diciembre de ese mismo año la revista *Contralínea de Sonora* publicó un reportaje sobre dicho centro de espionaje, haciendo referencia a la nota de *Cambio* y añadiendo la entrevista de un secretario técnico del gobernador quien describía a Bours como "soberbio y altanero". El 12 de enero, Mauricio Capdevielle, reponsable de distribución de la publicación y hermano del director, fue detenido con el tiro completo de la revista, bajo el pretexto de que el automóvil en el que circulaba "parecía" robado. Capdevielle afirma que durante la inspección, los policías le "sembraron" una bolsa de droga, por lo cual fue apresado y la carga de revistas incautada. El reportaje central de esa edición llevaba como título "Bours se apropia de Isla Tiburón". Luego de ser puesto en libertad con las reservas de ley, Capdevielle decidió "exiliarse" en la ciudad de México.[205]

En Tlaxcala, feudo del gobernador Héctor Ortiz Ortiz, practican métodos mucho más explícitos. En octubre de 2007, las reporteras Leticia Alamilla y Diana Muñoz, de los periódicos Online *e-consulta* y *Comunícate*, fueron golpeadas por el subsecretario de Seguridad Pública y sus guardias cuando intentaron entrevistar al funcionario. En respuesta ellas interpusieron una queja ante la Comisión Estatal de Derechos Humanos. En enero de ese mismo año, Leticia Alamilla fue atacada cuando viajaba en su vehículo acompañada por su hijo de nueve meses de edad. Los agresores golpearon con bates de beisbol el automóvil de la reportera. Uno de ellos la amenazó de muerte con pistola en mano: "me gritó que me iba a romper la madre, que ya sabía que era una periodista y que me iba a cargar la chingada. Me dijo que sabía donde vivía y que tenía hijos, que me iba a morir si no le paraba a mis pendejadas".[206]

Héctor Ortiz Ortiz de Tlaxcala, Mario Marín de Puebla o Ulises Ruiz de Oaxaca, son mandatarios formados en las tradiciones de la vieja clase política. Lo suyo son los coscorrones de escarmiento a los periodistas que se entrometen en sus asuntos. El caso de Lydia Cacho y la manera en que el gobernador poblano se prestó gozoso a satisfacer el deseo de venganza de su amigo Kamel Nacif son ampliamente conocidos. El hecho de que haya salido impune pese a la repulsa unánime de la opinión pública y la documentación puntual de los delitos

[205] Idem.
[206] Fátima Monterrosa, "Un virreinato llamado Tlaxcala", revista *Emequis* , 10 de marzo de 2008.

cometidos, es quizá el hecho individual que mejor ilustra el grado de impunidad que han adquirido los nuevos señores feudales.

Después de eso, pocas posibilidades tiene el diputado local por el PT, José Pérez Vega, crítico de Mario Marín, de llevar ante la justicia a los policías que lo golpearon con saña y lo desbarrancaron, en julio de 2008. Conocido como Pepe Momoxpan, el diputado señaló que había sido interceptado y machacado brutalmente entre amenazas de muerte.[207]

No son mucho mejores las posibilidades de que en Oaxaca los asesinos del estadounidense Brad Will, de la agencia Indymedia, sean llevados ante un juez. Como el de Lydia Cacho, esto es un caso que también ha recibido enorme difusión, aunque con resultados igualmente desalentadores. Pese a los innumerables testimonios, los videos disponibles y la enorme presión internacional, no hay manera de obligar al aparato de "justicia" de Ulises Ruiz a ceder en ese punto. Peor aún, es tal el control sobre los procesos judiciales que, aunque con poca verosimilitud, diversos funcionarios se dieron el lujo de construir una versión según la cual la propia APPO habría asesinado al periodista.

Sin el barbarismo de estos poderes salvajes, hay gobernadores de nuevo cuño, panistas y perredistas, igualmente refractarios a la prensa independiente. El guanajuatense Juan Manuel Oliva ha protagonizado uno de los pasajes más ilustrativos de la excesiva piel delgada que muestran estos políticos ciudadanos frente a los medios "incómodos". Gerardo Mosqueda, secretario general de Gobierno, arremetió el 11 de mayo del 2007 en contra de Enrique Gómez Orozco y Arnoldo Cuéllar, directores del *A.M.* de León y de *Correo de Guanajuato*, respectivamente. Molesto por algunas notas publicadas en dichos medios, durante un acto público los acusó de "escribir pendejada tras pendejada", de "explotar a sus trabajadores y extorsionar a sus interlocutores" y de "faunos rastreros". Al director del *A.M.*, periódico líder del estado, lo calificó de "hebefrénico" (una especie de esquizofrenia de mal pronóstico). Días más tarde, el *A.M.* publicó un suplemento de ocho páginas sobre el peso del Yunque en la administración pública estatal, a lo cual el gobierno respondió cancelando la publicidad oficial y presionando a las presidencias municipales para que hicieran lo mismo. La Sociedad Interamericana de Prensa, entre otros organismos internacionales, exigió una investigación del caso. La Comisión Nacional de Derechos

[207] Diario *Reforma*, 29 de julio de 2008.

Humanos lo atrajo y "falló" en contra del gobernador, exhortándolo a ofrecer disculpas. Oliva ignoró los exhortos nacionales e internacionales, mantuvo el boicot publicitario y mandó a la basura la recomendación de la CNDH.[208] El gobierno ordenó a todos los funcionarios de primer nivel negar entrevistas y abstenerse de hablar con cualquier reportero del *A.M.* A partir de este incidente el estado clasifica como "reservada" la información sobre el costo de obras y otros temas relativos a la administración pública.

Aunque de diferente signo político, el gobernador perredista de Guerrero no ha resultado más tolerante ante la crítica. Zeferino Torreblanca ha conducido durante varios años una campaña de hostigamiento en contra del periódico *El Sur*, que se edita en Acapulco y circula en varias regiones del estado. Molesto por notas y artículos de opinión sobre la conformación de su gabinete, el gobernador ordenó un boicot publicitario contra el periódico desde el inicio de su administración. A tres meses de la llegada de Torreblanca al gobierno, la Secretaría de Finanzas estatal aplicó una auditoría completa y exhaustiva a los estados financieros de la empresa editora del periódico, pese a que la única relación de las empresas con el fisco local es el pago del dos por ciento sobre la nómina. Del mismo modo, demandas laborales que llevaban un curso lento o favorable para *El Sur*, fueron agilizadas por las autoridades laborales que acordaron fallos contrarios al periódico.

La campaña de hostilidad arreció luego de que el diario publicara, basado en documentos oficiales, que la Secretaría de Educación del estado había entregado contratos sin licitación a quince empresas constructoras, por un total de cien millones de pesos para labores menores de rehabilitación de escuelas. El hermano del gobernador, Alberto Torreblanca, aparecía como socio de la constructora Anilú, la empresa que más recursos había recibido: dieciocho millones de pesos. Desde entonces el diario vive amenazado por denuncias legales de distinta índole, que transcurren en tribunales claramente distorsionados a favor del gobernador.

Con todo, la mayoría de las agresiones a la prensa de parte de las autoridades locales no está documentada. La presión que el ejecutivo

---

[208] La controversia fue ampliamente difundida en muchos medios, un buen resumen puede encontrarse en el artículo de Sergio Aguayo, "Los hebefrénicos", diario *Reforma*, 30 de enero de 2008.

ejerce sobre los concesionarios de la radio, la televisión y los dueños de impresos en las entidades constituye la mejor forma de silenciar a la crítica. A lo largo de todo el territorio se cancelan programas, se sustituyen conductores incómodos, se compra o disuade a columnistas osados. Resulta poco menos que suicida, física y empresarialmente, oponerse frontalmente a un gobernador que no tiene a quién rendirle cuentas. Los casos relatados aquí de medios de comunicación que persisten en cuestionar los abusos del ejecutivo estatal (*El Imparcial*, *Noticias* de Oaxaca, *El Sur*, el *A.M.* de León) no son los únicos, pero ciertamente no abundan. El control que los mandatarios ejercen en los tribunales y en el congreso local y los ingentes recursos de uso discrecional con que cuentan para cooptar clase política y negociar con el empresariado, termina por aislar y arrinconar estos arrojados esfuerzos de libre expresión y de derecho de la ciudadanía a la información fidedigna.

Derechos Humanos estatizados

Resulta ocioso documentar la violación sistemática a los derechos humanos que suelen cometer los gobiernos estatales, prácticamente bajo absoluta impunidad. Incluso en casos expuestos a los reflectores de la opinión pública internacional, como el de la APPO en Oaxaca, o el de Atenco en México, no se ha logrado impedir la reiteración de las irregularidades en la secuela de estos conflictos. El caso de Oaxaca es ilustrativo. A lo largo de meses las dos fuerzas en conflicto cometieron delitos de diversa índole, pero sin duda los crímenes de mayor gravedad —desapariciones y asesinatos— fueron cometidos por las fuerzas de seguridad. Pese al hecho de que observadores nacionales y extranjeros documentaron las detenciones irregulares entre los disidentes, las comisiones de derechos humanos se estrellaron contra la impunidad del gobierno o, de plano, operaron en complicidad.

Y es que los gobernadores están en condiciones de utilizar las procuradurías locales, los ministerios públicos y los jueces como una extensión del ejercicio político. Las comisiones estatales de derechos humanos han terminado por convertirse en dependencias del ejecutivo estatal. Lejos de constituir un recurso a favor de la ciudadanía, con frecuencia han sido utilizadas para defender a los propios funcionarios.

El caso de Lydia Cacho es también emblemático en este sentido. El representante de la Comisión de Derechos Humanos del Estado de

Puebla actuó como un polizonte a favor de Marín en las horas de encarcelamiento de la periodista y en su momento fungió como testigo de cargo en su contra. La única intervención efectiva de la Comisión a lo largo del proceso fue para asumir la defensa de los judiciales que la arrestaron y torturaron, cuyos "derechos humanos" habían sido afectados por las acusaciones de Cacho.

Por otro lado, las escasas intervenciones de la Comisión Nacional de Derechos Humanos en Asuntos Regionales, y las aún más escasas recomendaciones a los gobiernos estatales, han sido más motivo de mofa que de preocupación para los gobernadores. Ramírez Acuña todavía sonríe cuando se acuerda de la manera en que ignoró el fallo de la CNDH luego de la represión de los altermundistas, durante la Cumbre Internacional en Guadalajara, en mayo de 2004. Su sucesor en el gobierno de Jalisco, Emilio González Márquez, alertado de que ya había más de tres mil denuncias en la comisión estatal de derechos humanos en su contra para protestar por la *macrolimosna* —llegarían a seis mil— , simplemente los mandó a la chingada.

No es sólo que las recomendaciones no sean "vinculantes", es decir que no obligan. El problema de fondo es que para los gobernadores el resto de las leyes parece ser no vinculante.

II. LA EXPLICACIÓN

México nació federado, pero sólo en el papel. A lo largo de nuestros doscientos años de vida independiente, los gobiernos centrales se han dado mañas para mantener un relativo control de los poderes regionales, de los hombres fuertes que dominan los distintos pedazos de la geografía nacional.

En cierta forma los grandes vuelcos en la historia de México, las rupturas, se han dado en el momento en que las regiones irrumpieron en la historia nacional: la Independencia, las luchas liberales del siglo XIX, la Revolución Mexicana. Tras esos momentos disruptivos, el centro político ha reconstituido la estabilidad de muchas diferentes formas.

La fundación del PRI se origina en esta necesidad. El partido nació como una confederación de hombres fuertes regionales que se habían cansado de matarse entre sí. A partir de 1917 y hasta fines de los años veinte, el país experimentó una buena cantidad de alzamientos que tenían muy poco de movimientos sociales y mucho de rivalidad entre caciques y generales en disputa por el poder. El surgimiento del primer PRI (el PNR) en 1929, constituyó un esquema ingenioso para asegurar que el mandatario en funciones pudiese ser un árbitro entre las fuerzas y tuviera el ejercicio de botón expulsor de sillas de gobernadores.

Poco a poco, los gobernadores comenzaron a convertirse en los representantes del "centro" en cada territorio. Constituían el eslabón que vinculaba las fuerzas locales con las nacionales, el responsable de coordinar y sujetar los poderes de una región. Para ello, los gobernadores recibieron un poder muy similar al que gozaba el presidente a escala nacional: el control de su congreso local, del poder judicial estatal y los tribunales, de las presidencias municipales y del PRI estatal. La única condición era que se asumieran como soldados del presidente. De hecho, el nombramiento de los candidatos para ocupar las gobernaturas pasaba esencialmente por un criterio de lealtad a la dirección nacional.

En las entidades federativas poderosas como Jalisco y Nuevo León, la condición para llegar a ser gobernador pasaba por hacer carrera política en la ciudad de México: el gobierno central no tenía interés en colocar al mando de estas entidades a políticos con liderazgo regional, extraídos de los círculos de poder locales; prefería administradores de los intereses nacionales. Un analista extranjero encontró que, de 1940 a 1964, el 59 por ciento de los gobernadores había tenido trayectorias nacionales, contra el 41 por ciento de carreras estatales.[209]

En los casos en que la excesiva autonomía de un gobernador, sus excesos o mala administración ponían en riesgo la estabilidad del sistema, los presidentes simple y llanamente los evacuaban.

Los historiadores políticos han puesto de relevancia que estos dos privilegios: la capacidad para designar a los gobernadores y el botón expulsor para eliminarlos cuando resultaban inconvenientes, eran dos de los tres mecanismos de sujeción más importantes con que contaban los presidentes. El tercero, desde luego, era el control de los recursos económicos federales.[210]

[209] Roger Ch. Anderson, *The Functional Role of the Governors and their states in the political development of Mexico*, 1940-1964, tesis doctoral, Univesity of Wisconsin, 1971. Citado por Juan Pardinas, *Decentralisation and budget accountability in the twilight of mexican presidentialism*. Tesis de doctorado, London School of Economics, en proceso.

[210] Rogelio Hernández Rodríguez, "Cambio político y renovación institucional. Las gobernaturas en México", *Foro Internacional*, núm. 174, octubre-diciembre de 2003.

Fin del dedazo

Los poderes del centro, ya sea el presidente del país o la dirección nacional del partido han perdido el monopolio para designar al sucesor de un gobierno estatal. Influyen, desde luego, pero han dejado de ser decisivos. Esto ha provocado cambios drásticos en "la cadena alimenticia" del poder político, porque los gobernadores actuales saben que no le deben el puesto ni lealtades a algún actor nacional, sino a las fuerzas locales y a sus propios grupos. Desde luego, el espaldarazo de la cúpula nacional de un partido es imprescindible para llegar a ser candidato a una gobernatura, trátese del PRI, del PAN o del PRD. Pero una y otra vez, los partidos nacionales han aprendido una dolorosa lección: cada vez que se empeñan en designar a un candidato contrario a los intereses locales, terminan perdiendo la elección estatal. Peor aún, con frecuencia, a manos del precandidato que rechazaron.

Ricardo Monreal en Zacatecas, Leonel Cota Montaño en Baja California, Juan Sabines en Chiapas, habían sido poderosos candidatos priistas que la élite nacional del PRI vetó en su momento. Todos ellos derrotaron a su partido con la casaca del PRD. Tradicionalmente el PAN se ha caracterizado por una mayor participación de las bases regionales en la definición de candidatos. Con todo, también ha aprendido que un excesivo intervencionismo del centro puede dar lugar a una derrota. Tal sería el caso de Yucatán cuando el PRI recuperó la gobernatura en 2007 mediante el triunfo de Ivonne Ortega sobre Xavier Abreu, el candidato de Felipe Calderón. Quizá por ello se dio la victoria aparentemente inexplicable en las elecciones internas en el PAN de Guanajuato, Juan Manuel Oliva, al vencer al delfín del presidente Fox, Javier Usabiaga.

De esta forma, a la constelación de recursos que originalmente controlaban los gobernadores —congreso local, poder judicial, partido político local— ahora se suma el hecho de que en muchos casos ya no se trata de virreyes enviados por la Federación, sino verdaderos representantes de las élites de poder local. De allí, en parte, la nuevas dosis de impunidad y el esbozo de un nuevo caudillismo que han surgido en algunas entidades.

El botón expulsor

La posibilidad de remover gobernadores fue la otra parte de la mancuerna política del control presidencial. Durante décadas esto permitió cohesionar un centro político e impidió la emergencia de poderes regionales capaces de amenazar el monopolio del poder central. Al mismo tiempo, proporcionó al sistema político un mecanismo eficaz para deshacerse de mandatarios estatales cuya incompetencia o descrédito pusieran en riesgo la estabilidad o la legitimidad de las instituciones.

Sexenio tras sexenio, los presidentes usaron este "botón expulsor" para deshacerse de potenciales enemigos políticos y de gobernadores impresentables. Lázaro Cárdenas (1934-1940) redujo a los caciques a fuerza de deposiciones, 17 en total. Manuel Ávila Camacho (1940-1946) destituyó apenas a cinco. Miguel Alemán (1946-1952) tuvo que descabezar nueve entidades, debido en parte a la transición de generales a licenciados. Adolfo Ruiz Cortines (1952-1958) tumbó a cinco, Adolfo López Mateos (1958-1964) a tres y Díaz Ordaz (1964-1970) sólo a uno. El inquieto Luis Echeverría (1970-1976) depuso a seis, incluyendo el sonado caso de Armando Biebrich en Sonora; mientras que López Portillo (1986-1982) descabezó a dos, incluyendo a su odiado "Diablo", Óscar Flores Tapia, de Coahuila. Miguel de la Madrid (1982-1986) se deshizo de cuatro gobernadores que le hacían ruido a sus políticas de austeridad.[211]

Carlos Salinas (1988-1994) se cuece aparte. Fueron 17 los gobernadores que abandonaron el cargo durante su administración, en promedio más de la mitad de las entidades federativas. El dedo más rápido para ajustar cuentas con los poderes locales. Es significativo que el primer presidente propiamente priista, Lázaro Cárdenas, y el último que ejerció como tal, Carlos Salinas, hayan provocado tanta conmoción en el territorio nacional comparados con los mandatarios restantes. En sus doce años combinados tumbaron a más gobernadores (34) que la suma de mandatarios estatales removidos por los presidentes que gobernaron entre los cincuenta años que los separan. Un síntoma de que ambos hombres, por razones distintas, arrasaron estructuras vigentes para fundar el principio de un nuevo ciclo.

Hiperactivo y dominador, el impulsor del TLC centralizó el poder para facilitar la apertura económica y política, pero sin perder el control de los procesos de cambio. Casi lo logra. Las razones que Salinas tuvo para deshacerse de los gobernadores fueron tan disímbolas como distintos los procedimientos: para evitar un escándalo postelectoral (Ra-

---

[211] Cifras de Carlos Martínez Assad, *Los sentimientos de la región. Del viejo centralismo a la nueva pluralidad*. México, Océano, 2001. pp. 314-315. Otros autores pueden diferir ligeramente en el conteo de remociones.

món Aguirre, en Guanajuato, por el presunto fraude en contra de Fox); para eliminar a un enemigo político (Cosío Vidáurri, en Jalisco, aprovechando la explosión de los colectores de Guadalajara).

Salinas fue el último presidente que operó en una cabina de mando presidencial con todos los botones activados. Ernesto Zedillo (1994-2000) fue más un presidente transicional que un mandatario propiamente priista (si consideramos como tal al jefe de un sistema político Estado-Partido). Entre otras razones porque la segunda mitad de su trienio habría de cogobernar con una Cámara de Diputados controlada por la oposición.

El mejor indicador de que el presidencialismo priista estaba en agonía es justamente el recurso de deposición de mandatarios estatales. Zedillo lo intentó un par de veces, pero el recurso había dejado de ser efectivo. Le resultó a medias con un amigo personal, Rubén Figueroa, a quien se le concedió licencia luego del escándalo de Aguas Blancas, Guerrero. La tragedia y sobre todo la filmación y difusión de la matanza a sangre fría de docenas de campesinos conmocionó a todo el país y le dio la vuelta al mundo. Sin embargo, no fue la presión presidencial sino el cansancio frente al permanente cuestionamiento de la opinión pública, lo que a la postre llevó a Figueroa a tomar la decisión de hacerse a un lado muchos meses después de los hechos relatados.

Un caso similar al del gobernador Jorge Carrillo Olea. Cuando se supo que el grupo antisecuestros de Morelos se había dedicado al secuestro a gran escala, el gobierno federal ordenó una investigación que puso al descubierto la complicidad del director de la policía judicial y del procurador del estado, además del probable encubrimiento o negligencia del gobernador. Aunque renunció meses más tarde gracias a la repulsa universal, Carrillo Olea logró enfrentar la presión del sistema institucional y político, "en circunstancias que en el pasado habrían sido resueltas por el Ejecutivo Federal".[212]

Nada ilustra mejor esta nueva impotencia presidencial que el fracaso de Zedillo para expulsar a Roberto Madrazo de Tabasco. Vale la pena detenerse en este hecho, porque el desenlace de esta frustrada intentona revela, como pocas cosas, el fin del absolutismo presidencial y el tibio nacimiento de un nuevo federalismo y su efecto colateral, la nueva impunidad.

---

[212] Rogelio Hernández Rodríguez, "Cambio político y renovación institucional. Las gobernaturas en México", *Foro Internacional*, núm. 174, octubre-diciembre de 2003.

En su libro *El despertar de México*, Julia Preston y Samuel Dillon, ex corresponsales de *The New York Times* en México, describen detalladamente la tensión creciente entre Ernesto Zedillo y Roberto Madrazo durante enero de 1995.[213] El presidente quiso inaugurar su sexenio con una nota democrática y presionó al tabasqueño para que renunciase a lo que consideraba un triunfo desaseado. Madrazo recibió a cambio la promesa de convertirse en Secretario de Educación Federal y regresó a Villahermosa a comunicar su renuncia. Zedillo simplemente estaba haciendo lo que cuatro años antes había realizado Salinas en Guanajuato: exigirle al gobernador electo que renunciara antes de tomar posesión (aunque Salinas ni siquiera tuvo que ofrecer la SEP a cambio). Pero la élite priista tabasqueña y una charla con Carlos Hank disuadieron a Madrazo y lo convencieron de desafiar al presidente. "No te puedes rajar [...] si tu padre te viera se avergonzaría", le dijeron. Para presionar a Madrazo los priistas locales tomaron carreteras y amenazaron al gobierno federal. Para disgusto de Los Pinos, y en franca rebeldía, Madrazo tomó posesión como gobernador el 19 de enero de 1995.[214]

El gobierno federal desencadenaría una ofensiva legal que culminaría en la Suprema Corte, gracias a un fundamentado expediente que daba cuenta de las irregularidades y los excesos de campaña de Madrazo. Pero la falta de experiencia del nuevo secretario de Gobernación (Esteban Moctezuma), la animadversión de la vieja guardia priista en contra de los técnicos neoliberales y la crisis económica recién estallada hicieron recular a Zedillo. En mayo de 1995, el presidente hizo una gira en Tabasco para levantar la mano del gobernador y asegurarle que gobernarían juntos hasta el año 2000. Por vez primera en la historia reciente el presidente había sido derrotado por un gobernador; con el resto de los mandatarios tomando nota. Una de las piedras angulares del régimen político se había derrumbado.

El arribo a Los Pinos de un presidente del PAN a partir del 2000 canceló definitivamente el "botón expulsor". En las décadas anteriores los gobernadores obedecían al presidente porque este era el "priista

---

[213] Julia Preston y Samuel Dillon, *El despertar de México. Episodios de una búsqueda de la democracia.* México, Océano, 2004.

[214] La descripción de estos sucesos puede verse en Jorge Carrasco, "Roberto Madrazo, las familias y el poder" y en Jorge Zepeda Patterson, "Andrés Manuel López Obrador, el rayo", en el libro *Los suspirantes. Los precandidatos de carne y hueso.* México, Planeta, 2005.

número uno". Sabían que oponerse al soberano equivalía a la muerte de su carrera política, por no hablar de la amenaza de los tribunales federales que, subordinados al presidente del país, podría conducirlos a la cárcel.

Ya no es así. La mayoría de los gobernadores ni siquiera pertenece al mismo partido político que el presidente. Durante las administraciones de Vicente Fox y de Felipe Calderón casi tres cuartas partes de las entidades federativas han estado gobernadas por la oposición. El partido en el poder, el PAN, ha gobernado sólo en ocho o nueve entidades, mientras que el PRI ha controlado el doble (entre 17 y 18), por cinco del PRD. Es decir, actualmente 24 de los 32 gobernadores son de oposición.

La posibilidad de que el presidente deponga a un gobernador de otro partido, constituye una confrontación de fuerzas políticas que pone en riesgo los equilibrios precarios en el Congreso y, en general, en el sistema.

El caso más reciente lo ejemplifica. El intento por parte de Vicente Fox de desaforar a Andrés Manuel López Obrador buscaba inhabilitarlo como candidato presidencial y no tanto derrocarlo de la jefatura de Gobierno del Distrito Federal. El tabasqueño reaccionó hábilmente al mezclar e implicar ambas consecuencias. Al pedir licencia provisional cuando el Congreso dio entrada a la controversia del desafuero, López Obrador llevó la confrontación hasta sus últimas consecuencias y exprimió al máximo el beneficio mediático que le aportó la embestida presidencial.

No deja de ser paradójico que los tres protagonistas claves del sexenio anterior —Fox, Madrazo y López Obrador— fueran gobernadores envueltos en deposiciones presidenciales: Fox a favor, Madrazo y López Obrador en contra. Los tres saldrían convertidos en figuras nacionales luego de cada uno de estos embates presidenciales. Ellos tres, y Labastida, son también los únicos gobernadores que se han convertido en candidatos oficiales y con opciones reales de llegar a la Presidencia. Antes que ellos sólo existía el antecedente de Cuauhtémoc Cárdenas en 1988 y antes de eso habría que remontarse hasta Adolfo Ruiz Cortines en 1952 (había sido gobernador de Veracruz). Hoy, media docena de gobernadores aspira a la silla presidencial en el 2012, una muestra reveladora del peso que han adquirido.

Economía o el nuevo federalismo

Los gobernadores son hoy los actores políticos con la mayor plataforma de recursos propios, económicos y políticos. Nunca en el pasado los mandatarios estatales habían gozado de una chequera tan considerable, susceptible en buena parte de ser girada para usos discrecionales.

Con alguna razón podría decirse que los grandes jerarcas del sindicalismo corporativo podrían disputarle a los gobernadores esa posición envidiable. Ciertamente, figuras como Elba Esther Gordillo, Napoleón Gómez Urrutia, Carlos Romero Dechamps, Joaquín Gamboa Pascoe y varios otros, poseen una considerable base de poder personal, por no hablar de los recursos económicos ingentes que controlan. Pero aunque muy lentamente, la apertura económica y política de la sociedad mexicana comienza a minar las bases del poder sindical. Un efecto contrario al que produce en relación a los gobernadores, a los que la modernización ha fortalecido.

Lo cierto es que los juicios —frustrados, pero juicios al fin— en contra de Romero Deschamps, del sindicato petrolero o del exilio político de Napoleón Gómez Urrutia, del sindicato minero, o de la presión creciente ejercida en contra del cacicazgo de Gordillo, dejan en claro que se trata de un poder que se encuentra a la defensiva. No es el caso de los gobernadores.

La era dorada de los ejecutivos estatales deriva en gran medida del denominado "nuevo federalismo", que arrancó, aunque tibiamente al principio, en los procesos de descentralización hace poco más de veinte años. En 1990 alrededor del 70 por ciento de todo el gasto público estaba bajo control del gobierno federal, asegura el investigador Juan Pardinas. En 2007 casi se ha invertido la proporción: 61 por ciento está en manos de los gobiernos estatales o municipales. Y se pregunta: ¿por qué razón los presidentes renunciaron a ese masivo monto de recursos que durante tanto tiempo constituyeron un instrumento clave del control y la manipulación política?[215]

Los presidentes mexicanos concedieron en el papel importantes autonomías a los gobiernos locales, sabedores de que lo importante para el ejercicio del poder no estaba en el papel sino en la correlación de fuerzas. Durante décadas mantuvieron el control para designar gobernadores, deshacerse de ellos y monopolizar la cartera de recur-

---

[215] Juan Pardinas, tesis de doctorado, *op. cit.*

sos económicos. Es comprensible que la apertura política destruyera los dos primeros mecanismos de sujeción (designar y quitar gobernadores), pero es menos claro por qué razón renunciaron a los recursos económicos.

La respuesta sin duda es compleja, pues obedece a un proceso que abreva de distintas fuentes. Pero en última instancia responde a las necesidades de apertura de la economía y del sistema político mexicano, que luego de los regímenes de Luis Echeverría y López Portillo (que abarcan el periodo 1970-1982) parecía haber agotado sus posibilidades. No deja de ser paradójico que Carlos Salinas, el presidente más controlador de gobernadores de la historia reciente, fuese quien arrancase estos esfuerzos de descentralización, impulsados luego por su sucesor, Ernesto Zedillo.

Este hecho, como pocos, refleja la contradicción básica del sueño salinista. Buscaba la modernización y la apertura del Estado mexicano, lo que implicaba mayores dosis de descentralización del poder administrativo y electoral, pero con un ejercicio altamente centralizado del poder.

El nuevo federalismo se explica en parte por la formación economicista de estos presidentes, por su empeño en convertir a México en un país abierto a las tendencias internacionales, por sus identidades con el llamado "Consenso de Washington", y por las propias exigencias de la sociedad mexicana. Algunos autores afirman que la descentralización no es un gesto gratuito o voluntario por parte de los presidentes, sino una concesión forzada para mantener la estabilidad política frente a la presión de las fuerzas sociales, políticas y del mercado.

Lo cierto es que si bien estos impulsos fueron activados desde la propia cabina de mandos presidencial, muy pronto comenzaron a ser jaloneados y acelerados por las fuerzas políticas y sociales. Como se verá más adelante, los gobernadores han adquirido un protagonismo creciente y una enorme habilidad para explotar sus ventajas políticas con el fin de acrecentar la transferencia de recursos del centro a la periferia. Pero antes, dimensionemos de qué y cuánto estamos hablando al referirnos a estos recursos.

El poder del dinero

Las partidas que reciben los gobernadores de parte de la Federación representan el 87 por ciento de sus ingresos. Pero casi la mitad de estos ingresos no están etiquetados, ni pueden ser auditados por los poderes federales o el Congreso de la Unión. En otras palabras esto significa una cartera cercana a 326 mil millones de pesos en 2006, disponibles para ser gastados de la manera en que cada gobierno estatal lo negocie con sus congresos locales, al margen de cualquier rendición de cuentas de carácter federal. Constituyen el famoso ramo 28, "las participaciones", o conjunto de impuestos recabados por la Federación pero "perteneciente" a las entidades: el gobierno central lo recauda y lo entrega a las tesorerías estatales, sin derecho a auditarlo. Si consideramos, además, que la mitad de los gobernadores goza de mayoría en sus congresos locales, podremos entender la enorme reserva de recursos económicos y políticos que poseen (ver Tabla 2). Ni siquiera el presidente del país posee el acceso "discrecional" a los recursos de que gozan los gobernadores en estas 16 entidades.

Esto no significa, obviamente, que Emilio González Márquez en Jalisco utilice a su absoluto arbitrio 25 mil millones de pesos, o que Humberto Moreira en Coahuila haga lo propio con casi 10 mil millones. La mayor parte de ese recurso debe ser gastado en la administración y en la obra pública estatal. Pero el simple hecho de asignarlo de acuerdo a criterios emanados de la oficina del gobernador, confiere a éste un poder inmenso en el interior de sus regiones. Particularmente en el caso de esa mitad de entidades en que el mandatario controla a los congresos estatales.

Por lo demás, que los gobernadores no cuenten con mayoría absoluta en la otra mitad de las entidades federativas (las no incluidas en la Tabla 2), no significa que estén inermes frente a sus diputados. En casi todas estas entidades el partido en el poder suele ser primera mayoría en el congreso local. Esto significa que no están lejos del 50 por ciento y suelen obtenerlo negociando con los legisladores de los partidos pequeños e incluso con diputados aislados de los partidos grandes de oposición. En su libro, *Señal de alerta*, Manuel Espino, ex presidente del PAN y ex presidente de ese partido en Sonora, relata detalladamente la manera en que el entonces gobernador Manlio Fabio Beltrones intentó comprar —y al final convenció— a varios diputados locales del PAN, para lograr que el congreso estatal aprobara el ejercicio de su cuenta pública, que arrastraba irregularidades mayores.[216]

La forma en que Peña Nieto, gobernador del Estado de México, consiguió que su congreso local aprobara el ejercicio de su antecesor,

[216] Manuel Espino, *Señal de alerta. Advertencia de una regresión política*. México, Planeta, 2008.

Tabla 2: Gobiernos estatales cuyo Partido controla el Congreso local en 2008

(ingresos correspondientes a 2006, no incluye
aportaciones federales, sí participaciones)

millones de pesos

Estado	Partido	Ingresos Propios	Participaciones no auditables*
Coahuila	PRI	1,222	8,047
Distrito Federal	PRD	36,284	43,886
Durango	PRI	888	4,311
Guanajuato	PAN	2,597	12,129
Hidalgo	PRI	1,238	6,043
Jalisco	PAN	3,608	20,908
Nayarit	PRI	383	3,143
Oaxaca	PRI	1,159	7,873
Puebla	PRI	1,875	12,485
Querétaro	PAN	1,448	5,507
Quintana Roo	PRI	1,387	4,244
San Luis Potosí	PAN	1,120	5,975
Sinaloa	PRI	1,740	7,890
Tabasco	PRI	1,064	15,403
Tamaulipas	PRI	2,262	8,834
Yucatán	PRI	1,184	5,326

* No auditables por la Federación.

FUENTE: Actualización del autor a partir de Salvador Camarena y Jorge Zepeda Patterson, *El presidente electo. Instructivo para sobrevivir a Calderón y su gobierno*. México, Planeta, 2007. Cifras de INEGI.

pese a que el PRI se encuentra en posición minoritaria, revela los grandes recursos políticos con los que cuenta un mandatario para ejercer su voluntad en materia de finanzas públicas estatales.

Un ejemplo de esto se observa en el reparto económico a los cabildos. La ley establece que el veinte por ciento de los recursos estatales que se reciben deben ser entregados a los gobiernos municipales. Sin embargo, los gobernadores utilizan diversas triquiñuelas para alentar a determinados municipios, en detrimento de otros, en función de consideraciones políticas.

Los 32 mil millones de dólares que en conjunto obtienen los gobernadores del país por concepto de participaciones, representan menos de la mitad de los ingresos estatales. Reciben el equivalente a otros 43 mil millones de dólares por concepto de aportaciones para el gasto público, o ramo 33, aunque se trata de partidas etiquetadas (cifras del 2006). Aunque dos tercios de esta cantidad están dedicados al pago de nóminas del magisterio, entre otras restricciones, también es cierto que los mandatarios estatales se las ingenian para operar algunas desviaciones y reasignaciones. El 5 de agosto de 2008 el diario *El Universal* describía la manera en que Mario Marín, de Puebla, rompía un pacto fiscal federal al no aplicar o desviar un monto de 40 millones de pesos que el SAT (Servicio de Administración Tributaria) le había asignado para mejorar la recaudación en la entidad.

Para la Auditoría Superior de la Federación, institución responsable de monitorear y sancionar desvíos y distorsiones de los recursos federales, resulta un dolor de cabeza todo lo concerniente al ramo 33 destinado a los estados. En 2004, incluso, el gobernador y el Congreso de Oaxaca rechazaron formalmente el derecho del gobierno central para auditar tales recursos. La Suprema Corte de Justicia de la Nación tuvo que arbitrar la controversia y fallar a favor de la Federación dos años más tarde. A pesar de esa decisión, muchas entidades le siguen regateando al gobierno central la facultad de supervisar los fondos. El auditor Superior de la Federación, Arturo González de Aragón, señaló que tan sólo en 2006 la excesiva discrecionalidad en el manejo de los recursos, la falta de rendición de cuentas y la debilidad de reglas de operación hicieron que se registraran "observaciones" por 635 millones de pesos de los recursos ejercidos por los estados.[217]

La importancia del ramo 33 quizá no reside en el poder discrecional que otorgue a los gobernadores (puesto que en teoría está etiquetado),

[217] *www.proceso.com.mx*, 10 de agosto de 2008.

sino en el hecho de que ese poder ya no lo tiene el presidente del país para utilizarlo en contra de ellos. Antes de la creación del ramo 33, casi el 80 por ciento del presupuesto federal estaba abierto a consideraciones discrecionales de parte del gobierno central. Es decir, no se trata necesariamente de un poder ganado, pero sí de un poder quitado.

Por lo demás, un poder quitado sin ceder nada a cambio. Diversos analistas han señalado que el dichoso nuevo federalismo no es sino una manera pomposa de designar un proceso de modernización administrativa en lo aparente, pero regresiva en la práctica. Primero, porque los recursos fueron entregados a las entidades federativas haciendo abstracción y tabla rasa de la capacidad administrativa y financiera de las entidades. Mientras que algunos estados, pocos, poseen estructuras relativamente eficaces de presupuestación y ejercicio de gasto público, otras tienen aparatos burocráticos anquilosados o simplemente carecen de la infraestructura mínima. Entre Nuevo León y Quintana Roo hay diferencias abismales en eficiencia y capacidad en el ejercicio de las finanzas públicas. Y segundo, porque la federalización no fue una concesión otorgada a cambio de un compromiso que asegurasen la rendición de cuentas y la transparencia. La legislación de Aguascalientes establece 104 artículos que detallan puntualmente la información financiera de cada secretaría de gobierno, especificando montos de programas y subsidios. En el otro extremo, la de Baja California Sur dedica un solo artículo para establecer el monto total de los recursos estatales sin ningún desagregado que explique la distribución del gasto.[218]

El efecto sumado de estos inconvenientes (la opacidad en el manejo de recursos y la distribución indiferenciada entre estados con estructuras administrativas ineficaces) supone que el saldo final de la "federalización" ha significado un retroceso en el manejo de los dineros públicos en México.

Lógica regional de la partidocracia

Los vacíos de poder que ha dejado el debilitamiento del presidencialismo han sido llenados de distintas formas por los poderes de facto: los gobernadores en el territorio, los partidos en el poder legislativo, la cúpula empresarial y los monopolios en la economía. En efecto, los multimillonarios de México han subido como la espuma en las listas

[218] Juan Pardinas, tesis de doctorado, *op. cit.*

de Forbes entre los hombres y mujeres más ricos del planeta.[219] Y en las cámaras legislativas los partidos se han convertido en los actores decisivos de los procesos políticos de los últimos años. Con frecuencia se dice que hemos pasado de un presidencialismo a una partidocracia.

Y en lo que toca a la geografía, no hay duda de que los gobernadores han logrado feudalizar sus territorios. Pero no sólo eso. También han obtenido ventajas de la partidocracia en el poder legislativo. Si bien es cierto que los beneficiarios inmediatos son las cúpulas partidistas y los coordinadores de las fracciones parlamentarias (y no hay mejor ejemplo que el protagonismo de Manlio Fabio Beltrones y de Emilio Gamboa, coordinadores priistas de senadores y diputados, respectivamente), también es cierto que los gobernadores se han convertido en beneficiarios del fortalecimiento de los partidos.

Primero, por la gran influencia que poseen en la definición de los dirigentes nacionales de los partidos. Esto es particularmente notorio en el caso de los 18 gobernadores priistas. A partir de información periodística, Juan Pardinas demostró que en la disputada elección interna del PRI en 2002, entre Roberto Madrazo y Beatriz Paredes, el resultado dependió en gran medida del número de gobernadores que cada candidato pudo atraer a su causa. Los resultados revelan claramente que los votos en muchas entidades favorecieron al candidato escogido por el gobernador correspondiente (Tabla 3).

Pese a la animadversión de lo que luego sería el TUCOM (Todos Unidos Contra Madrazo) por parte de los gobernadores aspirantes a la presidencia en el 2006, Madrazo fue capaz de concitar el interés de muchos otros mandatarios y terminó venciendo a Beatriz Paredes. Pero la ex gobernadora tlaxcalteca aprendería la lección. En el 2007 alcanzó la presidencia del partido en una elección simbólica, luego de que la mayor parte de los gobernadores se inclinara por su candidatura.

Los acuerdos y concesiones que adquieren los gobernadores a cambio de este apoyo a una u otra fracción de las dirigencias nacionales, podría ser materia de especulación interminable. En cierta forma podría decirse que, al menos en el PRI, la presidencia actual es resultado de los consensos entre un puñado de hombres y mujeres de poder, dentro de los cuales los gobernadores son el grupo más numeroso y poderoso.

---

[219] Ver al respecto Jorge Zepeda Patterson, coord., *Los amos de México*. México, Planeta, 2007.

TABLA 3: ELECCIONES INTERNAS DEL PRI, 2002

Estado	Gobernador	Apoyó a	Triunfo y margen de victoria *
Tabasco	Manuel Andrade	Madrazo	Madrazo, 86.1%
Oaxaca	José Murat	José Murat	Madrazo, 73.0%
Q Roo	Joaquín Hendricks	Madrazo	Madrazo, 51.7%
Campeche	Antonio González	Madrazo	Madrazo, 41.4%
Guerrero	René Juárez	Madrazo	Madrazo, 38.8%
Tlaxcala	Alfonso Sánchez **	Paredes	Paredes, 60.8%
México	Arturo Montiel	Paredes	Paredes, 43.0%
Hidalgo	Miguel A. Núñez	Paredes	Paredes, 40.8%
Colima	Fernando Moreno	Paredes	Paredes, 38.7%
Tamaulipas	Tomás Yarrington	Paredes	Paredes, 37.2%

* Margen de diferencia en la votación entre los dos candidatos
** Formalmente perredista, de pasado priista

FUENTE: Juan Pardinas, tesis de doctorado, *op. cit.*

Este protagonismo en la definición de las cúpulas también se traduce en un peso decisivo en la configuración del Congreso de la Unión. Pese a que se trata de distritos electorales federales, los gobernadores ejercen toda su influencia para intentar controlar la designación de diputados y senadores correspondientes a su entidad. En muchas ocasiones lo consiguen.

En los dos últimos procesos internos para la selección de candidatos a diputados y senadores, la dirigencia nacional del PRI lanzó una extensa y costosa votación abierta para que "las bases determinaran quiénes eran los mejores hombres y mujeres". Pero en ambas ocasiones el proceso debió ser interrumpido por la presión de los gobernadores, empeñados en colocar a sus cuadros de confianza.

La capacidad para influir en la designación de los diputados y senadores se traduce en un peso significativo en las actividades del propio poder legislativo. No es de extrañar que determinadas decisiones en las cámaras deban pasar por la anuencia de algunos mandatarios: la elección de coordinadores o las votaciones muy competidas sobre temas sensibles, por ejemplo. Gobernadores de entidades densamente pobladas y con base priista destacada "poseen" un número de votos nada despreciable. La elección del presidente de la Mesa Directiva de la Cámara de Diputados para sustituir a Ruth Zavaleta a partir de septiembre de 2008, que tocaba al PRI, lo muestra con claridad. El coordinador Emilio Gamboa debió pactar con Enrique Peña Nieto, gobernador del Estado de México, para colocar a César Duarte en lugar del otro aspirante, César Camacho. El primer César era el candidato de gobernador de Chihuahua, José Reyes Baeza; el segundo César era el de los mexiquenses.[220] Al final, la designación del presidente de los diputados para el tercer y último periodo de esa legislatura fue una disputa entre gobernadores.

Nada refleja mejor el peso creciente de los gobernadores en el Congreso que su capacidad para aprovechar en su favor la facultad de la Cámara de Diputados para reasignar el gasto federal. Las mayores batallas de los legisladores en contra de Hacienda han sido para ampliar las partidas destinadas a las entidades federativas. Pardinas demuestra que en 2005 los diputados lograron incrementar los gastos de infraestructura carretera en un 231 por ciento en Estados gobernados por el PRI, 162 por ciento en estados perredistas y 82 por ciento en los de signo panista.[221]

Llama la atención el hecho de que en todas estas reasignaciones no son los panistas, que detentan la primera mayoría entre los diputados, los que obtienen la mejor partida. De hecho los estados panistas son los peor compensados por los incrementos (ver Tabla 4). Un dato que revela la magnitud de las concesiones políticas que las administraciones de Fox y Calderón han tenido que otorgar a la oposición en el Congreso, para obtener mínimos de gobernabilidad. Pero también un cuadro que revela el peso de los gobernadores del PRI (17 mandatarios pertenecían al PRI en el 2005, año de referencia de la tabla).

El tesorito de los excedentes petroleros

Mención aparte merece el enorme cheque en blanco que ha representado la partida de ingresos petroleros distribuidos entre las entidades

---

[220] Salvador García Soto, diario *El Universal*, 9 de agosto de 2008.
[221] Juan Pardinas, tesis de doctorado, *op. cit.*

TABLA 4: DISTRIBUCIÓN DE LOS GASTOS INCREMENTADOS EN EL PRESUPUESTO FEDERAL DE 2005

Estados gobernados por:	PRI	PRD	PAN
% de la población que vive en los estados gobernados por:	57.4%	17.7%	28.8%
Distribución de recursos en:			
Educación y Salud	46%	40%	14%
Infraestructura Carretera	75%	11%	14%
Agua potable y alcantarillado	59%	22%	19%

FUENTE: Juan Pardinas, tesis de doctorado, a partir de *Presidencia de la República* [2005] y Presupuesto Federal 2005.

federativas. Particularmente la que deriva de los excedentes petroleros, sobre los cuales los gobernadores no están obligados a dar cuenta ni a la Federación ni a su congreso estatal. En julio de 2008, la diputada panista Alma Alcaraz Hernández indicó que hay "sospechas" de que una gran cantidad de los recursos de excedentes petroleros fue usada por gobiernos estatales en campañas publicitarias, electorales y gastos innecesarios. La legisladora detalló que de 2000 a 2007 Pemex generó excedentes por 470 mil millones de pesos, de los cuales 116 mil millones fueron para las entidades federativas.[222] Unos días más tarde, el auditor de la Federación precisó que sólo de 2003 a 2007 se habían entregado a las entidades 95 mil millones de pesos y se quejó del destino cuestionable de esos fondos: "Es urgente una acción decidida del Congreso de la Unión en esta materia, no podemos seguir perdiendo todos los días y a cada instante el patrimonio público que pertenece a todos los

[222] Diario *Tabasco Hoy*, 24 de julio de 2008.

mexicanos".[223] No es casual que, presionados por los gobernadores, los diputados hayan convertido el tema de los excedentes petroleros en uno de los botines de mayor disputa con la Federación, durante la negociación anual del gasto público.

El líder de los diputados panistas en Puebla, José Antonio Díaz, afirmó que durante 2008 el gobierno estatal recibiría cerca de 6 mil millones de pesos por concepto de excedentes petroleros sin que existiesen indicaciones de cómo y cuándo serían gastados. La diputada Leonor Popócatl acusó al gobernador de haber introducido una cláusula de discrecionalidad para ejercer estos fondos: una ley que "faculta a Marín para que destine los recursos excedentes del petróleo a donde considere mejor, no existe candado que etiquete las partidas a obra pública ni a acciones prioritarias".[224]

La Conago

Para coronar esta creciente capacidad de cabildeo, los gobernadores decidieron configurar su propio cártel político. Si bien nació originalmente como una asociación de gobernadores del PRD en 1999 (Anago), la adhesión de los mandatarios priistas en 2002 la convirtió en un poderoso sindicato formado por veinte gobernadores. Originalmente, los ejecutivos estatales del PAN rehusaron participar en ella, pues consideraban que era un grupo de presión en contra del gobierno federal,[225] pero en agosto de 2003 se integraron oficialmente a la organización bajo la consideración de que la lucha por los recursos no aceptaba banderas.

Aunque la influencia de la Conago ha sido desigual a lo largo de estos años, toda vez que carece de un reconocimiento formal en la estructura jurídico política, constituye una fuerza difícil de ignorar, sobre todo para el gobierno federal. Son constantes sus pronunciamientos sobre financiamiento público, agua, puertos o agricultura, además, claro, del tema de excedentes petroleros.

En los últimos dos años, las exigencias de la Conago han ido subiendo de tono en forma y fondo. A las tradicionales peticiones para

[223] *www.proceso.com.mx*, 10 de agosto de 2008.
[224] Diario *Reforma*, 13 de agosto de 2008.
[225] Magali Modoux, "Geografía de la gobernanza: ¿la alternancia partidaria como factor de consolidación del poder de los gobernadores en el escenario nacional mexicano?", en *Foro Internacional*, 185, 2006.

obtener mayores recursos, han añadido demandas que plantean una redefinición de las facultades en el ámbito federal. Por ejemplo, al exigir el manejo del Fondo Estatal para Desastres o la desaparición de las delegaciones federales en los estados. Los dos últimos presidentes de la Conago, Humberto Moreira y Eduardo Bours, son justamente los gobernadores que se han caracterizado por sus continuas confrontaciones con el gobierno central.

Resumen: descentralización del poder o feudalización

Los gobernadores gozan de una impunidad poco menos que absoluta, gracias al desequilibrio entre el régimen que se fue y el que todavía no llega. Son los grandes beneficiarios de la accidentada transición, el pliegue oscuro de una democracia simulada. Formaban parte de la cadena alimenticia política que súbitamente se rompió: un pez muy grande que, a su vez, era controlado por un pez aún mayor. Pero el eslabón superior desapareció, dejando intactos los eslabones inferiores. El gobernador reproducía a nivel local el poder casi monárquico del presidente del país. Su única contención era, justamente, ese poder presidencial. Al ser retirada la contención, su posición es ahora inmune a toda sujeción.

La clave de la impunidad de la que hoy gozan los gobernadores se basa en la ausencia de controles o de instancias capaces de compensar su poder absoluto.

¿El poder judicial? Imposible, los mandatarios controlan los mecanismos que definen los presupuestos del aparato de justicia en cada estado. Una revisión de los perfiles de los presidentes de los tribunales superiores de justicia en las entidades, revela casi todos ellos son funcionarios políticos, personal de confianza del Ejecutivo. En varias entidades, como Guerrero y Puebla, las oficinas de los jueces son presididas por el retrato del gobernador y en sus conversaciones habituales los magistrados, incluido el presidente del Tribunal Superior de Justicia, se refieren al Ejecutivo como "el jefe", afirma un destacado periodista de Guerrero. En agosto de 2008, el grupo parlamentario del PRI en el Senado preparaba una reforma constitucional para blindar a sus gobernadores e impedir que sus abusos llegaran hasta la Suprema Corte de Justicia de la Nación, como fue el caso de Mario Marín y Ulises Ruiz.[226] Si bien en ambos casos el PRI obtuvo resoluciones favorables,

---

[226] "Busca el PRI blindar a gobernadores. Diario *Reforma*, 21 de agosto de 2008.

dejaba en claro que prefería evitar el riesgo mediante el simple expediente de quitarle esas atribuciones a la Corte, e impedir así que exista una instancia capaz de acotar el poder de los mandatarios.

¿El Congreso del Estado? Difícilmente es la respuesta, si el partido del gobernador controla la Cámara de Diputados locales en la mayoría de los casos. Pretender que el Congreso de Puebla, dominado por priistas, desautorice a Marín, ya no digamos hacerle juicio político, resulta inconcebible. De entrada, la mayor parte de los diputados locales está allí gracias a que fue palomeada por el propio gobernador.

La oposición tampoco puede hacer gran cosa.

En noviembre de 2001, los diputados locales del PAN en Campeche fueron amenazados en lo personal y en lo familiar por el gobernador Antonio González Curi, cuando promovieron una queja ante la entonces Secodam, por las irregularidades en el manejo de más de mil millones de pesos que Petróleos Mexicanos (Pemex) aportó al gobierno estatal. González Curi consideró una afrenta personal que los diputados pidiesen aclarar el destino del dinero.[227]

¿El gobierno federal? Los casos de Mario Marín y Ulises Ruiz en Puebla y Oaxaca muestran la impotencia de Los Pinos para resolver situaciones límite de ineficiencia, inestabilidad o desprestigio político. Y no sólo se trata de casos, como éstos, en los que se involucraba una delicada negociación con un partido de oposición (el PRI). El Ejecutivo Federal tampoco ha sido muy exigente con estados gobernados por su propio partido. En abril de 2008 el comandante de la segunda región militar, con sede en Mexicali, el general Sergio Aponte, criticó la corrupción de la Procuraduría de Baja California y sus vínculos con el crimen organizado. El gobernador panista José Guadalupe Osuna Millán, acudió a la Sedena e hizo un reporte. Durante las siguientes semanas se desató en la entidad una campaña de críticas sistemáticas en contra del general. Fue removido en agosto de ese año.[228]

¿La sociedad local y la opinión pública? Primero habría que dar cuenta del deplorable estado de esa opinión pública en la mayor parte del territorio. Como se ha visto, el control sobre la radio y la prensa locales suelen ser infinitamente mayores que en la capital del país sea por la cooptación económica descarada o la represión velada o explícita. Si bien existen notables excepciones, terminan siendo resistencias

---

[227] *www.proceso.com*
[228] Un resumen del caso en Miguel Ángel Granados Chapa, "El general incómodo", Plaza Pública, diario *Reforma*, 11 de agosto de 2008.

heroicas sujetas a una presión política continua y a un boicot publicitario crónico.

¿Los empresarios y las élites locales? Pese a los esporádicos actos de resistencia o repulsa, el empresariado termina por negociar dada la destacada constelación de recursos que posee el ejecutivo estatal. Una vez más, el caso del Góber Precioso es ilustrativo. A partir del escándalo de las grabaciones gran parte del empresariado poblano exigió la renuncia de Marín, algunos incluso con exigencias explícitas al gobierno federal. "La rebelión" duró poco tiempo. Unos meses más tarde, un empresario lo explicaba con lógica impecable: "Marín terminó dándonos lo que no habíamos conseguido en mucho tiempo; nunca habíamos estado mejor". Nunca como ahora los gobernadores habían recibido recursos económicos ingentes, gracias a las partidas federales que el nuevo "equilibrio de poderes" les garantiza. Ello les permite otorgar dádivas a empresarios locales y a los grupos de interés regional y contar con chequeras importantes para obras públicas. Han comprado la impunidad.

Y si no por otra cosa, el peso de un mandatario puede ser aquilatado cuando caemos en cuenta de que se trata del principal "empleador" de su región. El siete por ciento de la población en edad de trabajar está empleada por las estructuras de gobierno estatales (incluye maestros). En entidades como Baja California Sur, Tabasco y Zacatecas el promedio supera un diez por ciento. Es decir, uno de cada diez habitantes trabaja para "el gobernador".[229]

¿El electorado y el castigo de las urnas? Esa posibilidad queda neutralizada cuando advertimos que Ulises Ruiz en Oaxaca o Mario Marín en Puebla, en medio de la repulsa de sus propias comunidades lograron triunfos aplastantes en las elecciones intermedias (ver Tabla 1 sobre índices de aprobación). Luego de sus respectivos escándalos, ambos se las ingeniaron para conseguir cuasi carros completos en los comicios de 2007 (octubre en Oaxaca, noviembre en Puebla). La explicación se debe a una cultura política atrasada y a otros factores estructurales, pero refleja también el control casi absoluto que los gobernadores han logrado sobre el aparato político regional. Han penetrado y subordinado a los comités electorales y a las comisiones estatales de derechos humanos en muchas entidades. En algunas han dado marcha atrás a las incipientes leyes de transparencia; en otras han introducido

[229] Estimaciones a partir de cálculos de Juan Pardinas, tesis de doctorado, *op. cit.* Capítulo 4.

mayores rigideces en los códigos electorales del estado. Un ejemplo: en las elecciones intermedias en Quintana Roo en 2008, el Instituto Electoral, controlado totalmente por el gobernador en turno, Félix González Canto, obligó a las estaciones del sistema estatal a un acuerdo electoral bastante peculiar. Los noticieros y espacios de análisis sólo pudieron transmitir las entrevistas y piezas proporcionadas por los propios partidos y las autoridades electorales. La difusión de cualquier otra información periodística sobre las elecciones quedó prohibida. O sea, los ciudadanos podían votar, pero otros derechos políticos con respecto a los comicios les estaba vedado, incluido el derecho a informarse.

¿Los partidos nacionales y el Congreso de la Unión? Menos aún. Constituyen uno de los blindajes clave de la autonomía de los gobernadores. Como se ha señalado antes, el peso que los mandatarios han adquirido en el interior de los partidos asegura que las dirigencias nacionales habrán de apoyarlos contra amenazas externas.

En resumen, los gobernadores viven en lo mejor de los dos mundos. Hacia adentro ejercen el control de las fuerzas políticas locales con el absolutismo característico del viejo presidencialismo. Controlan los escasos mecanismos de rendición de cuentas, el poder judicial estatal, los comités electorales, las comisiones estatales de derechos humanos, buena parte de las presidencias municipales.

Y hacia afuera, confrontan a un gobierno federal incapaz de tocarlos con el pétalo de una rosa. Los gobernadores pueden hacer con su estado lo que los presidentes ya no pueden hacer con el país.

Contra lo que se piensa, no son "bolsones" en la geografía nacional que sobreviven como vestigios anacrónicos del antiguo régimen. No son remanentes en lento y doloroso proceso de extinción. Por el contrario, su impunidad goza de cabal salud. Se trata más bien de una anomalía impulsada por las distorsiones de la modernización compleja y contradictoria que experimenta el país. Los crecientes vacíos de poder y las inercias que se han instalado, aseguran que el poder de los gobernadores seguirá ampliándose, convirtiéndolos en los verdaderos intocables de la sociedad mexicana.

JORGE ZEPEDA PATTERSON es director de la revista *Día Siete*. Su columna dominical se publica en 22 diarios del país. Analista en radio y televisión. Fue director fundador de los diarios *Siglo 21* y *Público* en Guadalajara y subdirector de *El Universal* en México. Codirige el sitio *www.unafuente.com* y la empresa consultora de diarios Versalitas. Autor o coautor de media docena de libros, los más recientes: *Los amos de México* (2007), *Presidente electo. Instructivo para sobrevivir a Calderón y su gobierno* (2007), *Los suspirantes* (2005), todos ellos de Editorial Planeta. En 1999 obtuvo el premio María Moors Cabot, de la Universidad de Columbia.

JULIO CÉSAR CHÁVEZ
Guantes de oro, balas de coca

ALEJANDRO PÁEZ VARELA

Era un 8 de abril de 1995. A pesar de que en los últimos años las cosas se le habían complicado, Julio César Chávez González estaba contento. En la mesa lo acompañaban, entre otros, Jesús Sánchez Angulo y Jesús el "Bebé" Gallardo, su amigo, su ex *sparring*.

Justo un mes antes, el campeón había derrotado al fajador italiano Giovanni Parisis por decisión unánime. Gallardo, sin embargo, había pasado un tiempo en prisión y se sentía exaltado por las atenciones que había recibido de su compadre, Julio, el tiempo que estuvo detenido por delitos contra la salud. Se habían reunido en el hotel Holiday Inn de Toluca, Estado de México.

En medio de la comida, JC Chávez avisó que iba al baño. Se puso de pie. Se encaminó. Los siguientes segundos fueron casi una repetición de su pleito de 1990 con Meldrick Taylor, cuando un golpe de suerte lo había librado de la derrota. En cuanto abandonó la mesa, un grupo de gatilleros se abalanzó contra el Bebé Gallardo y allí le dio muerte, junto a Jesús Sánchez. El campeón fue sacado de la escena del crimen en minutos y, para su fortuna —considerando los días que corrían, con Ernesto Zedillo en la presidencia de México— su nombre apenas fue mencionado en las averiguaciones.

Las autoridades determinaron que los asesinos habían sido contratados por los hermanos Arellano Félix, específicamente por Ramón, cabeza del cártel. También se supo que Emilio Valdés Mainero, un poderoso confidente de Ramón, había pedido (y obtenido) la cabeza del ex boxeador Gallardo. Lo extraordinario era que los ejecutores hubieran escogido, para cumplir su contrato, un momento en el que el afamado Chávez estaba presente.

Casi dos años después, el 13 de enero de 1997, la Unidad Especializada en Delincuencia Organizada detuvo a Gerardo Cruz Pacheco, conocido como el "Capitán", por haber encabezado el pelotón de fusilamiento que irrumpió en el hotel de Toluca.

Julio César Chávez era amigo de la familia Arellano Félix e íntimo del mayor de los hermanos, Francisco Rafael. De nada valió. Los tiempos estaban cambiando para el campeón. En lo económico, en lo personal, en lo público, la vida de Julio César estaba en el filo de la navaja. Sus guantes de oro se habían batido demasiado con las balas de coca. Como consecuencia, ahora padecía sus peores años.

Round 1: *El principio del fin*

Diciembre de 1993. No hay vientos cálidos, ni aun en Culiacán. Un puñado de sal ha caído sobre la espuma que levantaron las victorias; los meses anteriores han aplicado *jabs* en la sólida mandíbula del campeón y lo mantienen a raya. No lo tiran, tampoco lo tambalean; tiene las cejas intactas y la respiración controlada, pero se le escatiman los triunfos y la sucesión de eventos lo empuja a las cuerdas: Zas, zas, se escucha el zumbido de los golpes; son de advertencia. Julio César Chávez resiste aunque sabe que se van agotando los *rounds* para revertir cualquier sensación de derrota. Tiene treintaiún años. Su carrera profesional lleva trece y los ha vivido intensamente, desde aquella vez que vio caer a su primer contrincante: Andrés Félix sólo le aguantó seis giros, un 5 de febrero de 1980.

Sentado en el cubo, acomodado en su esquina, el César del boxeo mexicano ve hacia el centro del encordado, en donde lo espera 1994. Respira profundo. Se acomoda la guarda y toma una decisión: saldrá con todo. Todo es todo; pretende detener los malos aires de 1993. Abre y cierra la boca ejercitando, como lo hacía, los músculos de la quijada. Choca los guantes furioso. Se siente listo y confiado. Demasiado confiado.

Es diciembre y se ha ido 1993. Julio César no se priva, esta vez, de la fiesta. Quiere desfogarse. Quiere sacar todo. Y eso hace, cuentan, ese fin de año: enfiestarse. Es diciembre y Julio no festeja con el alcohol, dicen; da la impresión de que intenta, más bien, olvidar.

Apenas en septiembre pasado, el día 10, Pernell Whitaker le había dado una lección que ya es imborrable. "¡Échale con todo! ¡Échale con todo! ¡Hay que morir allá arriba, Julio, hay que morir! ¡Pero tienes que conectar!", se escuchó en su esquina esa noche de San Antonio, Texas, en el onceavo *round*, según consta en los registros del Consejo Mundial de Boxeo (WBC).[230] Cristóbal Rosas es su entrenador; lo acompañan también José "Búfalo" Martín Muñoz, su experto en cortadas; su hermano Rodolfo y Daniel Castro. A la pelea le queda un *round* y Julio no se ve tan seguro como en ocasiones anteriores. Está concentrado, pero no se le siente entero. Whitaker lo ha castigado varias veces; los golpes secos han dado sobre el mentón del campeón. Su contrincante es un mañoso que le pega y recula; lo castiga y vuela. Ambos han dado una muestra de box de gran altura y para ninguno es suficiente: para ganar, los dos saben, hay que marcar superioridad. Y eso no ha pasado.

Faltan 30 segundos para que termine el encuentro y Whitaker se escurre. Se acerca y huye. Hace contacto y se echa a correr, haciendo tiempo. Julio es quien reta y se lo ve desesperado; tira con todas sus fuerzas, pero es el aire el que absorbe el poder del tren que lleva en los puños. De pantaloncillos negros, el mexicano lanza el último golpe, que no llega a su destino. Es inútil. La campana suena; la pelea ha terminado. Camino a su esquina hace con la izquierda su típica señal de victoria, pero no se escucha la reacción festiva de la gente, como era la costumbre.

Los jueces declaran un empate. Es el primero en la carrera del campeón. Él, que no ha perdido ningún pleito, escucha ecuánime la decisión aunque con un gesto de preocupación y desencanto. Whitaker siente que el triunfo le pertenece y protesta desde su esquina. Mueve la cabeza y maldice. Las cámaras corren hacia un Chávez que sabe que ha cometido errores y que llegó la hora de pagar. Fija la vista en el piso, se pone ambas manos en la cintura.

"No estoy satisfecho", reconoce. "Whitaker es un peleador difícil, lo dije. Creo que esta vez no fue una gran noche para mí. Hice lo que estuvo de mi parte; forcé la pelea. Creo que gané la pelea; él me sorprendió varias veces, pero era todo lo que hacía…"

La mancha es imborrable: 87 triunfos al hilo, 75 por *knockout*; ninguna derrota y, desde ese 10 de septiembre de 1993, un empate. Él, que estaba acostumbrado a hablarle a los ojos a los cinturones, se va a casa con las manos vacías. El campeonato Welter se le niega. La de San Antonio no fue su noche, sí. Y 1993 quedaría en los anales como uno de sus peores años y no sólo por su empate con Whitaker.

El 20 de febrero, Julio César había ganado por *knockout* técnico en el quinto *round* a Greg Haugen, en la ciudad de México. Luego estuvo en Zapopan, Jalisco; allí fulminó a Silvio Walter Rojas en el tercero. El 8

---

[230] El video de la pelea puede ser visto en *www.youtube.com*

de mayo, en Las Vegas, Nevada, había doblado a Terrence Alli en el sexto. Su siguiente pelea fue, precisamente, la de Whitaker.

Pero antes, la vida del campeón sufrió una fuerte sacudida cuyo impacto, en ese momento, ni siquiera imaginaba. Simplemente le cambió la vida. El 24 de mayo de ese 1993, el cardenal Juan Jesús Posadas Ocampo fue asesinado —junto con seis personas más— en el estacionamiento del Aeropuerto Internacional de Guadalajara, Jalisco, desatando una condena pública en contra del narcotráfico en general, y en particular en contra de los cárteles asentados en la costa del Pacífico: el de Sinaloa, encabezado por Joaquín, el Chapo, Guzmán y el de Tijuana, de los hermanos Arellano Félix, una familia de *culichis* (oriundos de Culiacán) cercana al boxeador. Una relación públicamente cercana, quizá en exceso: la Procuraduría General de la República (PGR) había documentado durante varios años, bajita la mano, el atrevimiento del campeón; después se lo echaría en cara. Julio y Francisco Rafael Arellano Félix aparecían frente a la sociedad como dos hermanos, principalmente en Mazatlán, en donde el segundo tenía negocios y vivía. En ese entonces, el pugilista era el favorito de Los Pinos. El presidente Carlos Salinas de Gortari era, en 1993, su amigo más importante, el más influyente.

Posadas Ocampo, nacido en Taimoro, Guanajuato, en 1926, era el arzobispo de Guadalajara, corazón de una zona en disputa entre dos de los mayores cárteles de la droga en ese momento, que llevaban ya varios años en abierta guerra por el control de las rutas que había dejado Miguel Ángel Félix Gallardo, arrestado por órdenes del propio Carlos Salinas al llegar a la presidencia, en 1989. Apenas dos años antes de su muerte, en 1991, el religioso había sido nombrado cardenal por el Papa Juan Pablo II y era considerado, dentro de la iglesia católica, como uno de los hombres más influyentes.

Según José Antonio Ortega Sánchez, defensor de la causa del religioso, asesor jurídico del Gobierno de Jalisco en el caso y coautor del libro *La verdad os hará libres. No tengan miedo. ¿Y el homicidio del cardenal Juan Jesús Posadas Ocampo?*, publicado en mayo de 2008 a quince años del asesinato, el prelado venía denunciando la supuesta relación de políticos y funcionarios mexicanos con los narcotraficantes. "El motivo por el cual se lo priva de la vida es esa denuncia pública que hizo en la Catedral de Guadalajara, en cuando menos cuarenta y tres ocasiones y que consta en el expediente, en contra de ese flagelo del narcotráfico. El señor cardenal veía con una gran preocupación el avance del narcotráfico y tuvo información de esa vinculación de los cárteles colombianos, bolivianos y peruanos junto con políticos mexicanos", dijo públicamente el abogado, según las reseñas de *La Jornada*,[231] *El Universal*, *Reforma* y otros diarios mexicanos.

Juan Francisco Murillo Díaz, apodado el "Güero Jaibo", y Edgar Nicolás Villegas el "Negro", dos individuos señalados como testaferros de los hermanos Arellano Félix, fueron inmediatamente consignados como los autores materiales del asesinato del religioso; poco después, Alfredo Araujo Ávila, el "Popeye", y otros diez más, se sumaron a la lista de condenados por el crimen. Jorge Carpizo, entonces Procurador General de la República, dijo que la ejecución había sido producto de un error: que los líderes del Cártel de Tijuana habían mandado a matar a Joaquín Guzmán Loera y que en el aeropuerto lo habían confundido con el cardenal. La Conferencia del Episcopado Mexicano sostuvo, y sostiene, que no se trató de una equivocación, sino de un asesinato intencional. Sus argumentos plantean que Posadas Ocampo habría muerto por sus denuncias públicas en contra del narcotráfico y relacionan a Carlos Salinas de Gortari como parte de un posible entramado político que buscó, desde un principio, ocultar evidencias y enviciar la investigación.

Así fue como los Arellano Félix pasaron a la clandestinidad, aunque, en teoría, para esas fechas eran prófugos de la justicia. El boxeador suspendió, dicen fuentes entrevistadas para este texto, todo contacto con Francisco Rafael Arellano, "Pancho", quien públicamente aparecía como su amigo. Por lo menos una fuente contó que, en secreto, Pancho vio varias veces más al campeón, también amigo del "perseguidor" de los Arellano: el presidente Salinas.

Francisco llevaba una vida abierta entre la sociedad mazatleca.[232] Era el rey de la noche. Se paseaba por el malecón en autos último modelo o en los de colección, siempre con las mujeres más guapas del momento. A partir de la muerte de Posadas Ocampo, la PGR le decomisó el Frankie Oh, la discoteca en la que tantas glorias disfrutó junto a Julio César Chávez. También le quitó una propiedad junto a la disco, una casa de playa y un hotel de cinco estrellas que construía en sociedad con el campeón del boxeo mundial. El Centro de Inteligencia y Seguridad Nacional (Cisen) y el Instituto Nacional para el Combate a las Drogas (INCD) documentaron en un reporte dado a conocer tiem-

---

[231] "El asesinato de Posadas fue perpetrado desde el poder, insiste Arquidiócesis de Guadalajara", diario *La Jornada*, 25 de mayo de 2008.

[232] Entrevistas realizadas por el autor.

po después que "Francisco Rafael Arellano Félix, actualmente preso en Almoloya por delitos contra la salud, acopio de armas e intento de soborno, fue conocido ampliamente en Mazatlán, Sinaloa, como empresario y dueño de centros de diversión, asociado con el boxeador Julio César Chávez en inversiones hoteleras y agencias de renta de autos".[233]

Arellano se escondió en una casa de seguridad, pero el 4 de diciembre de 1993 cayó en manos de agentes de la Procuraduría.[234] Se escondía en Tijuana, ciudad de residencia, como Culiacán, Guadalajara y el Distrito Federal, del pugilista. Sucedió ese mismo diciembre que Julio César, según varios entrevistados, bebió como pocas veces lo había hecho desde que inició su carrera en los cuadriláteros.

El 16 de septiembre de 2006, trece años después de su arresto y a dos de perder un juicio de extradición (abril de 2004), un helicóptero trasladó a Francisco de Matamoros a Brownsville, Texas, para que respondiera ante las autoridades de Estados Unidos por las acusaciones de crimen organizado y narcotráfico que tenía en su contra. Le dieron seis años de prisión. Desde 2008 está libre y vive en México. Las autoridades no le fincaron nuevos cargos.

Su abogado, Américo Delgado de la Peña, criticó a la Suprema Corte de Justicia de la Nación por haber avalado la extradición y se quejó del presunto trasfondo político que habría pesado en el arresto de su cliente. "Es lamentable el manoseo político que tuvo este asunto; la Corte mexicana revisó el caso y se equivocó; ¿por qué?, porque cuando un delito está prescrito en un país, está prohibido que el extraditable sea enviado al Estado requirente y eso no le importó a los ministros que avalaron la extradición en franca violación a nuestra Carta Magna. Lo que pasó aquí fue que la Corte y el ex presidente Vicente Fox se sometieron a los dictados y peticiones del gobierno de George W. Bush", señaló.[235]

Delgado Peña afirmó, en marzo de 2008, que Francisco Rafael buscará empleo pues "no cuenta con recursos económicos suficientes para permanecer sin preocupaciones". Se desconoce si el boxeador y Arellano Félix se han reencontrado.

[233] Ciro Pérez Silva y Roberto Garduño Espinosa, "El Cártel de Tijuana, principal mafia del país", diario *La Jornada*, 15 de marzo de 1996.
[234] Ismael Bojorquez: "¿A dónde va Pancho Arellano, después de haber sido liberado por EU?", *Río Doce*, julio de 2007.
[235] Alfredo Méndez y Gustavo Castillo, "Francisco Rafael Arellano, 'un hombre libre; cumplió en México y EU': PGR, diario *La Jornada*, 6 de marzo de 2008.

"Julio César Chávez era un tipo sencillo. Nunca le negaba una foto a sus fans. Venía muy seguido a Mazatlán. Ayudaba a la raza económicamente. Generalmente eran estudiantes, como la candidata de *Miss Bikini* o este tipo de eventos de belleza. Era vago. Le encantaban las chicas, al cabrón. Era muy querido aquí en Mazatlán. Francisco Arellano era el que lo atendía y lo traía por todas las marisquerías de aquí del puerto. A donde él quería. Él lo llevaba personalmente. Salían en un carro que le había regalado Don King a Julio César, el cual regaló a Francisco Arellano. Era un Rolls Royce, un Rolls Royce negro. Se lo dio Don King a Julio porque ganó una pelea. No recuerdo cuál. Pero Julio le dio ese carro a Francisco Arellano Félix", cuenta una fuente cercana a ambos en una entrevista realizada a mediados de 2008.

"Generalmente venía después de cada triunfo", recuerda. "Venía y aquí se divertía a toda madre. Venía a festejar el triunfo. Francisco y él son de Culiacán, concretamente no sé muy bien la historia de cómo se conocieron, pero sé que ya se conocían desde allá. La amistad se fortaleció cuando Francisco Arellano comenzó a hacer peleas en la disco Frankie Oh y entonces ahí es cuando se une más a él. Se buscan más y Julio cedió a él. Fueron cuates, íntimos amigos. Incluso hay varias anécdotas. Julio César le decía que era un puto, ya sabes, en broma. Pancho le contestaba que él era el joven pero que tenía el pitito chiquito".

"Una vez fueron a Francia, a Europa. Fueron a visitar a un médico. Pancho le acusaba, en broma, de que habían ido a consultar al médico en Francia y que Julio le pidió que si le podía hacer grande el pito, pero que si se lo hacía grande, perdía la rudeza de peleador. Ahí se traían entre la *carrilla* esa", agrega la fuente.

"Se llevaban poca madre, como dos íntimos amigos. Que las viejas, que la parranda. Pero no tanto, porque el Pancho no tomaba ni drogas, no se metía nada, que yo supiera. Nada, nada. En general yo digo que era un chico, un güey sano. Y Julio pues venía de triunfador, de ganar peleas. Y aquí se ponía hasta la madre. Pero obviamente no se daba cuenta la raza porque se encerraba en un cuarto y ya no salía de ahí".

—La leyenda negra dice que a Julio le gustaba mucho la coca…

—Sí. Este… Fíjate… Generalmente se encerraba con su equipo; ahí no lo dejaban salir porque se supone que se atascaba. Eso dicen. Yo, en años de andar cerca de ambos, no lo vi. En la actualidad se metió a un centro de recuperación. Está retirado de esa enfermedad.

Según la fuente, después del arresto la relación "se desactivó". Julio César Chávez simplemente dejó de visitar Mazatlán, cuenta.

De acuerdo con las crónicas de prensa,[236] la notoriedad de Francisco Rafael y sus diez hermanos data de los años setenta. Desde entonces, según varias fuentes, se destacaron por el tren de vida que llevaban en Culiacán. Hasta el día de hoy, hablar de la familia sigue siendo un tabú para los sinaloenses. "Casi nadie se atreve a hablar en esta ciudad de la infancia de Francisco, Benjamín y Ramón Arellano Félix, considerados los cerebros del Cártel de Tijuana; sus antiguos vecinos de la calle Miguel Hidalgo, ubicada a espaldas de la Universidad Autónoma de Sinaloa, sólo aportan datos vagos en voz baja, pues temen que sus palabras ofendan a la familia", narra Javier Cabrera en un perfil publicado por *El Universal* en 2002. Según esta información, en los años cuarenta "los abuelos maternos, Alberto Félix y Ramona Zazueta, con lazos familiares en Tamazula, Durango, eran comerciantes de sombreros en el mercado Garmendia. En ese lugar, Benjamín Arellano Sánchez, de oficio mecánico automotriz, conoció a la que sería su esposa, Alicia Félix Zazueta, con la que procreó once hijos siete varones y cuatro mujeres".

Durante casi veinte años, agrega la información publicada, "el matrimonio Arellano Félix y sus hijos vivieron en una modesta casa ubicada en el número 566 de la calle Miguel Hidalgo, en el primer cuadro de esta ciudad, en donde algunos viejos residentes recuerdan a casi todos los hijos como unos muchachos alegres, sin vicios y proclives a los negocios de venta de ropa, licores y dulces que traían de contrabando. "Francisco, Isabel, Benjamín, Carlos Alberto, Eduardo, Alicia, Enedina y Ramón cursaron la primaria en la escuela Álvaro Obregón, ubicada a dos calles de su domicilio; casi todos ellos pasaron por las aulas de la maestra Ángela Moncayo, una de las más reconocidas hasta su muerte hace varios años".

El padre de los Arellano Félix provenía de origen humilde, como el de Julio. Era un mecánico "que trabajaba en un taller cercano al plantel y en sus tiempos libres vendía chocolates y dulces americanos". Familiares en tercer grado de los Arellano Félix los describen como jóvenes inquietos, emprendedores en diversos negocios, sobre todo el mayor.

"Años antes de la detención de Miguel Félix Gallardo, en 1987 en el estado de Jalisco, relacionado con la muerte del agente de la DEA Enrique Camarena Salazar, el mayor del clan de los Arellano Félix [Pancho, amigo de Julio César Chávez] abrió en el puerto de Mazatlán la más moderna y lujosa discoteca de América Latina, el Frankie Oh, en

---

[236] Javier Cabrera Martínez, "Cártel de Tijuana, imperio familiar", diario *El Universal*, 31 de marzo de 2002.

una plaza controlada por Manuel Salcido Uzeta el Cochiloco. Esta discoteca se convirtió en el centro de actuación de los artistas de mayor renombre y el escenario de las mejores peleas de box", cuenta el periodista.

Con la debacle que se vino por el asesinato del cardenal Posadas Ocampo, los hermanos Arellano Félix perdieron la casa en la que crecieron, en Culiacán. Le fue decomisada a su madre. Pero según el expediente 4834/GGI/93, de fecha 9 de septiembre de 1997, "por resolución judicial se restituyó a la señora Alicia Félix Zazueta dos inmuebles confiscados por la PGR; uno es una residencia ubicada en la calle de Albatros número 305, en el puerto de Mazatlán y el otro es un edificio de oficinas construido sobre el terreno donde nacieron los jefes del Cártel de Tijuana".

Round 2: *Amigo de los amigos*

No fue la única vez que Julio César estuvo cerca de narcotraficantes, dicen los informes policiacos y de prensa. Antes, en 1986, cuando se separó de su *manager* Ramón Félix y pasó a manos de Don King, se dejó ver con Ángel Gutiérrez, un individuo al que las autoridades ligaban con el crimen organizado.

Cuenta el periodista Francisco Ortiz:[237] "Julio se ve atraído por este oscuro personaje, quien lo cambia radicalmente: de llegar en camión a un hotel de Salto del Agua y comer tacos en los alrededores del Metro, lo acostumbra a viajar en avión, a hospedarse en hoteles de lujo y a comer en los mejores restaurantes. En abril de ese 1987, Ángel lo lleva a Francia en el Concorde a pelear contra Juan Laporte. Hace que deje las *anorteñadas* chamarras de cuero, las botas y los pantalones de mezclilla por ropa de última moda adquirida en Nueva York, Los Ángeles o París".

Ortiz narra que Chávez se dejó deslumbrar por Gutiérrez "con su imagen de hombre de mundo". Le firma un contrato y lo convierte en su apoderado, escribe. "Y deja al Zurdo Félix, quien lo ha impulsado desde niño hasta las altas cumbres del boxeo. Contrata entonces como su entrenador a Cristóbal Rosas, quien había sido *manager* de Salvador Sánchez y de Chucho Castillo. Pero los problemas llegan pronto:

---

[237] Francisco Ortiz V., "Chávez, imágenes en el tiempo", diario *El Universal,* 24 de noviembre de 2001.

Gutiérrez es detenido en Tijuana y luego en California por tráfico de siete cargamentos de droga a Estados Unidos y por otros ilícitos. José Sulaimán, Don King y el entonces presidente de la República, Carlos Salinas de Gortari, ya en 1988 le sugieren al campeón que se deshaga de esas 'malas compañías'". A Gutiérrez se lo señala como brazo derecho de Rafael Caro Quintero. Muere acribillado el 25 de mayo de 1993, en la avenida Kukulcán de Cancún, según reportes muy escuetos de la prensa local, que lo ubica como "promotor de box".[238]

Por esos mismos tiempos, se había suscitado la ejecución relatada al principio de este texto. El que reseña es el periodista Jesús Blancornelas, ocho años después de los hechos (2003):[239]

> Hotel Holiday Inn de Toluca. Abril 8 del 95. En atiborrada mesa, Julio César Chávez, el anfitrión. Entre sus invitados Jesús el Bebé Gallardo. Se paró al baño. Saliendo, pistoleros de los Arellano lo mataron. Escaparon. Con el pasar de los años fueron detenidos. La víctima recién salió del penal. Fue amigo de los hermanos. Traficó y consumió. Lo abandonaron en la prisión, pero jamás Julio César. El Bebé fue además excelente boxeador. Alguien les llevó insidia y comadreó a los Arellano. Por eso lo mataron.

Años después, la Procuraduría General de la República informó en el comunicado 155/00, fechado el 31 de marzo del 2000: "El 13 de enero de 1997, elementos de la Policía Judicial Federal lograron la captura de Gerardo Cruz Pacheco alias el Capitán, y se le dicta la formal prisión preventiva el 18 de enero del mismo año, como presunto responsable del delito de homicidio en agravio de Jesús Gallardo Vigil alias el Bebé Gallardo y Jesús Sánchez Angulo. [...] El pasado 28 de marzo [2000], el Juzgado Cuarto Penal de Primera Instancia del Distrito Judicial de Toluca, Estado de México, dictó sentencia de 25 años y mil días de multa a Gerardo Cruz Pacheco alias el Capitán, gatillero del cártel de los Arellano Félix..."[240]

Carlos Loret de Mola agrega: "A su compadre, Jesús el Bebé Gallardo, lo mataron a tiros en un hotel de Metepec, Estado de México. Fue

---

[238] *www.cancunlahistoria.com*
[239] Jesús Blancornelas, "Burger King", semanario *Zeta*, febrero de 2003.
[240] Comunicado de la Procuraduría General de la República. Disponible en *www.pgr.gob.mx/cmsocial/bol00/mar/b15500.html*

en abril de 1996, a unos metros del propio Chávez. Con su comadre, la viuda, tuvo después una hija".[241]

Incluso antes, en 1991, las autoridades investigaron a Chávez por una supuesta relación con los asesinos de la abogada Norma Corona, defensora de los derechos humanos. "Un sujeto acusado de narcotraficante, Miguel Ángel Rico Urrea, dice que uno de los criminales, Santos Arellano Bazán, el 'Santillos', se escondió en Tijuana en una casa de Julio César", escribió Francisco Ortiz.

Round 3: Los guantes y el escorpión

"Recordar a Julio César Chávez, a Francisco Rafael Arellano y el Frankie Oh, es acordarse de un momento muy particular en la historia de Sinaloa, y en especial de Mazatlán", dice un entrevistado que prefirió el anonimato.[242] "La gente veía bien a Pancho, a Julio. La discoteca era visitada por políticos, por gente del espectáculo no sólo de Sinaloa, sino de la ciudad de México. Julio fue una atracción, no sólo porque realizaba peleas de exhibición en la disco sino por su sola presencia".

"Recuerdo que a Francisco le encantaba el espectáculo. En los buenos tiempos, hacía una especie de show: aparecía entre luces en medio de la disco, montado en una moto, con gente a reventar. Se aparecía con la rola *The eye of the tiger*, de Survivor. Era una rola que había salido en la película *Rocky* y a él le gustaba. Dicen que le recordaba a Julio César", agrega.

También recuerda que Francisco Rafael tenía, junto a la disco, una pequeña jungla de animales exóticos y que parte de la diversión de sus amigos, entre ellos Julio César, era beber junto a las jaulas. Los animales murieron de hambre luego del decomiso de las propiedades del narcotraficante, según confirmaron varias versiones.

A Francisco Rafael Arellano, cuenta la fuente, siempre le gustó usar el escorpión como símbolo personal. Lo usaba en la papelería de la disco y lo traía colgado en un dije de oro, en el pecho. "Cierta vez, Julio le regaló unos guantes de oro que traía en el pecho; Pancho le regaló su dije de escorpión", confió la fuente anónima. Otra fuente, que sí aceptó dar su nombre, lo confirmó después. "Sólo hay que revi-

[241] Carlos Loret de Mola, "JC Chávez: Héroe nacional, tentado por el abismo", revista *Día Siete*, edición 358.
[242] Entrevista con el autor, mayo de 2008.

sar los archivos de fotos. Allí está Julio, con su dije de escorpión. Todos en Sinaloa sabían que Chávez era muy amigo de Francisco. Los dos eran respetados, aunque se sabía que su familia, por lo menos, se dedicaba a negocios turbios".

Luis Alonso Enamorado, publicista de la discoteca Frankie Oh en aquellos años y ahora director de la publicación *MazTurismo*,[243] cuenta que Francisco Javier y Julio César no ocultaron, nunca, su amistad. El mayor de los Arellano Félix era reconocido por la comunidad empresarial mazatleca, dice, e incluso en aquel tiempo fue candidato al Premio Empresario del Año. Nunca sintió que debía algo a la sociedad o a las autoridades: caminaba por las calles del puerto como cualquier otro ciudadano y cuando lo visitaba el campeón, apenas con escoltas, lo acompañaba a cenar o a comer en lugares públicos, señala.

Enamorado recuerda al campeón mundial como un hombre generoso, antes y después de acumular fortuna. Un día, señala, "estábamos desayunando Julio César Chávez, Francisco Arellano y yo. Entonces le pedí a Julio que me hiciera favor de nivelarme con una lana. Y me dijo: 'Sí, cómo no. ¿Cuánto necesitas? Tú me das mucho juego en publicidad con los medios, ¿no?' Yo era el publicista de la disco. Le dije que no quería dinero en efectivo. 'Quiero que me regale una foto tomando leche Suprema para yo poderla vender a la empresa'. Era propiedad de Carlitos Herrera. Enfriadora y Transportadora de Productos Lácteos del Pacífico S.A. de C.V., era la razón social".

Herrera vivía en la Comarca Lagunera. Años después sería dos veces alcalde de Gómez Palacio, Durango, ciudad pegada a Torreón, Coahuila. Su hija, Leticia Herrera de Lozano, fue también alcaldesa. "Pues el bato me regaló la foto, que fue la primera publicidad que Julio hizo en México, tengo entendido. Yo traía un frasco [de leche]. Cuando se estaba tomando la foto, le dio un trago y me dijo: 'Oye cabrón, qué tal que me da chorro, ¿qué hago?' 'Pues nada más haz la *finta*, como buen boxeador. Nada más no la tomes, cabrón', le dije".

"A Carlitos Herrera no lo conocía personalmente pero yo era el publicista de la leche Suprema y conocía a los gerentes y a los ejecutivos. Cuando tenía ya la copia y el contrato firmado de Julio César —porque hasta eso, me lo firmó Julio César Chávez autorizándome para venderles yo la foto, que se pudiera publicar en los medios de comunicación—, fui con el gerente de la leche Suprema y me trajo vuelta y

---

[243] El autor realizó varias entrevistas con Luis Alonso Enamorado entre abril y junio de 2008.

vuelta casi mes y medio. Me enojé y ya no quise ni un trato con el gerente. Esperé al dueño. Me avisaron que estaba aquí, en Mazatlán, pero que iba saliendo de la empresa. Había agarrado camino, pero no me supieron decir a dónde. Decidí, yo, ir al aeropuerto. Llegando, ya casi en su avión privado, le dí alcance. Saqué mi foto con un pasaporte para presentarme y lo sorprendí tanto con la foto como con la manera en como lo identifiqué, porque ni él me conocía ni yo lo conocía a él, todo fue por intuición. Le expliqué la foto, le enseñé el contrato original que me firmó Julio César Chávez y ahí mismo autorizó cinco mil dólares. Después vino Julio César y me preguntó: 'Oye cabrón, ¿en cuánto vendiste mi foto?' Le dije que cinco mil dólares y me dijo que lo había malbaratado. 'Bueno', le contesté, 'probablemente te malbaraté, pero si hubiera pedido más a lo mejor no me dan un cinco por ti'".

Continúa Luis Alonso Enamorado: "Los otros hermanos [Arellano Félix] aquí venían; venía su mamá, venían sus hermanos [de Francisco Rafael] a las discos, cuando presentaban artistas de la talla de Mijares, Nelson Ned, de Yuri. Cuando había eventos así, artísticos importantes, venía su mamá y venían sus hermanos, pero sus hermanos eran tranquilotes. Venían, se reventaban, iban al Señor Frogs, junto a la disco Frankie Oh".

—¿Se los veía con Julio César?

—No, nunca los veía juntos.

—¿De qué hablaban Julio y Francisco?

—De box, de proyectos, de a quién iban a traer a pelear a la disco.

—Los dos empiezan a hacer negocios.

—Bueno, sí. Llega un momento en que se ponen de acuerdo para construir un hotel que se iba a llamar JC Palace el cual se encuentra por allá por la Camarón Sábalo [en Mazatlán]. Cosa del destino, raro el *menjurje*: resulta que ese terreno, donde ellos iban a construir el hotel, Julio César Chávez y Francisco Arellano, ahora es de los militares. Hay fotografías de cuando se puso la primera piedra. La puso Pancho y la puso él, en donde se iba a construir el hotel.

—¿Y quién más asistió a esa inauguración? ¿Te acuerdas?

—Fue una de sus ex esposas, su secretaria, el arquitecto de la obra, un arquitecto local, el arquitecto Armando Galván Gazcón, que era el que construyó la disco Frankie Oh.

El ex publicista de la discoteca de Arellano Félix cuenta que en 1993, después del asesinato del cardenal y la persecución de las autoridades, las propiedades fueron saqueadas por, suponen, agentes de la Procuraduría General de la República. "Se robaron los carros antiguos que tenía Francisco en la disco, en la parte de atrás. Se robaron equipo de sonido, equipo de oficina, desmantelaron todo, básicamente. Tenía pavorreales, tenía llamas, tenían un tigre, tenían varias especies. Es una tristeza ver cómo ahora el edificio se está derrumbando. Causa mala imagen para el puerto como destino turístico y pues realmente es una tristeza porque… yo pienso que se debería ahí de utilizar para un centro de convenciones, de habilitar para un centro comercial o incluso hacer la mismo disco. Quién sabe si ahora que salió Francisco Arellano de la cárcel quiera volver a…"

—¿Es cierto que Julio y él se intercambiaron dijes?

—Julio le dio unos guantes de oro y diamante y Pancho Arellano un escorpión, de oro y diamante también. Entre cuates. A Pancho le gustaba la publicidad, decir que era un regalo de Julio César Chávez. Lo presumía. ¿Por qué? Porque venía de un ídolo a nivel mundial.

Round 4: *Enganchado*

—Julio, lo llamo como quedamos, para la entrevista.[244]

—¿Sí?

—Sí. Usted dígame cuándo, cómo le hacemos.

—¿De qué es?

—Para el libro…

—Ah. ¿Y yo qué gano?

—¿Cómo?

—Sí, que qué gano. Siempre me entrevistan y yo no me llevo nada. Ya estoy cansado de dar entrevistas y no llevarme nada.

—Pues yo no creo poder…

—…algo simbólico, aunque sea, ¿eh? Aunque sea simbólico. Estoy pagando mucho con la rehabilitación, pues. Algo, lo que sea.

—Voy a consultar, pero no creo que podamos ofrecerle dinero por una entrevista.

—Ta' bueno.

[…]

—¿Julio? Creo que no podré ofrecerle dinero por la entrevista.

—Ta' bueno.

---

[244] El autor habló con Julio César Chávez tres veces, entre el 6 y el 9 de septiembre de 2008.

—Gracias. Ojala se anime a platicar. Le dejo mis teléfonos.

—Ta' bueno…

Para la realización de este texto se consultaron varias fuentes cercanas al boxeador mexicano. Muchas de ellas pidieron no ser citadas porque Chávez no los había autorizado. Otros confiaron que Chávez mismo prohibió dar las entrevistas. Eso fue antes de la llamada con él. Después pediría dinero por conceder tiempo para este libro.

"Julio fue construyendo un ambiente decadente, humillante", agrega una fuente cercana. "Yo recuerdo que cierta vez vi cómo se orinaban en la mesa de la casa. Ponían botellas vacías de caguamas, se sacaban la *reata* y meaban las botellas hasta llenarlas. Todo sucio, todo maloliente. Sus fiestas eran muy humillantes".

Carlos Loret de Mola da pinceladas al mismo retrato.[245] "'Míster Knockout', como le llamaban en los primeros años de su carrera, es ahora el que está tendido en la lona. Se ha perdido la elegancia, el control, cuenta el periodista en un texto publicado por la revista *Día Siete*. Los que lo rodean, los únicos que le quedan, temen que el ex campeón pierda, también, la razón. Los años de codearse con 'los malos' le ha dejado muchos vicios, y entre ellos, el peor: la coca".

Loret de Mola: "En el baño de la casa de Julio César Chávez no funciona la palanca del escusado. De las paredes cuelgan guantecitos de box dorados en todos tamaños, en la vitrina está tallada de cuerpo entero su clásica imagen en guardia con su nombre *garigoleado* y las escaleras acusan alguna falta de mantenimiento. Las estancias se separan por puertas corredizas de vidrio polarizado que van de techo a piso y domina el olor ácido y picante de las viviendas recién trapeadas que llevan quince años sin acusar el flujo de la moda. No hay ruido. Una fila de coches de colección en el garaje —a uno le falta pintura—, alcohol barato en la barra y una montañita de cocaína sobre la mesa de centro en su recámara", narra Loret de Mola en la crónica de *Día Siete*.

La casa de Julio es un palacio en desuso, dibuja el periodista escenas de entre 2007 y 2008. A Chávez, agrega, también lo han dejado de usar. "Es cualquier día. El campeón está, pero no está disponible. En el hogar rondan apurados un cocinero, una empleada doméstica, su mamá y sus dos hijos, boxeadores *noveles* que se mantienen cerca del mito que es su padre, pero lejos de los costos que le acarreó ser el deportista más exitoso en la historia de México. Entran y salen hombres con cara de

[245] Carlos Loret de Mola, *op. cit.*

300

manager que presumen ser amigos íntimos, colaboradores imprescindibles del Ídolo. Julio no puede hablar con nadie. Y aunque pudiera, hay dos temas que no toca. Su agravada adicción es uno. Entre su promotor, Fernando Beltrán, y su hijo Julio César 'lo preparan' —así le llaman ellos a sacudirle el vicio aunque sea unas horas— para que pueda reunirse con gente de la televisión o aparecer en público, conceder una entrevista o dejarse grabar un documental".

"Su mamá doña Isabel, sus hijos, Beltrán, su colega el 'Finito' López, otros amigos y hasta periodistas que lo siguieron toda su carrera han intentado convencerlo de aceptar ayuda para limpiarse. Pero el campeón dice que la controla. Y cuando se pone como bulto no lo pueden inscribir de improviso en una clínica de rehabilitación porque hace falta, por requisito, el consentimiento del adicto. Sólo han encontrado una que acepta a los pacientes aunque ellos no quieran, pero está en Tijuana y eso es casi como hacer dieta frente a una taquería", reseña Carlos Loret. El periodista describe un episodio en el que uno de los mejores boxeadores del mundo afirma que Satanás lo ha arañado. "Está en la peor de las etapas del vicio, en la alucinación que hace frontera con la esquizofrenia", dice.

"'Ya voy para allá, eh, no los voy a dejar mal… mándenme un avión ahorita y me voy para allá, eh'. Eran las dos de la mañana y Chávez —indispuesto, gritón, torpe al hablar— notificó así a los productores de MTV Latinoamérica que no les fallaría. Le habían organizado una aparición estelar —20 mil asistentes en el Palacio de los Deportes y 250 millones por televisión— para entregar un premio a Shakira. Esa llamada sonó cuando la ceremonia había terminado. Y Chávez decía que todavía llegaba. No lo alcanzaron 'a preparar' bien. Como en su última pelea.

"'Mi Diego —se escuchó a media noche el marcado acento sinaloense de Julio César, del otro lado del celular del actor Diego Luna—, préstame 50 mil dólares, ándele… un adelantito de la película… al cabo que usted se va a hacer rico por mí'.

"Sus biógrafos calculan que en quince años de pelear, Julio César Chávez juntó 60 millones de dólares solamente de las bolsas por aparecer de pantaloncillo en el cuadrilátero. 60 millones de dólares, más lo que cobró por su imagen en anuncios publicitarios. Hace veinte años sonreía junto a Sabritas. Hoy, con esa sonrisa tan franca, tan suya, aparece retratado en ese tipo de anuncios para hispanos en Estados Unidos en donde elocuentes abogados prometen convertir al televidente en accionista de McDonalds si le cayeron pesadas las papas a la francesa".

Escena en un avión, a finales de 2007. Narra Loret de Mola:

"—¡¿Cómo que cuestan [los whiskys]?! Oiga, señorita, yo nunca he pagado por *un pisto* en un avión, oiga... ándele, tenga cien dólares, pues y quédese con el cambio...

"—No, mire, aquí está su...

"—No, no, no, por andarme cobrando, ándele, se lo queda.

"Y pagó tres así. A cien dólares el vaso de whisky de avión. Chávez ha de pensar que eso vale un whisky: cuentan sus cercanos de toda la vida que en esas maratónicas fiestas cada media hora llegaba uno de los doce colaboradores que lo sitiaban a expresarle, alarmado, que 'ya se acabó el pisto, campeón, qué hacemos'. Julio, sin interrumpir el gesto dulce que lo acompaña cuando no lleva los guantes atados, sacaba de su bolsa un fajo de tres o cuatro mil dólares para alcohol. Y a la media hora era otro colaborador, con otra alarma de escasez, que se llevaba otro fajo. ¿Alguien alguna vez habrá empleado algo de ese dinero para adquirir siquiera un cartón de Pacífico? Ni averiguó entonces, ni averigua ahora. Julio es un bonachón crónico".

Round *5: El rey cercado*

"Yo creo que Julio César se volvió dependiente de tanto halago. No de la gente, sino de los que le pasaban la botella de agua. Se malacostumbró", dice José Luis Camarillo, periodista especializado en box y quizás el reportero que más conoció al campeón mexicano.[246]

Fue Camarillo quien le puso "JC". Una tarde, cuando el boxeador apenas era conocido, el periodista le dijo:

—Vas a ser "JC".

—¿Cómo? —le respondió el joven pugilista.

—Sí, vas a ser "JC". Así te voy a poner de ahora en adelante. Mira, si te pongo el nombre completo, la cabeza del periódico va a quedar muy chiquita cuando seas campeón. "Julio César campeón" ocupa mucho espacio. La cabeza del periódico [*Esto,* especializado en deportes] debe decir: "JC campeón".

—Me gusta, me gusta...

"Julio se volvió un rehén de los que lo rodeaban, sí, claro", recuerda el periodista mexicano. "Ahora que estoy más metido en el boxeo

---

[246] Entrevista con el autor, el 7 de septiembre de 2008.

pienso que a Don King se le ha satanizado. Tiene lo suyo, Don King. Definitivamente. Pero creo que se le ha satanizado porque el tipo invierte mucho en promover a los boxeadores. Tiene toda una organización que le cuesta mucho dinero. Cuando te promueve, sólo es invertir dinero en esas prerrogativas y privilegios que él goza después. Es obvio que él tiene que agarrar la mayor parte. Eso está mal entendido porque creen que el boxeador, si pelea una función de Don King que da un millón de dólares de ganancia, debe darle al boxeador novecientos y el agarrar nomás cien. Entonces de dónde mantiene la organización para seguir promoviendo a más boxeadores. Yo fui a una función de él, una función 'mamut': ocho campeonatos mundiales en una sola noche. Don King fue el primero que presentó cinco campeonatos mundiales en una sola noche, eso es algo increíble. Antes era una pelea de campeonato del mundo; dos campeonatos ya era algo extraordinario, y tres... para qué te digo. Don King presentó en México cuatro. Cuando llenó aquí el Estadio Azteca, que según el Guinness, fueron ciento treinta y seis mil personas. Y presentó cuatro campeonatos entonces. Si le sumas todos los gastos y aviones y todo eso, pues, digo, no estoy justificando a King, pero se trata de quitarle también esa cosa de que todo es para él", dice Camarillo.

Según el periodista, Julio quizá no ganó el dinero que debería, "pero sí ganó muchísimo dinero. He calculado que Julio en su carrera ha ganado unos ochenta millones de dólares y he estado en charlas de café de mis compañeros y le calculan cien millones de dólares".

—¿Y en dónde quedó tanto dinero?

—Pues él se compró dos gasolineras. Una de ellas, me dijo Julio que le costó cuatro millones de dólares. Me parece que fue la Servicios JC Dos. Tenía la Servicios JC Uno. Pues ese supuesto gran negocio le vino a provocar un distanciamiento con la familia, porque dejó la administración en dos hermanos y parece que no le reportaban ganancias. Se las retiró, creo. Eso no me consta, ¿eh? Julio construyó edificios: el edificio Tres Coronas, otro más grande, más bonito en la zona industrial de Culiacán. Entonces invirtió en bienes inmuebles; compró casas, compró terrenos. A mí, cuando me llevó, cuando era puro terreno en Lomas de San Miguel, me había dicho que ese terreno le había costado mínimo un millón de dólares. Así que imagínate: estamos hablando de que esa entrevista se la hice en 1992 cuando le ganó al "Macho" Camacho. Entonces estaba el puro terreno. En la casa de ese terreno yo dormí, en una de esas habitaciones. Tiene por lo menos doce recámaras, todas con su baño, todas con su aire acondicionado, porque en Sinaloa no pueden estar sin su aire acondicionado.

—¿Gastaba mucho?

—Te cuento una anécdota: fui a ver el medidor de la luz por curiosidad; parecía como cuando tiene un disco de los compactos. Le pregunté cuánto le cobraban mensualmente. En aquel tiempo, 50 mil pesos mensuales de luz.

Round 6: *Muera Tyson, viva Chávez*

Julio César Chávez acumuló un récord de once años y medio como campeón mundial sin perder. En los trescientos años de historia del boxeo, JC es quien más peleas por un título mundial ha tenido: treinta y siete veces; muy por debajo de él está Joe Louis; peleó por veintisiete. El tercero en los récords es Mohammed Alí, por veinticinco.

Nacido en Ciudad Obregón, Sonora, fue llevado muy pequeño a Culiacán, Sinaloa, junto con sus cinco hermanas y sus cinco hermanos. El periodista Francisco Ortiz, de *El Universal*, lo cuenta así. Es el 12 de julio de 1962. "Julio César nace prácticamente en uno de los vagones de tren abandonados en las afueras de Ciudad Obregón, Sonora, donde don Rodolfo, trabajador de los Ferrocarriles del Pacífico, vive con su esposa e hijos, en la pobreza. Cuando Julio tiene tres años de edad, don Rodolfo y toda la familia emigran primero a Mazatlán y luego a Culiacán, donde crecerá el futuro campeón. De niño hace de todo: vendedor de chicles y dulces, de periódicos, lavacoches… en la calle se gana la vida, a veces a golpes. Hasta que un día llega casi por casualidad al gimnasio 'Culiche', donde conoce a su descubridor: Ramón, el Zurdo, Félix. Y se inicia en el boxeo más por necesidad de supervivencia que por deporte: un amigo suyo, Juan Antonio López, lo anima a entrenar".

El periodista recuerda una plática de Julio César con Alejandro Toledo, otro comunicador del periódico *El Universal*. El campeón habla de su infancia.[247] "Cuando muchacho iba al gimnasio a escondidas de mis hermanos Rodolfo y Rafael, me daba vergüenza que me vieran entrenar. Un amigo, Juan Antonio López, me convenció de entrar al gimnasio. En mi familia se enteraron hasta cuando peleé por los 'Guantes de Oro'. Yo entré al boxeo porque tenía mis ilusiones: llegar a ser campeón del mundo, sacar adelante a mi familia. Eso soñaba a los quince años. Miraba que mi mamá lavaba, planchaba ropa ajena; yo vendía

[247] Francisco Ortiz V., *op. cit.*

304

periódicos, lavaba carros. Con esa ilusión me metí al boxeo: que no pasáramos hambre, que no tuviéramos tanta miseria. No nos moríamos de hambre, pero teníamos mucha necesidad…"

JC empezó a pelear a los dieciséis años, aunque el 5 de febrero de 1980 se inauguró como profesional en aquel pleito con Andrés Félix. Después de su primera muy breve racha exitosa, decidió irse a Tijuana a buscar rivales, oportunidades y aficionados. Para Julio, Culiacán no era suficiente. No había suficiente afición.

A José Sulaimán le gusta contar que fue él quien decidió que Chávez pasara de ser un simple invicto de barrio, un "natural", a un peleador profesional. Ya había escuchado de él. Había presenciado una pelea menor en un cartel. Le dio la alternativa con Mario "Azabache" Martínez, en el Auditorio Olímpico de Los Ángeles, un 13 de septiembre de 1984. Martínez era el favorito de los conocedores y de los aficionados y aunque Julio llevaba cuarentaiún peleas y se conservaba invicto, su potencial era completamente un misterio. Julio hizo la hazaña. Ganó por *knockout* y se convirtió en el Campeón del Consejo Mundial de Boxeo Súper Pluma.

Luego vino la pelea contra Edwin "Chapo" Rosario, un boxeador de Puerto Rico con fama de hablador. Eran abrumadores los gritos de "¡Chapo, Chapo, Chapo!", cuando JC subió a su cita en el ring. Cuentan que fue aquí cuando el fajador se puso por primera vez la banda roja en la frente. Decían que la madre de su rival lo había embrujado y alguien le recomendó que se pusiera en la frente la banda roja para ahuyentar los malos espíritus. Fue en el décimo *round* cuando Julio encontró a su contrincante. Lo acorraló. Lo persiguió. Edwin se mostró muy golpeado para entonces pero, además, con rostro de desconcierto. En el onceavo *round*, Chávez salió de su esquina dando brincos y su contrincante, más medido, dio pasos cortos. El intercambio de golpes fue brutal. Amarrados en una esquina, Chávez le aplicó castigos en batería. Edwin ya no veía con un ojo. Y repentinamente, casi en el centro del cuadrilátero, un paquete de golpes continuos obligó al juez Richard Steele a detener la pelea. Chávez fue subido en hombros. Su condición era excelente, comparada con la del Chapo. Don King se abrió paso y lo abrazó. El juez Jerry Roth declaró *knockout*. José Sulaimán celebró dando gritos.

A finales de los años ochenta, Mike Tyson tenía acaparada la atención de los críticos y los aficionados. Era un gran fenómeno del mundo del boxeo, que además interesaba a los que no conocían del deporte por su vida polémica y sus escándalos, material de tabloides y revistas del corazón. Pero a principios de 1990, Buster Douglas se interpuso en su vida. Buster hizo lo que nadie habría apostado: le dio tantos y tan tupidos, que provocó la primera caída del hombre-mito. La derrota de Tyson hizo enormes abolladuras a su fama y un hueco en la lista de ídolos del momento. La gente volteó hacia otro lado.

Julio apareció justamente en ese momento. Espectacular, invicto, nada bravucón sino al contrario: sereno, profesional, pero con un aire de imbatible casi mítico. El 17 de marzo de 1990, en Las Vegas, Nevada, el fajador mexicano se midió con Meldrick Taylor. "La pelea de la década", llamaron las revistas especializadas al encuentro. Una de las mejores peleas de todos los tiempos, se dijo después.

En 1984, Taylor había ganado la medalla de oro en los Juegos Olímpicos de Los Ángeles. Era un boxeador excepcional. De sus veinticinco peleas ganadas hasta esa fecha, catorce habían sido por *knockout*. Pero Chávez no era un don nadie: llevaba el impresionante récord de sesenta y ocho triunfos con 56 *knockouts*. Aún así, muchos dudaban que el mexicano pudiera con Taylor.

El encuentro fue un intercambio permanente de castigos. Ni a Chávez ni a Taylor les fue tan bien: fue muy duro para ambos. Pero Julio iba perdiendo.

En el *round* 12, sin embargo, sucedió la magia: faltando 22 segundos para el fin, Chávez empezó a colocarlo y faltando 16 lo mandó a la lona. El réferi Richard Steele se acercó a Taylor para darle el conteo y dos segundos antes de que terminara la pelea, la suspendió. El *round* 12 es el único en el que literalmente puede salvarte la campana. La decisión fue muy polémica, pero Steele era considerado uno de los réferis más profesionales de este deporte. Lo de JC Chávez fue tan espectacular, el triunfo fue tan dramático, que la pelea es considerada hoy una de las más importantes en la historia del boxeo.

El Chávez enorme, el Chávez de leyenda habló esa noche para las cámaras de manera discreta, elegante. No celebró el triunfo: alabó a su contrincante y le ofreció una segunda oportunidad, aunque la esquina contraria no estuviera tan contenta.

—¿Qué pasó al final de la pelea? ¿Qué piensas? —le preguntó el entrevistador. Chávez sonrió. No se permitió caer en la polémica. Inteligente, contestó:

—Realmente me sentí cansado. Taylor es un gran peleador, un peleador rápido e inteligente. Se merece otra oportunidad.

—¿Tú crees que ibas perdiendo la pelea y te viste obligado a ganar por *knockout*?

—Yo sabía que la pelea estaba muy pareja y que cualquiera podía ganar. Taylor es uno de los peleadores más duros. Sí, debe haber una revancha.

Round 7: *Las niñas pegan fuerte*

Ese hombre poderoso, con una izquierda brutal, con un récord impresionante; ese mexicano ejemplar que llevaba la bandera de su país muy alto y con orgullo; ese que comía con narcotraficantes y con el presidente de la República, se puso por primera vez los guantes con una niña.

Fue con Pilar, hermana de Juan Antonio López, el amigo que lo llevó al box. No fue fácil ganarle, dicen. La joven era brava con los guantes.

"¡Chávez!, cómo me mata tu mirada…", canta el mismo Julio César y ríe. Está junto a Diego Luna, en Culiacán. Filman el documental que lleva el nombre del boxcador, y que se exhibió desde 2008 en salas de cine.

Como sabe que la cámara está encendida, JC voltea al actor y director, y le dice: "eso me lo cantaba una persona y no voy a decir el nombre". Y luego se acerca a Diego y le cuchichea al oído. "¡Uy!, qué envidia", exclama el otro. Diego no lo habrá dicho, pero la mayoría de los que conocen a JC saben que se refería a Salma Hayek.

Julio César Chávez y Salma Hayek fueron pareja durante casi dos años. El suficiente como para que el campeón dejara a su esposa, Amalia Carrasco, comentaron más de una fuente cercana al pugilista. Los detalles sobran. El boxeador, dicen, no se preocupó en ocultar su amor, por lo menos en la familia. Amalia vivió momentos sumamente malos a causa de esa relación. También los tres hijos de ambos: Julio César, Omar y Cristian.

"Chávez es un superdotado. Nada más porque conozco a la mamá y a los hermanos sé que es de este planeta, de verdad. Julio, perdóname por lo que voy a decir, pero con la quinta parte de lo que te metiste yo me hubiera muerto. Yo un simple mortal", expresa Camarillo.

—Fue, como se dice, muy atascado, ¿no? Con mujeres y con alcohol y drogas…

—Sí. Y la verdad es que a él le hacían cola las mujeres bonitas. También me parece que era (o es, porque ahí está, ¿no?) un superdotado sexualmente, creo.

—Muy *viejero*.

—Sí. Era una persona, como dicen los gringos, *one of a kind* [único en su tipo].

—*One of a kind.*

—Único en su género. Sí, te digo, en Las Vegas la gente se enloquecía nomás se aparecía. No, no, no, Julio es algo que… los hoteles se llenaban, no había lugares. Esa idolatría, el Estadio Azteca… Yo le pregunté antes… te juro que yo no pensé que fuera a llenar el Azteca… Julio, ¿no temes que si van sesenta mil, que si van setenta mil que ya son muchos, de todas maneras no temes que el estadio se vea semivacío? Imagínate, le caben ciento diez mil y más pa' box, le caben ciento treinta y tantos porque pones *butaquería*. Y me dice: "No, Camarillo, porque yo sé que el pueblo de México me va a responder". Siempre fue muy seguro de sí mismo. "Yo sé que el pueblo de México me quiere mucho y que me van a responder". Pues sí le respondieron. A la mera hora, personajes muy cercanos, gente muy familiar conmigo, amistades muy cercanas, querían boletos. En el Estadio Azteca, se quedó gente afuera.

—¿Menospreció la relación con Salma?

—Pues sí, o no. Suele suceder cuando alguien tiene todo. ¿No? Es como si a mí me ponen Sushi, me ponen comida china que me encanta, un buen corte allá, me ponen aquí hoja de parra. No, pues hoja de parra acá, Sushi pa' acá. Picas, pero no te sabe igual. Ya no sabes ni qué estás comiendo.

—¿Tú crees que la haya querido él y que se arrepienta? Salma es una…

—Puede ser, puede ser, al ver el éxito, ¿no?

—Ahorita imagínate, Salma es el súper éxito, es el súper cuero.

—Por lo pronto para su ego. La tendría aquí. Lo que pasa es que para la vida de él, era imposible. Yo pienso que es el demonio. ¿Has oído la canción de *Hotel California*? Se la quisiera regalar a Julio con la traducción porque se entiende como un mensaje. Es un viajero que anda y que de repente necesita quedarse en un hotel, entra a un hotel y ve caras bonitas y todo ¿no? Es ahí donde está el demonio: el de las drogas. Prueba la droga y le dicen: "Puedes hacer el *check out* cuando tú quieras pero no te puedes ir." Los que están ahí se juntan, sacan sus afiladas navajas contra la bestia. Pero no la pueden matar…

Julio César contó cierta vez al periodista Alejandro Toledo cómo conoció a Amalia Carrasco. Fue cuando ambos vendían caguama. "Ella con una carreta y yo con otra. La vi, me gustó. Nos hicimos novios. Y al año me la robé, o nos robamos. Nos fuimos a Mazatlán. Al día siguiente del viaje me andaba buscando Ramón Félix, mi *manager*, para darme la noticia de que me había llegado la oportunidad para el campeonato del mundo y tenía que ir a Las Vegas. No tuve luna de miel ni nada: me devolví a Culiacán, me fui a Nevada a firmar el contrato...

"—¿Tu mujer no protestó?

"—No, era la ilusión que yo tenía. De Las Vegas me fui a la ciudad de México a concentrarme. Fue mi pelea contra Mario el "Azabache" Martínez. Me coroné campeón del mundo y ya pude estar con ella. Me trajo suerte. Ahí comenzaron mis defensas. Luego me casé, por la iglesia y todo. Ella ya estaba embarazada de mi hijo Julio".

Round 8: *El sabor de la lona*

Primeros días de enero de 1994. El Ejército Zapatista de Liberación Nacional (EZLN) hace su aparición. El país está nervioso. El gobierno de Carlos Salinas de Gortari hace agua y Julio César Chávez está muy, pero muy crudo: en diciembre de 2003 ha bebido como pocas veces en su vida, dicen, y sus hermanos, sus amigos, sus hijos (desde Karina Isabel, la mayor, hasta los que procreó con su esposa Amalia Carrasco: Julio César, Omar y Cristian) están preocupados por él.

El 29 de enero de ese 1994, JC enfrentará a Frankie Randall, un poderoso oponente de Nashville, Tennessee, que empezó su carrera en 1981, casi como el mismo Julio. Su entrenador, Cristóbal Rosas, así como sus asistentes y su hermano Rodolfo, habían advertido en corto la falta de preparación del boxeador. El año anterior, 1993, había sido terrible y Julio César enfrentaba presión por varias esquinas de su cuadrilátero personal. Llegó a enero cansado y distraído.

En septiembre anterior, por ejemplo, había empatado con Pernell Whitaker y desde diciembre su hermano del alma, Francisco Rafael Arellano Félix, estaba en prisión. Le quedaba su amistad con Carlos Salinas y el largo romance con la afición; pero el presidente estaba en problemas y en plena caída libre: la guerrilla chiapaneca le había *aguado* la fiesta que comenzaba justo ese enero, con el inicio del Tratado de Libre Comercio (TLC) firmado un año antes.

El campeón se desplazó a Las Vegas, Nevada, para su encuentro. Llevaba a sus hijos, aunque su matrimonio se encontraba en problemas. Así fue que enfrentó a Pernell Whitaker. Desde el primer *round*, Chávez tuvo dificultades para colocar a Randall, un huidizo, un hábil

con el movimiento lateral; para el segundo, el mexicano empezó a darse cuenta de que no iba a ser una pelea fácil; de hecho perdió este
round. En los siguientes episodios, Randall y Chávez se entretuvieron
en un cansado pega-huye que benefició más al primero.

Fue en el onceavo round cuando apareció la fatalidad. Un año malo,
1993, parió uno peor: 1994. Frankie Randall conectó a Julio César du-
ramente faltando 32 segundos para que terminara el episodio y el campeón, de calzoncillos negros, cayó redondo a la lona. Millones de personas en todo el mundo lo vieron. Millones de mexicanos también,
gracias a KingVisión, el circuito televisivo de su promotor Don King.
El doceavo round ya no tuvo importancia. Chávez hizo un enorme esfuerzo, pero jamás alcanzó a Randall.

México entero vio a su campeón conocer la derrota, la primera en
toda su carrera. Al mismo tiempo, el país era testigo de cómo se de-
rrumbaba un mundo del que Julio César había participado. El
salinismo se hundía. Menos de dos meses después, el 23 de marzo de
1994, el candidato presidencial del Partido Revolucionario
Institucional (PRI), Luis Donaldo Colosio, moría asesinado en Tijuana, Baja California. Y luego llegó la ejecución de José Francisco Ruiz
Massieu, el 28 de septiembre de ese mismo año. Eran tiempos de
debacle. Julio, como el país, empezaba un largo y sinuoso camino en
picada.

Round 9: *La purga*

El 12 de septiembre de 1992, el campeón le había cerrado la boca al
hablador puertorriqueño Héctor el "Macho" Camacho en Las Vegas,
confirmando su superioridad como a él le gustaba: con drama. Millones de mexicanos sufrieron con él los 12 *rounds*. Entre ellos, el presidente Carlos Salinas.

Julio César enfrentó y derrotó después a Bruce Pearson y a Marty
Jakubowski, y el 20 de febrero de 1993, el más importante boxeador
mexicano de todos los tiempos impuso el récord Guiness con 132 mil
247 espectadores en el estadio Azteca. Vivía la cresta de su carrera.
Greg Haugen, su contrincante, apenas le duró dos episodios.

Salinas de Gortari, en pleno romance con el pugilista, lo había visitado durante los entrenamientos y se había tomado la foto con él. El
día de la pelea, Francisco Rafael Arellano había aparecido con Julio en
su esquina.

"En esos años, Chávez viaja en varios carros. Su personal llegó a cerrar calles para que pasara, como si se tratara de un ministro o de un mandatario. Julio César se sentía protegido por Los Pinos y empezó a dar muestras de prepotencia. Y su equipo, uy, mucho más que él. El colmo, para mí, fue una vez que los guaruras corrieron al famoso comentarista Jorge 'Sony' Alarcón de una suite a la que el mismo Julio lo había invitado. Lo empujaron. Alarcón era ya un hombre mayor", cuenta una fuente cercana al boxeador.

"A algunos representantes de los medios también los maltrataron tanto él como su equipo. Julio César creyó que su fama lo iba a mantener para siempre intacto. Y no fue así. Se fue ganando enemigos y mala prensa, hasta que llegó la hora de cobrarle todas. Chávez representaba el salinismo. A la hora de la debacle, se hundió con él", agrega la misma fuente.

Con el cambio de sexenio, en 1994, la prensa empezó a publicar cada vez más las relaciones del fajador con los "chicos malos". Desde el nuevo gobierno, empezaron a verlo con ojos de sospecha. Julio había dejado de ir, para entonces, a Mazatlán, en donde se reunía con el mayor de los Arellano Félix. También había perdido el derecho de picaporte en Los Pinos. La purga de políticos ligados a Carlos Salinas lo alcanzó. Julio tuvo la culpa de que lo vieran y lo consideraran como uno más del equipo del ex presidente. No tardaron en pasarle la factura.

El 5 de agosto de 1996, el gobierno de Ernesto Zedillo Ponce de León confirmó públicamente que Julio César Chávez había dejado de ser protegido del Estado, también en lo fiscal: la Secretaría de Hacienda y Crédito Público (SHCP) lo denunció formalmente ante la Procuraduría General de la República (PGR) por defraudación, e incluyó un agravante más: lavado de dinero producto de actividades ilícitas. La demanda incluyó a su administrador, Daniel Viesca Monsiváis. En Mazatlán, los funcionarios hacendarios filtraron a los periodistas que se calculaba un descalabro al fisco por cien millones de pesos.[248]

JC dedicó su tiempo y energía de esos meses a defenderse. Abrió dos frentes: por un lado hizo público que demandaría a su contador por el manejo incorrecto de sus impuestos, mientras intentaba llegar a un acuerdo con las autoridades; y por el otro, se lanzó en contra del diario El Financiero, uno de los muchos medios mexicanos que durante

---

[248] Víctor Guerra, "Acusa la SHCP a Julio César Chávez de lavar dinero", diario La Jornada, 6 de agosto de 1996.

esos meses lo había relacionado con personajes del crimen organiza-do.[249] Julio exigió 25 millones de dólares al diario. La demanda fue presentada en el juzgado 37 de lo civil en el Distrito Federal y argu-mentaba daño moral.

Los funcionarios hacendarios también filtraron que el boxeador habría sido sometido a tres auditorías y que el Estado mexicano sospe-chaba que Chávez lavaba dinero de los hermanos Arellano Félix y de Héctor el Güero Palma Salazar, que era justamente lo que *El Financiero* afirmaba en su nota. JC perdió la demanda contra el periódico, poco tiempo después.

El gobierno no sólo relacionaba al boxeador con narcotraficantes, sino también con el mayor crimen político del México moderno: el asesinato de Luis Donaldo Colosio. Esa información circuló en 2002, dos años después de que Zedillo dejara la presidencia. El periodista Roberto Zamarripa publicó en *Reforma*: "En alguna de las gavetas de la Procuraduría General de la República, en algún lugar de sus archivos, duermen los expedientes del Caso Luis Donaldo Colosio. Al lado de otras tantas indagatorias sin respuesta. Decenas, centenas de hipótesis sobre el crimen en contra del priista sonorense, siguen ahí como aque-lla que implica a José Córdoba, a los hermanos Arellano Félix y al boxeador Julio César Chávez". [250]

Francisco Ortiz, de *El Universal*: "Tras esa fachada con rostro hosco y miradas asesinas, se escondía un cúmulo de contradicciones, insegu-ridades y temores: a Julio le fastidiaba lidiar con los reporteros, pero siempre estaban a su lado; le temía a las bellas mujeres, pero se rodeaba de ellas; era inseguro para hablar en público, pero se atrevía a exclamar iracundo en las ruedas de prensa en Las Vegas; '¡Bull Sheet!', cuando se le insinuaba su relación con los narcos de Sinaloa".

Chávez intentó encerrarse en una burbuja en torno a sus colabora-dores. Imposible. La presión era tan fuerte que el pugilista arremetió contra la prensa. Comenzó a pelearse con los reporteros, los trataba de mala manera. Incluso, en junio de 1998, su hermano Rafael se lanzó en contra de reporteros que cubrían las comparecencias de Julio en los juzgados.

Las autoridades mexicanas no se quedaron con las ganas de llevarlo

[249] Alejandro Ramos Esquivel y Araceli Muñoz Valencia, "Julio César Chávez, ídolo de multitudes y de narcos", *El Financiero*, 21 de julio de 1996.
[250] Roberto Zamarripa, "Tolvanera" diario *Reforma*, 25 de marzo de 2002.

a prisión.[251] El 2 de septiembre de 1996 le giraron la primera orden de aprehensión y fue hasta el 26 de julio de 1998 cuando agentes de la PGR lo detuvieron en Culiacán por el delito de defraudación fiscal. Chávez volvía de Connecticut, en donde había derrotado por *knockout* a Ken Sigurani. Eran como las cuatro de la tarde cuando los judiciales lo aprehendieron dentro del aeropuerto de Culiacán, en donde antes los fans lo recibían por miles. De una agencia del Ministerio Público se lo llevaron al Instituto de Readaptación Social de Sinaloa. Allí le tomaron declaración durante varias horas. Pagó una fianza de 30 mil pesos al juez Francisco Martínez.

La agencia gubernamental Notimex y el periódico *Reforma* publicaron, citando fuentes de la familia del boxeador, que doña Isabel González, su madre, intentó comunicarse con el presidente Zedillo y con José Ángel Gurría, secretario de Hacienda. Doña Isabel quería quejarse por el trato al campeón. Consideraba que era "víctima de una cacería". Chávez se vio obligado a pagar, dicen, 3.2 millones de dólares. Sólo así evitó la cárcel.

Años después, en 2001, JC tuvo que enfrentar a las autoridades fiscales de Estados Unidos, también por evasión de impuestos por seis millones de dólares. El IRS aseguró que Chávez ganó 14.5 millones de dólares por peleas celebradas en aquel país entre 1993 y 1996, y por los cuales debió pagar seis millones en impuestos. Se desconoce si el deportista mexicano tuvo que pagar al fisco estadounidense los montos requeridos.

La revisión de los años públicos de JC hacen verlo como un hombre con enorme suerte y sus fuertes lazos con el poder lo convirtieron en intocable. Pocos mexicanos se han enfrentado a tantas acusaciones —por supuestos crímenes que van desde relaciones con narcotraficantes hasta lavado de dinero o evasión fiscal— sin llegar realmente a juicio. En toda una vida entre la polémica y el escándalo, Chávez pisó durante sólo tres horas una prisión y según él, fue a causa de un error.

Round *10: En la cruda…*

Habla José Luis Camarillo, periodista del diario de deportes *Esto*:
  —Qué opinas, ¿Julio se excedió?
  —Pienso que es natural. Me pongo en sus zapatos, platico con los

[251] José Luis Tapia, "Cae preso JC", diario *Reforma*, 27 de junio de 1998.

amigos de confianza y les digo: la verdad, no critico a Chávez porque yo hubiera sido hasta peor, quizá. Creo que es imposible sustraerse, estando en la fama. Es otro mundo, ¿no? Y una cosa, pues conduce a la otra ¿no? El infierno y la gloria. Es como cuando uno toma tragos; uno dice: "Diosito, si en la borrachera te ofendí, en la cruda me sales debiendo". Cuando uno está echándose un trago pues es riquísimo. Después viene la cruda realidad. Ha sido un hombre muy inteligente. Creo que se ha salvado por el amor a sus hijos. Fíjate que Julio es un hombre cariñoso. Es un hombre agradecido porque me busca para darme exclusivas. No es de a gratis; digo, lo cubrí y sí, lo digo con orgullo, nunca lo anduve molestando, porque hubo quienes le sacaron dinero.

—Mucha gente le sacó dinero, ¿no?

—Sí, sí. Periodistas. Armando Centeno, que le hizo su libro. Me dijo Chávez en Culiacán, estábamos comiendo mariscos y me dijo: "Aquí le dí los otros 25 mil dólares a Armando Centeno por el primer libro". En el primero fue *Julio César nuestro Campeón*. El otro, *Tristezas y amarguras de Julio César Chávez*. Digo, es obvio lo que pasó. Yo vi que un día lo sacaron a patadas de una conferencia en el hotel Marquis.

—Dicen que a patadas.

—Sí, a patadas. Me acuerdo cuando Julio regresó de ganarle a Meldrick Taylor en el hotel Hilton [Las Vegas, septiembre de 1994]. Regresó con un reloj Piaget muy bonito y llegó a la oficina del Consejo Mundial. Lo primero que le vi fue el reloj. "Oye, qué reloj tan precioso". Y él no sabía ni pronunciarlo. "El *Piajg* me lo regaló el dueño del Hilton. Le está dando al Zurdo Félix un millón de dólares por mi contrato".

—¿Julio tiene dinero?

—Sí. No es la historia de otros boxeadores que terminan sin nada. Se cuida. Si lo ves, está esbelto. Y fíjate cómo es inteligente. Le digo: "Oye Julio, te ves más esbelto". Lo vi en Las Vegas hace dos meses. "Oye, Camarillo, la televisión engorda", me contestó.

Round *11: ...me sales debiendo*

Después de la derrota de 1994 con Frankie Randall, la carrera de Julio César Chávez fue menguando. El 7 de junio de 1996 fue vencido por *knockout* por Óscar de la Hoya; el 7 de marzo de 1998 empató con Miguel Ángel la "Chiquita" González, y luego Kostya Tszyu lo derrotó el 29 de julio de 2000.

El 22 de noviembre de 2003 inició una gira de despedida llamada "Chávez por Siempre". En esa fecha derrotó a Willy Wise sin complicaciones. Su despedida formal fue el 22 de mayo de 2004 ante Frankie Randall, en la Monumental Plaza de Toros México, en el Distrito Federal. El mexicano ganó por decisión unánime.

Regresó dos veces más. Se veía como un hombre avejentado, cansado. En mayo de 2005 venció a Iván Robinson en Los Ángeles y el 17 de septiembre de ese mismo año enfrentó a Grover Wiley en Phoenix, Arizona. Fue su último pleito. La perdió en el quinto episodio, por *knockout* técnico.

A mediados de 2008, Julio estaba dedicado a dos grandes tareas: conducir la carrera boxística de sus dos hijos, Julio César y Omar, y a recuperarse de años de excesos con el alcohol y la cocaína. El 24 de noviembre de 2007, José Luis Camarillo se lo encontró en un aeropuerto. Platicaron, como en los buenos tiempos. La entrevista se publicó en el periódico deportivo *Esto*.[252] Hablaron de sus adicciones: "Estuve cinco meses en un centro de rehabilitación, en Guadalajara; estoy limpio desde entonces", le dijo.

"Julio, ¿es esta tu batalla más dura?", preguntó el reportero.

"Sí, pero me ha servido para ver la vida de otra manera; me costó mucho trabajo aceptarlo, meterme ahí, ¡imagínate que te bajen todo el ego! Ahí valoras un dulce, porque no hay dulces ni galletas, puras pinches verduras, se valora todo. Ahí conocí a Dios, lloré como no te imaginas, sufrí hasta derramar lágrimas. Gracias a Dios estoy recuperado. Mis hijos ya me tenían miedo, siempre me han respetado pero cuánto los hice sufrir. ¿Sabes que ahora ya fumo? Como dije, allá dentro se descubren muchas cosas. Dormir con 120 cabrones en el suelo y bañarte con agua helada en la mañana, todo es para valorar lo de afuera, todo lo que uno desechó; cuánta comida no dejaba uno, ahí eso no se puede hacer. Lo importante no es caer sino saber levantarse. Qué bonito es andar sobrio, sin dosis de droga, sin gota de alcohol en el cuerpo, ver las cosas diferentes. Todo mundo me dice que me veo muy bien. Me iba a hundir, y entrar ahí fue decisión mía; por eso digo: sólo por hoy. El cigarro lo voy a dejar también, es nomás por un momento..."

---

[252] José Luis Camarillo, "Qué bonito es andar sobrio" diario *Esto*, 24 de noviembre de 2007.

ALEJANDRO PÁEZ VARELA es subdirector de la revista *Día Siete*. Fue editor de *El Economista*, *Reforma* y *El Universal*; investigador del buró en México de *The Dallas Morning News*; reportero de *El Diario de Juárez*, *El Fronterizo*, *El Mexicano* y *El Heraldo*, y corresponsal de *Excélsior* en Chihuahua. Es coautor de *Los suspirantes* (Planeta, 2005), de *Camas separadas* (Cal y Arena, 2005) y *Los amos de México* (Planeta, 2007); y autor de *Paracaídas que no abre* (Almadía, 2008). Dirige el sitio *www.unafuente.com*. En 1999 ganó el Premio Latinoamericano de Finanzas de Columbia University/Citibank y ese mismo año fue becario de la OCDE en París.

PATI CHAPOY
El imperio del escándalo

MAURICIO CARRERA

"Es una de las mujeres más importantes en la historia de la televisión mexicana, quizá la más admirable, un ejemplo a seguir",[253] afirma el crítico de televisión Álvaro Cueva a propósito de Pati Chapoy. La conductora de TV Azteca es, también, una de las más poderosas del medio. Su trabajo despierta admiración, enjundiosas polémicas y acerbas críticas en forma simultánea. En algunos casos, provoca una encendida animadversión. En otros, una necesaria cautela o un fuerte temor por lo que significa contar o no con su venia y simpatía. "No soy santa Patricia",[254] como ella misma lo reconoce. A través de su programa *Ventaneando* puede crear, mantener o destruir figuras del *show bussines*. Se encuentra plenamente respaldada por TV Azteca, que la ha convertido en un ícono de la libertad de expresión y de su lucha por ganar audiencia en un entorno mediático anteriormente dominado por Televisa. Antes de ella, como afirma Cueva, "la televisión mexicana era una especie de dictadura. Había miedos, premios, castigos, torturas, sumisión". Después de ella, sugiere, las opciones democráticas en los medios se multiplicaron, pues "Pati puso a temblar a una de las corporaciones más grandes de la comunicación en todo el mundo y ese temblor estimuló otros temblores; fue un aliciente, un estímulo, una demostración de que las cosas podían y pueden cambiar".[255]

Patricia Chapoy Acevedo, quien se define como "obrera, trabajadora y empleada" del mundo del espectáculo, tuvo un origen humilde. Nació en el Distrito Federal el 19 de junio de 1949, en el seno de una

---

[253] Álvaro Cueva, "La importancia de llamarse Pati Chapoy", en *La indiscreta. Diez años de Ventaneando*. México, Random House Mondadori, 2007. p. 9.
[254] Pati Chapoy, *op. cit.*, p. 20.
[255] Álvaro Cueva, *op. cit.*, pp. 15 y 14.

familia que incluía siete hermanos: Octavio, Gerardo, Lilián, Enrique, Ernesto y Jaime. Ella fue la cuarta, "la de en medio, de adelante para atrás y de atrás para adelante". Fue una niña corajuda y ordenada. Su niñez la vivió entre Cuernavaca, Torreón y la ciudad de México, donde Enrique Chapoy, su padre, trabajó en una fábrica de cemento, luego fue agricultor y empleado en una fábrica de botones. Los años en Torreón fueron difíciles. A su papá le fue mal con el cultivo del algodón y empezaron a experimentar muchas carencias. "No vivíamos al día sino al anteayer. En ocasiones no había dinero para satisfacer el hambre".[256] El clima era extremo y durante el invierno sólo alcanzaba a protegerse del frío con una camiseta de manga larga. "No recuerdo haber tenido suéter". A su regreso a la capital, a los diez años de edad, asistió al cumpleaños de una prima donde le preguntaron por qué usaba "chanclas de gallo" y no un calzado decente. "Les inventé una historia muy linda: que en el tren en que veníamos me habían robado la ropa y los zapatos". En Navidad unos tíos le regalaron un par que Pati Chapoy no se quería poner por temor a gastarlos. Tampoco había dinero para comprar el uniforme de la secundaria. Empezó a trabajar desde muy temprano. Fue niñera y vendedora de costales.

Su inclinación al periodismo nació, como ella misma lo ha contado, en la infancia. "Mi cuna estaba pegada a una ventana muy chiquita y me asomaba a ver qué había afuera. Desde entonces me dedicaba a ventanear".[257]

Estudió la carrera en la Carlos Septién García, que en ese entonces permitía el ingreso sin el requisito de la Preparatoria. Trabajaba y estudiaba. Iba a la oficina de nueve de la mañana a seis de la tarde y asistía a clases de seis de la tarde a diez de la noche. Fue mensajera en un despacho de economistas y telefonista en una compañía constructora antes de ser reportera de a pie. Al principio su interés no estaba puesto en el espectáculo sino en la política. Era joven, ingenua y atrevida. Una vez intentó entrevistar a María Esther Zuno, la esposa del entonces presidente Luis Echeverría. Lo hizo sin autorización previa, a la salida de un cine. El Estado Mayor Presidencial intervino con la prepotencia acostumbrada. Se dio una escena de empujones y jaloneos. Quisieron

---

[256] Entrevista del autor con Pati Chapoy, 16 de junio de 2008. Las siguientes citas sin referencia provendrán de esta misma fuente.
[257] "Pati Chapoy nos abrió su corazón y nos relató que de niña vivió escasez económica". En *Siminforma*, México, 26 de mayo de 2008, p. 13.

quitarle la grabadora, pero ella se opuso con firmeza. Se sintió agredida y, lo peor, indefensa. Desde entonces centró sus baterías en la cultura y los espectáculos. Trabajó en la revista *Diseño*, donde entrevistó a pintores y actrices como David Alfaro Siqueiros, Sofía Bassi y Dolores del Río. También colaboró en *Contenido*, *Novedades* y *Vanidades*. Tras una entrevista que le hizo a Raúl Velasco, este la invitó a trabajar en su programa de radio *Aún hay más en W* y posteriormente en *Siempre en domingo*. Fue su entrada a la televisión.

"Me sentí muy protegida. El ambiente que había logrado Raúl Velasco en la oficina era muy lindo. Enfrentarme a la televisión fue otra cosa. Algo emocionante. Las primeras veces a cuadro representaron un verdadero dolor de cabeza. Me impresionaba saber que mis entrevistas eran vistas por millones de personas. Metí mucho la pata, me tropezaba en todos lados. Raúl Velasco siempre me salvaba. También me mandaba a cubrir la llegada de los vacacionistas en Semana Santa y eso significaba una gran responsabilidad: la de hacer a un lado los domingos familiares para dedicarme a trabajar. Fue un inicio fuerte en la televisión, pero lindo".

Se convirtió en asistente de Raúl Velasco. Fue conductora de *México, magia y encuentro* y se encargó de la coordinación del Festival OTI. Parte de su trabajo consistía en encontrar cantantes mexicanos que le hicieran frente a los extranjeros que ocupaban por entonces los primeros lugares de popularidad.

"En esa época nadie creía en los mexicanos", recuerda Chapoy. "Los famosos eran Sandro, Julio Iglesias y otras luminarias. Poco a poco, mediante *Siempre en domingo*, se le fue dando vuelta a la tortilla. Las cosas empezaron a cambiar con la aparición de personalidades de gran talento como José José".[258]

Si bien es cierto que fue la entrada a nuestro país de muchos artistas extranjeros como José Luis Rodríguez "el Puma", Estefanía de Mónaco, José Luis Perales, Joan Manuel Serrat y Julio Iglesias, el programa, en efecto, también le abrió las puertas a muchos jóvenes intérpretes como Vicente Fernández, Juan Gabriel, Yuri, Emmanuel, Mijares, Timbiriche y Lucero, entre muchos otros.

---

[258] José Antonio Fernández, "El espectáculo se hace a partir de escándalos", en *La Revista*, México, 1 de diciembre de 1998.

Siempre lo mismo

Siempre en domingo dio inicio el 14 de diciembre de 1969, en Canal 4. Fue tal su éxito que cinco semanas después comenzó a transmitirse a través del Canal 2, de cobertura nacional. Se planteó como un programa de variedades musicales que incluía *sketchs* humorísticos —como los de la India María en franca persecución amorosa de su güerito, el propio Raúl Velasco—, actos de magia realizados por Beto el Boticario o el Profesor Zovek y promociones turísticas y folclóricas a diversos destinos nacionales. Su duración llegó a ser de seis horas continuas. Era el pan y circo de la televisión mexicana, escudado en la acostumbrada filosofía mediática de "al pueblo lo que pida". Como lo dijo el propio Raúl Velasco, con su estilo acostumbrado: "El público es un conglomerado de seres humanos que se angustia y que espera de un programa de televisión lo que se le ha prometido y negado directa o indirectamente a través de los años".[259]

Dice José Agustín: "En la programación, aparte del impresionante peso político que adquirió Jacobo Zabludovsky con su programa *24 Horas*, el caso más notable lo constituyó el éxito aparatoso y la institucionalización [...] del programa en vivo, maratónico y de variedades, *Siempre en domingo*, que Raúl Velasco, para no variar, copió de un programa similar argentino. [...] En un principio, Velasco había intentado un periodismo televisivo ligado a la cultura [...] y luego, en el canal 8, hizo *Medianoche*, con la presencia de personalidades del arte, la intelectualidad y los espectáculos. Sin embargo, ya con *Siempre en domingo*, Velasco llevó el malinchismo a cimas insospechadas y promovió espectáculos cada vez más enajenantes".[260]

Para Carlos Monsiváis, Raúl Velasco cumplía con su deber profesional que era mostrar, no informar. "Él está ahí para decir lo que de él se espera [...] no estudió para contradecir o impugnar o saber de critiquillas [...] es —ni hablar— la reafirmación de las instituciones existentes".[261]

Con su sonrisa eterna, sus errores al hablar, su franco nerviosismo, su esmero en la formalidad de traje y corbata, sus playeras de cuello mao, su famoso "aún hay más" y la señal con la mano para anunciar un

---

[259] Citado por Carlos Monsiváis. *Amor perdido*. México, Era, 1978, p. 195.
[260] José Agustín. *Tragicomedia mexicana 2. La vida en México de 1970 a 1988*. México, Planeta, 1992, p. 68.
[261] Carlos Monsiváis, *op. cit.,* p. 192.

corte comercial, Raúl Velasco —primo, por cierto, del ex gobernador de Veracruz y ex presidente de Televisa, Miguel Alemán Velasco— se ganó al público, que lo consideraba como un miembro más de la familia reunida los domingos alrededor de la televisión.

De nada importaban las críticas a su programa y a su persona. Popularmente, el ciclo comenzó a ser llamado "Siempre lo mismo", lo que redundaba en una queja debido a lo repetitivo de su fórmula televisiva. "¿Qué no le han dicho a Raúl Velasco?", se preguntaba Monsiváis y él mismo respondía. "Frívolo, superficial, banal, gacetillero, ejemplo de tontería". Una vez contestó así a una pregunta: "Aunque supongo que el programa que realizo los domingos no es enajenante, pudiera serlo".[262] Se le acusó de pedir dinero a las compañías disqueras —la famosa payola— para promover a sus artistas en su programa. La cantante Ga-bí, en su libro *Como carne de cañón* (2001) denunció la forma como Velasco se dedicó a apoyar más a los cantantes extranjeros que a los mexicanos. En una entrevista radiofónica lo definió como racista, tirano y culpable de haber hecho y deshecho muchas carreras artísticas. Puso el dedo en la llaga al emitir un boletín de prensa en el que señalaba: "Fue el tirano manipulador más traicionero del verdadero talento artístico mexicano. [...] Fue el represor de Televisa en México, sacrificando a muchos artistas por sus intereses económicos, olvidándose —inclusive— de su primera esposa para servir al tirano de Azcárraga, siendo manipulado como un idiota por el poder del Tigre".[263]

Para muchos más fue un verdadero censor, un intocable protegido por Emilio Azcárraga padre. "Mis dos pilares de Televisa", así consideraba el dueño de la televisora más importante del país a Zabludovsky y a Velasco.[264] Fue un hombre poderoso e influyente. El 16 de diciembre de 1986, durante una comparecencia en la Cámara de Diputados, un legislador comentó que Raúl Velasco tenía mayor influencia en la población que el propio Secretario de Educación Pública, a lo que Miguel Alemán Velasco —a la sazón presidente del consorcio televisivo—, bromeó: "Sería muy difícil contratar al Secretario de Educación como conductor de *Siempre en domingo*".[265] De 1969 al 18 de abril de 1998,

---

[262] *Ibid.*, p. 193.
[263] "Ga-bí sigue destapando escándalos". Entrevista radiofónica hecha por Iván Parra *et al*. Radio Caracol, Bogotá, 29 de noviembre de 2006, 14:40 hrs.
[264] Claudia Fernández y Andrew Paxman. *El Tigre Emilio Azcárraga y su imperio Televisa*. Grijalbo (Raya en el agua), México, 2000, p. 278.
[265] *Ibid.*, p. 305.

fecha en que terminan las transmisiones de este programa (un impresionante total de 1,480 programas y 10 mil 500 horas al aire), fue el verdadero zar del espectáculo en México. Cuando murió —curiosamente, un domingo, el 26 de noviembre de 2006—, algunas figuras del espectáculo salieron a la luz criticando su labor televisiva. "No santifiquen a un señor que hizo daño a mucha gente", pidió Ricardo González "Cepillín". Humberto Cravioto lo acusó de haber vetado su carrera. Ga-bí denunció que había manipulado los festivales OTI para designar un ganador a su antojo. Gloria Trevi y Tatiana terminaron por estar fuera de *Siempre en domingo*, al parecer por sugerencia de la Liga de la Decencia, la una, y por problemas con su manejador la otra. El cantante y compositor Joan Sebastian recibió un trato vejatorio y humillante de parte de un Raúl Velasco "clasista, grosero y discriminatorio".

Por supuesto, algunos de estos rencores y malas opiniones quedaron atrás el día del homenaje de Televisa al conductor, un mes antes de su muerte. Se le veía mal, fatigado, aunque persistía a duras penas con la amplia sonrisa que llegó a caracterizarlo. Comenta Álvaro Cueva: "Hay muchas versiones que indican que la mayor parte de los invitados a esa fiesta privada en Acapulco fue obligada por Televisa y por sus disqueras, ya que era demasiada casualidad que a la hora de la cancelación de *Siempre en domingo* tantas luminarias le hubieran dado la espalda al señor Velasco y que años después todas ellas hubieran sentido un deseo irrefrenable de ir a decirle lo mucho que lo querían".[266] Ella le contagió su inclinación por

Pati Chapoy fue una de las alumnas más destacadas de la escuela de televisión de espectáculos presidida por Raúl Velasco. Fue su mentor y también una muy importante figura paterna. Durante algún tiempo llegó a vivir en su casa, como si se tratara de una hija más del conductor. Para él fue "la hija mayor con quien reír, con quien llorar y con quien reñir, porque nunca hubiera despertado mi amor paternal, de no tener capacidad para confrontarse conmigo, para discutir con pasión los temas que nos hacen vibrar".[267] Ella le contagió su inclinación por coleccionar gnomos. De él aprendió el oficio. Durante el funeral de su antiguo jefe lo recordó como alguien a quien le gustaba controlar las situaciones a su alrededor, por lo que hasta su propia muerte había ocurrido en domingo. Al día siguiente, en una entrevista radiofónica, comentó: "Todos debemos estar muy agradecidos a Raúl Velasco por

[266] Álvaro Cueva, "Raúl Velasco", en el blog *El pozo de los deseos reprimidos*. México, 27 de noviembre de 2006.
[267] Raúl Velasco. *Mi rostro oculto*. Diana, México, 1989, p. 204.

todo lo que hizo a través del entretenimiento y la diversión". Agregó: su programa "era una cita obligada para los mexicanos. Existía la expectativa sobre lo que iba a decir y a quién iba a presentar. A través de su programa fomentó vivir en familia. [...] Su carisma y preparación lo hicieron crecer y se ganó el cariño de muchas personas". Aprovechó para criticar a Televisa, quien —según ella— terminó por olvidar al conductor. "Él estaba muy resentido y molesto porque no había recibido el reconocimiento ni la atención que se merecía una persona luego de veintiocho años de haber entregado su vida en aras de la diversión de un pueblo. La empresa que le dio la espalda".[268]

Años antes, sabedora de los dimes y diretes que pesaban sobre Raúl Velasco, aceptó que "alrededor de una persona con éxito se crean muchas historias. La verdad, sólo la tienen los protagonistas".[269] Fuera de este tipo de declaraciones, más para leer entre líneas que verdaderamente informativa, Pati Chapoy ha mantenido un rotundo respeto por el trabajo de quien por muchos años fuera su jefe y maestro. En su libro *La indiscreta* (2006), señaló: "Bajo el mando de Raúl no sólo aprendí cuestiones fundamentales para el desempeño de mi trabajo en televisión; Raúl resultó ser además un excelente guía y motivador personal. [...] Echaba manos de recursos que él ya había experimentado y que constantemente nos compartía. [...] Mis lazos con Raúl y su familia son ahora indisolubles y no concibo mi historia personal e incluso la de mi familia sin lo mucho que él me aportó profesional y humanamente".

Agrega: "Gracias a su consejo me inicié en el psicoanálisis y el estudio de la filosofía budista, que hasta hoy practico".[270]

El alcoholismo de mi madre

A través de la terapia psicoanalítica, dice Chapoy, "y de mi terquedad absoluta, empecé a tener muchos cambios en mi vida [...] como el de hacer a un lado la flojera, la frustración, la indiferencia".[271] La periodista y conductora culpaba a sus padres de sus limitaciones persona-

[268] Online de *El Universal*, 27 de noviembre de 2006.
[269] José Antonio Fernández. *Op. cit.*
[270] Ésta y la anterior cita en *La indiscreta, op. cit.*, p. 23.
[271] Rafael García, "Pati Chapoy: no creo en la suerte", diario *El Mañana*, Nuevo Laredo, 25 de mayo de 2008.

les hasta que entendió que ella era la única responsable de su vida. Considera que el psicoanálisis la ha convertido en una persona en constante aprendizaje. "Me ha costado muchísimo trabajo entender que puedo cambiar mi personalidad. Se puede nacer con un temperamento específico, pero se puede cambiar, porque la mente es tremendamente poderosa y hay muchas armas y muchos instrumentos para poder cambiarla".

Su psicoanalista es el doctor Federico Sanromán. "De la mano del psicoanálisis he logrado conocerme, tener una buena familia, superar los miedos, las inseguridades y reconciliarme con el pasado".

Parte de este pasado consiste en haber lidiado con una madre alcohólica. Aurora Acevedo bebía sin moderación. Pati Chapoy recuerda el impacto que le causó la primera vez que de manera consciente se percató de las decenas de botellas de cerveza vacías debajo del lavadero. "Esta situación la viví con mucha angustia. Para mí fue muy fuerte enfrentarme a esto de niña, de adolescente y de adulta. Me fue difícil entender que —el alcoholismo— no era un vicio sino una enfermedad". La relación con su madre fue complicada. No era una madre desobligada: la comida estaba hecha, las camas, la ropa lavada, nunca armó un escándalo, pero se refugiaba en el alcohol para hacerle frente a las enormes responsabilidades familiares que implicaba atender a siete hijos y a un marido, en medio de una situación económica poco favorable. "Era terrible llegar a casa y saber que mi madre estaba ahí, pero que en realidad no estaba ahí".

Esta situación duró casi toda la vida. A los setenta años se le detectó un problema en el corazón y dejó de beber. La madre de Pati Chapoy murió tres años después, en 1989, de cáncer de esófago.

Dice la conductora de *Ventaneando*: "Yo no bebo, no me gusta. Sé que puedo tener el gen del alcoholismo y eso me inhibe, me impide beber. Puedo tomar una copa de tequila, de vino, de champán, pero es una y ya, lo que ocurre una vez cada seis meses o una vez al año".

Es una señora que medita

En cuanto al budismo, todo comenzó en *Siempre en domingo*. Raúl Velasco efectuó unos cursos de meditación trascendental impartidos por miembros de la Universidad Maharishi. "Empecé a meditar y a interesarme en el hinduismo". No fue, sin embargo, hasta su ingreso a TV Azteca que su hermana Lilián y la conductora Mónica Garza la invitaron a una conferencia sobre budismo. Desde entonces abrazó esta filosofía, que "ha aportado cosas muy importantes y positivas a mi vida. Es algo que me da mucho beneficio".

Chapoy se acercó a la Casa Tíbet México, una fundación creada el 6 de julio de 1989 bajo los auspicios del XIV Dalai Lama. Está presidida por Marco Antonio Karam, un "enamorado de la cultura y civilización tibetana desde temprana edad", dedicado a promover el legado espiritual, estético y filosófico del llamado "Techo del Mundo". A través de esta fundación se contribuye también a difundir la problemática que enfrenta el Tíbet desde la invasión china de 1950. Se dan cursos, conferencias y seminarios, con temas como "El reto de ser ético: perspectivas budistas sobre la conducta humana sana", "La ira, taller para el adicto", "Guru-Yoga, la unión con el mentor", "El arte de la felicidad", "Beneficios del desarrollo de una mente compasiva". También lleva a cabo viajes no turísticos sino de conocimiento budista. Pati Chapoy ha visitado Katmandú, el Tíbet, la India, Bhután, Myanmar, Indonesia, Cambodia. Tuvo la oportunidad de conocer en el Tíbet la llamada Cueva Blanca del Diente de Caballo donde meditó Milarepa, el plenamente iluminado. En Bhután vio de lejos la cueva de gurú Rimpoché, que llevó el budismo de la India al Tíbet. La cueva está ubicada en el nido del Tigre, un lugar de muy difícil acceso, a trescientos veinte metros de altura, donde pareciera que la única forma de llegar es volando. "Han sido en realidad lugares fantásticos", recuerda Chapoy.

La filosofía budista, forjada en el año 500 antes de Cristo por las enseñanzas del iluminado Sidartha Gautama, predica el *dharma* o sendero hacia la vida correcta. Para él, tal y como se observa en Las Cuatro Verdades de su sistema filosófico, la vida está impregnada de sufrimiento. Un sufrimiento causado por el anhelo de tener y poseer. Lo esencial es liberarse del sufrimiento mediante el desapego a las cosas materiales y del ego que las anhela. Para ello hay que llevar a cabo ocho acciones de liberación, que son: la comprensión correcta, la intención correcta, el habla correcta, la acción correcta, la forma de vida correcta, el esfuerzo correcto, la atención correcta y la concentración correcta.

Si bien Buda no aboga por una vida de pobreza para alcanzar estos fines y su filosofía se basa no en el dogmatismo sino en la flexibilidad de su sistema, para la percepción general el hecho de que Pati Chapoy se enarbole como budista es un sinsentido, una contradicción. Admira al Dalai Lama: "Es alguien a quien le debemos aprender todo el tiempo. Es una persona muy compasiva, una persona que merece el cariño, el respeto y el respaldo, porque ha logrado, afortunadamente, sacar adelante a su pueblo".

Le gusta leer *El arte de la compasión*, escrito por el Dalai Lama, del que hace suyas sus palabras: "Si miro hacia atrás, veo que no he tenido una vida fácil. Pese a todo, durante esos años he aprendido muchas cosas acerca de la compasión y de la preocupación por los demás. Esta actitud mental me ha llenado de fuerza interior".[272] Chapoy, sin embargo, a través de su labor al frente de *Ventaneando*, no parece cumplir cabalmente con las nociones de compasión y preocupación por los demás. La frivolidad del medio del espectáculo, con sus chismes, con sus egos, con las cantidades millonarias de dinero que se manejan, con sus escándalos, con la manipulación de sus públicos, no es exactamente propia de la actitud moral que pretende el budismo. La misma tradición mahayana del budismo, que es la que se practica en Tíbet, estipula que la liberación de uno mismo debe tener también la finalidad de liberar a todos los seres. Por supuesto, para la opinión pública en general —expresada, por ejemplo, en cientos de muy viscerales mensajes en la web— esto no se logra a través de programas como *Siempre en domingo*, *El mundo del espectáculo* o *Ventaneando*. "Cuando sé que hasta Pati Chapoy porta en su mano el famoso rosario budista, hallo lo contradictorio de que un principio de esta filosofía es no criticar y el trabajo de la señora consiste en ventilar la vida de otros", comenta Abril Pozos Espinoza en su blog.

En sentido estricto, Pati Chapoy no se distingue precisamente por ser budista en sus "ventaneadas". Álvaro Cueva la ha defendido, argumentando: "Ella no es lo que sale en *Ventaneando*. Es una señora que medita, promueve la visita del Dalai Lama, vive con sus bonsais y su familia. Y por el otro lado está en el chisme y los intereses corporativos".[273] Sin embargo, con el tipo de críticas, moralismo y periodismo que Chapoy practica en la televisión, parecería para muchos que más bien lleva a cabo uno de los principios del Mahjjima Nikaya: "Sean morales y virtuosos sin estar hechos de morales y virtudes". Esto lo vio muy bien su propio mentor Raúl Velasco, quien a propósito de los cuestionamientos de la conductora hacia Gloria Trevi comentó: "La gente que está enterada de mi compadrazgo con Pati Chapoy me pregunta: '¿Qué le pasa a la señora Chapoy que habla con tanto coraje en contra de Gloria Trevi? ¿No que el Dalai Lama es el Buda de la compa-

---

[272] *La indiscreta, op. cit.*, p. 109.
[273] Mario Villareal, diario *El Mañana*, Nuevo Laredo, 30 de marzo de 2008.

sión y ella su gran admiradora?'. Francamente, no sé qué responderles. Pero cada quién su conciencia y sus compromisos frente a la vida".[274]

Recientemente, la controvertida "cantante" Jolette —figura sobresaliente por sus altaneros desplantes en la Academia 2005— se quejó de la forma en que Chapoy la exhibió, tachándola de diva y de querer exigir un costoso ajuar y un elevado salario para su debut televisivo. Acusó a la conductora de mentirosa. Agregó: "Si así son los budistas, qué mala impresión me llevo de los budistas, porque sus bases, hasta donde yo he investigado, son totalmente distintas a la forma en que Chapoy lleva a cabo su religión. Qué sacón de onda me da. Vive de la calumnia, vive del escándalo, y si se enoja con un artista, le trata de destrozar la vida".[275]

Para Chapoy, el budismo le dado las herramientas para soportar este tipo de críticas. Afirma: "Debido a que mi trabajo es público hace que la gente tenga todo tipo de comentarios en relación a mí. Se los agradezco muchísimo. Lo único que hago es trabajar todos los días porque estoy absolutamente consciente de que lo único que tengo es el día de hoy. Eso lo he aprendido en el budismo, que llevo practicando durante seis años".[276]

Le gusta una frase dicha por el propio Buda: "Con el encuentro de dos personas o situaciones nace el desencuentro".

La que toma la decisión soy yo, no mi marido

Pati Chapoy contrajo nupcias con el cantante Álvaro Dávila. Fue su segundo matrimonio. Antes estuvo casada brevemente con un diplomático. "Ese matrimonio sencillamente no funcionó. Me casé muy jovencita, a los veintiún años. Tres años después solicité el divorcio".

A Álvaro Dávila lo conoció a los veinticuatro años, durante uno de los Festivales OTI de la canción. Establecidos a partir de 1972 como una copia del Festival Eurovisión, el propósito del festival era que cada país perteneciente a la Organización de la Televisión Iberoamericana presentara a concurso una composición original. Fue una buena oportunidad para muchos compositores e intérpretes, que ganaron en pro-

[274] Raúl Velasco, *Teleguía*, Núm. 2722, p. 52.
[275] "Jolette llama 'mentirosa' a Chapoy". En *www.terra.com*, s/f
[276] Rafael García, "Pati Chapoy: no creo en la suerte", diario *El Mañana*, Nuevo Laredo, 25 de mayo de 2008.

yección nacional e internacional. En México el certamen quedó en manos de Raúl Velasco. El peso de su presencia e influencia fue decisivo para que en 1973, el año de su debut en el Festival OTI, México se alzara como ganador con la interpretación de *Qué alegre va María* hecha por Imelda Miller, así como para que en 1974 nuestro país fuera sede del concurso y para que en 1975 Gualberto Castro, en Puerto Rico, resultara triunfador con *La felicidad*.

Los intérpretes eran seleccionados previamente en concursos con el mismo formato del festival, pero realizados en cada uno de los países participantes. Así surgieron figuras como José José —lanzado a la fama en el Festival de la Canción Latina, antecedente del OTI—, Eugenia León, José María Napoleón, Manoella Torres, Crystal, Sergio Esquivel, Felipe Gil, Lupita D'Alessio, Emmanuel, Yuri, Analí, Ana Gabriel, Carlos Cuevas, Yoshio, María Medina, Sergio Andrade y el esposo de Pati Chapoy, Álvaro Dávila.

Dávila se inició como intérprete y compositor en Guadalajara. A Pati Chapoy le ha compuesto, entre otras canciones, "La culpable" y "Amanece". A ella le gusta en particular esta última: "Es una composición no muy popular, pero linda y tierna".

Al principio, a Raúl Velasco no le agradó su relación con Dávila. La regañó: "¡Te vas a casar con un cantantito que está haciendo sus pininos en el OTI!". De hecho, cuando se casó, Velasco no asistió a la boda. Después las cosas parecieron arreglarse. Velasco apadrinó al hijo menor de Chapoy, Pablo, e hizo las paces con su compadre Álvaro Dávila, a quien definió como "talentoso cantautor, hombre de bien", y de quien admiraba su capacidad de amar a Chapoy "en sus momentos tiernos y de conducirla en sus momentos temperamentales que, como toda mujer que triunfa en la vida, Pati vive con intensidad".[277] La relación con Velasco fue de altibajos y confrontaciones. De hecho, la despidió cuando estaba embarazada de su hijo Rodrigo. "Es que tenía un carácter que, híjole", pretextó el rubio conductor.

La cerrada actitud paterna y de jefe de Velasco no fue el único problema que Chapoy tuvo a raíz de su decisión de casarse y hacer su vida. La conductora tuvo que sortear la misoginia propia del mundo del espectáculo. "Recuerdo una anécdota de cuando yo trabajaba en la coordinación periodística de *Siempre en domingo*. Me asignaron la dirección de un programa que se llamaba *México, magia y encuentro*, a causa del

[277] *Mi rostro oculto, op. cit.*, p. 203.

cual teníamos que viajar mucho. Cuando Raúl Velasco me nombró para que hiciera ese trabajo, inmediatamente el productor Raúl Lozano reclamó que cómo iba a viajar si estaba casada, que tenían que hablar con mi marido. Le dije, 'bueno, están como operados del cerebro, la que toma la decisión soy yo, no mi marido". Agrega: "En mi caso, si mi marido me hubiera dicho que no quería que trabajara o me hubiera puesto trabas para esto, me hubiera divorciado, así de simple. Porque lo más importante que tengo soy yo, me quiero y me cuido mucho y no iba a permitir que nadie manejara mi vida. La única que tiene autoridad para manejar mi vida soy yo. El apoyo de mi marido ha sido determinante, es el primer admirador de las cosas que he logrado, es el primero que me apoya cuando tengo cargas de trabajo, ahí nos repartimos mucho la educación de nuestros hijos y la prueba de que eso se puede es que llevamos treinta años de casados y no ha habido ningún problema".[278]

En 1980, sin embargo, el matrimonio se puso a prueba. Según Ga-bí, en una discoteca de Mazatlán, Álvaro Dávila intentó sobrepasarse y ella le puso un alto. Prefirió a Jaime Moreno, su otro acompañante (famoso en ese entonces por haberse desnudado en una revista). "Herí el ego de Dávila al no querer sucumbir a sus caprichos y él se encargó de que su esposa [Chapoy], quien en ese entonces era asistente de Raúl Velasco para *Siempre en Domingo*, Festivales OTI y eventos especiales, me hiciera la vida imposible, negándome acceso a múltiples actividades dentro de Televisa y evitando así, mi realización como artista. Así se las gastan Dávila y Chapoy". En su libro *Como carne de cañón*, Ga-bí describe la ocasión en que Pati Chapoy la abofeteó y la tumbó al suelo para seguir golpeándola. La entonces conductora de *El mundo del espectáculo* no la bajaba de prostituta porque, según ella, pretendía quitarle el amor de Álvaro Dávila.[279]

Chapoy ha descalificado ése y muchos comentarios más de Ga-bí, al considerar que se trata de una persona "totalmente desquiciada".

[278] "Pati Chapoy: sobriedad y ecuanimidad". En Rosendo Jares, Dorinda, y José G. Garza Hernández. *Atreverse a ser mujer*. México, Grupo Editorial Patria, 2007, pp. 302-303.
[279] En Álvaro Cueva, "El pozo de los deseos reprimidos", página de internet sin fecha.

TV Azteca

Chapoy trabajó veinte años en Televisa, interrumpidos sólo por el nacimiento de su hijo Rodrigo, en 1979. Creó *El mundo del espectáculo*, un programa televisivo producido por Humberto Navarro. Se trató de una revista informativa que luchaba por tener su propia voz en un medio ampliamente controlado por Televisa. Dice el conductor Horacio Villalobos: "En los ochenta, cuando Televisa era la dueña y señora de la televisión mexicana, se ejercía un proteccionismo exagerado hacia sus estrellas o productos; eran pocas las voces que se atrevían a criticar, aunque en ese entonces ya había algunas revistas especializadas, periodistas con vocación y hasta el programa *El mundo del espectáculo* conducido por Patricia Chapoy y producido por Humberto Navarro, pero eran sólo intentos en un México aparentemente inocente y bastante maniatado".[280]

El mundo del espectáculo duró siete años al aire. Chapoy intentó un periodismo más atrevido, íntimo y personal. "Tuvimos mucho éxito porque en la emisión todos los artistas tenían voz y voto. Se hablaba más de la parte profesional que de la privada".

"De Televisa siempre recibí buen trato", dice Chapoy. Emilio Azcárraga Milmo, sin embargo, la castigó en una ocasión. "Me sacó de *El mundo del espectáculo* porque hice dos comentarios que no le gustaban: uno, que Lila Deneken no sacaba un disco nuevo porque Rogelio Azcárraga la tenía vetada en Orfeón; y el otro, que cómo era posible que el gobierno no pusiera atención al hecho de que en el paso a desnivel de avenida Chapultepec a Parque Lira no había luces. Habló con mi productor, Humberto Navarro, para que me castigara. Humberto me dijo: quédate tranquila y vete a tu casa en lo que se calman las cosas. Para mí fue muy complicado porque nunca me dijeron cuál fue el enojo de Azcárraga. Esperé un mes y todo seguía igual. Un día recibí un ramo espectacular de flores enviado por Ricardo Rocha. Lo acompañaba con una carta muy linda donde me decía que todo iba a pasar y que al cabo del tiempo me iba a reír de lo sucedido. Le hablé por teléfono para agradecerle el detalle y me sugirió que le hablara a Azcárraga. Lo hice. Azcárraga me citó el mismo día que le hablé. Lo primero que me dijo él, muy astutamente, fue: '¿por qué te regañaron, por qué te sacaron de la tele?' Yo me reí muchísimo. Le dije: así son las cosas, ni siquiera sé

---

[280] Horacio Villalobos, "La trituradora", diario *El Universal*, 27 de mayo de 2008.

por qué me regañaron. Entonces me dijo: 'quiero que regreses a la televisión. ¿Por qué no regresas mañana? O ahora, si tú quieres'. Luego me enteré por Humberto de que era algo que Azcárraga hacía con frecuencia a todo aquel que apareciera a cuadro, para hacer saber que era él quien decidía lo que pasaba en la empresa y no alguien como yo con mis comentarios. Fue para que se me bajara la fama".

Para 1993 Chapoy se encontraba, dice, "obligada por las circunstancias", fuera de Televisa.

"Salí porque me corrió Raúl Velasco y nadie me volvió a contratar".

El conductor la despidió bajo el pretexto de que era una ejecutiva triple A y no tenía para pagarle el sueldo. La verdad es que opinaba que "dos personas mandonas no pueden estar en el mismo sitio".[281]

Pati Chapoy lo recuerda de la siguiente manera: "Yo le producía un programa que se llamaba *Galardón a los grandes*, y cuando me dijo eso me sentí muy mal, muy incómoda, pues se terminaba una etapa muy importante de mi vida. Me fue muy difícil separar la parte de amistad que yo tenía con él y su familia y la parte del trabajo. Hablé incluso con Emilio Azcárraga Milmo. Le pregunté qué tenía que hacer y me mandó con su hijo, le presenté algunos proyectos pero nunca me volvieron a llamar. Jamás".

Sus días en la televisión parecían terminados. Se dispuso a poner un negocio junto con su hermana Lily, el de "camas para hacer ejercicio sin esfuerzo". Pasaron seis meses, se dio cuenta que ese rubro de actividades no era el que quería y se retiró. Se fue de vacaciones a Oaxaca y a Cancún.

En este último lugar recibió una llamada que la colocó de nuevo en el mundo de las ondas televisivas y del espectáculo. Era de Ricardo Salinas Pliego, un joven empresario de treinta y siete años, heredero de las tiendas de muebles y artículos electrodomésticos Salinas y Rocha (ahora Elektra).

Salinas Pliego había dado la sorpresa al convertirse, el 17 de julio de ese 1993, en dueño de Imevisión. Su oferta de 641 millones de dólares rebasó por cien millones la oferta de su más cercano competidor en la subasta pública que el gobierno de Carlos Salinas de Gortari había emprendido para vender los canales 13 y 7, sus repetidoras e instalaciones. Era parte de la estrategia sexenal de privatización que buscaba, en teoría, dotar de recursos económicos frescos a la Federación, y, más probablemente, de favorecer a determinados grupos e intereses eco-

---

[281] Citado por Pati Chapoy en Mónica Garza, *Historias engarzadas*, TV Azteca, 2004.

nómicos privados. La venta de Telmex a Carlos Slim se dio no sin la sospecha de que el verdadero beneficiado sería el propio presidente en funciones y lo mismo sucedió con la adquisición de Imevisión por parte de Salinas Pliego. La coincidencia en los apellidos despertó suspicacias y recelos. También, el hecho de que Salinas Pliego no tenía ninguna experiencia en medios electrónicos. Él mismo, medio en serio y medio en broma, había asegurado que lo más cerca que había estado de la televisión era de los aparatos que vendía en sus tiendas. Al principio no se le había tomado como un serio contendiente y, a pesar de todos los pronósticos en contra, se había alzado de pronto como el más firme ganador, por encima de grupos y familias con más conocimiento en medios electrónicos como los Vargas, los Aguirre, Cosmovisión, Medcom y GeoMultimedia. Se intuyó, con la malicia y la desconfianza a la que nos han tenido acostumbrados nuestros gobiernos, que Salinas Pliego no era más que un prestanombres de Salinas de Gortari. Éste, se suponía, estaba interesado en continuar en el poder detrás del poder una vez que dejara la presidencia y necesitaba hacerse de un excelente vehículo de comunicación que le hiciera frente a la presencia monopólica de Televisa. Las sospechas se hicieron en parte realidad al descubrirse que Raúl Salinas de Gortari, el hermano incómodo de Carlos Salinas de Gortari, le había ofrecido a Raúl Salinas Pliego dinero para llevar a cabo la compra de Imevisión.

Según Claudia Fernández y Andrew Paxman, autores de *El Tigre Emilio Azcárraga y su imperio Televisa*, Azcárraga Milmo se sintió tan beneficiado con la venta de Imevisión a Salinas Pliego que abrió una botella de champaña para brindar. Lo prefería a él, sin experiencia, antes que a competidores más avezados en medios electrónicos. Durante algún tiempo despreció el poder de penetración de la naciente TV Azteca. Para él, "la competencia entre TV Azteca y Televisa era como la de una cucaracha con un Cadillac".[282]

Otra de las primeras beneficiadas con la compra de Imevisión fue Pati Chapoy. Ricardo Salinas Pliego era su vecino en la lujosa zona residencial al sur de la ciudad conocido como Rancho San Francisco. La conductora llevaba a los hijos de los Salinas Pliego a la escuela San Angelín y su relación con él y su entonces esposa, Ninfa, era estupenda. Resultado de ello fue la contratación de Pati para trabajar en la recién comprada televisora.

---

[282] *El Tigre Emilio Azcárraga y su imperio Televisa, op. cit.,* pp. 408-409.

El 5 de agosto de 1993, Pati Chapoy comenzó su labor, primero como asesora, luego como productora y, finalmente, como directora de espectáculos. Encontró nóminas infladas con personal inexistente, el sistema de drenaje deteriorado, programas buenos con pobres producciones, "una empresa con malas mañas" y con la animadversión de muchos trabajadores de Imevisión, que le echaron camorra, entre ellos José Ramón Fernández. Fue un claro enfrentamiento entre "aztecos" y "televisos". En una reunión, Fernández le reclamó de manera airada: "ningún televiso me va enseñar a hacer televisión".[283] Según Chapoy, al conductor deportivo le "trastornaba la sola idea de que alguien salido de Televisa llegara a poner orden y mucho menos que fuera mujer".[284]

El monopolio se sentía mortalmente amenazado

Para el 18 de julio de 1994 Pati Chapoy se puso de nuevo frente a la pantalla, dirigiendo y conduciendo *En medio del espectáculo*, en TV Azteca. Era un programa de noticias sobre hechos relevantes del medio artístico y duró hasta 2006. Contó, en distintos momentos de su historia, con la co-conducción de Atala Sarmiento, Enrique Aguilera, Rafael Sarmiento y Mónica Garza. Para esta última, además de haberse convertido en una gran escuela para reporteros y conductores, *En medio del espectáculo* "logró abrir las puertas del mundo de la farándula, que insistían en cerrarse para nosotros: la nueva competencia".

Televisa comenzó a sentir y resentir la presencia de la nueva televisora. Muchos de los artistas más importantes tenían contratos de exclusividad con la empresa de Chapultepec 18 y recibieron la consigna de no dar entrevistas a TV Azteca. "A unos cuantos días de estar al aire", informa Chapoy, *En medio del espectáculo* obligó a ejecutivos de Televisa a sostener una reunión urgente con los principales empresarios disqueros del país: la consigna era cerrarnos las puertas. No concebían que un artista floreciera fuera de sus dominios; no tenía ese derecho, y nosotros menos a contarlo en nuestras filas. La advertencia para los disqueros fue clara: o estaban con ellos o contra ellos. El monopolio se sentía mortalmente amenazado y hoy sé que tenía motivos".[285]

---

[283] *Historias engarzadas, op. cit.*
[284] *La indiscreta, op. cit.,* p. 25.
[285] *Ibid.,* p. 27.

En su libro *La indiscreta*, Chapoy reproduce el comentario que le hizo Alberto Ciurana, en ese entonces vicepresidente de programación de Televisa: "¿Sabes cómo me despierto en las mañanas? Pensando en cómo chingarlos".

Una buena oportunidad de llevar a cabo este conciso deseo la tuvieron, con creces, en 1997. Ya para ese momento Pati Chapoy se había convertido en la reina del periodismo televisivo de espectáculos a través de su programa *Ventaneando*. De hecho, junto con las telenovelas producidas por Argos —*Nada personal* (1996), *Demasiado amor* y *Mirada de mujer* (1997)—, *Ventaneando* era una de las cartas fuertes de TV Azteca para ir posicionando su presencia a nivel nacional. La primera emisión ocurrió el 22 de enero de 1996. Todo había surgido tras una comida con la productora Carmen Armendariz. La idea era hacer un programa de corte desenfadado e incisivo, con entrevistas y comentarios que abandonaran la complacencia de antes y profundizaran en temas de interés, con espíritu polémico y cuestionador. El equipo original de conductores incluía a la propia Chapoy, al frente de un equipo formado por Pedro Sola (amigo de Armendariz), Juan José Origel y Martha Figueroa (cuando Chapoy ya se había distanciado de ella, confesó que la había elegido para mostrar que una mujer no tan bonita podía merecer salir en TV). "Y en la calle nuestros reporteros también eran la novedad [...] aguerridos y a veces hasta implacables sacaban de sus casillas lo mismo a Vicente Fernández que a Andrés García o Lupita D'Alessio, con preguntas que antes nadie les había soltado tan directo. Pero, ¡qué lata! ¿Quién los manda, quién les ordena preguntar eso?"[286]

El programa constituyó todo un éxito. Desde sus inicios Pati Chapoy sentó las bases de algo impensable para la época: hablar de "lo que se hace aquí y lo que se hace allá". Fue el comienzo en la guerra de *ratings* que desde entonces ha caracterizado al duopolio televisivo en México. En Televisa hubo preocupación, voces de alarma. Los rumores en torno a la prohibición a sus artistas de dar entrevistas a *Ventaneando* se multiplicaron. Algunos rehuyeron a los reporteros, otros contestaban con nerviosismo, con temor de alguna represalia: el famoso veto que como castigo se imponía desde Chapultepec 18 y que significaba perder importantes fuentes de trabajo. Fue una época difícil para Televisa. Emilio Azcárraga Milmo —el mismo que se identificaba sin pudor como "soldado del presidente" y el que se jactaba de hacer una televisión

---

[286] *Ibid.*, p. 29.

para jodidos— había recibido con beneplácito y desdén la llegada de Salinas Pliego, pues no lo consideraba un serio competidor. De hecho, poco después de que se convirtiera en dueño de TV Azteca, Azcárraga lo felicitó personalmente: "Me da mucho gusto que seas tú. Conozco a tu familia y sé que son trabajadores. Enhorabuena, cabrón. Bienvenido".[287] En otra ocasión se refirió a TV Azteca como "esa pinche cosita".[288] Las cosas, sin embargo, fueron modificándose con el tiempo. Salinas Pliego comenzó a meterse en terrenos que Televisa consideraba suyos: la producción de telenovelas y de noticieros (*Hechos* inició sus transmisiones en 1994). Planteó, además, un esquema de compra de aire publicitario mucho más barato y flexible que el de su poderoso competidor. Para 1995, TV Azteca ya contaba con un 30 por ciento de la tajada del pastel de audiencia televisiva en el país, lo que por supuesto era motivo de preocupación en Televisa. Programas como *Los Simpson* y *La niñera*, las telenovelas de Epigmenio Ibarra, emisiones de nota roja como *Ciudad desnuda*, de comedia como *Puro loco* y la presencia de Brozo el payaso tenebroso y de Héctor Suárez en *La cosa*, así como de espectáculos como *En medio del espectáculo* y posteriormente *Ventaneando*, y la llegada de Christian Bach y Humberto Zurita mediante un jugoso contrato, contribuyeron a esta subida del *rating* de canal 13. Televisa, por lo demás, tenía una enorme deuda corporativa de más de mil millones de dólares, sus acciones en la bolsa se habían depreciado y, para colmo de males, Emilio Azcárraga Milmo veía su salud consumirse por el cáncer. El 3 de marzo de 1997 —tras consultarlo con Miguel Alemán Velasco— el Tigre tomó la decisión de retirarse y le pasó la estafeta a esa "sangre joven, agresiva y espero que inteligente"[289] que representó su hijo Emilio Azcárraga Jean, de apenas veintinueve años. El 16 de abril moría el Tigre y con él toda una época de la televisión en México.

Azcárraga Jean heredó Televisa con una deuda de mil 800 millones de dólares. Anunció un plan económico llamado Televisa 2000, para atraer inversionistas, reducir costos, adelgazar nóminas y revertir la deuda tan onerosamente contraída. Inició cambios en la programación, despidió a inamovibles como Jacobo Zabludovski y Raúl Velasco y convenció con buenas ofertas económicas para que productores y conductores de TV Azteca como Federico Wilkins, Carmen Armendáriz y Juan José Origel se pasaran a las filas de Televisa.

[287] *El Tigre Emilio Azcárraga y su imperio, op. cit.,* p. 407.
[288] *Ibid.,* p. 474.
[289] *Ibid.,* p. 476.

"Se fue como las chachas, sin despedirse", dijo Chapoy con respecto a la salida de Origel de TV Azteca.

La contratación de Origel, por más superficial que pareciera, evidenciaba la preocupación de Televisa por los *ratings* alcanzados por Pati Chapoy con *Ventaneando*. Al ser una "fábrica de sueños", el éxito de las emisiones de Televisa se basaba en la contratación y construcción de ídolos, algunos duraderos y otros efímeros. Antes de TV Azteca la única fuente de trabajo era el imperio del Tigre Azcárraga. Cuando surgió la televisora del Ajusco, sin embargo, esta única opción quedó en entredicho. Algunos artistas fueron tentados por la nueva opción televisiva. Algunos fueron contratados y otros recibieron las cámaras de TV Azteca para ser entrevistados. Esto no fue del agrado en Chapultepec 18. De inmediato se elaboró una lista negra de artistas vetados, que los imposibilitaba de trabajar en Televisa. "Cada mes aparecía una lista actualizada, preparada por Gaspar Rionda, el coordinador de eventos sociales de Azcárraga, y ejecutivos de San Ángel. Como es natural, Televisa negaba su existencia, pero, después de que se reprodujera en *El Financiero* una copia de la lista, las negativas perdieron credibilidad". La cantante colombiana Shakira, por ejemplo, que aparecía en *Oasis*, una telenovela colombiana transmitida por TV Azteca, estuvo vetada en ese tiempo por Televisa.[290]

Me querían tras las rejas

Los programas de espectáculos de TV Azteca pasaban verdaderos problemas para cubrir sus notas. El veto de Televisa ahuyentaba a los artistas. Escribe Chapoy: orillaron "a sus figuras a huir de nuestras cámaras; a cubrirse la cara; a dar respuestas poco inteligentes a nuestras preguntas, en el mejor de los casos, y en el peor, a contestar con agresiones". Una vez que Atala Sarmiento quiso hacer una entrevista con Daniela Romo, el saldo fue una persecución, un forcejeo y un micrófono roto.[291]

Una solución al veto consistió en apropiarse de fragmentos de entrevistas, programas diversos y telenovelas emitidos por la poderosa Televisa. "Algo que también hacía el canal cultural de Televisa, en Canal 9", recuerda Chapoy. En el caso de *Ventaneando*, los fragmentos —o

---

[290] *Ibid.*, p. 448.
[291] *La indiscreta, op. cit.* pp. 27-28.

videogramas— se utilizaban para hacer comentarios y cuestionamientos, tales como "las pifias en sus telenovelas, los resbalones de sus conductores, lo exagerado de sus escenografías… no se nos escapaba nada". Era la manera que Chapoy encontró, se sugirió en un artículo publicado en la revista *Contenido*, para "saborear una implacable venganza contra Televisa: exhibir y criticar hasta el menor desliz de actores y actrices de la compañía rival".[292] Como quiera que sea, esta acción, que resultó efectiva en términos de audiencia, trajo sus consecuencias. Televisa entabló una demanda judicial en contra de Pati Chapoy por el uso indebido de sus imágenes. El 18 de julio de 1997 se giró una orden de aprehensión en su contra.

Por supuesto, se trataba de una enérgica e inusual respuesta de Televisa a TV Azteca. Los enfrentamientos entre las televisoras ya se habían dado cuando, por ejemplo, desde Chapultepec 18 se dio a conocer la presencia de Raúl Salinas de Gortari en la compra de Imevisión o cuando Salinas Pliego se negó a seguir el consejo de Azcárraga Milmo de no dedicarse a la producción de telenovelas y noticieros. La situación de Televisa parecía desesperada, entre enormes deudas, la llegada de un nuevo y joven dueño, ajustes de cuentas internos y la baja en el *rating* y la credibilidad. *Hechos*, con Javier Alatorre, había desplazado en la aceptación pública a *24 Horas*, con Jacobo Zabludovski; periodistas como Guillermo Ortega y Ricardo Rocha tenían que valerse de romper ciertos cánones de los códigos periodísticos de Televisa —como, por ejemplo, la transmisión del video en torno a la matanza en Aguas Blancas— para recuperar fuerza informativa y, por ende, la confianza del teleauditorio.

El enemigo era TV Azteca, pero el blanco elegido para descargar la ira fue Pati Chapoy. Se le acusó de probable responsabilidad del delito previsto y sancionado en el capítulo V de la Ley Federal de Derechos de Autor.

En su artículo 137, dicha ley estipulaba que "el productor goza, respecto de sus videogramas, de los derechos de autorizar o prohibir su reproducción, distribución y comunicación pública".

"Era un misil dirigido que llevaba escrito mi nombre con todas sus letras. […] Me querían tras las rejas y en consecuencia a *Ventaneando* fuera de combate".[293]

---

[292] Genoveva Caballero, "Pati Chapoy y Juan José Origel: los reyes de la chismografía en TV", *Contenido*, México, 3 de enero de 1999.
[293] *Ibid.,* pp. 30-31 ésta y las anteriores citas.

Chapoy recibió, por supuesto, todo el respaldo de su jefe Ricardo Salinas Pliego. Se negó a aceptar el trato que le ofrecía el Procurador General de la República: que Chapoy fuera detenida durante unas horas, para calmar los ánimos y luego liberarla. "Se montó toda una estrategia para que al salir de TV Azteca no me apresaran. Logré salir, literalmente pecho a tierra, escondida en un auto que no era mío. Me llevaron a mi casa con la consigna de no salir ni asomar la nariz por las ventanas".

Al día siguiente le esperaba una desagradable sorpresa. A la entrada del conjunto residencial que habitaba se habían apostado un total de treinta y siete patrullas de la policía judicial. Esperaban que saliera para conducirla ante el Ministerio Público.

"¿Ya viste todo lo que estás ocasionando?", se comunicó Salinas Pliego por teléfono con ella para ponerla al tanto del operativo policial.

"Pasé por toda una gama de emociones", recuerda Chapoy: "primero la incredulidad; luego el asombro; la indignación; otra vez la incredulidad, la desesperación y el llanto". Se le mandó al día siguiente un helicóptero a su domicilio, y así, por aire, burló el cerco judicial para arribar como a las cuatro de la tarde a las instalaciones de TV Azteca.

Ese día se presentó en *Ventaneando*. A Chapoy le llamó la atención ver que Ricardo Salinas Pliego estaba muy alterado, al igual que otros ejecutivos y compañeros de trabajo. El director de TV Azteca le preguntó:

—¿Cómo te sientes?

Respondió Chapoy:

—Me siento muy extraña. ¿Cómo es posible que con mis cuarenta y siete kilos y mi uno sesenta me quieran meter a la cárcel?

La conductora trataba de mantener la calma pero se le notaba nerviosa, preocupada, la voz quebrada a ratos. Juan José Origel recuerda que aquélla fue la primera vez que la vio temerosa y a punto de llorar. Chapoy estaba vestida de largo y en medio de una vistosa escenografía, la de *Ventaneando millonario*. Dijo: "Este programa ha tenido una característica muy especial. Cuando salió le gustó mucho al público. Y luego de eso provocó una ira y una envidia realmente enorme en la competencia, que es Televisa. Llegó una orden de arresto a mi persona de la que fui notificada el día de ayer. Antes de salir al aire para hacer este programa de televisión decidimos que tenía que hacer este programa porque confío en las leyes de este país. Si alguna vez tengo que ir a la cárcel por ejercer mi trabajo de periodista, pues lo voy a tener que hacer. No lo voy a hacer con felicidad sino que lo voy a hacer con mucha tristeza, pero si ése es el precio que tengo que pagar por defender este país y la libertad que tenemos, lo voy a hacer. Pero ahora las cosas son diferentes. Ahora estoy en Televisión Azteca. Ahora estoy ejerciendo un trabajo. Y creo, como todas las mujeres que me están viendo en mi país, somos mujeres trabajadoras, mujeres que creemos en la familia, mujeres que creemos en el amor, en el esfuerzo y en el trabajo de todos nosotros, no debemos permitir, nadie, que se hagan este tipo de atropellos. No puede ser que de pronto estén volando encima de mi casa cinco helicópteros y que sea tratada como una delincuente…"

La crestomatía

Debidamente amparada y con todo el respaldo legal por parte de TV Azteca —sus abogados fueron, entre otros, Adolfo Aguilar Zínser, Ulrich Richter y Francisco Borrego—, la defensa de Chapoy se basó en el artículo 151 de la Ley Federal del Derecho de Autor, que especifica los casos en que no se constituye una violación a los derechos de los artistas, intérpretes, ejecutantes y productores. I, cuando "no se persiga un fin económico directo", y II, cuando "se trate de breves fragmentos utilizados en informaciones sobre sucesos de actualidad".

Los abogados argumentaron el concepto de crestomatía para defender el uso de imágenes de otras televisoras en sus propias emisiones y que pueden ser transmitidos sin pagar derechos a los emisores originales.

El procedimiento legal duró tres años. "Me percaté de la lentitud de la justicia", comenta Chapoy. Fueron tres años de sobresaltos y temores. Cada vez que se vencía un amparo, la conductora se escondía en un lugar secreto —ni sus compañeros de *Ventaneando* lo sabían— a fin de no ser detenida entre el vencimiento y la renovación del amparo. Por fin, en junio de 2000, la Suprema Corte de Justicia de la Nación falló a su favor.

Al ser cuestionada sobre este fallo, Chapoy respondió: "De alguna forma estaba segura de que iba a ganar porque me culpaban de un delito que no existe en la Ley de Derecho de Autor. No tengo que tener muchos conocimientos de leyes para saber que eso no procedía y, cuando me dijeron que habíamos ganado, mi reacción inmediata fue no creerles a los abogados porque durante mucho tiempo estuve detrás de ellos pidiéndoles información y no me la daban. Qué bueno que no me la dieron porque me preocupaban más. Después de que se me pasó el soponcio de que habíamos ganado, me dio muchísimo gusto."

"—¿Fue una sorpresa?", le preguntó la reportera Alejandra Mendoza Lira, de *El Universal*.

"—Por supuesto, porque los abogados me daban fechas, se vencían y no pasaba absolutamente nada. Hasta que entendí que ellos eran los expertos y tenían que manejarlo según sus propios conocimientos. Sí, fue una sorpresa. No me lo esperaba. Creí que se iba a llevar mucho más tiempo y aun cuando se llevó tres años, porque parece que los casos legales no tienen fin, a final de cuentas me siento muy contenta y tranquila.

"—¿Nunca dudó en que ganaría?

"—Jamás, porque a la hora en que planeamos el programa para salir al aire, leímos la Ley de Derechos de Autor, me senté con los abogados, vimos cuáles era los pros y los contras. Cuando vi los contras que tenía enfrente mío, dije: me aviento, no voy a quedarme con los brazos cruzados. Estaba segura de que iba a causar un enojo, una molestia, pero esto ocurre cuando implementas algo nuevo, cuando te portas audaz, cuando piensas un poquito adelante de los demás. Siempre ocurre algo. Pisas los talones, los callos. Pero yo sabía que fuera de una molestia natural, dada la competencia que teníamos, no iba a pasar otra cosa y pasó. Me dolió mucho. Fueron momentos muy difíciles, situaciones que nadie se las espera, pero me libré de ser fichada, de ir al bote, de pagar una fianza. Me libré de muchas cosas".[294]

La demanda contra Chapoy no prosperó. Al contrario, fue un tiro que les salió por la culata a los ejecutivos de Televisa que la planearon y ejecutaron, pues esta acción, lejos de lastimar la credibilidad de su demandada, la afianzó. La convirtieron en un paladín de la libertad de prensa. En una defensora del derecho a la información. En un ícono indiscutible de TV Azteca. En una mujer valerosa que se enfrentaba, ella sola, al imperio mediático. Para Álvaro Cueva, Pati Chapoy "ha logrado que las más altas instancias volteen a ver que en la prensa rosa y de espectáculos también debe lucharse por la libertad de expresión".

El caso Trevi: la mano en la ingle y las islas Caimán

Mientras Pati Chapoy ofrecía su propia batalla para no ir a la cárcel, contribuyó a dar a conocer y hacer más grande uno de los escándalos más sonados en la historia de la farándula mexicana. Lo protagonizó el

[294] Alejandra Mendoza Lira, "Me acusaban de un delito que no existía: Chapoy", diario *El Universal*, 30 de junio de 2000.

llamado "clan Trevi-Andrade", con la ayuda indudable de TV Azteca, que cubrió con singular esmero y parcialidad muchos de los ángulos de esta tristemente célebre historia.

"El espectáculo se hace, invariablemente, a partir de los escándalos", ha dicho Pati Chapoy. "Si ahorita digo cualquier nombre, de inmediato se nos van a venir a la cabeza los divorcios, los amantes, o si le pegaban o si estaba gorda o flaca".[295]

El escándalo del "clan Trevi-Andrade" reunía todos los elementos propios del periodismo rosa y de nota roja. Todo inició en abril de 1998, con la aparición del libro *Aline. La gloria por el infierno*, escrito por Rubén Aviña con base en el testimonio de Aline Hernández Ponce de León, una joven cantante que había sido esposa de Sergio Andrade y parte del grupo de Gloria Trevi. El libro retrataba el supuesto maltrato que sufrió desde los trece años, en que por hacer realidad su sueño de convertirse en una artista famosa, entró a formar parte del séquito de jovencitas que rodeaba a Andrade, por aquel entonces un destacado compositor y productor musical. Pati Chapoy escribió el texto de la cuarta de forros, donde se puede leer: "Aprovechándose de su posición y de la inocencia de ésta aún niña, Andrade la envuelve poco a poco y, prácticamente, la obliga a alejarse de su familia, para adentrarla en un mundo en 'el que más tarde, esta niña, totalmente manipulada y confundida, llega a perder su virginidad, su amor propio, su dignidad, su familia y hasta su libertad".[296] El libro, en términos generales, era una denuncia del abuso sexual, psicológico y económico que no sólo Aline sino otras jovencitas habían sufrido como supuestas víctimas de Andrade y de Trevi.

A través de *Ventaneando* y otros programas de TV Azteca, como *El ojo del huracán*, Pati Chapoy se encargó de ventilar este asunto. Se puso del lado de Aline, a quien consideraba valiente y como todo un ejemplo de lección moral para la juventud en peligro de dar un mal paso. Escribió: "Que sirvan este libro y la terrible experiencia de Aline para que muchos adolescentes —y sobre todo sus padres— se enteren que en el medio artístico existen algunas personas que los pueden llevar a vivir las peores pesadillas y, de paso, cambiar la gloria por el infierno".

La evidente toma de posición de Pati Chapoy y la enorme dimensión que le dio a la cobertura televisiva de este escándalo, contaba con motivos y antecedentes dignos de destacar.

[295] José Antonio Fernández, *op. cit.*
[296] Rubén Aviña. *Aline. La gloria por el infierno*. México, Grijalbo, 1988.

El primero, un supuesto romance entre la propia Chapoy y Sergio Andrade, en los tiempos del Festival OTI. Él mismo hizo público lo anterior en una entrevista con Adela Micha, y Gloria Trevi lo cuenta en su libro *Gloria*. De acuerdo a los dimes y diretes, él promovió la ruptura. Tenía reputación de mujeriego y cortó a Chapoy para andar con otras. Según estas versiones, la conductora estaba resentida, lo que explicaba parte de su interés en atacar a Andrade y a Trevi. Para esta última todo era muy claro: la conductora "me puso en la mira para realizar contra mí su venganza de Sergio y aliviar su despecho".[297]

En el libro *Amarga seducción. La verdadera historia de Sergio Andrade y sus caperucitas*, escrito por Claudia de Icaza, el otrora productor y cantante confiesa los amoríos que tuvo con Chapoy y su indignación por lo que llama la hipocresía de la conductora: "Aunque ya callé por muchos años, pues no es de caballeros publicar sus relaciones, esta tipa ha sido tan mentirosa, tan criminal y tan baja en sus ataques a nosotros, que merece un poco de ubicación a sus intentos por aparecer como 'mujer fiel, leal y madre de familia ejemplar. Todos los que me rodeaban en aquella época (1983-1984) se daban cuenta de lo apasionada que andaba por mí, cómo me buscaba, me seguía, me llamaba, me festejaba e iba conmigo a muchas partes. Nos veíamos en cualquier punto de la ciudad y se iba a mi casa que está en Burgos, Cuernavaca, y regresábamos ya tarde. En otras ocasiones, sólo salíamos a comer a un restaurante discreto o ella iba a mi oficina y hasta se permitía bromas tontas, como, al pasar por Tres Marías, decir: 'Ay, no vaya a estar el carro de Álvaro ahí. Déjame ver', y se reía. Iba toda acelerada, sin soltarme de la mano o el cuello mientras manejaba". Agregó: "yo en aquella época iba por todas, tenía veintiocho años y aunque traté de evitarla, sucumbí a la tentación, y no porque me hubiera enamorado; es más, a mí nunca me ha gustado involucrarme con mujeres casadas, me incomodaba mucho, pero ocurrió… Ahora que lo pienso, no debí acabar la relación como lo hice, de un modo impropio", señaló reflexivo. "Un día en que al despedirme de ella en aquel estacionamiento le dije que la vería o la buscaba a la siguiente semana, quedando muy formal de hacerlo, no lo cumplí, típico en mí y lo aceptó, sin previo aviso. Así se tratara de una grabación, junta de negocios o amorosa, dejaba plantados a todos: uno de mis rasgos más negativos".[298]

---

[297] Gloria Trevi. *Gloria*. México, Planeta, 2002, p. 88.
[298] "Confiesa Andrade amores con Chapoy", diario *El Universal*, 7 de julio de 2004.

Pati Chapoy siempre ha negado este romance. Toda su relación, ha dicho, se reducía al terreno amistoso y profesional. "Con Sergio tuve una amistad. Hacíamos trabajos en paralelo. Él como representante y yo como periodista. Me pasaba información de la gente que manejaba. Incluso, en alguna ocasión, fue a comer a mi casa. También produjo discos con mi esposo, así que no tengo nada que esconder", comentó al periódico *Reforma*. En el programa *Historias engarzadas* relativo a su vida, Álvaro Dávila defendió a su esposa sobre este particular. Tildó a Andrade de muy inteligente y descartó sus comentarios al considerarlos una hábil orquestación sin fundamento. A la misma Chapoy, lo dicho por Andrade le ha parecido siempre absurdo y muy infantil. "Suponiendo que yo fui novia de Sergio Andrade, ¿eso qué tiene que ver con las violaciones que hizo o con el maltrato a todas las niñas? No tiene nada que ver".

Hay más antecedentes. Uno en particular se remonta a finales de 1995 y principios de 1996, en el marco de la guerra entre Televisa y TV Azteca. Esta última televisora, en su lucha por ganar *rating*, coqueteó con la idea de contar entre sus artistas con Gloria Trevi. La artista rebelde, de pantalones rotos y pelo suelto era un imán atractivo para jóvenes audiencias. Pati Chapoy invitó a comer a la Trevi y a su representante, el ya mencionado Sergio Andrade, para invitarlos a formar parte de la televisora del Ajusco. "Pensé que estaría sentida conmigo —dijo Sergio—, pero ahora reaparece en mi vida en el mejor de los planes. Han pasado seis o siete años y el tiempo cierra heridas y cura cicatrices".[299] Chapoy habló con entusiasmo de TV Azteca, que representaba la nueva opción y marcaba el fin del monopolio. "La Chapoy se colgaría una medalla si lograba firmarme [...] y se desvivía adulándome, me decía 'mi muñequita'",[300] intuía Gloria Trevi. La cantante, sin embargo, no se sentía muy cómoda entre los altos ejecutivos de la empresa. Un día, lo cuenta con lujo de detalles en su libro autobiográfico, el propio Ricardo Salinas Pliego trató de verse seductor con ella:

"'Ay, Gloria, sería capaz de darle todo lo que quisiera, poder, amor, todo, a la mujer que...' Y no escuché más porque sentí en la ingle el ligero roce de una de sus manos. Pegué un salto, le aventé la mano y crucé la barrera que formaba con el otro brazo y el cuerpo. ¡Con razón se le enojaba la señora!".[301]

[299] *Idem.*
[300] *Ibid.*, p. 95.
[301] *Ibid.*, p. 93.

En TV Azteca se transmitió un programa especial del calendario de Gloria Trevi y un concierto en vivo. Parecía que la batalla por su exclusividad estaba ganada. De hecho, lograron que Trevi firmara el contrato para una telenovela. Las cosas, sin embargo, no marcharon. El contrato se revocó y se reiniciaron las negociaciones. Trevi pidió un millón de dólares. Salinas Pliego, según las declaraciones de la cantante, le ofreció trescientos mil y otros quinientos mil depositados en donde fuera, "en las islas Caimán, donde tú digas". Explicó:

"Mira, si recibieras por contrato un millón de dólares, tendrías que pagar a Hacienda el treinta por ciento y te quedarían setecientos mil. Lo que te propongo es lo mismo. Trescientos mil dólares por contrato, menos cien mil que entregas a Hacienda, te quedan doscientos mil. Más los quinientos mil por fuera, son los setecientos mil que quieres".[302]

El trato no fue del agrado de Trevi, quien a lo largo del libro aparece por supuesto como francamente recatada y moralista, incapaz de hacer o avalar algo malo. Le pidieron renunciar al pago por veinte años de las repeticiones de la telenovela y tampoco aceptó. Su actitud exasperó a un ejecutivo de TV Azteca, quien le dijo: "Las yeguas de mi corral no me dicen que no tantas veces". A lo que la Trevi respondió: "No sé si tienes casa o corral, yeguas o vacas, pero te repito que, así como quieren, ¡no!"[303]

La gloria por el infierno

Gloria Trevi se negó "a ser tratada como una licuadora y un tostador" y terminó por firmar con Televisa. "Me dio mucho gusto y me divertí como loca ese día, dejando a los de TV Azteca con un palmo de narices".[304]

La osadía le costó cara. "No sabía que firmaba mi desgracia", aseguró en su libro. En TV Azteca se desató una intensa campaña mediática en contra de Andrade y de Trevi. Desde *Ventaneando* Pati Chapoy criticó con creces el fracaso que representó para Televisa el programa XETU con Gloria Trevi como conductora. Hizo un programa completo sobre la Trevi que tituló *El ocaso de una estrella, primer round.* Para la cantante, "Patricia Chapoy, de mi principal aduladora, se había convertido en mi

[302] *Ibid*, p. 99.
[303] *Ibid.*, p. 101.
[304] Felipe Morales Martínez, "Televisa y TV Azteca, al margen del escándalo Trevi y Andrade", diario *El Universal*, 12 de febrero de 2000.

principal detractora. […] No sólo atacaba al programa y a mi persona en lo profesional, sino que me llamaba sucia, decía que no me bañaba, que no tenía talento. […] Que yo estaba embarazada que estaba en centros de rehabilitación para drogadictos y también dio la noticia de que había tratado de suicidarme y estaba en un hospital de Los Ángeles. […] Me inventaron noviazgos, hijos, romances con quien se les antojó y una sarta de estupideces sólo dignas de ella".[305]

Para 1998, a partir de la publicación de *Aline. La gloria por el infierno*, las críticas arreciaron. Los reporteros de TV Azteca "(calumniadores, debería llamarles) concedían total credibilidad a lo que Aline decía".[306] En junio, Gloria Trevi aseguró que era víctima de un pleito entre televisoras debido a contratos de exclusividad. "No le temo a Ricardo Salinas Pliego ni a Emilio Azcárraga Jean", declaró. Agregó, con su habitual y juvenil desparpajo: "Yo no me he comprado ni un chicle con dinero prestado por Raúl Salinas de Gortari, tampoco he tenido una demanda de Hacienda o una orden de formal prisión de la PGR, ni tengo chorrocientas mil tiendas de electrodomésticos".[307]

No dejaba de quejarse de Chapoy, quien "hablaba de órdenes de aprehensión, para hacernos aparecer como fugitivos, lo cual no era cierto, y en su programa *Ventaneando*, que debería llamarse *Calumniando*, se dedicaba a difamarme diciendo que cómo era posible que le hubiera llevado a Sergio niñas de ocho, nueve, diez y once años para que abusara sexualmente de ellas".[308]

En Brasil, donde vivía el clan Trevi-Andrade, con todas las jovencitas que se disputaban los favores románticos del compositor y productor, la ingenuidad de la Trevi y el desinterés o cinismo de Andrade, contribuyeron a que el escándalo creciera. La muerte de Ana Dalai, la hija recién nacida de Trevi y Andrade a finales de 1999, así como su aprehensión y encierro en cárceles brasileñas, contribuyeron a dar más leña al fuego mediático.

Para Trevi, el papel de Pati Chapoy era claro: el "acoso y persecución por parte de TV Azteca" era "una forma de tenerme, de robarme a Televisa, de usar mi imagen para hacer un novelón, ganando millones y elevando los *ratings* sin pagarle a la estrella, o sea a mí".[309]

[305] Gloria Trevi, *op. cit.*, pp. 110, 113 y 120.
[306] *Ibid.*, p. 130.
[307] Morales Martínez, *op. cit.*
[308] Gloria Trevi, *op. cit.*, 132.
[309] *Ibid.*, pp. 218-219.

Para Pati Chapoy, en cambio, la cobertura de este caso por TV Azteca fue hecha a fondo y con profesionalismo. "La información que recabamos se le entregó a la AFI porque ya había muchas demandas de mamás. Gracias a nuestra investigación se logró que las autoridades voltearan a ver el caso. ¡Y qué bueno! Imagínate si nos hubiéramos quedado callados. La primera que habló fue Aline Hernández. A partir de ahí nos seguimos nosotros. Fue un caso trágico. Ojalá los padres lo recuerden para no permitir que le suceda eso a sus hijos".

Con respecto a lo dicho en *Gloria*, el libro de Gloria Trevi, la conductora afirmó: "En lo personal me da una flojera horrible leer un libro basado en tantas mentiras y, segundo, no pienso perder mi tiempo ni gastar mi dinero... que diga misa, son puras mentiras".[310]

Difícil, lidiar con una persona como yo

Pan y circo. Antes que una televisión para educar o promover la cultura, la televisión mexicana se distingue por la lucha del *rating* a través de programas ligeros de entretenimiento. TV Azteca, lejos de representar una opción, siguió los pasos de su poderosa competencia. Así lo estableció Ricardo Salinas Pliego desde el principio, al considerar a la televisión como "un instrumento mediante el cual la gente se distrae y se relaja y debe desenfatizar el contenido político, ideológico y noticioso; quien no entiende eso no entiende de televisión".[311]

El trabajo de Pati Chapoy incide poderosamente en esta noción televisiva. El *rating* como dogma. El periodismo rosa. La consigna comercial de dar al público lo que quiere.

"Yo pienso en *ratings*", dice. "Estoy aquí para dar resultados. No porque sea simpática, flaca o porque sea mujer. No es angustioso sino muy divertido. A mí me encanta estar adivinando lo que la gente quiere. Mi *rating* es el humor de las personas. Tengo que lograr que se enganchen con entretenimiento, que se emocionen y que permanezcan en el programa".

Un día típico en la vida laboral de la conductora consiste en lo siguiente: "Me levanto muy temprano, entre las cinco y media y seis de la mañana. Lo primero que hago es meditar, después me aseo y salgo.

[310] Elizabeth Hernández Cerda, "Chapoy no piensa leer el libro de Trevi", diario *El Universal*, 16 de noviembre de 2002.
[311] *El Tigre Emilio Azcárraga y su imperio Televisa, op. cit.*, p. 408.

Generalmente, en las mañanas desayuno con alguna cita de trabajo. Llego a TV Azteca a las diez. Me pongo a revisar los *ratings*. El lunes reviso los del fin de semana y entre semana los *ratings* del día anterior. Checo también las notas que vamos a dar en *Ventaneando*. Tengo tres juntas semanales, una con los productores de todos los programas, que son como catorce; otra es una junta de Consejo y otra una junta de producción donde vemos qué está funcionando y qué no. A veces salgo a comer a casa y a veces me quedo a comer en TV Azteca. Recibo gente hasta las cuatro de la tarde. A partir de esa hora todo es *Ventaneando*. Me maquillo y arreglo para hacer *Ventaneando América*, primero, y *Ventaneando México*, después. Termino a las siete y media. Los lunes tomo clases de baile con toda mi gente, para relajarnos. Bailo de todo. Un día nos dan *belly-dance*, otro cumbia, otro salsa y así. Y después me voy a casa".

Tiene dos hijos: Rodrigo y Pablo, de veintiocho y veinticinco años, respectivamente. "Ambos son muchachos estudiosos, trabajadores". Pablo estudió cine y se dedica a la producción y dirección de videos musicales de rock y de baladas. "Está trabajando muy bien. Recientemente le pidieron un video para Nike". Rodrigo es músico. A los doce años ya había compuesto sus primeras canciones. Estudió en Berkeley y a su regreso a México creó el grupo musical Motel, junto con sus amigos Guillermo Méndez, José Damián (baterista) y Rubén Puente (bajista). De acuerdo a sus declaraciones en la revista *In Style*, le gusta comprar ropa en tiendas como Channel, Hugo Boss y Diesel, aunque también en La Lagunilla, "pues considera que es lo mejor que hay para conseguir ropa usada con mucha onda". Rodrigo escribió el tema musical de programas como *Historias engarzadas* y *Ventaneando*. Paradójicamente, firmó un contrato con Warner Music que lo mantiene como artista de Televisa y no puede hacer presentaciones en TV Azteca.

"Debe de ser difícil para ellos tener una mamá como Pati Chapoy, porque tienen una mamá muy polémica", afirma ella misma.

Ha estado casada durante treintaiún años con Álvaro Dávila, actual presidente del Club Deportivo Morelia, propiedad de TV Azteca. Su paso como directivo de un equipo de fútbol ha sido empañado con la sospecha de que su mujer lo ayudó a conseguir ese puesto, que no tiene nada que ver con su carrera como cantante y compositor.

"Para que un matrimonio funcione", ha dicho Chapoy, "por supuesto que se necesitan varias cosas: el amor, claro, el respeto, la admiración, pero debe haber también mucha complicidad. Conozco muchas relaciones en las que la mujer se asume ante su esposo como su mamá y entonces las patologías de ambos se combinan porque el hombre quiere ser el hijo y ella la mamá, entonces se genera una situación bastante desagradable, que es cuando los hombres son mantenidos por las mujeres".[312]

El resumen que Chapoy hace de su matrimonio es "bueno, con sus altibajos. Cuando hemos tenido esos 'bajos' nos hemos sentado a platicar. Álvaro es una persona psicoanalizada y eso ayuda mucho porque hablamos el mismo idioma. Para Álvaro ha sido difícil lidiar con una persona como yo, por el tipo de trabajo que tengo. Por ejemplo, si vamos a una obra de teatro y es estreno y hay periodistas, a él no le gusta, se siente incómodo. Entonces hemos tomado la decisión de que él no va y yo voy con una amiga. Pero ha sido muy inteligente en ese aspecto y yo he sido en eso muy sumisa. No llevo nada de trabajo a mi casa. En eso soy muy especial. Atiendo a mi casa como debe ser, a mi marido, a mis hijos. O a veces ellos me atienden a mí. El tener una buena relación no es nada más que salgan las cosas y ya, sino el estarlas hablando".

De las más odiadas/odiosas

En los últimos años Pati Chapoy, ya sea a través de *Ventaneando* o de programas como *El ojo del huracán* o *Con un nudo en la garganta* (que inició transmisiones el 3 de septiembre de 2000) ha cubierto casos como la acusación de robo de autos a Gerardo Gómez Borbolla, ex novio de Alejandra Guzmán; el secuestro de Ernestina Sodi; el arrebato de furia contra la prensa de Fernando Guzmán López, guardaespaldas de Lucero ("su carrera va en picada, en caída libre, sin que se haya dado un tiempito para replantear su ruta", diagnosticó con respecto a la ex Chispita); la sorpresiva muerte, tras un intento de robo, de Mariana Levy, hija de Talina Fernández; los desplantes por hacerse de publicidad de Paty Muñoz; la salida de José Ramón Fernández de TV Azteca; la muerte de José López Portillo y los problemas de Sasha Montenegro; la vida de Héctor Suárez Gomis; los desplantes de Julio Zabala (a quien llama "negrito cucurumbé"); el cáncer de huesos de Joan Sebastian; la hija con Síndrome de Down de Roxana Chávez, los problemas de salud de Rossy Mendoza, el libro *Volcán apagado* con la biografía de Anel, el alcoholismo de Francisco Céspedes, la boda de Lisset y Demián Bichir, el romance de Silvia Pinal con Emilio Azcárraga Milmo, la presunta

---

[312] *Atreverse a ser mujer, op. cit.,* p. 303.

adicción a las drogas de Adal Ramones y los líos de Ana Bárbara contra Daniel Bisogno (quien dijo de ella que parecía marciano) y la relación de esta cantante con el Pirru, viudo de Mariana Levy, entre muchos otros casos y escándalos.

Por su labor ha sido demandada por Televisa y, por difamación, por Ana Vanessa Peniche y por Lucero León, madre de la cantante Lucero. Chapoy aseguró públicamente que la señora León había sostenido un romance con el chofer de la familia. Escribió a este respecto Ernesto Hernández Villegas, el 26 de abril de 2001 en *El Universal*: "Todos sabemos que doña Lucero no es 'una perita en dulce'. Lo que no es justo es que se dediquen a atacarla cuando ellos tienen un medio para hacerlo y mamá Lucero no cuenta con un medio público. Ya va siendo hora de que alguien ponga en su lugar a Bisogno, que de prepotente y majadero nadie lo baja".

El 25 de julio de 2003, una encuesta *on line* de *El Universal*, colocó a Daniel Bisogno, Juan José Origel y Pati Chapoy, respectivamente, entre los personajes más odiados del momento. Lo mismo sucedió con una lista no exhaustiva de los más odiosos de la escena pública mexicana, dada a conocer por la revista *Día Siete*. Para Jorge Zepeda Patterson, su director, el resultado de este tipo de votaciones intuitivamente pone el dedo en la llaga del verdadero problema: "un pueblo que dedica desvelos y ansiedades a los rumores de actores de segundo nivel, salidos de las telenovelas de la tarde, es un pueblo que paulatinamente va perdiendo capacidad para entender, discutir y participar en los asuntos públicos que verdaderamente atañen a todos. Visto así, el daño que han podido causar los Bartlett, los Fernández de Cevallos o los Salgado Macedonio podrían ser menores que la erosión que este tipo de programas provoca en la atención de la opinión pública del país a los asuntos de mayor importancia. Más aún, el éxito de los programas construidos a partir de "polvo de las estrellas" (en más de un sentido) ayuda a explicar la despolitización que favorece la impunidad con la que los funcionarios y políticos manejan al país en nombre de todos. Mientras ellos actúan a su libre albedrío, los mexicanos vivimos y penamos por el escote de Lorena Herrera, los excesos de Thalía y los romances de Luis Miguel".[313]

Pati Chapoy no se considera odiada sino respetada. "También quiero decirles que de pronto esta encuesta puede generar lo que se llama

---

[313] Jorge Zepeda Patterson, "Los odiosos de la vida pública", diario *El Universal*, 3 de agosto de 2003.

efecto espejo, que el público ve en mí lo que no quieren ver en sí mismos".[314] Para ella, *Ventaneando* es la pasión de su vida. "Me encanta, me divierte, me entretiene, me apasiona. Me gusta mucho, porque a través de este programa hemos logrado que muchas personas crezcan a su alrededor y empiecen a ser pilares importantes de la empresa".

En junio de 2002 fue nombrada Directora de Espectáculos de TV Azteca. En 2007, durante el festejo de los once años de *Ventaneando*, Jacobo Zabludovsky dijo de ella: "Pati Chapoy es el claro ejemplo de que se puede hacer periodismo de espectáculos con dignidad y profesionalismo". En 2008 se encargó del segmento de entretenimiento de la televisora del Ajusco durante las transmisiones de los Juegos Olímpicos de Beijing.

Devorada por los zopilotes

La primera ocasión en que Chapoy recibió una crítica a su trabajo periodístico fue por intermedio de Gustavo Rivera, del periódico *Novedades*. "Me acuerdo que trabajaba con Raúl Velasco. Cuando me enteré fue por mi mamá y esa primera vez no me enojé, al contrario me dio mucha tristeza porque cuando mi mamá me lo platicó se puso a llorar porque la nota decía que yo era una persona soberbia y me puse a analizar si en verdad era así".[315]

No ha sido la única crítica ni la será. Polémica, controvertida, su trabajo lo mismo persiste en el gusto que en el disgusto del público. La quieren y la odian. Es congruente en su trayectoria profesional y contradictoria en la mezcla de budismo en su vida interior y de chisme y escándalo en su vida en la pantalla televisiva. Es talentosa y astuta, trabajadora, implacable y en constante búsqueda del *rating*. Para ello ha tenido que profundizar en los entretelones de la farándula y en la vida privada de las personas públicas. A ratos con morbo, a ratos con amarillismo, a ratos con equilibrio, a ratos con profesionalismo, a ratos con verdadero ahínco personal, como en los casos de Gloria Trevi y Sergio Andrade.

A pesar de su gran influencia mediática, no cree tener el poder de

[314] Emilio Morales y Maribel Gutiérrez, "A Bisogno, Chapoy y Origel los une el odio de la gente", diario *El Universal*, 25 de julio de 2003.
[315] "Pati Chapoy niega ser la mamá de los pollitos", diario *El Universal*, 31 de enero de 2007.

destruir una figura pública. "Eso no existe. Cada persona es responsable de lo que haga en su vida. Si un artista es alcohólico y lo da a conocer, lo va a destruir el alcohol, no yo. Si una persona es malagradecida, le va a ir mal, y no porque yo lo diga, sino porque esa persona está obrando mal. Por ejemplo, en el caso de Pablo Montero, que ha estado enredado en esa cantidad de situaciones, no es que yo lo diga, es que él está cometiendo errores. En el caso de Ludwika Paleta y Plutarco Haza, no se divorcian porque yo lo diga sino porque tienen problemas. Que yo lo comente hace parecer que tuviera algo que ver, pero no es así. No tengo nada que ver".

Tampoco se considera una mujer poderosa: "Es lo que dicen, que soy poderosa. Pero creo que el poder tiene que ver con que eres una persona que trabaja permanentemente y eso da como resultado el calificativo que quieras. Yo creo que el poder está en el trabajo. Y que a través de ese trabajo des resultados. ¿Cómo te vuelves poderosa? Haciendo bien lo que tienes que hacer".

¿Intocable? Tampoco. "No, para nada. Tan es así que el otro día, viniendo de Los Ángeles, me preguntaron cuánto había gastado en ropa y dije que mil dólares. Ah, pues pague impuestos, me dijeron. Yo nunca leo la declaración de impuestos y ahí se especifica que se pueden comprar hasta trescientos dólares en el extranjero. Tuve que pagar los impuestos de los setecientos dólares que me excedí. Para mí eso es ser tocable, ¿no? Una persona común y corriente".

No cree en Dios: "La idea de Dios es muy bonita, pero no comulgo con la idea del Dios del catolicismo. Creo más en que uno tiene que trabajar para salir adelante".

No le teme a la muerte, pues el budismo la ha venido preparando para afrontarla. Desearía, eso sí, morir de la siguiente manera: "devorada por los zopilotes. Pero en México va a estar un poco difícil. Me van a tener que incinerar, supongo".

MAURICIO CARRRERA es escritor y periodista, estudió Comunicación Colectiva en la UNAM y la maestría en Letras Españolas en Washington. Es colaborador de la revista *Día Siete*. Es autor de más de quince libros, los más recientes: *Volcán apagado, mi vida con el Príncipe de la Canción*, en coautoría con Anel (Diana, 2007), *Travesía, crónicas marineras* (Premio Nacional de Testimonio 2005), *Azar* (Premio Nacional de Cuento Efrén Hernández 2006) y *Soy diferente: emos, darketos y otras tribus urba-*

nas, en coautoría con Marisa Escribano (2008). Ha obtenido el Concurso Latinoamericano de Cuento Edmundo Valadés, el Premio Nacional de Periodismo Cultural Fernando Benítez, el Premio Nacional de Cuento Agustín Monsreal, el Premio Nacional de Cuento Inés Arredondo, el premio Nacional de Novela Jorge Ibargüengoitia y el Premio Nacional de Cuento Rafael Ramírez Heredia.

ÍNDICE ONOMÁSTICO

G

Ga-bí: 321, 322, 329

Galeana Herrera, Patricia: 55

Gallardo Vigil, Jesús, el Bebé: 286, 295, 296

Galván Gascón, Armando: 298

Gamboa Pascoe, Joaquín: 270

Gamboa Patrón, Emilio: 11, 169, 170, 171, 172, 173, 174, 175, 176, 177, 178, 179, 180, 181, 182, 183, 184, 185, 186, 187, 188, 189, 190, 191, 192, 193, 276, 278

Gamboa Patrón, Mario: 175

Gamiño de Aranda, Leticia: 199

García Ábrego, Juan: 181, 183

García Briseño, Julio: 42

García Cervantes, Ricardo: 103

García Manzano, Óscar: 29

García Ramírez, Sergio: 177

García Reyes, Domiro: 183

García Sáinz, Ricardo: 176

García Soto, Salvador: 278

García Zalvidea, Fernando: 113

García, Andrés: 334

García, Rafael: 323, 327

Garduño Espinosa, Roberto: 291

Garduño, Roberto: 75

Garza Hernández, José G.: 329

Garza Sada Lagüera, Eugenio: 97

Garza Sada, Eugenio: 96, 97

Garza, Mónica: 324, 331, 333

Gil Díaz, Francisco: 112, 210

Gil, Felipe: 328

Góber Bailador (Humberto Moreira): 11

Góber Piadoso (Emilio González Márquez): 248, 249

Góber Precioso (Mario Marín): 248

Gómez Borbolla, Gerardo: 348

Gómez Leyva, Ciro: 192

Gómez Mont, Fernando: 90

Gómez Morín, Manuel: 87, 90, 92, 102

Gómez Orozco, Enrique: 260

Gómez Urrutia, Napoleón: 9, 270

Gómez, Víctor Atilano: 254

Góngora Vera, Alejandro: 174, 175, 186

Góngora, Genaro: 187

González Barrera, Roberto: 205

González Canto, Félix: 284

González Curi, Antonio: 282

González de Aragón, Arturo: 210, 274

González Díaz Lombardo, Fernando: 124, 125

González Garrido, Patrocinio: 189

González Garza, Javier: 66

González Gómez Portugal, Bernardo: 253

González Luna, Efraín: 87, 90

González Márquez, Emilio: 11, 25, 26, 27, 29, 36, 37, 46, 226, 247, 248, 249, 253, 254, 255, 256, 263, 272

González Martínez, Jorge Emilio: 147

González Morfín, Efraín: 97

González Parás, José Natividad: 236, 239, 240

González Parás, Luis: 239

González Salas, Franco: 82

González Schmall, Jesús: 89, 91, 92, 93, 98, 213, 214, 218, 219, 220, 221, 224

González Schmall, Raúl: 74

González Tenorio, Julita: 118

González Terán, Roberto: 146, 149, 150

González Torres (hermanos): 148

González Torres, Enrique: 147

González Torres, Javier: 147, 148, 151, 163, 166

González Torres, Jesús: 92

González Torres, Jorge: 147

González Torres, José: 99

González Torres, Víctor: 12, 141, 143, 144, 145, 146, 147, 148, 150, 151, 152, 153, 154, 155, 156, 157, 158, 159, 160, 161, 162, 163, 164, 165, 166, 168

González Torres, Virginia: 147

González Villa, Manuel Salvador: 228